TRUDI CANAVAN

WIELKI MISTRZ

KSIĘGA TRZECIA TRYLOGII CZARNEGO MAGA

Przełożyła Agnieszka Fulińska

GALERIA KSIĄŻKI · KRAKÓW 2008

Tytuł oryginału: *The High Lord. The Black Magician Trilogy: Book Three*

Autor ilustracji: STEVE STONE / ARTIST PARTNERS LTD.

Opracowanie graficzne okładki na podstawie oryginału: PATRYK LUBAS

Projekt układu typograficznego i skład: ROBERT OLEŚ / d2d.pl

Opracowanie graficzne mapek i przygotowanie do druku okładki:
ELŻBIETA TOTOŃ / d2d.pl

Redakcja:
MAŁGORZATA POŻDZIK / d2d.pl

Korekta:
MAGDALENA KĘDZIERSKA / d2d.pl
ANNA WOŚ / d2d.pl

Wydanie I

ISBN: 978-83-925796-2-5

Wydawca: GALERIA KSIĄŻKI
www.galeriaksiazki.pl
biuro@galeriaksiazki.pl

Książkę tę dedykuję moim
przyjaciołom, Yvonne i Paulowi.
Dziękuję Wam za pomoc,
szczerość i cierpliwość oraz
za czytanie tej opowieści w kółko
i w kółko, i w kółko…

PODZIĘKOWANIA

Wiele, wiele osób zachęcało mnie i pomagało mi w pisaniu tej trylogii. Oprócz tych, którym złożyłam podziękowania przy okazji wydania *Gildii Magów* i *Nowicjuszki*, chciałabym pokłonić się jeszcze tym wszystkim, którzy wspierali mnie podczas pisania tej książki:

Korektorom, którzy dawali mi niezwykle cenne rady: Mamie i Tacie, Paulowi Marshallowi, Paulowi Ewinsowi, Jenny Powell, Sarze Creasy i Anthony'emu Mauricksowi.

Mojej agentce, Fran Bryson. Dziękuję Ci za zapewnienie mi wspaniałych warunków podczas „pisarskich wakacji".

Lesowi Petersenowi, który cierpliwie tolerował wszystkie moje sugestie i uwagi podczas tworzenia wspaniałych projektów okładek tego cyklu. Stephanie Smith i reszcie ciężko pracującego zespołu z HarperCollins, który nadał moim opowieściom formę atrakcyjnych, dopracowanych książek. Justinowi z Slow Glass Books, Sandy z Wormhole Books i księgarzom, którzy z wielkim entuzjazmem przyjęli moją trylogię.

A także tym wszystkim, którzy napisali do mnie e-maile, chwaląc *Gildię Magów* i *Nowicjuszkę*. Świadomość, że ta historia spodobała się Wam, pomaga mi podtrzymywać ogień natchnienia.

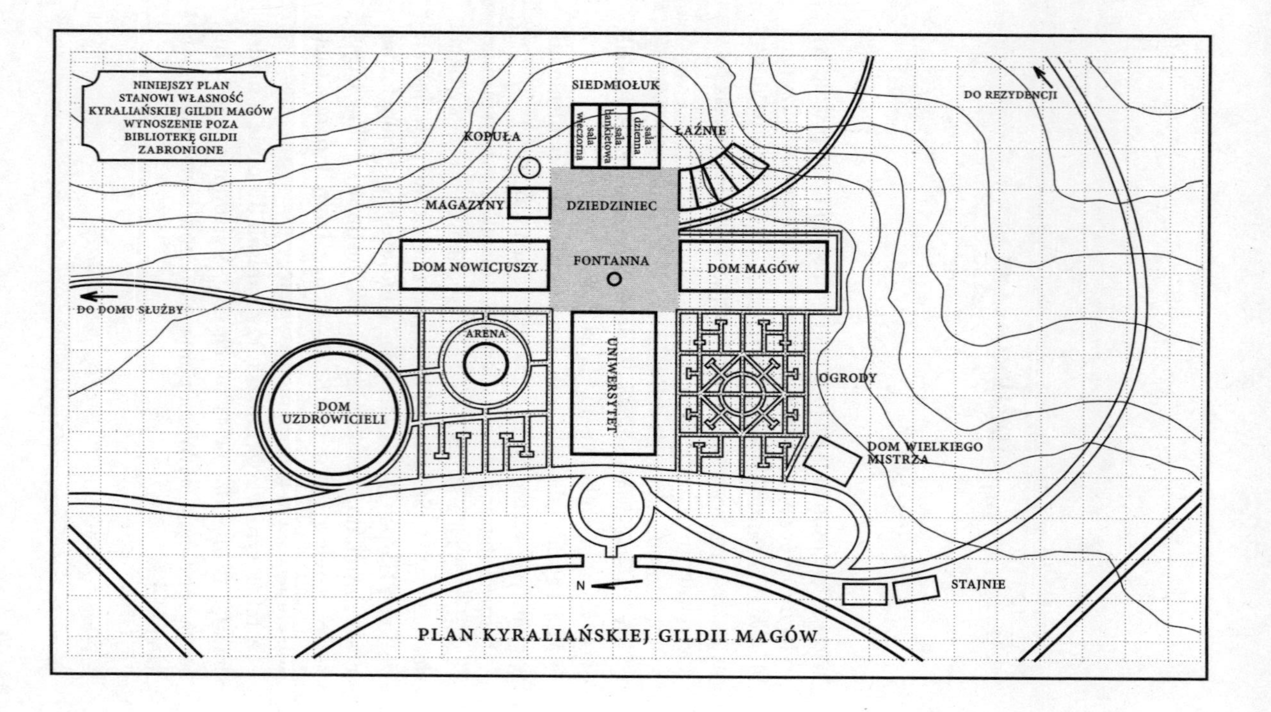
NINIEJSZY PLAN
STANOWI WŁASNOŚĆ
KYRALIAŃSKIEJ GILDII MAGÓW
WYNOSZENIE POZA
BIBLIOTEKĘ GILDII
ZABRONIONE
SIEDMIOŁUK
sala wieczorna
sala bankietowa
sala dzienna
ŁAŹNIE
KOPUŁA
DO REZYDENCJI
MAGAZYNY
DZIEDZINIEC
DOM NOWICJUSZY
FONTANNA
DOM MAGÓW
DO DOMU SŁUŻBY
ARENA
UNIWERSYTET
OGRODY
DOM
UZDROWICIELI
DOM WIELKIEGO
MISTRZA
N
STAJNIE
PLAN KYRALIAŃSKIEJ GILDII MAGÓW

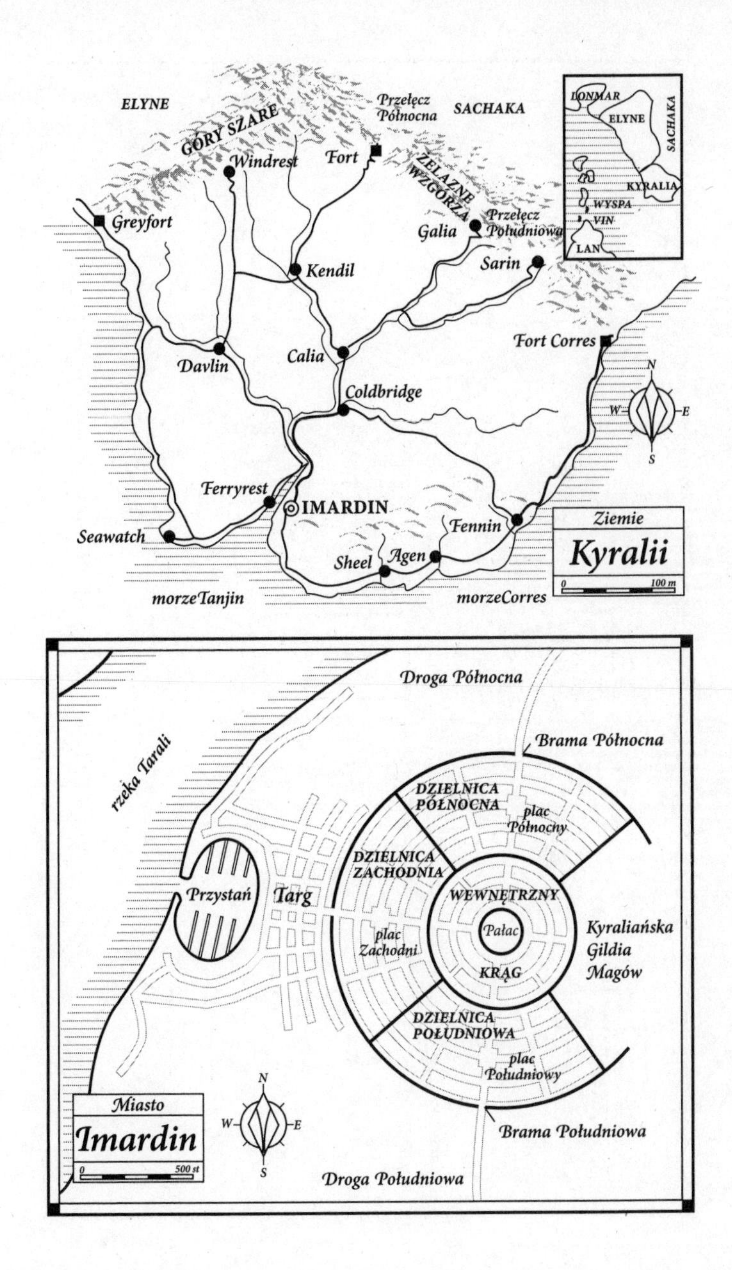
ELYNE
GÓRY SZARE
Przełęcz
Północna
SACHAKA
Fort
ŻELAZNE WZGÓRZA
Windrest
Greyfort
Galia
Przełęcz
Południowa
Kendil
Sarin
Fort Corres
Davlin
Calia
Coldbridge
Ferryrest
IMARDIN
Seawatch
Fennin
Sheel
Agen
morze Tanjin
morze Corres
LONMAR
ELYNE
SACHAKA
KYRALIA
WYSPA
VIN
LAN
N
W
E
S
Ziemie
Kyralii
0
100 m
Droga Północna
rzeka Tarali
Brama Północna
DZIELNICA
PÓŁNOCNA
plac
Północny
DZIELNICA
ZACHODNIA
Przystań
Targ
WEWNĘTRZNY
Pałac
KRĄG
plac
Zachodni
Kyraliańska
Gildia
Magów
DZIELNICA
POŁUDNIOWA
plac
Południowy
Miasto
Imardin
0
500 st
Brama Południowa
Droga Południowa

CZĘŚĆ PIERWSZA

ROZDZIAŁ 1

LIST

W dawnej poezji kyraliańskiej księżyc określany jest mianem Oka. Kiedy Oko jest szeroko otwarte, jego czujna obecność zapobiega złu, albo też sprowadza szaleństwo na tych, którzy ośmielają się popełniać zbrodnie. Kiedy zaś jest zamknięte, tak że jego uśpioną obecność zwiastuje tylko wąski sierp, zarówno dobre, jak i mroczne czyny przechodzą niezauważone.

Cery uśmiechnął się łobuzersko, patrząc na księżyc. Jego obecna faza, wąski sierp, była szczególnie lubiana przez kochanków jako czas schadzek, Cery jednak nie przemykał wśród cieni miasta na tego rodzaju sekretne spotkanie. Jego zamiary były znacznie bardziej posępne.

Trudno mu było ocenić, czy to, co czynił, było złe czy dobre. Ludzie, na których polował, zasłużyli na swój los, ale Cery podejrzewał, że jego zlecenia mają jakiś ważniejszy cel niż tylko zmniejszenie liczby morderstw nękających miasto od kilku lat. Nie wiedział przecież wszystkiego o tych paskudnych zadaniach – tego mógł być pewny – ale i tak chyba posiadał większą wiedzę niż ktokolwiek inny w mieście. Skradając się ulicą, usiłował ocenić, ile naprawdę wie. Już od jakiegoś czasu było oczywiste, że morderstw nie popełnia jeden i ten sam człowiek, lecz mordercy pojawiają się jeden po drugim. Zauważył ponadto, że wszyscy oni należą do tej samej nacji: są Sachakanami. Co więcej, wszyscy są magami.

A z tego, co Cery wiedział, w Gildii nie było Sachakan. Jeśli Złodzieje zdają sobie z tego wszystkiego sprawę, to doskonale kryją się ze swoją wiedzą. Cery przypomniał sobie spotkanie Złodziei, w którym brał udział przed dwoma laty. Przywódcy luźno powiązanych grup przestępczych byli wyraźnie rozbawieni, kiedy Cery zaproponował, że znajdzie i powstrzyma mordercę. Ci, którzy wypytywali złośliwie, dlaczego nie udało mu się to przez tak długi czas, uważali być może, że istniał tylko jeden zabójca, albo po prostu chcieli, żeby Cery tak *myślał*.

Za każdym razem, kiedy już uporał się z jednym mordercą, kolejny kontynuował ponure dzieło. Złodzieje mogli niestety pomyśleć, że Cery nie radzi sobie z zadaniem. On zaś na ich pytania odpowiadał jedynie wzruszeniem ramion w nadziei, że jego sukcesy na innych polach podziemnej działalności zrównoważą to złe wrażenie.

W ciemnym prostokącie bramy pojawiła się postać potężnego mężczyzny. Odległe światło lampy ukazało znajomą, posępną twarz. Gol skinął głową, po czym wyrównał krok z Cerym.

Kiedy dotarli do skrzyżowania pięciu ulic, skierowali się ku budynkowi w kształcie klina. Gdy tylko przekroczyli drzwi, nozdrza Cery'ego wypełniły się ciężkim zapachem potu, spylu i gotowanej strawy. Było wczesne popołudnie, więc w spylunce panował gwar. Podszedł do krzesła stojącego przy ladzie, gdzie Gol zamawiał dwa kufle napitku i talerz solonej fasoli.

Gol zjadł pół porcji, zanim się odezwał.

– Z tyłu. Ma pierścień. Co o tym powiesz, synu?

Cery i Gol udawali ojca i syna, ilekroć nie chcieli ujawniać swojej tożsamości, a ostatnio zazwyczaj tak właśnie było, kiedy tylko pojawiali się w miejscach publicznych. Cery był młodszy od Gola o zaledwie kilka lat, ale z powodu niewielkiego wzrostu i chłopięcych rysów często brano go za wyrostka. Odczekał kilka minut, po czym skierował wzrok ku zapleczu spylunki.

Mimo że sala była zatłoczona, bez trudu rozpoznał mężczyznę, którego wskazywał mu Gol. Charakterystyczna szeroka, brązowa sachakańska twarz wyróżniała się wśród bladych Kyralian, a poza tym człowiek ten bacznie obserwował zgromadzonych. Cery zerknął na dłonie mężczyzny i dostrzegł błysk czerwieni w pociemniałym srebrze pierścienia. Odwrócił wzrok.

– Co o nim sądzisz? – mruknął do niego Gol.

Cery uniósł kufel i udał, że pociąga łyk spylu.

– Za dużo zachodu jak dla nas, tato. Zostawmy go komuś innemu.

Gol burknął coś w odpowiedzi, wychylił kufel i odstawił go. Cery wyszedł za nim na zewnątrz. Kilka ulic dalej sięgnął do kieszeni płaszcza, wyciągnął trzy miedziaki i wcisnął je w wielką dłoń Gola. Potężny mężczyzna westchnął i poszedł w swoją stronę.

Cery uśmiechnął się łobuzersko, po czym nachylił się i odsunął kratę umieszczoną w pobliskim murze. Ktoś, kto nie znał Gola, mógłby odnieść wrażenie, że był zupełnie nieporuszony tą sytuacją, tak samo zresztą jak i nie wyglądał na zmartwionego żadną inną, ale Cery rozpoznawał to westchnienie. Gol bał się – i miał ku temu wszelkie powody. Każdemu w slumsach: mężczyźnie, kobiecie czy dziecku, groziło niebezpieczeństwo, dopóki ci mordercy czaili się dookoła.

Cery wsunął się w przejście i zeskoczył do znajdującego się poniżej tunelu. Trzy monety, które dał Golowi, wystarczą na opłacenie trzech uliczników mających dostarczyć wiadomość – aż trzech, by informacja się nie opóźniła ani nie zginęła. Jej odbiorcami byli rzemieślnicy, którzy z kolei mają przekazać ją dalej przez strażników miejskich, posłańca, lub nawet tresowane zwierzę. Nikt, kto zetknie się z wiadomością, nie zrozumie znaczenia przekazywanych przedmiotów lub haseł. Jedynie dla człowieka znajdującego się na końcu tego łańcucha wszystko będzie jasne.

A kiedy to nastąpi, polowanie zacznie się na nowo.

Po wyjściu z sali Sonea ruszyła powoli przez zatłoczony, gwarny korytarz Uniwersytetu. Zazwyczaj nie zwracała uwagi na zachowanie innych nowicjuszy, ale tego dnia było inaczej.

Dziś mija rok od wyzwania, pomyślała. *Okrągły rok, odkąd walczyłam z Reginem na arenie, a tyle się zmieniło.*

Większość nowicjuszy udawała się do sali jadalnej parami lub w nieco większych grupkach. Kilka dziewcząt zatrzymało się w drzwiach sali wykładowej, rozmawiając konspiracyjnym szeptem. Na drugim końcu korytarza pojawił się nauczyciel, który wyszedł z innego pomieszczenia, a za nim podążali dwaj nowicjusze niosący wielkie pudła.

Sonea przyglądała się twarzom tych kilku studentów, którzy zwrócili jej uwagę. Żaden z nich nie wpatrywał się w nią ani nie zadzierał nosa. Niektórzy z pierwszorocznaików zerkali na inkal naszyty na rękaw jej szaty – symbol, który wskazywał, że jest wybraną nowicjuszką Wielkiego Mistrza – po czym szybko odwracali wzrok.

Doszła do końca korytarza i ruszyła w dół po delikatnych, wyrzeźbionych za pomocą magii schodach Wielkiego

Holu. Jej buty lekko i dźwięcznie stukały na stopniach. Usłyszała, że do odgłosu jej kroków dołączyły inne. Spojrzała w górę i poczuła dreszcz na widok zbliżających się do niej trzech nowicjuszy.

W środku szedł Regin, a otaczali go jego najbliżsi towarzysze: Kano i Alend. Sonea ruszyła dalej, starając się zachować obojętny wyraz twarzy. Gdy tylko Regin ją dostrzegł, z jego twarzy zniknął uśmiech. Ich spojrzenia się spotkały, po czym chłopak pospieszył dalej, mijając ją.

Zerknęła za siebie i westchnęła cicho z ulgą. Wszystkie spotkania od czasu pojedynku tak właśnie wyglądały. Regin przyjął pozę łaskawego i pełnego godności przegranego, a ona nie przeszkadzała mu w tym. Owszem, przyjemnie byłoby napawać się jego porażką, ale Sonea miała pewność, że wtedy wymyśliłby jakiś niedostrzegalny dla innych i wyrafinowany sposób zemszczenia się na niej. Lepiej, żeby się wzajemnie ignorowali.

Publiczne pokonanie Regina miało jednak większe skutki niż tylko koniec dręczenia Sonei. Wyglądało na to, że udało jej się również zdobyć szacunek innych nowicjuszy, a także większości nauczycieli. Wreszcie przestała być tylko dziewczyną ze slumsów, której moc wyzwoliła się w ataku na Gildię podczas dorocznej Czystki – usuwania z miasta włóczęgów i żebraków. Sonea uśmiechnęła się żałośnie na wspomnienie tamtego dnia. *To, że użyłam magii, zaskoczyło mnie w równym stopniu, jak ich.*

Mało kto już pamiętał, że była „dziką", unikającą odnalezienia przez Gildię dzięki układowi ze Złodziejami. *Cóż, wtedy wydawało się to dobrym pomysłem*, myślała. *Byłam przekonana, że Gildia pragnie mnie zabić. Przecież oni nigdy wcześniej nie szkolili nikogo spoza Domów. Złodziejom jednak nie wyszło to na dobre. Nie zdołałam nauczyć się dostatecznej kontroli mocy, żeby być dla nich użyteczna.*

Parę osób wciąż czuło do niej niechęć, ale już nie widziano w niej tylko osoby z zewnątrz, która na dodatek doprowadziła do wygnania Mistrza Ferguna. *No cóż, nie trzeba było zamykać Cery'ego i grozić mu śmiercią, żeby zmusić mnie do współudziału w intrydze. Chciał przekonać Gildię, że ludziom z niższych sfer nie można ufać, a tymczasem okazało się, że niektórym magom tym bardziej.*

Sonea uśmiechnęła się na myśl o nowicjuszach tłoczących się w korytarzu. Sądząc z ostrożnej ciekawości, jaką jej obecnie okazywali, domyślała się, że w tej chwili widzieli w niej głównie osobę, która bez trudu wygrała oficjalny pojedynek. Zastanawiali się zapewne, jak bardzo stanie się potężna. Podejrzewała, że nawet niektórzy nauczyciele obawiają się jej.

Kiedy zeszła na dół, skierowała się przez Hol ku bramie Uniwersytetu. Z progu spojrzała w stronę szarego piętrowego budynku na samym końcu ogrodu i poczuła, że uśmiech znika z jej twarzy.

Rok od pojedynku, ale pewne rzeczy się nie zmieniły.

Mimo że udało jej się zyskać szacunek nowicjuszy, wciąż nie miała bliskich przyjaciół. I nie chodziło nawet o to, że wszyscy się jej bali – jej albo jej opiekuna. Po pojedynku kilka osób nawet zabiegało o to, żeby przyciągnąć ją do swojego towarzystwa. Ale chociaż chętnie rozmawiała z nimi podczas lekcji albo przerwy południowej, niezmiennie odrzucała zaproszenia do wspólnego spędzania czasu po lekcjach.

Z westchnieniem ruszyła w dół schodów. Każdy, z kim by się zaprzyjaźniła, stałby się potencjalnym narzędziem, które Wielki Mistrz mógłby wykorzystać przeciwko niej.

Jeśli Sonea kiedykolwiek będzie miała okazję ujawnić Gildii jego zbrodnie, wszyscy jej bliscy znajdą się w niebezpieczeństwie. Nie miała zamiaru zwiększać puli ofiar Akkarina.

Przypomniała sobie tamtą noc, teraz już sprzed dwóch i pół roku, kiedy to zakradła się na teren Gildii ze swoim przyjacielem Cerym. Niezależnie od przekonania, że magowie pragną ją zabić, było to warte ryzyka. Nie potrafiła przecież kontrolować swojej mocy, co czyniło ją bezużyteczną dla Złodziei, a Cery miał nadzieję, że być może nauczy się czegoś, obserwując magów z ukrycia.

Późno w nocy, jak już przyjrzała się wielu fascynującym rzeczom, podkradła się do stojącego na uboczu szarego budynku. Zajrzała przez kratkę wentylacyjną do podziemnego pomieszczenia i stała się świadkiem tego, jak odziany na czarno mag odprawia dziwaczne rytuały...

Mag wyciągnął błyszczący sztylet i spojrzał na służącego.

– Walka osłabiła mnie. Potrzebuję twojej siły.

Sługa przyklęknął na jedno kolano i podał magowi rękę, ten zaś przeciągnął po niej ostrzem sztyletu, po czym zacisnął własną dłoń na ranie...

...a ona poczuła coś dziwacznego, jakby słyszała trzepot setek owadzich skrzydeł.

Wzdrygnęła się na samo wspomnienie tamtej chwili. Wówczas nie zrozumiała nic z tego, co widziała, a później zdarzyło się tyle rzeczy, o których wolałaby zapomnieć. Jej moc stała się tak niebezpieczna, że Złodzieje wydali ją Gildii, ona zaś odkryła, że magowie nie tylko wcale nie pragną jej śmierci, ale postanowili przyjąć ją w swoje szeregi. Następnie Mistrz Fergun schwytał Cery'ego i szantażem wciągnął ją w swoje intrygi. Plany Wojownika spełzły jednak na niczym, kiedy Cery został odnaleziony w lochu pod gmachem Uniwersytetu, a Sonea zgodziła się na badanie prawdomówności, żeby Administrator Lorlen mógł przekonać się o winie Ferguna. Dopiero podczas tego badania wspomnienia o magu w czarnych szatach powróciły z całą mocą.

Lorlen rozpoznał w tej postaci swojego przyjaciela Akkarina, Wielkiego Mistrza Gildii. Rozpoznał również zakazany rytuał czarnej magii.

Sonea zaś dzięki łączności z Lorlenem zrozumiała, do czego może być zdolny czarny mag. Posługując się zakazaną dziedziną, Akkarin zdołał posiąść moc przekraczającą jego naturalne możliwości. Wielki Mistrz słynął z ogromnej potęgi, ale korzystając z czarnej magii, mógł stać się tak mocny, że nawet połączone siły całej Gildii nie byłyby w stanie mu się przeciwstawić.

Lorlen uznał wówczas, że konfrontacja nie wchodzi w grę. Zbrodnie będą musiały pozostać tajemnicą, dopóki nie znajdzie się jakiś sposób na pokonanie Akkarina. Wtajemniczono jedynie Rothena, maga, który został opiekunem Sonei, bo ucząc ją podstaw magii, na pewno i tak trafiłby na wspomnienia związane z Wielkim Mistrzem i poznał prawdę.

Poczuła ukłucie żalu na myśl o Rothenie, wyparte następnie przez bezsilny gniew. Rothen był dla niej kimś więcej niż opiekunem i nauczycielem – zastąpił jej ojca. Nie była pewna, czy zdołałaby wytrzymać dręczenie przez Regina, gdyby nie wsparcie i pomoc mentora. Pech chciał, że oboje ucierpieli z powodu złośliwych plotek, które rozpuszczał Regin, jakoby ceną, jaką płaciła Sonea za opiekę Rothena, było zaspokajanie go w łóżku.

A potem, kiedy już wydawało się, że plotki i podejrzenia ucichły, wszystko się zmieniło. Akkarin zjawił się w mieszkaniu Rothena i oznajmił obojgu, że wie o tym, iż poznali jego sekret. Czytał w myślach Lorlena i chciał teraz rozszyfrować ich wspomnienia. Wiedząc, że Akkarin jest zbyt potężny, by mogli mu się oprzeć, nie śmieli odmówić. Pamiętała, jak chwilę później Akkarin przechadzał się po pokoju.

Oboje wydalibyście mnie, gdybyście tylko mogli – powiedział. – Zażądam opieki nad Soneą. To zapewni mi twoje milczenie. Dopóki ona pozostanie w mojej mocy, nigdy nikomu nie powiesz, że praktykuję czarną magię. – Przeniósł wzrok na Soneę: – Z kolei zdrowie Rothena będzie gwarancją twojej współpracy.

Ruszyła ścieżką wiodącą do rezydencji Wielkiego Mistrza. Ta konfrontacja odbyła się tak dawno, że Sonea miała wrażenie, że dotyczyła kogoś innego – jakby postaci z jakiejś przeczytanej książki. Od półtora roku była podopieczną Akkarina i okazało się to mniej straszne, niż się spodziewała. Nie posługiwał się nią jako źródłem dodatkowej mocy, nie usiłował nakłonić do uczestnictwa w swoich okropnych praktykach. Jeśli nie liczyć wystawnych obiadów, które spożywała w jego towarzystwie każdego pierwszego dnia tygodnia, rzadko go widywała. A kiedy już rozmawiali, to tylko o jej nauce na Uniwersytecie.

Wyjątkiem była tamta noc, pomyślała Sonea.

Zwolniła kroku na to wspomnienie. Wiele miesięcy temu, wróciwszy do domu z wykładów, usłyszała hałas i krzyki dobiegające z dołu rezydencji. Zeszła po schodach wiodących do podziemnego pomieszczenia i zobaczyła, jak Akkarin zabija człowieka, korzystając z czarnej magii. Wielki Mistrz twierdził, że mężczyzna ten był sachakańskim zabójcą, wysłanym, by go zamordować.

– Czemu go zabiłeś? – spytała. – Dlaczego nie oddałeś go w ręce Gildii?

– *Ponieważ, jak zapewne się domyślasz, on i jego ludzie wiedzą o mnie rzeczy, których Gildia wiedzieć nie powinna. Zapewne zastanawiasz się, kim są ludzie, którzy pragną mojej śmierci, i jakie mają powody. Mogę ci powiedzieć tyle: Sachakanie wciąż nienawidzą Gildii, ale też boją się nas. Od czasu do czasu wysyłają takich jak ten, by mnie wypróbować.*

Sonea wiedziała o sąsiadach Kyralii tyle, co przeciętny student trzeciego roku. Wszyscy musieli się uczyć o wojnie między Imperium Sachakańskim a kyraliańskimi magami. Uczono ich, że Kyralia wygrała wojnę dzięki powołaniu do życia Gildii i wymianie wiedzy magicznej. Siedem wieków później Imperium wciąż było osłabione, a większość ziem Sachaki leżała odłogiem.

Kiedy o tym myślała, nietrudno było jej uwierzyć, że Sachakanie do tej pory nienawidzą Gildii. To było też zapewne powodem, dla którego Sachaka nie przyłączyła się do Krain Sprzymierzonych. W przeciwieństwie do Kyralii, Elyne, Vinu, Lonmaru i Lanu Sachaka nie była związana umową o obowiązku kształcenia wszystkich magów w Gildii i pozostawiania ich pod jej nadzorem. W Sachace mogli zatem żyć magowie, choć wątpiła, by byli dobrze wyszkoleni.

Gdyby *byli* zagrożeniem, Gildia z pewnością wiedziałaby o tym. Sonea zmarszczyła brwi. Może niektórzy magowie *wiedzą*. Może to tajemnica znana jedynie starszyźnie i Królowi. Król nie chciałby, żeby zwykli ludzie martwili się istnieniem sachakańskich magów – chyba że Sachakanie zaczęliby naprawdę zagrażać królestwu.

Czy zabójcy stanowią dostateczne zagrożenie? Potrząsnęła głową. Zabójcy wysyłani od czasu do czasu, by zlikwidować Wielkiego Mistrza nie są niczym poważnym, zważywszy na to, jak łatwo Akkarin sobie z nimi radzi.

Zwolniła kroku. Być może Akkarin *jest* w stanie się im przeciwstawiać tylko dzięki temu, że wzmacnia się czarną magią? Serce skoczyło jej do gardła. To oznaczałoby, że ci zabójcy są nieprzeciętnie potężni. Akkarin napomknął, jakoby wiedzieli, że on wykorzystuje zakazane praktyki. A zatem nie atakowaliby, gdyby nie uważali, że mają szansę go pokonać. Czy to oznacza, że oni również praktykują czarną magię?

Wzdrygnęła się na samą myśl o tym. *A ja mieszkam pod jednym dachem z człowiekiem, którego usiłują zabić.*

Może dlatego Lorlen zwleka z pozbyciem się Akkarina? Może wie, że Wielki Mistrz ma swoje powody, by uprawiać zakazaną magię? Może wcale nie zamierza obalić Akkarina?

Nie, pomyślała. *Gdyby intencje Akkarina były czyste, nie zostałabym jego zakładniczką. Gdyby mógł dowieść, że jego motywy są uczciwe, zrobiłby to, zamiast pozwalać, by nowicjuszka i dwaj magowie nieustannie zastanawiali się, jak go pokonać.*

Poza tym gdyby życzył mi dobrze, nie trzymałby mnie w rezydencji, gdzie istnieje prawdopodobieństwo ataku mordercy.

Była natomiast przekonana, że Lorlen jest jej życzliwy. Gdyby miał pewność, że Akkarin ma uczciwe zamiary, z pewnością by jej o tym powiedział. Nie chciałby, aby myślała, że jej sytuacja jest gorsza niż w rzeczywistości.

Przypomniała sobie nagle pierścień na palcu Lorlena. Od ponad roku po mieście krążyły pogłoski o mordercy, który nosi srebrny pierścień z czerwonym klejnotem. Zupełnie taki, jak ten Lorlena.

To *musi* być zbieg okoliczności. Poznała troszkę myśli Administratora i nie potrafiła go sobie wyobrazić jako zabójcy.

Pod drzwiami rezydencji Sonea zatrzymała się i odetchnęła głęboko. A co jeśli człowiek, którego uśmiercił Akkarin, wcale nie był nasłanym zabójcą? Co jeśli był to sachakański dyplomata, który odkrył postępki Akkarina, a Wielki Mistrz zwabił go do swojego domu, by potajemnie zgładzić... po czym okazało się, że ten człowiek jest magiem?

Przestań! Dość!

Potrząsnęła głową, jakby miało to zakończyć bezowocne rozmyślania. Od miesięcy roztrząsała najróżniejsze hipotezy, wspominając w kółko wszystko, czego była świadkiem i czego się dowiedziała. Co tydzień przy obiedzie wpatrywała się w siedzącego naprzeciwko niej Akkarina i marzyła o tym, by odważyć się zapytać, dlaczego nauczył się czarnej magii, ale nie zadawała tego pytania. Nie miała pewności, że jego odpowiedź będzie prawdziwa, po co więc miała pytać?

Wyciągnęła rękę i musnęła palcami klamkę. Jak zwykle drzwi uchyliły się pod najlżejszym dotykiem. Weszła do środka.

Z jednego ze stojących w salonie foteli podniosła się wysoka, ciemna postać. Sonea poczuła znajome ukłucie strachu, ale odepchnęła od siebie lęk. Nad głową Akkarina unosiła się magiczna kula świetlna, pozostawiając jego oczy w cieniu. Kąciki ust Wielkiego Mistrza uniosły się nieznacznie, jakby coś go rozbawiło.

– Dobry wieczór, Soneo.

Ukłoniła się.

– Wielki Mistrzu.

Bladą ręką wskazał na schody. Sonea postawiła na podłodze kuferek z książkami i notatkami i ruszyła na górę. Kula świetlna Akkarina wznosiła się środkiem klatki schodowej, w miarę jak wchodził na kolejne stopnie. Na piętrze Sonea skierowała się od razu do pokoju, w którym stał wielki stół i kilka krzeseł. Smakowite zapachy wypełniały powietrze, poczuła więc, jak napływa jej ślinka do ust.

Takan, służący Akkarina, ukłonił się jej, kiedy siadała, a następnie wyszedł.

– O czym się dzisiaj uczyłaś, Soneo? – spytał Wielki Mistrz.

– O architekturze – odparła. – O metodach konstrukcyjnych.

Uniósł lekko jedną brew.

– O kształtowaniu kamienia za pomocą magii?

– Tak.

Zamyślił się. Takan wrócił do jadalni z wielką tacą w rękach i zaczął ustawiać na stole niewielkie miseczki, po czym znów się oddalił. Sonea zaczekała, aż Akkarin nałoży sobie po trochu z każdego naczynia, zanim sama zabrała się do jedzenia.

– Wydało ci się to trudne czy łatwe?

Sonea zawahała się.

– Z początku trudne, potem łatwiejsze. To jest... trochę jak uzdrawianie.

Spojrzał na nią ostro.

– To prawda. A czym się różni?

Zastanowiła się.

– Kamień nie posiada naturalnej bariery obronnej, którą ma ciało. Nie ma skóry.

– To prawda, ale przecież można wytworzyć coś w rodzaju takiej bariery, jeśli...

Urwał. Sonea podniosła oczy: Akkarin wpatrywał się w napięciu w ścianę za nią. Przeniósł wzrok na Soneę, i napięcie znikło.

– Mam dziś wieczorem spotkanie – powiedział, odsuwając swoje krzesło. – Smacznego, Soneo.

Zaskoczona, odprowadziła go wzrokiem do drzwi, zerkając na jego niedojedzone danie. Zdarzało się jej pojawiać w salonie na cotygodniowy obiad tylko po to, by zostać powitaną przez Takana dobrą wieścią, że Wielki Mistrz nie będzie obecny. Ale tylko dwa razy Akkarin wyszedł podczas posiłku. Wzruszyła ramionami i wróciła do jedzenia.

Kiedy skończyła danie główne, znów zjawił się Takan. Zebrał miseczki i talerze na tacę. Sonea przyjrzała mu się i dostrzegła zmarszczkę między jego brwiami.

Wygląda na zaniepokojonego, pomyślała.

Poczuła dreszcz przebiegający jej po kręgosłupie na wspomnienie wcześniejszych rozmyślań. Czyżby Takan obawiał się, że jakiś inny zabójca poszukujący Akkarina może dostać się do rezydencji?

Nagle zapragnęła jak najszybciej wrócić na Uniwersytet. Wstała i spojrzała na służącego.

– Nie zawracaj sobie głowy deserem, Takanie.

Na twarzy mężczyzny pojawił się cień rozczarowania. Sonea to zauważyła i nie mogła powstrzymać poczucia winy. Może i Takan jest lojalnym sługą Akkarina, ale przede wszystkim jest znakomitym kucharzem. Czyżby przygotował coś, z czego jest szczególnie dumny, i teraz martwi się, że żadne z nich tego nie zje?

– Czy to coś… co wytrzyma kilka godzin? – spytała niepewnie.

Zerknął na nią przelotnie i nie po raz pierwszy dostrzegła w jego oczach błysk bystrej inteligencji, której nie potrafił do końca ukryć pod maską obojętnej uprzejmości.

– Oczywiście, pani. Czy mam ci to przynieść do pokoju po twoim powrocie?

– Tak – skinęła głową. – Dziękuję.

Takan ukłonił się.

Sonea wyszła z jadalni i ruszyła korytarzem ku schodom. Po raz kolejny zastanowiło ją, jaka jest rola Takana w sekretnych poczynaniach Akkarina. Była świadkiem tego, jak Wielki Mistrz czerpał od służącego moc, a jednak Takan żył nadal i najwyraźniej mu to nie zaszkodziło. A tamtej nocy, kiedy zabójca wszedł do domu Akkarina, on powiedział jej, że Takan pochodzi z Sachaki. To prowadziło do następnego pytania: dlaczego jeden z Sachakan służy Wielkiemu Mistrzowi, skoro oni tak nienawidzą Gildii?

No i skąd bierze się taka rewerencja i uległość w głosie Takana, ilekroć zwraca się do Akkarina „panie"?

Lorlen dyktował właśnie zamówienie na materiały budowlane, kiedy pojawił się posłaniec. Administrator odebrał od niego kartkę papieru, przeczytał ją i skinął głową.

– Powiedz naczelnikowi stajni, żeby przygotował dla mnie powóz.

– Tak, panie. – Posłaniec skłonił się i wyszedł z pokoju.

– Kolejna wizyta u kapitana Barrana? – spytał Osen.

Lorlen uśmiechnął się ponuro do swojego asystenta.

– Obawiam się, że tak. – Spojrzał na trzymane przez Osena pióro, które zawisło nad kartą papieru, i potrząsnął głową. – Straciłem wątek – powiedział. – Skończymy jutro.

Sekretarz osuszył pióro.

– Mam nadzieję, że tym razem Barran ujął zabójcę. – Osen wraz z Lorlenem skierowali się ku wyjściu z biura. – Dobranoc, Administratorze.

– Dobranoc, Osenie.

Spoglądając za oddalającym się w stronę Domu Magów asystentem, Lorlen rozmyślał o młodym magu. Regularne wizyty Administratora w siedzibie Gwardii nie uszły uwadze Osena. Młodzieniec odznaczał się bystrością umysłu, a Lorlen nie był tak głupi, żeby szukać skomplikowanych wymówek. Czasami odpowiednio odmierzona prawda jest lepsza niż stuprocentowe kłamstwo.

Wyjaśnił zatem, że Akkarin poprosił go o nadzór nad udziałem Gildii w wysiłkach mających na celu ujęcie mordercy.

– Dlaczego ciebie? – spytał wówczas Osen.

Lorlen spodziewał się takiego pytania.

– Och, muszę przecież zająć się czymś w czasie wolnym – zażartował. – A Barran to przyjaciel i krewny. I tak od niego dowiadywałem się o tych zabójstwach, więc te nasze rozmowy nabrały tylko posmaku oficjalności. Mógłbym wysłać kogoś innego, ale nie chciałbym otrzymywać najświeższych informacji z trzeciej ręki.

– Mógłbym zapytać, czy Gildia ma jakieś szczególne powody do interesowania się tą sprawą? – drążył dalej Osen.

– Zapytać możesz – odparł Lorlen z uśmiechem – ale ja nie muszę odpowiadać. A sądzisz, że istnieją takie powody?

– Słyszałem, że ludzie w mieście powtarzają, że te zabójstwa są powiązane z magią.

– Dlatego właśnie Gildia musi okazać zainteresowanie. Ludzie powinni mieć poczucie, że nie zaniedbujemy tego problemu. Nie możemy jednak zanadto się angażować, żeby nie uznali, że pogłoska o magii jest prawdziwa.

Osen obiecał, że zachowa dla siebie wiedzę o odwiedzinach Lorlena w siedzibie Gwardii. Gdyby magowie dowiedzieli się, że Administrator śledzi poczynania kapitana Barrana, również mogliby uznać, że chodzi tu o magię.

Sam Lorlen wciąż nie był pewien, czy rzeczywiście magia *jest* w to zamieszana. Przed ponad rokiem zdarzył się pewien wypadek, a umierający poszkodowany twierdził, że został zaatakowany za pomocą magii. Istotnie, poparzenia ofiary wyglądały jak rezultat uderzenia ciepłem, ale Barran nie znalazł innych dowodów świadczących o tym, że morderca – lub mordercy – posługiwali się magią.

Barran zgodził się utrzymywać na razie w tajemnicy hipotezę, że morderca może być dzikim magiem. Gdyby ta wieść wydostała się na zewnątrz, wyjaśnił mu Lorlen, Król i przedstawiciele Domów spodziewaliby się obławy podobnej jak w przypadku Sonei. Gildię zaś tamto doświadczenie nauczyło, że magowie penetrujący ulice miasta skłaniają dzikich do ukrywania się.

Administrator skierował się do Holu Wejściowego i stamtąd przyglądał się, jak powóz wytacza się z powozowni i podjeżdża pod bramę Uniwersytetu. Kiedy zatrzymał się przed Lorlenem, ten wsiadł, podał woźnicy adres i zatrzasnął drzwiczki.

– *Co zatem wiemy?* – zapytał sam siebie.

Co kilka tygodni, a czasem miesięcy, ktoś zabijał w ten sam zrytualizowany sposób, który czasami przypominał praktyki czarnej magii. Następnie przez jakiś czas był spokój, aż kolejna seria morderstw przykuła uwagę Gwardii. One również miały charakter rytualny, ale nieco inny niż poprzednio.

Barran głowił się nad możliwymi przyczynami zmiany sposobu działania sprawcy mordów i podzielił je na dwie główne kategorie. Albo morderca działał samotnie i zmieniał zwyczaje, albo też za każdy rodzaj zabójstw odpowiedzialna była inna osoba. Jeden zabójca mógłby modyfikować zasady, żeby uniknąć wykrycia – lub też dlatego, że udoskonalał rytuał. Gdyby morderców było wielu, mogłoby to z kolei oznaczać, że w mieście działa jakiś gang albo praktykowany jest kult, w którym uważa się zabójstwo na przykład za element inicjacji.

Lorlen spojrzał na pierścień na swym palcu. Kilkoro świadków, którzy widzieli mordercę i przeżyli, zeznało, że dostrzegli u niego pierścień z czerwonym kamieniem. *Czyżby taki jak ten?* – zastanawiał się Administrator. Akkarin stworzył jego klejnot ze szkła i własnej krwi tej nocy, której odkrył, że Lorlen, Sonea i Rothen wiedzą o jego czarnych praktykach. Dzięki temu pierścieniowi mógł teraz śledzić wszystkie poczynania Lorlena i kontrolować jego rozmowy, a także porozumiewać się z nim w myślach bez obawy, że zostanie podsłuchany przez innych magów.

Ilekroć morderstwa przypominały praktyki czarnej magii, Lorlen nie mógł się pozbyć myśli, że Akkarin może być za nie odpowiedzialny. Wielki Mistrz nie nosił publicznie pierścienia, ale mógł przecież wkładać go na palec, kiedy opuszczał Gildię. Po co jednak miałby to robić? Nie śledził przecież samego siebie.

A co jeśli ten pierścień pozwala komuś innemu widzieć to, co robi morderca?

Lorlen zamyślił się. Z jakiego powodu Akkarin miałby chcieć, żeby ktoś inny śledził jego kroki? Chyba że działa na czyjeś zlecenie. *To* jest naprawdę przerażająca ewentualność.

Lorlen westchnął. Czasami łapał się na tym, że wolałby nigdy nie poznać prawdy. Wiedział, że jeśli Akkarin okaże się mordercą, to on, Administrator Gildii, będzie po części odpowiedzialny za śmierć jego ofiar. Powinien był dawno rozprawić się z Wielkim Mistrzem, kiedy tylko dowiedział się od Sonei, że Akkarin posługuje się czarną magią. Bał się jednak, że Gildia nie zdoła pokonać Akkarina w walce.

Administrator utrzymywał zatem zbrodnie Wielkiego Mistrza w sekrecie, przekonał również Soneę i Rothena, że to najlepsza droga. Potem jednak Akkarin odkrył ich spisek i wziął Soneę jako zakładniczkę, by zapewnić sobie milczenie Lorlena i Rothena. Teraz Administrator nie mógł wystąpić przeciwko Akkarinowi, nie ryzykując *jej* życia.

Gdybym jednak odkrył, że Akkarin jest mordercą, i wiedział, że Gildia zdoła go pokonać, nie wahałbym się ani przez chwilę. Ani nasza wieloletnia przyjaźń, ani troska o dobro Sonei nie zdołałaby mnie powstrzymać.

Akkarin zapewne wie o tym dzięki pierścieniowi.

Oczywiście Wielki Mistrz *nie musi* być mordercą. Kazał Lorlenowi zająć się sprawą zabójstw, ale to o niczym nie świadczy. Może po prostu chcieć wiedzieć, jak blisko wykrycia prawdy jest Gwardia...

Powóz zatrzymał się. Lorlen wyjrzał przez okno i zamrugał ze zdziwienia na widok posterunku Gwardii. Do tego stopnia pogrążył się w myślach, że nie zauważył, kiedy dojechał na miejsce. Gdy woźnica zeskoczył z kozła, by otworzyć drzwiczki, powóz zakołysał się lekko. Lorlen wysiadł i kilkoma krokami przemierzył chodnik dzielący go od wejścia do siedziby Gwardii. W wąskim korytarzyku czekał na niego kapitan Barran.

– Dobry wieczór, Administratorze. Dziękuję za tak szybkie przybycie.

Mimo że Barran był jeszcze młody, jego czoło pokrywały głębokie zmarszczki, które dziś wydawały się jeszcze głębsze niż zwykle.

– Dobry wieczór, kapitanie.

– Mam interesujące wieści, a poza tym chciałbym ci, Administratorze, coś pokazać. Przejdźmy do mojego gabinetu.

Lorlen udał się za młodszym mężczyzną do niewielkiego pokoju w głębi korytarza. W budynku panowała cisza, mimo że kilku gwardzistów zawsze wieczorem pełniło służbę. Barran wskazał Lorlenowi krzesło, po czym zamknął drzwi.

– Pamiętasz, jak ci mówiłem, że Złodzieje być może szukają zabójcy?

– Owszem.

Barran uśmiechnął się krzywo.

– Można powiedzieć, że mam na to dowód. Odkąd Gwardia i Złodzieje prowadzili śledztwa niezależnie od siebie, przecięcie się naszych ścieżek było nie do uniknięcia. Wygląda na to, że oni mieli tu szpiegów od wielu miesięcy.

– Szpiegów? W Gwardii?

– Tak. Nawet uczciwemu człowiekowi zdarzy się sprzedać informacje za kilka monet, zwłaszcza gdy ma on poczucie, że może to pomóc w złapaniu mordercy, a Gwardia nie czyni postępów. – Barran wzruszył ramionami. – Nie rozgryzłem jeszcze wszystkich donosicieli, ale na razie zamierzam zostawić ich na służbie.

Lorlen zaśmiał się.

– Gdybyś potrzebował doradcy w kwestii negocjacji ze Złodziejami, poradziłbym ci Mistrza Dannyla, ale niestety jest on obecnie Ambasadorem Gildii w Elyne.

Kapitan uniósł brwi.

– Takie rady mogłyby okazać się niezwykle cenne, nawet gdybym miał nigdy z nich nie skorzystać. Ja jednak nie zamierzam współpracować ze Złodziejami. Domy nigdy by się na to nie zgodziły. Natomiast umówiłem się z jednym ze szpiegów, że będzie mi przekazywał wszystko, co nie zagrozi jego pozycji. Żadna z podanych przez niego informacji nie okazała się jak na razie przydatna, ale być może w końcu któraś dokądś nas zaprowadzi. – Znowu zmarszczył czoło. – A teraz pozwól, że coś ci pokażę. Mówiłeś, że chętnie obejrzałbyś ciało następnej ofiary. Dziś wieczorem znaleźliśmy kolejnego zabitego, kazałem więc przynieść zwłoki na posterunek.

Lorlen poczuł dreszcz przebiegający mu po kręgosłupie, jakby za kołnierz jego szaty wdarł się podmuch zimnego powietrza. Barran wskazał na drzwi.

– Są w podziemiu. Czy zechcesz je teraz zobaczyć?

– Tak.

Wstał i wyszedł za gwardzistą z gabinetu. Gdy schodzili na dół i szli kolejnym korytarzem, jego towarzysz zachowywał milczenie. Powietrze było tu znacznie chłodniejsze. Zatrzymali się w końcu przed ciężkimi drewnianymi drzwiami. Barran wyciągnął klucz i otworzył je.

Korytarz wypełnił się ostrym zapachem ziół, nie do końca maskującym mniej przyjemne wonie. W pomieszczeniu znajdującym się za drzwiami było niewiele mebli. Wzdłuż surowych kamiennych ścian stały trzy proste ławy. Na jednej z nich leżało nagie ciało mężczyzny, na drugiej złożone równo ubranie.

Lorlen podszedł bliżej i przyjrzał się niechętnie ciału. Podobnie jak w wypadku poprzednich ofiar temu człowiekowi wbito w pierś sztylet, miał również płytką ranę na karku. Mimo to wyraz jego twarzy wydawał się zaskakująco spokojny.

Kiedy Barran zaczął opisywać miejsce, gdzie znaleziono ofiarę, Lorlen przypomniał sobie rozmowę, której był świadkiem podczas jednego ze zwyczajowych spotkań Gildii w sali wieczornej. Mistrz Darlen, młody Uzdrowiciel, opisywał trzem przyjaciołom przypadek, z jakim miał do czynienia.

– Był martwy, kiedy tam przybyliśmy – mówił Darlen, potrząsając głową – ale żona chciała mieć pewność, że uczyniliśmy wszystko, co tylko było można. Zbadałem go więc.

– I nic nie znalazłeś?

Darlen skrzywił się.

– W martwym ciele zawsze da się wyczuć sporo energii życiowej, chociażby tych organizmów, które uczestniczą w rozkładzie, jednak serce tego człowieka było już nieruchome, a umysł milczał. Mimo to usłyszałem tętno. Ciche i powolne, ale niewątpliwie tętno.

– Jak to możliwe? Czyżby miał dwa serca?

– Nie. – Darlen wyglądał na udręczonego. – On... on zadławił się sevli.

Dwaj pozostali Uzdrowiciele wybuchnęli natychmiast śmiechem, podczas gdy trzeci z przyjaciół Darlena, Alchemik, wpadł w zadumę.

– Co sevli robił w jego gardle? One są przecież trujące. Czy ktoś otruł tego mężczyznę?

– Nie – odpowiedział z westchnieniem Darlen. – Ich jad jest trujący, ale skóra zawiera substancję, która powoduje stan euforii i wizje. Niektórzy lubią takie efekty. Liżą więc te gady.

– *Liżą* gady? – Młody Alchemik spoglądał z niedowierzaniem na przyjaciela. – Co zatem zrobiłeś?

Darlen zarumienił się.

– Sevli dusił się, więc wyciągnąłem go z gardła. Żona wpadła w histerię, najwyraźniej nie miała pojęcia o zamiłowaniach męża. Nie chciała zostać w domu, bo bała się, że jest tam więcej jaszczurek i któraś wpełznie jej w nocy do gardła.

Dwaj starsi Uzdrowiciele znowu się roześmiali, a i Lorlen jakby się rozpogodził, słysząc tę opowieść. Uzdrowicielom potrzebne było poczucie humoru, aczkolwiek czasami przejawiało się ono w dziwaczny sposób. Ta rozmowa podsunęła mu jednak pewien pomysł. Martwe ciało pełne jest energii życiowej, ale ciało osoby zabitej czarną magią powinno być pozbawione *wszelkiej* energii. A zatem żeby stwierdzić, czy zabójca posłużył się czarną magią, wystarczy, żeby Lorlen przebadał ofiarę zmysłem uzdrowicielskim.

Kiedy Barran skończył opowiadać o miejscu zbrodni, Lorlen podszedł bliżej. Odetchnął głęboko i położył dłoń na ręce trupa, zamknął oczy i skupił się na ciele.

Zdumiał się, jak łatwo mu to przyszło, ale szybko uświadomił sobie, że naturalna bariera żywych stworzeń, która opiera się działaniom magicznym, rozpada się w chwili śmierci. Wysłał swój umysł w głąb ciała, przeszukał je i odnalazł jedynie bardzo słabe ślady życia. Proces rozkładu został zaburzony – opóźniony – ponieważ w ciele nie było nic żywego, co mogłoby go zapoczątkować.

Lorlen otworzył oczy i zabrał rękę. Wpatrywał się w płytką ranę na szyi mężczyzny z absolutną pewnością, że to ona zabiła tego człowieka. Sztylet został wbity w serce zapewne później, żeby zasugerować śledczym bardziej prawdopodobną przyczynę śmierci. Lorlen wbił wzrok w pierścień na swoim palcu.

A więc to prawda, pomyślał. *Zabójca posługuje się czarną magią. Ale czy to jest ofiara Akkarina, czy też mamy w mieście dwóch czarnych magów?*

ROZDZIAŁ 2

ROZKAZY WIELKIEGO MISTRZA

Rothen wziął z niskiego stolika filiżankę parującego sumi i podszedł do jednego z papierowych okienników zasłaniających okna jego salonu. Odsunął go i wyjrzał do ogrodu.

Wiosna przyszła w tym roku wcześnie. Żywopłoty i drzewa usiane były drobnymi kwiatuszkami, a pełen pasji nowy ogrodnik obsadzał właśnie alejki rzędami kolorowych kwiatów. Mimo że było jeszcze bardzo wcześnie, po ogrodzie przechadzali się magowie i nowicjusze.

Rothen uniósł filiżankę do ust i wypił łyk sumi, które było orzeźwiająco gorzkawe. Wrócił myślami do poprzedniego wieczoru i skrzywił się. Raz w tygodniu jadał kolację ze swoim starszym przyjacielem Yaldinem i jego żoną Ezrille. Yaldin swego czasu przyjaźnił się z mentorem Rothena, nieżyjącym już Mistrzem Margenem, uważał więc za swój obowiązek dbać o Rothena. W związku z tym poprzedniego dnia napomniał młodszego maga, żeby przestał wreszcie zamartwiać się Soneą.

– Wiem, że wciąż ją obserwujesz – oznajmił stary mag.

Rothen wzruszył ramionami.

– Obchodzi mnie, co się z nią dzieje.

Yaldin parsknął cicho.

– Jest podopieczną Wielkiego Mistrza. Nie musisz się o nią troszczyć.

– Muszę – odparł Rothen. – Myślisz, że Wielkiego Mistrza obchodzi jej samopoczucie? Jego interesują jedynie wyniki w nauce. A w życiu chodzi o coś więcej niż tylko o magię.

Ezrille uśmiechnęła się smutno.

– Oczywiście, masz rację, ale... – Zawahała się, po czym westchnęła. – Sonea ledwie się do ciebie odzywa, odkąd Wielki Mistrz wziął ją pod opiekę. Nie uważasz, że powinna cię odwiedzić w tym czasie? Minął już ponad rok. Niezależnie od tego, ile czasu zajmuje jej nauka, powinna znaleźć czas na spotkanie z tobą.

Rothen skrzywił się – nie był w stanie powstrzymać tego odruchu. Sądząc po ich współczujących spojrzeniach, dostrzegli tę reakcję i uważali, że po prostu jest mu przykro z powodu zachowania Sonei.

– Ona *na pewno* ma się dobrze – powiedział łagodnie Yaldin. – A te historie z innymi nowicjuszami na szczęście dawno się skończyły. Daj temu spokój, Rothenie.

Rothen udał, że zgadza się z nim. Nie mógł wyjawić przyjaciołom prawdziwych powodów swojej troski o Soneę. Gdyby to uczynił, naraziłby nie tylko jej życie. Nie miałoby znaczenia to, że Yaldin i Ezrille zgodziliby się dochować tajemnicy ze względu na Soneę, gdyż Akkarin wyraźnie zabronił wspominać komukolwiek o tym sekrecie. Złamanie „rozkazu" mogłoby stać się dla niego wystarczającym pretekstem... do czego? Posłużenia się czarną magią, by przejąć władzę nad Gildią? Przecież jest już Wielkim Mistrzem. Czego jeszcze mógłby chcieć?

Może mieć więcej mocy? Zająć miejsce Króla? Rządzić wszystkimi Krainami Sprzymierzonymi? Móc swobodnie zwiększać swoją potęgę za pomocą czarnej magii, aż będzie potężniejszy od wszystkich magów, którzy kiedykolwiek żyli?

Gdyby jednak pożądał którejkolwiek z tych rzeczy, z pewnością sięgnąłby po nie już dawno temu. Rothen niechętnie musiał przyznać, że Akkarin nie zrobił żadnej krzywdy Sonei – w każdym razie nic, o czym on by wiedział. Widział ją w towarzystwie mentora tylko w dniu pojedynku.

Yaldin i Ezrille dali w końcu spokój temu tematowi.

– Przynajmniej przestałeś zażywać nemmin – mruknęła Ezrille, po czym spytała, co słychać u Dorriena, Rothenowego syna.

Rothen poczuł cień gniewu na wspomnienie tego słowa. Spojrzał na Tanię, swoją służącą, która ostrożnie odkurzała szmatką półki z książkami.

Wiedział, że Tania powiedziała Ezrille i Yaldinowi o nemminie jedynie z troski o jego zdrowie i że nie wyjawiłaby tego nikomu innemu, ale mimo to czuł do niej żal. Nie mógł jednak narzekać, ponieważ dziewczyna wykonywała dla niego szpiegowską robotę. Tania zaprzyjaźniła się ze służącą Sonei, Violą, i informowała go o zdrowiu i nastrojach Sonei, a także jej wizytach u rodziny w slumsach. Najwyraźniej Tania nie wspomniała im o swojej roli w tym spisku, uznaliby to bowiem za dodatkowy dowód jego „przejmowania się".

Całe to „szpiegowanie" ubawiłoby Dannyla. Rothen wypił kolejny łyk sumi i zaczął się zastanawiać, co właściwie wie o poczynaniach przyjaciela w ciągu ostatniego roku. Z listów wynika, że Dannyl zaprzyjaźnił się blisko z Tayendem, swoim asystentem, a pogłoski o zainteresowaniach erotycznych Tayenda znikły kilka tygodni po tym, jak się pojawiły. Wszyscy wiedzieli, że Elynowie uwielbiają plotki, a jedynym powodem, dla którego w Gildii podejrzewano chłopaka o szczególne preferencje w wyborze ukochanych, były powtarzane szeptem informacje dotyczące Dannyla i jego młodzieńczej, rzekomej fascynacji mężczyznami. Oskarżenia te nigdy nie zostały udowodnione. A ponieważ nie pojawiły się nowe plotki o Dannylu i jego asystencie, większość magów zapomniała o nich.

Rothen bardziej martwił się o badania, które zlecił przyjacielowi. Aby dociec, skąd Wielki Mistrz zna czarną magię, Rothen postanowił przyjrzeć się bliżej dawnym podróżom w poszukiwaniu starożytnej magii, które podejmował Akkarin. Wydawało się bowiem prawdopodobne, że właśnie wtedy poznał on arkana zakazanej sztuki. A źródła, które wówczas przestudiował, mogły dostarczyć również wiedzy na temat słabych stron czarnej magii, co można by wykorzystać przeciw Wielkiemu Mistrzowi. Rothen poprosił zatem Dannyla, żeby poszperał co nieco, zbierając materiały do książki, którą rzekomo zamierzał napisać.

Niestety Dannyl nie odkrył wielu przydatnych rzeczy. Kiedy przed ponad rokiem powrócił nagle do Gildii, by zdać raport Akkarinowi, Rothen obawiał się, że zostali wykryci. Dannyl jednak zapewnił go, że powiedział Wielkiemu Mistrzowi, iż rozpoczął poszukiwania z powodu własnych zainteresowań, i ku zdumieniu Rothena Akkarin kazał mu je kontynuować. Dannyl wciąż przesyłał Rothenowi co kilka miesięcy wyniki badań, ale było ich coraz mniej. Dannyl uzewnętrznił kiedyś swoją frustrację w związku z wyczerpaniem źródeł w Elyne, niemniej pamiętając, jak skryty i tajemniczy był jego przyjaciel podczas wizyty w Gildii, Rothen nie mógł się pozbyć podejrzeń, że Dannyl chowa coś w zanadrzu. Co więcej, wspomniał przecież o jakichś tajnych ustaleniach z Wielkim Mistrzem.

Podszedł do stolika z pustą filiżanką. Dannyl jest Ambasadorem Gildii, posiada zatem wiele informacji, które nie są dostępne dla zwykłego maga. Możliwe, że owe tajemnice dotyczą po prostu jakichś spraw politycznych.

Trudno mu było jednak przestać się martwić, że Dannyl być może nieświadomie pomaga Akkarinowi w jakiejś straszliwej, złowrogiej intrydze.

Na to również nic nie mógł poradzić. Pozostawało jedynie zaufać rozsądkowi Dannyla. Jego przyjaciel nie wypełniałby ślepo rozkazów, zwłaszcza gdyby kazano mu robić coś wątpliwego lub złego.

Nieważne, że Dannyl już wiele razy gościł w Wielkiej Bibliotece, jej siedziba nie przestawała wywierać na nim kolosalnego wrażenia. Wycięte w litej skale drzwi i okna tej budowli były tak ogromne, że bez trudu potrafił sobie wyobrazić jakieś plemię gigantów kształtujących skałę na swoje potrzeby. Pomieszczenia i korytarze we wnętrzu były jednak dostosowane do potrzeb zwykłego człowieka, a zatem przynajmniej one *nie były* dziełem olbrzymów. Kiedy powóz zatrzymał się przed ogromną bramą, otwarły się mniejsze drzwiczki u jej podstawy i pojawił się w nich urodziwy młodzieniec.

Dannyl uśmiechnął się, czując przypływ czułości na widok swojego przyjaciela i kochanka. Ukłon Tayenda był pełen szacunku, ale towarzyszył mu znajomy szeroki uśmiech.

– Zajęło ci nieco czasu dotarcie tu, Ambasadorze – powiedział.

– Nie wiń mnie za to. Wy, Elynowie, mogliście zbudować miasto bliżej biblioteki.

– Doskonały pomysł. Podpowiem to Królowi, kiedy tylko znów pojawię się na dworze.

– Ty nigdy nie pojawiasz się na dworze.

– Prawda. – Tayend roześmiał się. – Irand chce z tobą rozmawiać.

Dannyl zatrzymał się. Czyżby bibliotekarz wiedział już o tym, co znajdowało się w liście, który właśnie dotarł do Dannyla? Może sam otrzymał podobny.

– O czym?

Tayend wzruszył ramionami.

– Chyba po prostu chce sobie pogadać.

Weszli do korytarza, po czym wspięli się po wąskich schodach do znajdującego się wyżej pomieszczenia. Okna o pięknie rzeźbionych framugach zdobiły jedną z jego ścian. Stały tam nieregularnie pogrupowane krzesła.

Na jednym ze stojących najbliżej siedział starszy mężczyzna. Kiedy zaczął się podnosić na widok maga, Dannyl machnął ręką.

– Nie rób sobie kłopotu, Irandzie – powiedział, opadając na sąsiednie krzesło. – Jak się miewasz?

Bibliotekarz wzruszył nieznacznie ramionami.

– Nieźle jak na starca. Nieźle. A ty, Ambasadorze?

– Dobrze. Nie mam w tej chwili dużo roboty w Domu Gildii. Kilka testów uzdolnień magicznych, jakieś drobne dysputy, trochę niezbyt wielkich przyjęć. Nic naprawdę pochłaniającego czas.

– A jak tam Errend?

Dannyl uśmiechnął się.

– Pierwszy Ambasador jest pogodny jak zawsze – odpowiedział. – I bardzo zadowolony, że znikam mu z oczu na całe dnie.

Irand zaśmiał się krótko.

– Tayend wspominał mi, że wasze poszukiwania prowadzą donikąd.

Dannyl westchnął i zerknął na przyjaciela.

– Moglibyśmy przeczytać wszystkie księgi znajdujące się w tej bibliotece, zakładając, że w którejś może znaleźć się coś nowego, ale potrzebowalibyśmy na to kilku żywotów i setek asystentów.

Kiedy Dannyl zaczął zgłębiać starożytną magię na prośbę Lorlena, ten temat zaintrygował go. Akkarin, jeszcze zanim został Wielkim Mistrzem przez pięć lat podróżował, by poznać dawną magię. Powrócił jednak z pustymi rękami, toteż Dannyl podejrzewał z początku, że Administrator chciał powtórzyć drogę Akkarina po to, by ofiarować przyjacielowi w prezencie informacje, które utracił.

Niemniej sześć miesięcy później, kiedy Dannyl odbył podróż do Lonmaru i Vinu, Lorlen niespodziewanie poinformował go, że nie potrzebuje już poszukiwanych informacji. W tym samym czasie niespodziewanie zainteresował się nimi Rothen. Ten dziwaczny zbieg okoliczności, jak również własna wzrastająca fascynacja tajemnicami dawnej magii zachęciły Dannyla i Tayenda do kontynuowania poszukiwań.

Akkarin w końcu dowiedział się o przedsięwzięciu Dannyla i wezwał go do złożenia raportu. Na szczęście Wielki Mistrz wyraził zadowolenie z postępów Drugiego Ambasadora, aczkolwiek rozkazał Dannylowi i Tayendowi zatrzymać w tajemnicy ich najdziwaczniejsze odkrycie: Komnatę Kary Ostatecznej, którą odnaleźli w ruinach miasta w górach Elyne. Znajdowało się tam sklepienie z naładowanych magią kamieni, które zaatakowały Dannyla, omal go nie zabijając.

Zasadę jej działania nadal okrywała tajemnica. Dannyl powrócił tam i na nowo zapieczętował wejście, po czym wziął się do poszukiwania w Wielkiej Bibliotece jakichś wzmianek o tym niezwykłym miejscu, ale niczego nie znalazł. Najwyraźniej komnata posługiwała się magią nieznaną Gildii.

– Podejrzewam, że dowiedziałbym się czegoś więcej w Sachace – dodał Dannyl – ale Wielki Mistrz zakazał mi się tam udawać.

Irand pokiwał głową.

– I bardzo mądrze zrobił. Nie wiesz, jak by cię tam przyjęli. Z całą pewnością w Sachace są magowie. Nawet gdyby okazali się mniej sprawni od ciebie czy twoich kolegów, mogliby stanowić zagrożenie dla samotnego maga Gildii. W końcu Gildia spustoszyła ogromne połacie ich ziemi, co zapewne wciąż mają jej za złe. Co zamierzasz więc teraz zrobić?

Dannyl wyciągnął z kieszeni szat złożony list i podał go bibliotekarzowi.

Irand zawahał się na widok złamanej pieczęci Wielkiego Mistrza, ale otworzył kartę i zaczął czytać.

– Co to jest? – spytał Tayend.

– Śledztwo – odparł Dannyl. – Wygląda na to, że pewni wielmoże w tym kraju chcieliby założyć własną, dziką Gildię.

Uczony otworzył szeroko oczy ze zdziwienia, po czym przybrał zamyślony wyraz twarzy. Irand wziął głęboki oddech i spojrzał na Dannyla sponad kartki papieru.

– A zatem on wie.

Dannyl potaknął.

– Na to wygląda.

– Co wie? – spytał Tayend.

Irand podał młodzieńcowi list. Tayend odczytał go na głos.

„Od kilku lat obserwuję wysiłki niewielkiej grupy dworzan w Elyne mające na celu opanowanie magii bez pomocy i kierownictwa Gildii. Niedawno udało im się odnieść pewien sukces. Teraz, skoro jeden z nich zdołał rozwinąć moc, Gildia ma prawo i obowiązek rozprawić się z nimi. Do listu dołączam informacje o tej grupie. Twoja zażyłość z uczonym imieniem Tayend z Tremmelin może być ci przydatna, by przekonać ich, że jesteś godny zaufania".

Tayend urwał, patrząc na Dannyla.

– Co on przez to rozumie? – zawołał.

Dannyl kiwnął głową w stronę kartki.

– Czytaj dalej.

„Niewykluczone, że buntownicy będą usiłowali wykorzystać informacje dotyczące kwestii intymnych przeciwko tobie, kiedy już ich aresztujesz. Zapewniam cię, że przekonam wszystkich, że to ja rozkazałem ci podsunąć im takie pogłoski, byś mógł zaskarbić sobie ich zaufanie".

Tayend wpatrywał się w Dannyla.

– Mówiłeś, że oni nic o nas nie wiedzą. Skąd *on* wie? A może tylko słyszał plotki i uznał, że może być w nich ziarno prawdy?

– Wątpię – wtrącił Irand. – Człowiek pokroju Wielkiego Mistrza nie ryzykuje. Kto jeszcze może wiedzieć o waszej… zażyłości?

Tayend pokręcił głową.

– Nikt. Chyba że ktoś nas podsłuchał… – rozejrzał się dookoła.

– Zanim zaczniemy polowanie na szpiegów, musimy rozważyć jeszcze jedną możliwość – powiedział Dannyl, krzywiąc się i pocierając skronie. – Akkarin posiadł niezwykłe umiejętności. Każdy z nas podlega pewnym ograniczeniom, jeśli chodzi o czytanie w myślach. Nie możemy czytać myśli wbrew czyjejś woli, a żeby w ogóle to zrobić, musimy mieć z tym kimś kontakt fizyczny. Akkarin jednak kiedyś wszedł do umysłu przestępcy, by potwierdzić jego winę. Ten człowiek powinien był zablokować kontakt, a jednak Akkarin przekroczył jego bariery. Niektórzy magowie twierdzą zaś, że Akkarin potrafi czytać w myślach na odległość.

– A zatem przypuszczasz, że odczytał twoje myśli, kiedy byłeś w Kyralii?

– Być może. Albo też kiedy rozkazał mi wrócić do Gildii.

Irand uniósł brwi.

– Wtedy, kiedy byłeś w górach? Odczytywanie myśli na taką odległość byłoby czymś niewiarygodnym.

– Wątpię, czy dałby radę to zrobić, gdybym nie odpowiedział na jego wezwanie. Jak już nawiąże się kontakt, on może być w stanie zobaczyć więcej niż to, na co mu się pozwala. – Dannyl wskazał na list. – Czytaj dalej, Tayendzie. Został jeszcze jeden akapit.

Tayend wrócił do listu.

– „Twój asystent spotkał się wcześniej z tymi buntownikami, a zatem powinno mu się udać zorganizowanie spotkania". Skąd on *to* wie?

– Miałem nadzieję, że ty mi to powiesz.

Uczony zmarszczył brwi, wpatrując się w kartkę.

– Każdy w Elyne ma jakiś sekret albo i kilka. O niektórych się napomyka, inne lepiej trzymać głęboko w ukryciu. – Spojrzał na Dannyla i Iranda. – Kilka lat temu zostałem zaproszony na tajemne przyjęcie u człowieka zwanego Royendem z Marane. Kiedy odmówiłem, zapewnił mnie, że to nie to, o czym myślę, że nie będzie żadnego folgowania uciechom ciała czy umysłu. Powiedział, że to zebranie uczonych. Zachowywał się jednak dziwacznie, co ja odebrałem jako ostrzeżenie i nie pojechałem.

– Czy cokolwiek w jego słowach mogło wskazywać na to, że oferował kształcenie magiczne? – spytał Irand.

– Nie, ale jakie inne uczone sprawy trzeba trzymać w tajemnicy? Wszyscy wiedzą, że ja kiedyś mogłem pojechać na nauki do Gildii, ale odmówiłem. A moje skłonności też są powszechnie znane. – Rzucił ukradkowe spojrzenie Dannylowi. – On wie, że miałem talent magiczny, może się więc domyślać, dlaczego nie zdecydowałem się przywdziać szaty.

Irand potaknął.

– Wielki Mistrz zapewne też jest tego świadom. A to, że buntownicy usiłują rekrutować każdego, kto odmówił wstąpienia do Gildii albo nie został do niej przyjęty, ma sens. – Urwał i spojrzał na Dannyla. – W dodatku Akkarin bez wątpienia wie też o tobie, a jednak nie usunął cię ze stanowiska ani nie ujawnił. Może jest bardziej tolerancyjny od przeciętnego Kyralianina.

Dannyl poczuł, że po plecach przebiega mu dreszcz.

– To tylko dlatego, że jestem mu potrzebny. Pozwoli, żebym zaryzykował bardzo wiele, byle tylko odnaleźć buntowników.

– Człowiek na jego stanowisku musi opanować sztukę posługiwania się tymi, którzy mu służą – oznajmił twardo Irand. – Zgodziłeś się zostać Ambasadorem Gildii, Dannylu. Twoim obowiązkiem jest zatem działać w imieniu Wielkiego Mistrza w sprawach, które należą do zadań Gildii i za które jest ona odpowiedzialna. Czasem łączy się to z podejmowaniem ryzyka. Miejmy nadzieję, że ryzykujesz wyłącznie swoją opinię, a nie życie.

Dannyl westchnął i pochylił głowę.

– Oczywiście masz rację.

Tayend zachichotał.

– Irand zawsze ma rację… chyba że chodzi o kwestie katalo… – Wyszczerzył się w szerokim uśmiechu, widząc, jak bibliotekarz rzuca mu groźne spojrzenie. – Zakładam więc, że chodzi o to, że buntownicy mogą pomyśleć, że Dannyl ma powody, by czuć niechęć do Gildii, a zatem uznają go za potencjalnego rekruta, tak?

– I nauczyciela – dodał Irand.

Dannyl przytaknął.

– Mogą też uznać, że jeśli nie chciałbym współpracować, oni będą mogli zmusić mnie do zachowania milczenia, grożąc, że ujawnią nasz związek.

– Zgadza się. Musicie jednak zaplanować to ostrożnie – ostrzegł go Irand.

Zaczęli rozważać sposoby zbliżenia się do buntowników. Nie po raz pierwszy Dannyl cieszył się z tego, że bibliotekarz mu ufa. Tayend przed kilkoma miesiącami nalegał, żeby opowiedzieli jego opiekunowi o swoim związku, zapewniając przy tym maga, że ma pełne zaufanie do Iranda. Ku zdziwieniu Dannyla stary człowiek nie był wcale zaskoczony.

O ile obaj wiedzieli, dwór w Elyne nadal uważał, że Dannyl nie ma pojęcia o zamiłowaniu Tayenda do mężczyzn, a już z pewnością go nie podziela. Rothen powiedział Dannylowi, że podobne pogłoski krążyły po Gildii, ale szybko ucichły. A mimo to Dannyl wciąż się obawiał, że prawda dotrze do Gildii, a on zostanie odwołany i wezwany do powrotu.

Dlatego właśnie rozkaz Akkarina, by wyjawić buntownikom prawdę, tak go zdumiał i rozgniewał. Utrzymywanie tajemnicy było wystarczająco trudne. Ujawnienie się rebeliantom stanowiło ryzyko, którego nie miał ochoty podejmować.

*

Było już późno, kiedy ktoś zapukał do jej drzwi. Sonea podniosła wzrok znad biurka i spojrzała ku wejściu do pokoju. Czyżby to jej służąca z wieczorną filiżanką gorącej raki? Uniosła dłoń, a po chwili zatrzymała się w pół gestu. Mistrz Yikmo, Wojownik, który przygotowywał ją do pojedynku, powtarzał zawsze, że mag powinien powstrzymywać się od wykonywania ruchów wspomagających magię, ponieważ zdradzają one zamiary. Bez ruchu zatem rozkazała drzwiom, by się otworzyły. W korytarzu ujrzała Takana.

– Pani – powiedział służący. – Wielki Mistrz żąda, byś stawiła się w bibliotece.

Nie spuszczała z niego wzroku, czując, jak krew mrozi się w jej żyłach. Czego chce od niej Akkarin o tej porze?

Takan czekał, wpatrując się w nią.

Odsunęła krzesło, wstała i podeszła do drzwi. Kiedy tylko wyszła na korytarz, służący ruszył w stronę biblioteki. Podążyła za nim i zajrzała do środka.

Z boku pomieszczenia stało wielkie biurko. Ściany zastawione były regałami. Na środku ustawiono niski stolik i dwa fotele – w jednym z nich siedział Akkarin. Kiedy się ukłoniła, wskazał jej gestem drugi fotel, na którym leżała niewielka książeczka.

– To lektura dla ciebie – powiedział. – Pomoże ci zgłębić tajniki stosowania magii w budownictwie.

Sonea weszła do środka i zbliżyła się do fotela. Książeczka była mała, oprawiona w skórę i bardzo zniszczona. Podniosła ją i otwarła. Kartki pokrywało poblakłe ręczne pismo. Przeczytała kilka pierwszych zdań i zaczerpnęła głęboko powietrza. To był dziennik Mistrza Corena, architekta, który zaprojektował większość gmachów Gildii i który odkrył, jak można magicznie kształtować kamień.

– Chyba nie muszę ci mówić, jaką wartość ma ta książka – odezwał się cicho Akkarin. – Jest rzadka, bezcenna – zniżył głos – i nie może opuścić tego pomieszczenia.

Sonea spojrzała na niego i skinęła głową. Miał poważny wyraz twarzy, a ciemne oczy przewiercały ją na wylot.

– Nie wolno ci też o niej nikomu mówić – dodał cicho. – O jej istnieniu wie zaledwie kilka osób i wolałbym, żeby tak zostało.

Cofnęła się o krok, kiedy podniósł się z fotela i ruszył w kierunku drzwi. Zauważyła, że przez cały czas Takan przyglądał się jej z niespotykaną bezpośredniością, jakby poddawał ją gruntownej ocenie. Napotkała jego wzrok. Pokiwał głową, jakby coś rozważał, po czym odwrócił się. W oddali ucichło echo kroków dwóch osób. Spojrzała na trzymaną w rękach książkę.

Usiadła, otworzyła ją i zabrała się do lektury.

„Ja Coren z Emarin, Domu Velan, postanowiłem sporządzić dziennik mojej pracy i odkryć.

Nie należę do tych, którzy piszą o sobie powodowani próżnością, zwyczajem, czy też pragnieniem, by inni dowiedzieli się o ich czynach. W mojej przeszłości nie było wielu zdarzeń, o których nie mógłbym porozmawiać z przyjaciółmi albo siostrą. Dziś jednak odkryłem potrzebę przelania moich myśli na papier. Natknąłem się na coś, co musi pozostać moją tajemnicą, a jednak równocześnie czuję potrzebę opowiedzenia o tym, aby nikt nie mógł mi zadać kłamu".

Sonea zerknęła na górę kartki i odczytała datę. Dzięki niedawnym wykładom obliczyła, że w chwili rozpoczęcia pisania tego dziennika Mistrz Coren był młody i niespokojny, a poza tym miał problemy z przełożonymi, ponieważ zbyt dużo pił, nie mówiąc o tym, że projektował dziwaczne, niepraktyczne budynki.

„Kazałem dziś przynieść sobie do pokoju kufer. Otwarcie go zajęło mi nieco czasu. Z łatwością poradziłem sobie z magicznymi zamkami, ale wieko było tak zardzewiałe, że ciężko było je poruszyć. Nie chciałem ryzykować zniszczenia tego, co znajdowało się w środku, toteż postępowałem z ogromną ostrożnością. Kiedy w końcu udało mi się odsunąć pokrywę, byłem zarazem rozczarowany i zadowolony. Kufer pełen był skrzynek, a zatem pierwszy rzut oka na zawartość był satysfakcjonujący. Kiedy jednak otwierałem kolejne skrzynie, znajdowałem w środku jedynie księgi. Gdy więc otwarłem ostatnią z nich, poczułem wielkie rozczarowanie. Nie znalazłem zakopanego skarbu. Tylko księgi.

Z tego, co zauważyłem, są to wszystko jakieś zapisy. Czytałem długo w noc i wiele rzeczy mnie zdumiało. Jutro przeczytam więcej".

Sonea uśmiechnęła się na myśl o młodym magu zamkniętym w swoim pokoju ze starymi księgami. Kolejne wpisy były chaotyczne, nierzadko pomijały kilka dni z rzędu. A potem pojawiła się krótka notatka, kilkakrotnie podkreślona.

„Wiem, co znalazłem! To brakujące zapiski!".

Wymienił kilka tytułów ksiąg, ale Sonei nic one nie mówiły. Te brakujące tomy były „pełne zakazanej wiedzy", toteż Coren niechętnie pisał o ich zawartości. Niemniej po kilkutygodniowej przerwie pojawił się dłuższy wpis poświęcony jakiemuś eksperymentowi, a jego zakończenie brzmiało następująco:

„W końcu udało mi się! Trwało to tak długo. Czuję zarówno triumf, jak i przerażenie, którego powinienem był doznać już wcześniej. Nie jestem pewny, dlaczego tak jest. Póki nie udawało mi się odkryć sposobu na posłużenie się tą mocą, byłem wciąż jakby nietknięty. A teraz nie będę mógł powiedzieć, że nie posłużyłem się nigdy w życiu czarną magią. Złamałem przysięgę. Nie przypuszczałem, że tak źle się będę z tym czuł".

To go jednak nie powstrzymało. Sonea usiłowała zrozumieć, z jakiego powodu ten młody człowiek brnął w coś, co sam najwyraźniej uważał za złe. Wydawało się, że nie potrafi przestać, jakby coś ciągnęło go dalej, ku temu, do czego prowadziło jego odkrycie, nawet gdyby miało to spowodować ujawnienie jego zbrodni.

Prowadziło to jednak do czegoś jeszcze...

„Wszyscy, którzy mnie znają, wiedzą, jak kocham kamień, to przepiękne ciało ziemi. Ma zmarszczki i pory niczym skóra, ma żyły. Może być twardy, miękki, kruchy lub elastyczny. Kiedy ziemia wypluwa na powierzchnię swoje stopione jądro, jest ono czerwone niczym krew.

Sądziłem, że kiedy nauczę się czarnej magii, położywszy dłonie na kamieniu, poczuję zmagazynowaną w nim niewiarygodną ilość energii życiowej, ale spotkało mnie rozczarowanie. Niczego nie czułem; niewiele ponad łagodne łaskotanie kropli wody. Chciałem być pełen życia. I wtedy to się stało. Niczym Uzdrowiciel, który pragnie przywrócić zdrowie umierającemu, zacząłem wlewać moc w kamień. Zmusiłem go do życia. Wtedy zaczęły się dziać niewiarygodne rzeczy".

Sonea chwyciła mocno książeczkę, niezdolna oderwać wzroku od tekstu. To odkrycie uczyniło Corena sławnym i wpłynęło na kształt magicznej architektury w kolejnych stuleciach. Uważano je za najważniejsze odkrycie magiczne wielu stuleci. To, czym posłużył się architekt, nie było dosłownie czarną magią, choć do celu doprowadziła go zakazana sztuka.

Sonea zamknęła oczy i potrząsnęła głową. Mistrz Larkin, wykładowca architektury, dałby fortunę za tę książeczkę, ale gdyby poznał prawdę o swoim uwielbianym mistrzu z dawnych czasów, mogłoby to go zniszczyć. Westchnęła, spojrzała z powrotem na tekst i pogrążyła się w dalszej lekturze.

ROZDZIAŁ 3

STARZY PRZYJACIELE, NOWI SPRZYMIERZEŃCY

Cery zamaszyście podpisał list, po czym przyjrzał się z zadowoleniem swojemu dziełu. Jego pismo było staranne i eleganckie, papier wysokiej jakości, a atrament czarny. Mimo pojawiających się tu i ówdzie wyrażeń gwarowych – Cery zażądał co prawda, aby Serin nauczył go pisania i czytania, ale nie by zrobił z niego kogoś, kto wyraża się jakby pochodził z Domów – i faktu, że było to pismo domagające się egzekucji człowieka, który oszukał go i uciekł na Stronę Południową, listowi nie można było nic zarzucić.

Uśmiechnął się na wspomnienie, jak prosił Farena, Złodzieja, który ukrywał Soneę przed Gildią, o „wypożyczenie" mu na jakiś czas pisarza. Sądząc po mieszaninie niechęci i wdzięczności na twarzy Farena, Cery zgadywał, że Złodziej odmówiłby, gdyby nie to, że bardzo potrzebował polepszenia swojej pozycji, co mógł uzyskać dzięki takiemu układowi.

Pozycja Farena w świecie Złodziei była chwiejna przez pierwszy rok po tym, jak wydał Soneę w ręce Gildii. Możliwości Złodzieja zależały od siatki ludzi chętnych do pracy dla niego. Niektórzy pracowali za pieniądze, ale większość wolała „pomagać" w zamian za zapowiedzi odwdzięczenia się w przyszłości, które były drugą walutą podziemia.

Faren wykorzystał wiele należnych mu przysług, kiedy ukrywał Soneę, ale to nie powinno było nijak w niego uderzyć. Ludzie wiedzieli, że wedle umowy z Soneą miał ją chronić przed Gildią w zamian za usługi magiczne – ale złamał tę umowę. Pozostali Złodzieje, zaniepokojeni ostrzeżeniami Gildii, że moc Sonei może stać się niebezpieczna, jeśli dziewczyna nie posiądzie należytej kontroli, „poprosili" go, by ją wydał. Jakkolwiek Faren nie za bardzo mógł odmówić żądaniu innych przywódców podziemia, jego słowo *zostało* złamane. Ludzie muszą wiedzieć, że Złodzieje kierują się *jakąś* uczciwością – w przeciwnym wypadku jedynie desperaci i głupcy będą z nimi robić interesy. Przed ostateczną ruiną ocalił Farena fakt, że Sonea nigdy nie posłużyła się magią w przydatny sposób, nie dotrzymując tym samym swojej części umowy.

Serin natomiast pozostawał lojalny. Podczas lekcji pisania i czytania udzielił Cery'emu nieco informacji o interesach Farena, ale nie było to nic, czego Cery sam by się nie domyślał. Chłopak uczył się szybko, jako że trochę pomagało mu to, co zapamiętał z lekcji, których skryba udzielał kiedyś Sonei.

Pokazując zaś, że on – przyjaciel Sonei – utrzymuje kontakty z Farenem – jej zdrajcą – Cery upewniał ludzi, że Złodziej jest nadal godzien zaufania.

Wyciągnął z szuflady wąską rurkę z wysuszonej trzciny, zwinął list i wsunął go do środka, po czym zatkał rurkę i zapieczętował woskiem. Następnie wziął do ręki yerim – cienkie metalowe narzędzie o zaostrzonym końcu – i wydrapał z boku trzcinowej rurki imię.

Odłożył trzcinę i obracał yerim w palcach. Nagle szybkim ruchem ręki rzucił narzędziem w przeciwległy kąt pokoju.

Wbiło się ostrzem w drewno okładziny. Cery westchnął cicho z zadowolenia. Wykonał i wyważył swój yerim tak, żeby nadawał się do rzucania. Spojrzał na trzy pozostałe, leżące w szufladzie i właśnie miał wyjąć następny, kiedy rozległo się pukanie do drzwi.

Wstał i podszedł do ściany, by wyciągnąć z niej yerim, a potem powrócił do biurka.

– Wejdź! – zawołał.

Drzwi się otworzyły i w środku pojawił się Gol. Jego twarz wyrażała szacunek. Cery przyjrzał mu się uważnie. Czy w jego oczach czaił się wyraz… jakby nadziei?

– Jakaś kobieta do ciebie, Ceryni.

Uśmiechnął się, słysząc w ustach wspólnika swoje pełne imię. To musi być jakaś niezwyczajna kobieta, skoro Gol tak się zachowuje. Jaka ona jest: energiczna, piękna czy ważna?

– Jak ma na imię?

– Savara.

A zatem to nikt, o kim Cery by słyszał, chyba że podała nieprawdziwe imię. W dodatku nie było typowo kyraliańskie, brzmiało bardziej z lonmarska.

– Czym się zajmuje?

– Nie powiedziała.

A zatem może istotnie ma na imię Savara, pomyślał Cery. Jeśli skłamała w kwestii imienia, dlaczego miałaby nie powiedzieć, czym się zajmuje?

– Po co przyszła?

– Twierdzi, że może ci pomóc w rozwiązaniu pewnego problemu, ale nie powiedziała jakiego.

Cery zamyślił się. *A zatem uważa, że mam problem. Interesujące.*

– Niech wejdzie.

Gol potaknął, po czym wrócił na korytarz. Cery zamknął szufladę i rozparł się na krześle w oczekiwaniu. Kilka minut później drzwi otworzyły się ponownie.

Cery i nowo przybyła przyglądali się sobie ze zdumieniem.

Miała najdziwaczniejszą twarz, jaką kiedykolwiek widział. Szerokie czoło i wysokie kości policzkowe zbiegały się w drobny podbródek. Gęste, czarne, proste włosy opadały ciężko na ramiona i plecy, ale najdziwniejszą cechą tej kobiety były jej oczy. Wielkie i nieco wzniesione ku zewnętrznym kącikom, i równie złotobrązowe jak jej jasna skóra. Dziwaczne, egzotyczne oczy... wwiercające się w niego z nieukrywanym rozbawieniem.

Nie chodzi o to, że nie przywykł do takich reakcji. Większość klientów sprawiała wrażenie, jakby się wahali, gdy po raz pierwszy go widzieli: gdy zauważyli jego niski wzrost i skojarzyli to z imieniem, które oznaczało małego gryzonia żyjącego w slumsach. Następnie jednak przypominali sobie o jego pozycji i grożących im konsekwencjach, gdyby się głośno roześmiali.

– Ceryni – odezwała się kobieta. – Ty jesteś Ceryni? – Miała niski, głęboki głos i mówiła z akcentem, którego nie potrafił rozszyfrować. Zdecydowanie nie lonmarskim.

– Owszem. A ty musisz być Savara. – Nie postawił na końcu znaku zapytania. Wątpił, by zamierzała wyjawić teraz prawdziwe imię tylko dlatego, że on zapytał, skoro wcześniej podała fałszywe.

– Tak.

Podeszła bliżej biurka, obrzucając przy tym spojrzeniem pokój, a następnie ponownie utkwiła wzrok w Cerym.

– Podobno mam jakiś problem, który potrafisz rozwiązać – podpowiedział.

Na jej twarzy pojawił się cień uśmiechu i Cery wstrzymał oddech. *Jeśli ona się uśmiechnie, może okazać się niezwykle piękna*. Nic dziwnego, że Gol przebierał nogami na jej widok.

– Owszem, masz. – Zachmurzyła się. – Owszem, potrafię. – Przesunęła wzrokiem po Cerym, jakby się nad czymś namyślała, po czym warknęła: – Inni Złodzieje mówią, że to ty ścigasz morderców.

Morderców? – Cery zmrużył oczy. A zatem wie, że jest więcej niż jeden.

– Jak chcesz mi pomóc?

Uśmiechnęła się, potwierdzając przypuszczenia Cery'ego: *była* niezwykle piękna. Nie spodziewał się jednak, że w parze z urodą pójdą pewność siebie i wyzywająca odwaga. Ta kobieta wiedziała doskonale, jak wykorzystać urodę do swoich celów.

– Mogę ci pomóc znaleźć ich i zabić.

Cery poczuł, jak puls mu przyspiesza. Jeśli wie, kim są ci mordercy, a mimo to uważa, że jest w stanie ich zabić...

– A jak zamierzasz tego dokonać? – spytał.

Uśmiech zniknął. Podeszła jeszcze o krok bliżej.

– Znalezienia czy zabicia?

– Jednego i drugiego.

– Nie zamierzam mówić ci dzisiaj o moich metodach zabijania. A jeśli chodzi o znajdowanie – na jej czole pojawiła się zmarszczka – to będzie trudne, ale łatwiejsze dla mnie niż dla ciebie. Umiem ich rozpoznawać.

– Ja też – zauważył Cery. – Czemu twoja metoda miałaby być lepsza?

Uśmiechnęła się ponownie.

– Bo więcej o nich wiem. W tej chwili mogę ci powiedzieć, że następny właśnie zjawił się w mieście. Zapewne będzie potrzebował kilku dni, żeby zebrać odwagę, ale niebawem usłyszycie o pierwszej ofierze.

Zastanowił się nad jej odpowiedzią. Gdyby nic nie wiedziała, po co miałaby mówić coś takiego? No chyba że planowała podrzucić „dowód", *zabijając* kogoś. Przyjrzał się jej dokładnie i serce mu zamarło w piersi, kiedy z opóźnieniem rozpoznał szeroką twarz i ten specyficzny złotobrązowy kolor skóry. Jak mógł od razu tego nie dojrzeć? Prawda, nigdy wcześniej nie widział *kobiety* z Sachaki...

Nabrał teraz pewności, że jest niebezpieczna. Niewyjaśniona pozostawała jednak kwestia, czy stanowi zagrożenie dla niego, czy też dla morderców pochodzących z jej ojczyzny. Im więcej uda mu się z niej wyciągnąć, tym lepiej.

– Czyżbyś miała w ojczyźnie obserwatorów – podsunął – którzy informują cię, kiedy morderca zjawi się w Kyralii?

Zawahała się.

– Owszem.

Cery pokiwał głową.

– A może – powiedział powoli – zaczekasz kilka dni i sama kogoś zabijesz.

Jej oczy stały się zimne jak stal.

– Możesz wysłać za mną szpiegów. Zatrzymam się w wynajętym pokoju i każę sobie przynosić jedzenie do łóżka.

– Cóż, wszyscy musimy udowadniać, że mamy dobre zamiary – powiedział. – Ty przyszłaś do mnie, więc to ty musisz wytłumaczyć się pierwsza. Owszem, wyślę za tobą ogon i porozmawiamy ponownie, kiedy ten zabójca uderzy. Zadowolona?

Potaknęła.
– Tak.
– Zaczekaj w pierwszym pomieszczeniu. Zorganizuję tu wszystko i poproszę przyjaciela, żeby odprowadził cię do twojej kwatery.
Obserwował ją, gdy podchodziła do drzwi, starając się zauważyć jak najwięcej szczegółów. Ubranie miała proste, ani obdarte, ani też drogie. Ciężka koszula i spodnie były typowym strojem kyraliańskich niższych warstw, ale ze sposobu, w jaki się poruszała, Cery wywnioskował, że nie przywykła do słuchania rozkazów. Nie, to ona wydawała rozkazy.
Gol powrócił do pokoju, kiedy tylko go opuściła. Na jego twarzy malowała się skrywana z trudem ciekawość.
– Daj jej cztery ogony – powiedział Cery. – Chcę znać jej każdy ruch. Uważajcie też na wszystkich, co się będą koło niej kręcić: przynosić jedzenie czy cokolwiek innego. Wie, że będzie obserwowana, niech więc zauważy dwa ogony.
Gol przytaknął.
– Chcesz zobaczyć, co miała przy sobie?
Wyciągnął niewielkie zawiniątko, któremu Cery przyglądał się z niejakim zaskoczeniem. *Ona zaproponowała, że zabije morderców*, przypomniał sobie. *Nie zamierza chyba tego robić gołymi rękami*. Potaknął.
Gol ostrożnie rozwinął płótno. Cery zaśmiał się krótko na widok noży i sztyletów. Podnosił wszystkie po kolei, sprawdzając ich wyważenie. Na niektórych widniały wyryte dziwaczne znaki i wzory, inne miały klejnoty wprawione w metal. Otrząsnął się. Bez wątpienia wszystko sachakańskie. Odłożył na bok największy z tych ozdobionych szlachetnymi kamieniami, po czym skinął na Gola.
– Oddaj jej to.

Gol potaknął, zawinął z powrotem tobołek i wyniósł zawiniątko z pokoju. Kiedy drzwi się zamknęły, Cery opadł na krzesło i pogrążył w rozmyślaniach na temat tej przedziwnej kobiety. Jeśli to wszystko, co mówiła, okaże się prawdą, może być dla nas tak przydatna, jak twierdzi.

A co jeśli skłamała? Zmarszczył brwi. Czy mógł ją nasłać któryś ze Złodziei? Wspomniała coś o rozmowach z „innymi Złodziejami". Cery nie potrafił jednak wymyślić, dlaczego którykolwiek z nich miałby się wtrącać. Musi ostrożnie rozważyć wszystkie możliwości. Co oznacza dokładne odpytywanie czujek.

Jeszcze jedno: czy mam powiedzieć jemu? pomyślał. Przekazanie informacji innych niż umówione kody wymagałoby spotkania, a on nie zamierzał tego robić bez absolutnej konieczności. Czy to jest dostatecznie ważne?

Kobieta z Sachaki, która ma kontakty u siebie w kraju. Pewnie, że jest.

Coś go jednak powstrzymywało. Może powinien zaczekać, aż przekona się, czy ona będzie użyteczna. Poza tym nie miał ochoty konsultować z nim każdej najdrobniejszej zmiany taktyki. Nawet jeśli byłby mu wiele winien.

Czas na kilka pomysłów strategicznych własnego autorstwa.

Czekając na rozpoczęcie lekcji sztuk wojennych Sonea czuła, jak zamykają się jej oczy, przecierała je więc, walcząc ze snem. Skończyła lekturę dziennika Corena późną nocą, bo wciągnęły ją wspomnienia architekta, a poza tym obawiała się, że jeśli zostawi książkę nieprzeczytaną do końca, to następnego wieczora może jej już nie zastać w bibliotece i nigdy się nie dowie, jak zakończyła się ta historia.

Kiedy noc przechodziła już we wczesne godziny poranne, przeczytała ostatni wpis:

„Podjąłem decyzję. Kiedy zostaną ukończone fundamenty Uniwersytetu, zakopię potajemnie skrzynię wraz z całą jej zawartością. Wraz z tą straszliwą wiedzą pogrzebię również moją własną, zawartą w tym zeszycie. Być może to ukrycie zdoła wreszcie zmazać niedające mi spokoju poczucie winy z powodu tego, czego się nauczyłem i czym się posługiwałem. Gdybym miał odwagę, zniszczyłbym skrzynię i jej zawartość, ale boję się postąpić inaczej niż ci, którzy zakopali ją wcześniej. Byli oni z całą pewnością znacznie ode mnie mądrzejsi".

Ktoś jednak musiał odnaleźć skrzynię, inaczej bowiem nie trzymałaby w rękach dziennika Corena. Co się stało z pozostałymi księgami? Czyżby znalazły się w posiadaniu Akkarina?

A może ten zeszyt to fałszerstwo, które wyprodukował Akkarin, by przekonać Gildię, że czarna magia nie jest wcale taka zła, jak wszyscy myślą? Może Wielki Mistrz testuje swoje dzieło na niej, żeby zobaczyć, czy zdoła ją przekonać?

Jeśli tak jest, to się pomylił. Coren wierzył, że czarna magia to zło. Lektura tej opowieści, niezależnie od jej wiarygodności, nikogo nie przekona, że jest inaczej.

Jeżeli to prawdziwy dziennik, po co Akkarin kazał jej go czytać? Sonea zmarszczyła brwi, wpatrując się w okładkę. Nie pozwoliłby, żeby dowiedziała się tego wszystkiego tylko dla swego kaprysu. Musiał mieć jakieś powody.

Co jej to wyjawiło? Że Coren posługiwał się czarną magią, a to doprowadziło go do odkrycia, jak kształtować kamień. Że inny mag – na dodatek bardzo sławny – popełnił to samo przestępstwo co on. Być może Akkarin chciał dać jej do zrozumienia, że również on mógł nauczyć się zakazanej sztuki wbrew rozsądkowi. Może pragnął jej zrozumienia i współczucia.

Tylko że Coren nie wziął nowicjusza na zakładnika, by ukryć swoje zbrodnie.

Ale czy nie zrobiłby tego, gdyby w razie wykrycia groziła mu kara w postaci utraty mocy, pozycji, a może nawet życia? Pokręciła głową. Może Akkarin chciał po prostu rozwiać jej złudzenia dotyczące sławnego Corena.

Nagłe pojawienie się Mistrza Makina wybiło ją z tych rozmyślań. Nauczyciel postawił na katedrze pudło pokaźnych rozmiarów i zwrócił się do studentów.

– Dziś będziemy się uczyć o iluzjach – oznajmił Wojownik. – I jak je wykorzystywać w walce. Oto najważniejsze, co musicie zapamiętać: iluzja opiera się na oszustwie. Sama z siebie nie może wam zrobić krzywdy, ale potrafi doprowadzić do niebezpiecznej sytuacji. Wyjaśnię wam to za pomocą anegdoty.

Makin usiadł na krześle, kładąc ręce na blacie. Odgłosy szurania nogami pod ławkami ustały. Opowieści Mistrza Makina zawsze były wciągające.

– Nasi historycy opowiadają, że pięć wieków temu w górach Elyne mieszkali dwaj bracia. Grind i Lond byli magami wprawnymi w walce. Pewnego dnia przez góry przejeżdżała karawana kupiecka prowadzona przez niejakiego Kamakę, z którym podróżowała jego córka, będąca bardzo piękną młodą kobietą. Bracia ujrzeli karawanę, zeszli więc ze swego górskiego domu, by kupić potrzebne towary. A kiedy ich wzrok padł na córkę Kamaki, obaj natychmiast się w niej zakochali. – Makin westchnął i pokiwał smutno głową, co wywołało uśmiechy na twarzach niektórych nowicjuszy. – Między braćmi rozgorzała kłótnia o to, któremu z nich przypadnie dziewczyna. Nie potrafili rozwiązać problemu za pomocą słów, zaczęli więc walczyć między sobą. Powiadają, że walka trwała wiele dni (co wydaje się mało prawdopodobne), albowiem bracia okazali się równi pod względem siły i umiejętności. Grind w końcu przełamał impas. Widząc, że jego brat stoi pod urwiskiem, na którym leży wielki głaz, sprawił, że kamień spadł, ale przed nim wysłał drugi, iluzoryczny głaz. Lond zauważył, że brat wpatruje się w coś nad jego głową. Również i on spojrzał w górę, natychmiast rozwiał iluzję spadającego głazu. Nie dostrzegł natomiast prawdziwego ukrytego za iluzorycznym. Grind spodziewał się, że brat wykryje oszustwo. Kiedy zaś zorientował się, że go zabił, pogrążył się w rozpaczy. Karawana tymczasem ruszyła dalej, uwożąc córkę Kamaki. Widzicie więc – zakończył Makin – że wprawdzie iluzje nic wam nie zrobią, ale oszustwo, jakie z sobą niosą, może wam zaszkodzić. – Wojownik powstał z miejsca. – Jak robimy iluzje? Tego właśnie będziemy się dzisiaj uczyć. Zaczniemy od kopiowania przedmiotów, które przyniosłem. Seno, wyjdź na środek.

Sonea słuchała, jak mag objaśnia różne sposoby tworzenia obrazu przedmiotu przy użyciu magii, i patrzyła, jak Seno wykonuje polecenia nauczyciela. Kiedy pokaz się zakończył, Seno ominął jej ławkę, wracając na swoje miejsce. Spojrzał na nią i uśmiechnął się. W odpowiedzi uniosła lekko kącik ust. Seno był dla niej wyjątkowo miły od czasu ćwiczeń sztuk wojennych sprzed kilku tygodni, kiedy to nauczyła go sztuczki, którą słabszy mag może się posłużyć w walce z silniejszym.

Lekcja trwała dalej, Sonea skupiła się więc na nauce technik tworzenia iluzji. A kiedy udało jej się wyprodukować iluzję owocu pachi, w powietrzu tuż przed jej oczami pojawił się jakiś przedmiot.

Był to kwiat, którego płatki miały kształt żółtych jesiennych liści. Wyciągnęła rękę i jej palce przeszły przez tę dziwaczną roślinę, która rozpadła się na tysiąc iskier światła wirujących w szalonym tańcu zanim całkowicie znikły.

– Jakie piękne! – zawołała Trassia.

– To nie ja. – Sonea rozejrzała się po sali i dostrzegła na twarzy Sena szeroki uśmiech; na ławce przed nim leżał żółty liść.

Z przodu sali dobiegło chrząknięcie Mistrza Makina. Sonea odwróciła się i zobaczyła utkwione w niej karcące spojrzenie nauczyciela. Wzruszyła ramionami na znak swojej niewinności. Makin wskazał znacząco na leżący przed nią owoc.

Skoncentrowała się i wkrótce obok leżała iluzoryczna kopia pachi. Tyle że była nieco zbyt czerwona, a na skórce wyraźnie rysowało się coś jakby żyłki liścia. Westchnęła. Znacznie łatwiej by jej poszło, gdyby nie miała w pamięci tak wyraźnego obrazu jesiennych liści. Odepchnęła od siebie zirytowanie. Seno nie zamierzał jej rozproszyć. Po prostu się popisywał.

Dlaczego zamachał swoim sukcesem akurat przed jej nosem? Przecież chyba nie chciał zrobić na niej wrażenia.

A może?

Oparła się pokusie odwrócenia się do niego, żeby zobaczyć, co robi. Seno był pogodnym, rozmownym chłopakiem, powszechnie lubianym, a ona chyba jedyną dziewczyną z Kyralii, która nad nim nie górowała…

O czym ja myślę? Skrzywiła się, widząc, jak jej iluzja zmienia się w bezkształtną, lśniącą masę. *Nie dość, że muszę martwić się z powodu Akkarina, to jeszcze jest przecież Dorrien…*

Przemknęło jej przez myśl wspomnienie syna Rothena stojącego przy źródle w lesie na tyłach Gildii, pochylającego się, żeby ją pocałować. Odepchnęła od siebie ten obraz.

Nie widziała Dorriena od ponad roku. I zawsze kiedy tylko przyłapywała się na wspomnieniu o nim, natychmiast starała się koncentrować na czymś innym. Żal niczego jej nie ułatwi – zwłaszcza że ten związek był od początku niemożliwy, zważywszy na fakt, że ona nie może opuścić Gildii, dopóki nie skończy studiów, a on mieszka – jeśli nie liczyć kilku tygodni w roku – daleko stąd, w małej wiosce u podnóża gór.

Westchnęła, skoncentrowała się na owocu i zaczęła odbudowywać swoją iluzję.

Kiedy Lorlen podszedł do drzwi swojego gabinetu, usłyszał za sobą znajomy głos wołający go po imieniu. Odwrócił się i uśmiechnął na widok swojego asystenta, pospiesznie zdążającego ku niemu.

– Dobry wieczór, Mistrzu Osenie.

Magiczny zamek otworzył się na wezwanie jego woli i drzwi stanęły otworem. Lorlen wszedł do środka i zaprosił gestem Osena, ale asystent zawahał się, bo gdy tylko zajrzał do pokoju, wyraz jego twarzy zmienił się z zaskoczenia w grymas. Lorlen spojrzał w kierunku wskazywanym przez wzrok Osena i dostrzegł ubranego na czarno mężczyznę, usadowionego wygodnie w jednym z foteli.

Akkarin potrafił pojawiać się znienacka w zamkniętych pomieszczeniach, lub też innych niespodziewanych miejscach, to zatem nie było wyjaśnieniem skrzywionej miny Osena. Lorlen przyjrzał się ponownie asystentowi. Twarz młodego maga wyrażała w tej chwili szacunek; nie pozostał nawet ślad po przelotnym niezadowoleniu, które wcześniej dostrzegł Lorlen.

Nigdy dotąd nie zauważyłem, żeby nie lubił Akkarina, pomyślał Lorlen, podchodząc do biurka. *Ciekawe, jak długo to trwa.*

– Dobry wieczór, Wielki Mistrzu – odezwał się Lorlen.

– Dobry wieczór, Administratorze – odparł Akkarin. – Mistrzu Osenie.

– Wielki Mistrzu. – Osen ukłonił się.

Lorlen usiadł za biurkiem i spojrzał na Osena.

– Miałeś mi coś…

– Owszem – odpowiedział Osen. – Jakieś pół godziny temu spotkałem pod tymi drzwiami posłańca. Kapitan Barran kazał ci przekazać, że ma dla ciebie coś interesującego, kiedy tylko będziesz wolny.

Kolejna ofiara? Lorlen opanował dreszcze.

– Udam się zatem do niego, by się dowiedzieć, o co chodzi, chyba że Wielki Mistrz pragnie mnie tu zatrzymać. – Zerknął na Akkarina.

Na czole Akkarina pojawiły się głębokie zmarszczki. *Wygląda na zaniepokojonego*, pomyślał Lorlen. *Jakby się naprawdę czymś martwił.*

– Nie – odparł Wielki Mistrz. – Prośba kapitana Barrana jest ważniejsza niż wszystko, co miałem tu z tobą omawiać.

Nastąpiła chwila niezręcznego milczenia, ponieważ Osen nie ruszał się od biurka, a Akkarin nie podnosił się z fotela. Lorlen rzucił spojrzenie jednemu i drugiemu, po czym wstał.

– Dziękuję ci, Osenie. Możesz zamówić dla mnie powóz?

– Oczywiście, Administratorze. – Młody mag ukłonił się uprzejmie Akkarinowi i wyszedł z pokoju.

Lorlen przyglądał się uważnie Wielkiemu Mistrzowi, zastanawiając się, czy niechęć Osena była widoczna.

Co też ja myślę? Pewnie, że on wie.

Akkarin nie zwracał jednak uwagi na wychodzącego Osena. Wciąż zachmurzony podniósł się z fotela i podszedł za Lorlenem do drzwi.

– Nie spodziewałeś się tego? – odważył się zapytać Lorlen, kiedy wyszli do wielkiego holu. Na zewnątrz padał deszcz, zatrzymał się więc na progu, czekając na powóz.

Akkarin zmrużył oczy.

– Nie.

– Możesz pojechać ze mną.

– Lepiej ty się tym zajmij.

Założę się, że i tak będziesz patrzył. Wzrok Lorlena powędrował do pierścienia, który miał na palcu.

– A zatem dobranoc – powiedział.

Wyraz twarzy Akkarina złagodniał nieco.

– Dobranoc. Chętnie wysłucham twojego zdania na ten temat. – Kącik ust Wielkiego Mistrza uniósł się nieznacznie w górę, po czym odwrócił się i zszedł na dół. Krople deszczu syczały cicho w zetknięciu z niewidzialną tarczą.

Lorlen pokręcił głową na myśl o małym żarcie Akkarina. Ze stajni na podjazd wiodący ku budynkowi Uniwersytetu wyjechał powóz. Zatrzymał się przy schodach, a woźnica zeskoczył z kozła, by otworzyć przed Lorlenem drzwiczki. Lorlen zbiegł na dół i wsiadł do powozu.

Droga przez miasto do posterunku Gwardii wydawała mu się dłuższa niż zwykle. Deszczowe chmury zasłaniały gwiazdy, za to na mokrej jezdni odbijało się światło latarni i rzucało cienie na okoliczne budynki. Nieliczni ludzie, którzy nie pochowali się jeszcze w domach, otulali się szczelnie płaszczami i naciągali kaptury na głowy. Tylko jeden mały posłaniec zatrzymał się, by popatrzeć na powóz.

W końcu Lorlen dotarł na miejsce, wysiadł i podszedł do bramy. Jak zwykle powitał go kapitan Barran.

– Wybacz, Administratorze, że wzywam cię w taką pogodę i o takiej godzinie – powiedział, prowadząc gościa do swojego gabinetu w głębi korytarza. – Rozważałem przesłanie informacji dopiero jutro, ale wtedy to, co mam do pokazania, byłoby jeszcze mniej przyjemne.

Barran nie zatrzymał się w swoim gabinecie, ale od razu ruszył ku temu podziemnemu pomieszczeniu, do którego kiedyś już zaprowadził Lorlena. Kiedy przeszli przez drzwi, owionął ich potężny smród zgnilizny. Lorlen dostrzegł z niesmakiem, że pod ciężką tkaniną na jednej z ław leży jakiś kształt podobny do ludzkiego.

– Proszę to wziąć – powiedział Barran, kiedy podszedł do szafki i wyciągnął z niej fiolkę i dwa kawałki materiału. Odkorkował naczynie, wylał po kilka kropli cieczy na obie szmatki i jedną z nich podał Lorlenowi. – Należy trzymać ją przy nosie.

Nozdrza Administratora wypełnił ostry i dobrze znany zapach ziół, tłumiący smród panujący w pomieszczeniu. Barran, zasłaniając nos drugą szmatką, zbliżył się do stołu.

– Znaleźliśmy dziś ciało tego człowieka w rzece – powiedział przytłumionym głosem. – Jest martwy od kilku dni.

Podniósł sukno przykrywające zwłoki, ukazując bladą twarz. Na oczach trupa leżały niewielkie kawałki materiału. Kiedy Barran odsłaniał coraz bardziej ciało, Lorlen starał się nie zwracać uwagi na oznaki rozkładu i ślady po rybich zębach. Przyjrzał się natomiast ranie w okolicy serca i długiemu cięciu biegnącemu przez szyję mężczyzny.

– Kolejna ofiara.

– Nie. – Barran spojrzał mu prosto w oczy. – Został rozpoznany przez dwóch świadków. To najwyraźniej jest morderca.

Lorlen spojrzał na niego ze zdumieniem, po czym przeniósł wzrok z powrotem na ciało.

– Został przecież zabity w ten sam sposób.

– Owszem. Zapewne w odwecie. Zobacz. – Gwardzista wskazał na lewą rękę trupa. Brakowało jednego z palców. – Miał na palcu pierścień, musieliśmy go odciąć.

Barran przykrył z powrotem zwłoki płachtą, po czym podszedł do naczynia z przykrywką stojącego na pobliskiej ławie. Zdjął pokrywę, odsłaniając zabrudzony srebrny pierścień.

– Był w nim kamień, ale został wyjęty. Nasz śledczy znalazł okruchy szkła wbite w skórę, oprawa zaś jest wygięta w sposób, który wskazuje na uderzenie w pierścień. Śledczy uważa, że kamień był szklany.

Lorlen powstrzymał się od spojrzenia w dół, na własny pierścień. Podarunek Akkarina. A zatem moje podejrzenia co do pierścienia mordercy były prawdziwe. Zastanawiam się…

Odwrócił się w stronę przykrytych już z powrotem zwłok.

– Jesteś pewny, że to morderca?

– Świadkowie byli niezwykle przekonujący.

Lorlen podszedł do stołu i odkrył jedno z ramion trupa. Zebrał się na odwagę, położył dwa palce na skórze martwego mężczyzny i wysłał w jego stronę badawcze impulsy. Natychmiast wyczuł w ciele ślady życia, co go uspokoiło.

Były one jednak dość dziwaczne. Szukał, ale wycofał się, kiedy odkrył, o co chodzi. Życie wewnątrz tego ciała koncentrowało się wokół żołądka, płuc, skóry i ran. Cała reszta była całkiem pusta.

Oczywiście, pomyślał. *Ten człowiek zapewne od kilku dni pływał w rzece. Wystarczająco dużo czasu, żeby jakieś drobne żyjątka się nim zajęły. Jeszcze dzień albo dwa, a nie dałoby się stwierdzić prawdziwej przyczyny śmierci.*

Odsunął się od stołu.

– Wystarczy ci oględzin? – spytał Barran.

– Tak. – Lorlen wytarł jeszcze palce szmatką, którą potem oddał Barranowi. Wstrzymał oddech, dopóki nie znaleźli się znów w korytarzu i nie zatrzasnęli za sobą drzwi.

– Co teraz? – zastanowił się głośno Lorlen.

Barran westchnął.

– Zaczekamy. Jeśli morderstwa nie ustaną, będziemy mieć pewność, że mamy do czynienia z grupą zabójców.

– Wolałbym, żeby po prostu ustały – odrzekł Lorlen.

– Podobnie jak większość ludzi w Imardinie – zgodził się z nim Barran. – Ale ja muszę jeszcze poszukać zabójcy tego mordercy.

Zabójca mordercy. Kolejny czarny mag. Czyżby Akkarin? Zerknął w stronę mijanych właśnie drzwi. To ciało jest dowodem na to, że w mieście są – albo byli – inni czarni magowie poza Akkarinem. Czyżby w Imardinie roiło się od nich? Nie była to kojąca myśl. Lorlen zapragnął nagle znaleźć się w swoim bezpiecznym mieszkaniu w Gildii, żeby przemyśleć wszystko od początku do końca.

Barran jednak najwyraźniej odczuwał potrzebę rozmowy na temat swojego odkrycia. Lorlen stłumił westchnienie i udał się za gwardzistą do jego biura.

ROZDZIAŁ 4

KOLEJNY KROK

Rothen siedział w swoim ulubionym fotelu pod ścianą sali wieczornej i przyglądał się innym magom. Co tydzień w tej sali zbierali się członkowie Gildii, żeby porozmawiać i wymienić się plotkami. Niektórzy stali parami lub w niewielkich grupkach, łączyła ich przyjaźń lub zawodowe więzi wynikające z uprawiania tej samej dyscypliny, innych przyciągały do siebie więzy rodzinne lub pochodzenia z tego samego Domu. Magowie wprawdzie byli zobowiązani do rezygnacji z takiej lojalności w chwili wstąpienia do Gildii, niemniej dla wielu tradycja rodowa i polityka były wskazówkami co do tego, komu należy ufać, a komu nie.

Po drugiej stronie pomieszczenia siedziała trójka magów, którzy zdawali się pogrążeni w niewinnych ploteczkach. Najmłodszy z nich był Balkan w czerwonej szacie przepasanej czarną szarfą Arcymistrza Wojowników, Vinara, odziana na zielono Arcymistrzyni Uzdrowicieli, była poważną kobietą w średnim wieku, natomiast siwowłosy Arcymistrz Alchemików imieniem Sarrin miał na sobie fioletową szatę.

Rothen dużo dałby za możliwość podsłuchania ich konwersacji, zwłaszcza że rozmawiali z zaangażowaniem od mniej więcej godziny. Zawsze jednak gdy starszyzna dyskutowała o czymś pomiędzy sobą, ta trójka miała najwięcej do powiedzenia i ich najbardziej słuchano. W dodatku dzięki prostemu rozumowaniu Balkana, współczującemu zrozumieniu Vinary i konserwatywnym poglądom Sarrina zazwyczaj mogli przyjrzeć się sprawie pod różnymi kątami.

Rothen wiedział jednak, że nigdy nie zdoła się zbliżyć niezauważony do tej trójki na tyle, żeby coś podsłuchać, zwrócił więc uwagę ku znajdującym się bliżej magom. Serce mu podskoczyło, kiedy usłyszał doskonale znany głos: Administrator Lorlen... stał gdzieś za jego fotelem. Zamknął oczy i skoncentrował się na tym głosie.

– ...wiem, że wielu Alchemików prowadzi od dawna prace, z których nie chcieliby rezygnować – mówił Lorlen. – Każdy będzie mógł sprzeciwić się swojemu udziałowi w budowie nowej Strażnicy, ale aby uzyskać zgodę, będzie musiał udowodnić, że jego praca naprawdę ucierpi z powodu zwłoki.

– Ale...

– Tak?

Rozległo się westchnienie.

– Po prostu nie rozumiem, dlaczego mielibyśmy marnować czas Alchemików na takie... takie głupstwa. Obserwacja *pogody*, niech mnie! Czy Davin nie mógłby zbudować sobie chatki na tym wzgórzu? Po co mu wieża? – Magiem, który tak protestował przeciwko projektowi, był Mistrz Peakin, przełożony studiów alchemicznych. – Poza tym nie rozumiem, po co mają brać w tym udział Wojownicy? Ta wieża ma mieć zastosowanie alchemiczne czy militarne?

– Oba – odparł Lorlen. – Wielki Mistrz uznał, że krótkowzroczne byłoby wznoszenie takiego budynku bez wzięcia pod uwagę jego potencjału obronnego. Uznał ponadto, że Król niechętnie zgodzi się na budowę, jeśli wieża miałaby służyć wyłącznie do obserwacji pogody.

– Kto będzie to projektował?

– To się jeszcze zobaczy.

Rothen uśmiechnął się pod nosem. Mistrz Davin od lat miał opinię ekscentryka, ale ostatnimi czasy jego studia nad modelami i przepowiadaniem pogody zaczęły spotykać się z zainteresowaniem i szacunkiem. Mistrz Peakin natomiast od zawsze uważał szaleńczy entuzjazm i dziwaczne obsesje Davina za wysoce irytujące.

Dysputa o wieży zakończyła się, kiedy do dotychczasowych dołączył kolejny głos.

– Dobry wieczór, Administratorze. Dobry wieczór, Mistrzu Peakinie.

– Rektorze – odpowiedział Peakin. – Słyszałem, że Sonea nie będzie już chodziła na wieczorne lekcje. Czy to prawda?

Słysząc imię Sonei, Rothen błyskawicznie natężył uwagę. Jerrik jako Rektor Uniwersytetu nadzorował wszystkie sprawy dotyczące kształcenia nowicjuszy. Z ostatniej wypowiedzi opiekun Sonei wywnioskował, że jest szansa, by dowiedzieć się czegoś o tym, jak jej idzie.

– Owszem – odparł Jerrik. – Omawialiśmy tę sprawę wczoraj podczas rozmowy z Wielkim Mistrzem. Kilku z jej nauczycieli zwracało mi uwagę, że jest przemęczona i łatwo traci koncentrację. Akkarin również to zauważył, zgodziliśmy się więc, że do końca roku będzie miała wolne wieczory.

– A co z tymi przedmiotami, których już zaczęła się uczyć?

– Rozpocznie ich naukę raz jeszcze w przyszłym roku, ale nie będzie musiała powtarzać niczego, co już zrobiła i zaliczyła. Nauczyciele wezmą pod uwagę jej dotychczasowy udział w zajęciach.

Głosy wokół niego cichły. Rothen powstrzymał się od rozglądania się dookoła.

– Czy ona wybrała już dyscyplinę? – spytał Peakin. – Musi wkrótce skupić swoje wysiłki na jednej z nich, inaczej pod koniec studiów nie będzie specjalistką w żadnej.

– Akkarin jeszcze nie podjął decyzji – odpowiedział Lorlen.

– *Akkarin* jeszcze nie podjął decyzji? – powtórzył z niedowierzaniem Jerrik. – Przecież wybór należy do Sonei.

Nastąpiła chwila milczenia.

– Oczywiście – zgodził się Lorlen. – Miałem na myśli to, że Akkarin jeszcze nie rozmawiał ze mną o tym, co zamierza jej doradzić, założyłem więc, że jeszcze nie wie, co powinien zasugerować.

– A może nie chce na nią nijak wpływać? – podrzucił Peakin. – Może dlatego... dobre przygotowanie... zanim...

Głosy całkiem się rozpłynęły. Rothen domyślił się, że podsłuchiwani magowie oddalili się, westchnął więc i wychylił swój kieliszek.

A zatem Soneę czekają wolne wieczory. Spochmurniał na myśl o tym, że będzie wtedy siedziała zamknięta w swoim pokoju w rezydencji Wielkiego Mistrza, w pobliżu Akkarina i jego mrocznych praktyk. Następnie przypomniał sobie, że zwykła spędzać czas wolny w Bibliotece Nowicjuszy. Na pewno tam właśnie będzie się zaszywać wieczorami.

Poczuł ulgę na tę myśl, oddał więc pusty kieliszek służącemu i udał się na poszukiwanie Yaldina.

*

Odkąd Irand oddał Dannylowi i Tayendowi jedno z pomieszczeń bibliotecznych, zaczęli oni wstawiać tam po trochu meble, aż pokój stał się równie wygodny jak salon w domu arystokraty. Oprócz wielkiego stołu, który niegdyś zajmował całe pomieszczenie, stały tu teraz wygodne fotele i kanapa, dobrze zaopatrzona szafka z winem i lampki oliwne do czytania. Kiedy nie było maga, lampki stanowiły również jedyne źródło ciepła. Dziś jednak Dannyl zawiesił magiczną kulę we wnęce w jednej ze ścian i ciepło szybko przepędziło chłód wiejący od kamiennych murów.

Kiedy Dannyl przybył do biblioteki, nie zastał Tayenda. Przez godzinę gawędził więc z Irandem, po czym udał się do swojego pokoiku, by zaczekać na przyjaciela. Przedzierał się właśnie przez archiwa nadmorskiej posiadłości w słabej nadziei znalezienia czegoś, co odnosiłoby się do starożytnej magii, kiedy wreszcie zjawił się Tayend.

Uczony zatrzymał się pośrodku pokoju i zachwiał się – najwyraźniej wypił co nieco.

– Nieźle się bawiłeś – zauważył Dannyl.

Tayend westchnął teatralnie.

– Owszem. Wino było niezłe. Muzyka też niczego sobie. Nawet kilku całkiem przystojnych akrobatów się trafiło... Ja jednak zabrałem się stamtąd, wiedząc, że tylko na kilka godzin udało mi się wyrwać z nieustannej służby w bibliotece, u mojego wielce wymagającego Ambasadora Gildii.

Dannyl założył ręce na piersi z uśmiechem.

– Służba, doprawdy. W życiu nie zdarzył ci się jeden dzień uczciwej pracy.

– Za to mnóstwo dni pracy nieuczciwej – odparł Tayend, szczerząc się do niego. – A poza tym udało mi się trochę powęszyć dla nas na tym przyjęciu. Był tam Dem Marane... ten, który być może jest buntownikiem.

– Naprawdę? – Dannyl opuścił ręce. – To dopiero zbieg okoliczności.

– Niezupełnie. – Tayend wzruszył ramionami. – Spotykam go czasem na przyjęciach, ale nigdy nie rozmawialiśmy zbyt wiele. Tym razem jednak postanowiłem pogadać i dałem mu do zrozumienia, że moglibyśmy być zainteresowani uczestnictwem w jego przyjęciach.

Dannyl poczuł ukłucie paniki.

– Co mu powiedziałeś?

Tayend machnął lekceważąco ręką.

– Żadnych szczegółów. Nadmieniłem tylko, że przestał mi przysyłać zaproszenia, odkąd zostałem twoim asystentem, a potem rozejrzałem się czujnie, nie kryjąc jednak zainteresowania.

– Nie powinieneś... – Dannyl zmarszczył brwi. – Ile razy dostawałeś te zaproszenia?

Uczony zachichotał.

– Czyżbyś był zazdrosny, Dannylu? Raz albo dwa razy w roku. I nie są to tak naprawdę zaproszenia. On tylko co jakiś czas napomyka, że byłbym mile widziany.

– I to właśnie urwało się, kiedy zacząłeś mi pomagać w pracy?

– On najwyraźniej bardzo się ciebie boi.

Dannyl przechadzał się po pokoju.

– Dałeś mu właśnie do zrozumienia, że domyślamy się, co oni zamierzają. Jeśli ich plany są tak poważne, jak twierdzi Akkarin, zareagują na najdrobniejszy sygnał niebezpieczeństwa. I to *bardzo* poważnie.

Tayend spojrzał na niego szeroko otwartymi oczami.

– Ależ ja tylko... wyraziłem zainteresowanie.

– I to zapewne wystarczy, żeby Marane panicznie się wystraszył. W tej chwili zapewne zastanawia się, co robić.

– A co może zrobić?

Dannyl westchnął.

– Wątpię, żeby zamierzał czekać, aż Gildia przybędzie, by go aresztować. Raczej rozważa, jak nas uciszyć. Zaszantażować. Zamordować.

– Zamordować? Ależ… on przecież wie, że nie nawiązywałbym z nim kontaktu, gdybym zamierzał go wydać? Gdybym zamierzał go wydać, to po prostu bym go… wydał.

– Ależ ty tylko podejrzewasz go o sprzyjanie buntownikom – odparł Dannyl. – On spodziewa się, że zrobimy dokładnie to, co zamierzamy zrobić… udać, że chcemy się przyłączyć po to, żeby potwierdzić nasze przypuszczenia. Dlatego właśnie Akkarin sugerował, że powinniśmy mu dać pożywkę dla szantażu.

Tayend usiadł, pocierając skronie.

– Myślisz, że naprawdę może próbować mnie zabić? – Zaklął pod nosem. – Ja tylko uznałem, że nadarza się okazja i… i…

– Nie. Jeśli ma choć trochę rozumu, nie będzie ryzykował. – Dannyl oparł się o stół. – Będzie się starał dowiedzieć o nas jak najwięcej, żeby poznać to, co jest dla nas ważne. W co może uderzyć. Rodzina. Bogactwo. Honor.

– My?

Dannyl potrząsnął głową.

– Nawet jeśli słyszał pogłoski, nie będzie na nich polegał. Potrzebuje czegoś pewnego. Gdyby udało nam się wyjawić mu wcześniej naszą małą tajemnicę, moglibyśmy mieć pewność, że wyceluje właśnie w to.

– Mamy jeszcze czas?

Dannyl przyjrzał się uważnie młodzieńcowi.

– Być może, jeśli będziemy działać szybko…

Radosne podniecenie znikło z oczu uczonego. Dannyl nie był pewny, czego pragnie bardziej: przytulić Tayenda na pocieszenie, czy też potrząsnąć nim. Poszukując na własną rękę magii, dworzanie z Elyne złamali jedno z podstawowych praw Krain Sprzymierzonych. Karą za to, zależnie od okoliczności, było dożywotnie więzienie, lub nawet śmierć. Buntownicy będą zatem bardzo poważnie traktować wszelkie sygnały o niebezpieczeństwie wykrycia.

Nieszczęśliwa mina Tayenda utwierdziła Dannyla w przekonaniu, że jeśli nawet młodzieniec do tej chwili nie zdawał sobie sprawy z zagrożenia, wreszcie do niego dotarło, na co się narażają. Westchnął, podszedł do niego i położył mu dłonie na ramionach.

– Nie przejmuj się, Tayendzie. Nieco zbyt wcześnie uruchomiłeś niektóre sprawy, to wszystko. Chodźmy do Iranda, musimy mu powiedzieć, że czas zacząć działania.

Młodzieniec skinął głową, wstał i podążył za nim do drzwi.

Było już późno, kiedy Sonea usłyszała pukanie do drzwi. Westchnęła z ulgą. Viola spóźniła się, a ona marzyła o wieczornej filiżance raki.

– Wejdź. – Nie podnosząc nawet oczu, wysłała myślowe polecenie, by drzwi się otwarły. Kiedy jednak służąca nie wchodziła do środka, Sonea spojrzała przed siebie i zamarła.

W drzwiach stał Akkarin. W ciemności widać było tylko jego bladą twarz. Poruszył się i dostrzegła, że trzyma w rękach dwie ciężkie, grube księgi. Okładka jednej z nich była poplamiona i podarta.

Z bijącym szybko sercem wstała i niechętnie podeszła do drzwi, zatrzymując się kilka kroków przed Akkarinem, by się ukłonić.

– Skończyłaś czytać dziennik? – zapytał.

Potaknęła.

– Tak, Wielki Mistrzu.

– I jakie wnioski wyciągnęłaś z tej lektury?

Co mam powiedzieć?

– Tam... są odpowiedzi na wiele pytań – odrzekła wymijająco.

– Na przykład?

– Jak Mistrz Coren nauczył się obróbki kamienia.

– Coś jeszcze?

Że nauczył się czarnej magii. Nie miała ochoty tego mówić, ale Akkarin najwyraźniej oczekiwał od niej, że jakoś to przyzna. Co zrobi, jeśli ona nie będzie chciała rozmawiać na ten temat? Zapewne będzie naciskał. Była zbyt zmęczona, żeby wymyślić jakiś sposób na wywinięcie się od odpowiedzi.

– Posługiwał się czarną magią. Przekonał się, że to złe – odpowiedziała krótko. – I przestał.

Kąciki jego ust wygięły się w półuśmiechu.

– W istocie. Nie sądzę jednak, żeby Gildia chciała się o tym dowiedzieć. Prawdziwy Coren okazuje się nieodpowiednim wzorem dla młodzieży, mimo że na koniec odkupił swoje winy. – Podał jej księgi. – To znacznie starsze zapiski. Przyniosłem ci oryginał oraz kopię. Oryginał szybko niszczeje, zatem korzystaj z niego tylko po to, żeby przekonać się, że kopia jest wierna.

– Po co pokazujesz mi te księgi?

Zapytała, zanim zdążyła pomyśleć. Skrzywiła się na myśl o pobrzmiewających w jej głosie bezczelności i podejrzeniach. Akkarin wbił w nią swój świdrujący wzrok, więc odwróciła oczy.

– Chcesz znać prawdę – powiedział. I nie było to pytanie.

Miał rację. Chciała wiedzieć. Jakaś jej część pragnęła zapomnieć o tych księgach – odmówić ich lektury, tylko dlatego że on je przyniósł. Mimo to podeszła i wzięła grube tomy z jego rąk. Nie patrzyła mu w oczy, choć wiedziała, że on się jej uważnie przygląda.

– Podobnie jak w przypadku dziennika, nie powinnaś dopuścić, by ktokolwiek dowiedział się o tych zapiskach – powiedział cicho. – Nie pokazuj tego nawet swojej służącej.

Cofnęła się i spojrzała na okładkę starszej z ksiąg. *Kronika roku 235*, przeczytała. Księga ma ponad pięćset lat! Sonea popatrzyła na Akkarina z nieskrywanym podziwem. Potaknął, jakby rozumiał, o co chodzi, po czym odwrócił się. Echo jego kroków cichło w korytarzu, a potem Sonea usłyszała cichy stuk zamykających się drzwi jego sypialni.

Księgi były ciężkie. Zamknęła za sobą drzwi lekkim impulsem magicznym i podeszła do biurka. Odsunęła na bok swoje notatki i ułożyła oba tomy obok siebie.

Najpierw otworzyła oryginał, delikatnie przewracając pierwsze karty. Tekst był wyblakły i miejscami nieczytelny. Otworzyła więc kopię i poczuła dziwaczny dreszcz na widok linijek eleganckiego pisma. Było to pismo Akkarina.

Po przeczytaniu kilku akapitów oryginału zerknęła do kopii i przekonała się, że brzmiały identycznie. Akkarin zaznaczał nieczytelne miejsca i dodawał notatki dotyczące słów, których mogło brakować. Przewróciła kilka następnych kart, sprawdziła znowu, po czym wybrała na chybił trafił stronicę ze środka i z samego końca. Wszystkie najwyraźniej powtarzały bezbłędnie oryginał. Postanowiła jednak, że później sprawdzi wszystkie stronice i każde słowo.

Na razie odłożyła oryginał, wróciła do pierwszej strony kopii i zaczęła czytać.

Była to spisywana dzień po dniu kronika Gildii, ale dużo młodszej i mniejszej niż obecna. Po kilku stronach Sonea nabrała sympatii do kronikarza, który ewidentnie podziwiał ludzi, o których pisał. Jego Gildia była bardzo odmienna od tej, którą ona znała. Magowie przyjmowali uczniów w zamian za wynagrodzenie pieniężne lub służbę. W pewnym momencie autorski komentarz wyjaśniał, na czym polegała ta służba, i Sonea zatrzymała się, przerażona.

Ci wcześni magowie wzmacniali swoje siły, czerpiąc moc od uczniów. Posługiwali się czarną magią.

Czytała ten fragment w kółko, ale jego znaczenie się nie zmieniało. Nazywali to „wyższą magią".

Spojrzała na grzbiet: była w jednej czwartej księgi. W dalszej części opowieść coraz bardziej koncentrowała się wokół wyczynów krnąbrnego ucznia imieniem Tagin. Okazało się mianowicie, że ów młodzieniec nauczył się wyższej magii wbrew woli swojego mistrza. Wykryto jego nadużycia. Tagin czerpał bowiem moc od zwykłych ludzi, co było zabronione, chyba że zachodziła wielka potrzeba. Kronikarz wyraził swoje oburzenie i gniew, po czym jego ton zmienił się w pełen przerażenia. Tagin posłużył się wyższą magią, by zabić swego mistrza.

Sytuacja powoli się pogarszała. Kiedy magowie Gildii postanowili go ukarać, Tagin zaczął zabijać bez opamiętania, aby zdobyć moc, dzięki której mógłby się im oprzeć. Magowie donosili o zabójstwach mężczyzn, kobiet i dzieci. Ginęły całe wioski, a nieliczni, którym udawało się ocaleć, opowiadali o potwornościach, jakich dopuszczał się atakujący.

Sonea podskoczyła na dźwięk pukania do drzwi. Zatrzasnęła szybko księgi, odwróciła je grzbietami w stronę ściany, a na wierzchu położyła kilka zwyczajnych podręczników.

Wyjęła notatki i ustawiła wszystko na biurku, tak żeby wyglądało na to, że po prostu się uczyła.

Kiedy tylko rozkazała drzwiom, by się otworzyły, do pokoju wsunął się Takan niosący kubek raki. Podziękowała mu, ale była zbyt pochłonięta myślami, by spytać, gdzie podziała się Viola. Kiedy służący wyszedł, wypiła kilka łyków, po czym wyciągnęła na powrót kronikę i zabrała się do dalszej lektury.

„Trudno uwierzyć, żeby jeden człowiek zdolny był do czynów tak pełnych niczym nieuzasadnionego okrucieństwa. Wczorajsza próba pokonania go sprawiła, że wpadł w szał. Ostatnie doniesienia mówią, że wybił w pień całe wioski Tenker i Forei. Jest teraz całkowicie poza wszelką kontrolą, a ja lękam się o los nas wszystkich. Dziwi mnie jedynie, że jeszcze przeciw nam nie wystąpił – ale może to tylko jego przygotowania do ostatecznego ciosu".

Sonea odchyliła się na krześle i potrząsnęła głową z niedowierzaniem. Zerknęła jeszcze raz na ostatnią kartę i przeczytała ponownie ostatni zapis. Pięćdziesięciu dwóch magów wspomaganych mocą przez uczniów i zwierzęta ofiarowywane przez przerażony lud nie było w stanie przeciwstawić się Taginowi. Kolejne kilka zapisów dotyczyło chaotycznych ruchów Tagina szalejącego w Kyralii. Następnie Sonea przeczytała słowa, których tak się bała:

„Spełniły się moje najgorsze obawy. Dziś Tagin zabił Mistrza Gerina, Mistrza Dirrona, Mistrza Winnela i Mistrzynię Ellę. Czy to się skończy, kiedy już zginą wszyscy magowie, czy też on nie zadowoli się, póki nie wyssie całego życia ze świata? Widok, jaki roztacza się z mojego okna, jest przerażający. Tysiące martwych gorinów, enków i reberów gnije na polach, albowiem ich moc została użyta do obrony Kyralii. Zbyt wiele, żeby zjeść…".

Sytuacja pogarszała się coraz bardziej do chwili, gdy zginęła połowa magów Gildii. Jedna czwarta uciekła, zabierając cały dobytek. Pozostali bronili dzielnie ksiąg i zasobów leków.

A jeśli teraz stanie się coś podobnego? Gildia jest większa, ale każdy z magów posiada jedynie cząstkę mocy, jaką dysponowali ich dawno zmarli poprzednicy. Jeśli Akkarin postąpi tak jak Tagin... Sonea wzdrygnęła się i wróciła do przerwanej lektury. Następny wpis całkowicie ją zaskoczył.

„Skończyło się. Kiedy Alyk przyniósł mi wieści, nie chciałem dać im wiary, ale godzinę temu wspiąłem się po schodach Strażnicy i ujrzałem to na własne oczy. To prawda. Tagin nie żyje. Tylko on mógł zasiać tyle zniszczenia, umierając.

Mistrz Eland wezwał nas wszystkich i odczytał nam list przysłany przez siostrę Tagina, Indrię. Pisała w nim, że zamierza go otruć. Możemy jedynie przyjąć, że się jej udało".

Dalej kronikarz opisywał powolne odradzanie się kraju. Magowie, którzy uciekli, powrócili do Gildii. Magazyny i biblioteki zaczęły znów pracować. Sonea zatrzymała się dłużej nad obszernymi fragmentami dotyczącymi strat i podnoszenia się z upadku zwykłych ludzi. Wyglądało na to, że przynajmniej raz Gildia zatroszczyła się o ich los.

„Zaprawdę Tagin zniszczył Gildię. Słyszę, jak niektórzy mówią, że oto narodziła się nowa Gildia. Pierwsza ze zmian nastąpiła dziś, kiedy dołączyło do nas pięcioro młodych ludzi. To nasi pierwsi „nowicjusze" – uczniowie wszystkich, a nie jednego. Nie będą uczeni wyższej magii, dopóki nie wykażą się siłą charakteru. A jeśli przeważy zdanie Mistrza Karrona, nigdy się jej nie nauczą".

Poparcie dla zakazu posługiwania się tym, co Mistrz Karron zaczął nazywać „czarną magią" rosło. Sonea przewróciła kartę i znalazła ostatni wpis, po którym następowało już tylko kilka pustych kartek.

„Nie posiadam daru wieszczenia, ani też nie uważam, bym wiedział dość o ludziach i magii, by przewidywać przyszłe zdarzenia, ale kiedy podjęliśmy decyzję, poczułem lęk, że Sachakanie mogą znów w przyszłości wystąpić przeciw nam, a Gildia będzie nieprzygotowana na ich atak. Zaproponowałem stworzenie tajnego zbioru nauk, który można będzie otworzyć tylko w obliczu nieuchronnej zagłady Gildii. Moi towarzysze zgodzili się, albowiem wielu przyjaciół podziela w sercu te lęki.

Postanowiono zatem, że wiedza o istnieniu tajemnej broni znana będzie jedynie przełożonemu Wojowników. Nie będzie on znał jej natury, ale przekaże wiedzę o miejscu jej ukrycia swojemu następcy. Ja kończę moje zapiski w tej kronice. Jutro rozpocznę nowy tom. Mam szczerą nadzieję, że nikt nigdy nie otworzy tej księgi i nie przeczyta zawartych w niej słów".

Poniżej tego wpisu znajdowała się jeszcze notatka:

„Siedemdziesiąt lat później Mistrz Koril, przełożony Wojowników, zginął podczas treningowej walki w wieku dwudziestu ośmiu lat. Prawdopodobnie nie miał sposobności przekazać dalej wiedzy o tej sekretnej «broni»".

Sonea wpatrywała się w dopisek Akkarina. Mistrz Coren odkrył skrzynię pełną ksiąg. Czyżby chodziło o ten tajny zasób wiedzy?

Westchnęła i zamknęła tom. Im więcej się dowiadywała, tym więcej pojawiało się pytań. Wstała i zachwiała się na nogach, zbyt późno zdając sobie sprawę, że czytała prawie do rana. Ziewnęła, przykryła księgi Akkarina swoimi notatkami, po czym wskoczyła w koszulę nocną, wsunęła się do łóżka i zapadła w sen pełen koszmarnych wizji opętanych żądzą mocy magów, napadających na chłopów i bydło.

ROZDZIAŁ 5

ROZMYŚLANIA

Jakkolwiek wiadomość, którą Cery otrzymał, dotyczyła zabójstwa noszącego wszelkie znamiona, których miał się spodziewać, odczekał tydzień od swojego spotkania z Savarą, nim powiadomił ją, że miała rację. Chciał się przekonać, jak długo wytrzyma zamknięta z własnej woli w wynajętym pokoju. Kiedy usłyszał, że zaproponowała jednemu ze „strażników" ćwiczenia w walce, domyślił się, że jej cierpliwość właśnie się wyczerpuje. Ciekawość zaś wzięła nad nim górę, kiedy jego człowiek przyznał, że przegrał wszystkie rundy.

Teraz przechadzał się po pokoju, czekając na jej przybycie. Śledztwo, które przeprowadził, nie wykazało wiele. Właściciel zajazdu wyjawił tylko, że Savara wynajęła pokój na kilka dni przed tym, jak zjawiła się u Cery'ego. Jedynie dwaj handlarze bronią rozpoznali w jej sztylecie sachakańską robotę. Miejscy podrzynacze gardeł zgodnie twierdzili – i to po wyczerpaniu wszelkich środków zapewnienia sobie ich prawdomówności, z łapówkami na czele – że nigdy wcześniej nie mieli do czynienia z taką bronią. Cery wątpił, by ktokolwiek w mieście mógł powiedzieć mu coś więcej.

Zatrzymał się, słysząc pukanie do drzwi. Usiadł z powrotem na krześle i odchrząknął.

– Wejdź.

Uśmiechnęła się ciepło, stając na progu pokoju. *Wie, że jest piękna i wie, jak się tym posłużyć, by osiągnąć wszystko, czego pragnie*, pomyślał Cery, ale nie dał nic po sobie poznać.

– Witaj, Ceryni – odezwała się.

– Witaj, Savaro. Słyszałem, że mój ogon nieco cię przegonił.

Między jej brwiami pojawiła się maleńka zmarszczka.

– Owszem, był całkiem ruchliwy, ale to on potrzebował więcej treningu niż ja – urwała. – Pozostali mogli okazać się ciekawszymi przeciwnikami.

Cery powstrzymał uśmiech. Zauważyła więcej niż jednego szpiega. Jest bystra.

– Za późno, żeby to sprawdzać – odrzekł, wzruszając ramionami. – Dałem im już inną robotę.

Zmarszczka na jej czole pogłębiła się.

– A co z niewolnikiem? Czyżby zabił?

– „Niewolnikiem"? – powtórzył Cery.

– Człowiekiem, który zastąpił poprzednich zabójców.

Interesujące. Ciekawe czyj to niewolnik?

– Zabił, zgodnie z tym, co powiedziałaś – potwierdził Cery.

Jej oczy rozbłysły triumfalnie na tę wiadomość.

– A zatem przyjmiesz moją pomoc?

– Potrafisz nas do niego zaprowadzić?

– Owszem – odparła bez wahania.

– Czego chcesz w zamian?

Podeszła bliżej do jego biurka.

– Żebyś nic o mnie nie mówił swojemu panu.

Poczuł dreszcz.

– Mojemu *panu*?

– Temu, który rozkazał ci zabijać tych ludzi – odparła cicho.

Nie powinna o *nim* wiedzieć. Nie powinna nawet wiedzieć, że Cery działa na czyjś rozkaz.

To zmieniało postać rzeczy. Cery założył ręce na piersi i przyglądał się jej uważnie. Rozważanie przydatności tej kobiety bez porozumienia z tym, kto zorganizował polowanie, wydawało się niewielkim ryzykiem. Teraz jednak ryzyko okazywało się znacznie większe, niż się spodziewał. Wiedziała zdecydowanie za dużo. Powinien wysłać za nią najlepszego machera, jakiego znał, żeby się jej pozbyć. Albo może zabić ją osobiście. Teraz.

Ale w chwili, gdy to pomyślał, wiedział, że tego nie zrobi. *I to nie tylko dlatego, że ona mi się podoba*, powiedział sobie w myślach. *Muszę się dowiedzieć, skąd ona wie o umowie. Zaczekam, będę ją obserwował i zobaczę, co z tego wyniknie.*

– Czyżbyś już mu o mnie opowiedział? – spytała.

– Dlaczego nie chcesz, żeby się o tobie dowiedział?

Spochmurniała.

– Z dwóch powodów. Ci niewolnicy wiedzą, że ściga ich tylko jeden nieprzyjaciel. Będzie mi łatwiej pomagać ci, jeśli nie będą wiedzieć o mojej tu obecności. Poza tym w moim kraju są ludzie, którzy ucierpią, jeśli panowie tych niewolników dowiedzą się, że tu przybyłam.

– A ty uważasz, że ci niewolnicy dowiedzą się o wszystkim, jeśli mój „pan", jak go nazwałaś, usłyszy o tobie?

– Być może. A być może nie. Ale nie zamierzam ryzykować.

– Dopiero teraz o tym mówisz. A ja mogłem już opowiedzieć o wszystkim mojemu klientowi.

– Opowiedziałeś?

Potrząsnął głową. Uśmiechnęła się z wyraźną ulgą.

– Tak sądziłam. Nie powiedziałbyś, dopóki nie byłbyś przekonany, że potrafię zrobić to, co obiecałam. A zatem przyklepane, jak mawiacie wy, Złodzieje?

Cery otworzył szufladę biurka i wyciągnął jej sztylet. Usłyszał, jak wciąga powietrze. Klejnoty na rękojeści rozbłysły w świetle lampy. Przesunął broń po blacie.

– Dziś wieczorem wyśledzisz dla nas tego człowieka. Tyle. Żadnego zabijania. Chcę mieć pewność, że to on, zanim go zlikwiduję. W zamian będę trzymał gębę na kłódkę w twojej sprawie. Na razie.

Uśmiechnęła się, a w jej oczach rozbłysły iskierki.

– Wrócę tymczasem do mojego pokoju.

Patrząc, jak wychodziła, Cery czuł, że puls mu przyspiesza. Ilu mężczyzn straciło zmysły dla tego kroku… i tego uśmiechu? – zastanawiał się. – Och, założę się, że wielu straciło dużo więcej niż tylko zmysły.

Ale nie ja, pomyślał. *Ja po prostu będę ją bardzo dokładnie obserwował.*

Sonea zamknęła książkę, którą usiłowała czytać, i rozejrzała się po lektorium. Nie potrafiła się skoncentrować – jej myśli wciąż powracały do Akkarina i kroniki.

Minął już tydzień, odkąd przyniósł jej te księgi, ale jeszcze ich nie odebrał. Myśl o tym, co leży na jej biurku, ukryte pod stertą notatek, była niczym swędzenie, na które nie pomaga żadne drapanie. Nie uspokoi się, póki on nie zabierze tych ksiąg.

Bała się jednak znów stanąć twarzą w twarz z Akkarinem. Lękała się rozmowy, która musiałaby wtedy nastąpić. Czy on przyniesie jej kolejne księgi? Co w nich znajdzie? Nigdzie nie było przepisów, jak posługiwać się czarną magią, niemniej tajemna skrzynia zakopana przez kronikarza – zapewne ta sama, którą odkrył i ponownie ukrył architekt Mistrz Coren – musi zawierać wystarczającą wiedzę o „sekretnej broni", czy też czarnej magii, by każdy mag mógł się jej nauczyć. Co zrobi, jeśli Akkarin da jej do przeczytania którąś z *takich* książek?

Sama wiedza o czarnej magii oznaczała złamanie praw Gildii. Jeśli ktoś natknie się na instrukcje, jak się nią posługiwać, musi przerwać lekturę i odmówić dalszego czytania.

– Patrz, to Mistrz Larkin!

Gdzieś w pobliżu odezwał się dziewczęcy głos. Sonea rozejrzała się i dostrzegła jakieś poruszenie na drugim końcu sali. Ledwie widziała mówiącą dziewczynę, która stała przy jednym z okien Biblioteki Nowicjuszy.

– Nauczyciel Budownictwa i Architektury? – spytał inny dziewczęcy głos. – Nigdy wcześniej o nim nie myślałam, ale wydaje się dość przystojny.

– I jest ciągle nieżonaty.

– I nie wykazuje zainteresowania, z tego co słyszałam.

Zachichotały. Sonea wychyliła się na krześle i rozpoznała w pierwszej z rozmówczyń dziewczynę z piątego roku.

– O, zobacz! A to Mistrz Darlen. Jest milutki.

Druga wydała potakujące mruknięcie.

– Szkoda tylko, że żonaty.

– Aha – przyznała druga. – A co sądzisz o Mistrzu Vorelu?

– Vorel? Zwariowałaś?

– Nie lubisz mocno zbudowanych Wojowników, co?

Sonea domyśliła się, że dziewczęta obserwują zmierzających do sali wieczornej magów. Przysłuchiwała się z rozbawieniem, jak oceniają zalety co młodszych mężczyzn.

– O... spójrz... *temu* to bym nie odmówiła.

– Ja też – zgodziła się z nią druga. – Patrz, zatrzymał się, żeby porozmawiać z Rektorem Jerrikiem.

– Tylko jest taki trochę... jakby chłodny.

– Och, jestem pewna, że można by go rozgrzać.

Dziewczęta zachichotały. Chwilę potem jedna z nich westchnęła tęsknie.

– Ależ on jest przystojny. Szkoda, że trochę dla nas za stary.

– Czy ja wiem? – odparła druga. – Nie jest aż *taki* stary. Moja kuzynka wyszła za człowieka dużo od siebie starszego. Może na to nie wygląda, ale Wielki Mistrz ma najwyżej trzydzieści trzy, może trzydzieści cztery lata.

Sonea zamarła w niedowierzaniu. One rozmawiały o *Akkarinie*!

Oczywiście nie miały pojęcia, jaki on jest naprawdę. Widziały w nim jedynie nieżonatego mężczyznę, nieco tajemniczego, potężnego i...

– Zamykamy czytelnię!

Sonea podskoczyła i ujrzała idącą między regałami Mistrzynię Tyę. Bibliotekarka uśmiechnęła się do Sonei, przechodząc koło niej. Dziewczęta stojące przy oknie westchnęły po raz ostatni i wyszły.

Sonea wstała, zebrała książki i notatki. Podniosła je, po czym zatrzymała się i spojrzała za siebie, ku oknu. Czy on ciągle tam jest?

Podeszła do szyby i wyjrzała na zewnątrz. Akkarin niewątpliwie wciąż jeszcze tam stał, rozmawiając z Jerrikiem. Jego czoło poorane było zmarszczkami. Mimo że twarz zdradzała pełną uwagę, nie sposób było domyślić się jego uczuć.

Jak on może się im wydawać atrakcyjny? – zastanawiała się Sonea. Jest szorstki i wyniosły. Nie ma radosnych oczu i ciepła Dorriena, nie jest nawet przystojny w ten nieprzystępny sposób, jak Mistrz Fergun.

Gdyby te dziewczyny, których rozmowę podsłuchała, nie wstąpiły do Gildii, zostałyby wydane za mąż, tak by zapewnić swoim rodzinom dobre koneksje. Być może z przyzwyczajenia wciąż poszukiwały w mężczyznach mocy i wpływów. Uśmiechnęła się ponuro.

Gdyby tylko znały prawdę, pomyślała, *nie uznałyby go wcale za atrakcyjnego.*

O północy w odległości trzech godzin jazdy powozem od Capii ciemność była ciężka i nieprzenikniona. Drogę oświetlały jedynie światła ich powozu, tworzące niewielkie jaśniejsze plamy w morzu ciemności. Wpatrując się w mrok, Dannyl zastanawiał się, czym wydaje się powóz mieszkańcom niewidocznych domostw: zapewne poruszającym się gronem świateł, widocznym na kilka mil dokoła.

Powóz wspiął się na wzgórze i w pobliżu drogi pojawiło się inne światło. Kiedy chwilę później zbliżyli się do niego, okazało się, że to latarnia, której słaba poświata rozjaśniała fasadę budynku. Powóz zaczął zwalniać.

– Jesteśmy na miejscu – mruknął Dannyl.

Usłyszał, jak Tayend wierci się na swoim siedzeniu, żeby wyjrzeć przez okno. Młodzieniec ziewnął, kiedy powóz podjechał pod sam budynek, zakołysał się i zatrzymał. Szyld głosił „Zajazd nad Rzeką. Noclegi, Strawa, Napitki".

Woźnica mruczał coś pod nosem, gramoląc się z kozła, żeby otworzyć drzwiczki. Dannyl rzucił mu monetę.

– Zaczekaj na nas w środku – polecił. – Za godzinę ruszamy dalej.

Mężczyzna skłonił się i zapukał do drzwi zajazdu. Po krótkiej chwili rygiel odskoczył, a do uszu Dannyla dobiegł gwar zza drzwi.

– Czym mogę ci służyć, panie? – spytał przytłumiony głos.

– Napitkiem – odparł Dannyl. – I godziną wypoczynku.

Nikt nie odpowiedział, za to dał się słyszeć metaliczny brzęk i drzwi otworzyły się do środka. Niski pomarszczony człowieczek ukłonił się i wpuścił ich do obszernej sali pełnej stołów i ław. W powietrzu wisiał ciężki, słodkawy zapach spylu. Dannyl uśmiechnął się tęsknie na wspomnienie poszukiwań Sonei, które wydały się tak odległe... Dawno już nie miał w ustach spylu.

– Mam na imię Urrend – przedstawił się karczmarz. – Czego się napijecie, panowie?

Dannyl westchnął.

– Masz może rumię z Porreni?

Karczmarz zaśmiał się pod nosem.

– Świetny gust, jeśli chodzi o wino. Ale to przecież oczywiste, jesteście dobrze urodzeni. Mam na górze miły pokoik dla bogatych gości. Chodźcie za mną.

Woźnica przysiadł tymczasem na ławie, gdzie serwowano spyl. Dannyl poniewczasie uświadomił sobie, że danie mu monety mogło nie być najlepszym pomysłem – nie miał ochoty znaleźć się w wywróconym powozie w połowie drogi do domu siostry Tayenda.

Karczmarz poprowadził ich po wąskich schodach w górę i zatrzymał się pod drzwiami w korytarzyku.

– To najlepszy pokój. Mam nadzieję, że się wam spodoba.

Pchnął drzwi i Dannyl wszedł powoli do środka. Jego uwadze nie uszły zniszczone meble, drugie drzwi w głębi i mężczyzna siedzący obok nich.

– Dobry wieczór, Ambasadorze. – Mężczyzna podniósł się z wdziękiem. – Jestem Royend z Marane.

– Jestem zaszczycony – odrzekł Dannyl. – Jak rozumiem, znasz już Tayenda z Tremmelin?

Mężczyzna potaknął.

– Owszem, znamy się. Zamówiłem wino. Napijecie się?

– Odrobinę, chętnie – odpowiedział Dannyl. – Za godzinę ruszamy w dalszą podróż.

Dannyl i Tayend usiedli w dwóch fotelach. Dem chwilę przechadzał się po pokoju, oglądając z bliska meble i krzywiąc się z niesmakiem. W końcu zatrzymał się przy jednym z okien. Miał czarne włosy i był wyższy niż większość Elynów. Dannyl dowiedział się od Errenda, że babka Dema z Marane pochodziła z Kyralii. On sam był w średnim wieku, żonaty, miał dwóch synów i był wręcz nieprzyzwoicie bogaty.

– Jak ci się podoba w Elyne, Ambasadorze?

– Przyzwyczaiłem się – odrzekł Dannyl.

– Z początku nie byłeś zachwycony?

– To nie tak, że lubiłem lub nie lubiłem tego kraju. Po prostu potrzebowałem czasu, by przyzwyczaić się do różnic. Niektóre z nich są przyjemne, inne wydają mi się dziwaczne.

Dem uniósł pytająco brwi.

– Cóż wydaje ci się u nas dziwaczne?

Dannyl roześmiał się.

– Elynowie są bardzo bezpośredni, choć nie zawsze wyrażają się jasno.

Na twarzy mężczyzny pojawił się uśmiech, który jednak znikł, gdy rozległo się pukanie. Dem ruszył w kierunku drzwi, ale Dannyl machnął ręką i wysłał odrobinę mocy. Drzwi otwarły się. Dem zatrzymał się, a gdy uświadomił sobie, że Dannyl właśnie posłużył się magią, na jego twarzy zaznaczył się wyraz pożądania i rozpaczliwej tęsknoty, który jednak znikł, gdy w drzwiach pojawił się karczmarz z winem i trzema kieliszkami.

Odkorkowali butelkę i nalali trunku, nie wypowiadając ani słowa. Kiedy właściciel zajazdu wyszedł, Dem wziął jeden z kieliszków i rozsiadł się w fotelu.

– Co zatem jest takie przyjemne w Elyne, hę?

– Macie doskonałe wino. – Dannyl z uśmiechem uniósł kieliszek. – A także otwarte i tolerancyjne usposobienie. Uchodzi tu wiele rzeczy, które w Kyralii uznane zostałyby za szokujące i skandaliczne.

Royend zerknął na Tayenda.

– Musiało cię dotknąć to kyraliańskie nastawienie, skoro jego brak odbierasz jako przyjemną odmianę.

– Czy mógłbym pełnić funkcję Ambasadora Gildii, gdybym nie był świadom... co sądzi o mnie dwór w Elyne?

Dem uśmiechnął się, ale jego oczy pozostały poważne.

– Wykazałeś się już lepszymi informacjami, niżbym się spodziewał. Zastanawia mnie to. Czyżbyś był równie otwarty i tolerancyjny jak my? Czy może podzielasz surowe poglądy kyraliańskich magów?

Dannyl spojrzał na Tayenda.

– Nie jestem typowym kyraliańskim magiem. – Uczony uśmiechnął się krzywo i pokiwał głową. – Aczkolwiek nauczyłem się doskonale to udawać – ciągnął Dannyl. – Obawiam się, że gdyby moi koledzy znali mnie lepiej, nie uważaliby mnie za właściwą osobę na stanowisko Ambasadora Gildii.

– Ach – wtrącił się cicho Tayend – ale jak to jest: ty nie nadajesz się do Gildii, czy też Gildia nie nadaje się dla ciebie?

Royend zaśmiał się, słysząc tę uwagę.

– A mimo to zaproponowali ci stanowisko Ambasadora.

Dannyl wzruszył ramionami.

– To zaś przywiodło mnie tutaj. Zawsze żałowałem, że Gildia nie powstała w mniej surowej kulturze. Różnice wynikające z odmiennych punktów widzenia są źródłem dyskusji, a te z kolei prowadzą do zrozumienia. Ostatnio coraz bardziej chciałbym, żeby tak było. Tayend jest niezwykle uzdolniony. Szkoda, że nie może rozwijać swojego talentu tylko dlatego, że Kyralianie nie tolerują ludzi o jego preferencjach. Mógłbym nauczyć go paru rzeczy, nie łamiąc praw Gildii, ale nie aż tylu, by odpowiadało to jego zdolnościom.

Dem wbił w niego wzrok.

– Zrobiłeś to?

– Nie – Dannyl potrząsnął głową – ale nie wzbronię się przed nagięciem paru reguł Gildii dla niego. Zabiłem niedawno człowieka w jego obronie. Następnym razem może mnie nie być w pobliżu, żeby mu pomóc. Chciałbym go nauczyć uzdrawiania, ale to oznacza przekroczenie pewnej granicy, co może narazić go na większe niebezpieczeństwo.

– Ze strony Gildii?

– Tak.

Dem uśmiechnął się.

– Tylko jeśli to wykryją. To oczywiście ryzyko, ale chyba warte podjęcia?

Dannyl zmarszczył brwi.

– Nie podjąłbym takiego ryzyka, nie przygotowawszy się na najgorszy wypadek. Gdyby kiedykolwiek się wydało, że Tayend poznał magię, musi umieć uciec przed Gildią. Nie ma nikogo, do kogo mógłby się zwrócić, poza rodziną i przyjaciółmi w Bibliotece… a obawiam się, że oni wiele by nie zdziałali.

– A ty?

– Nic tak nie przeraża Gildii jak wizja w pełni ukształtowanego, niezależnego maga. Gdybym znikł, podwoiliby starania, żeby nas odnaleźć. Pozostanę w Capii i zrobię wszystko, co w mojej mocy, aby Tayend nie został odnaleziony.

– Z twoich słów wynika, że potrzebujesz kogoś, kto zapewniłby mu ochronę. Ludzi, którzy umieją ukrywać zbiegów.

Dannyl przytaknął.

– Co oferujesz w zamian?

Dannyl zmrużył oczy, wbijając wzrok w swojego rozmówcę.

– Nic, co umożliwiłoby krzywdzenie innych, włącznie z Gildią. Znam Tayenda. Musiałbym znać zamiary innych, jeśli miałbym zaufać im tak jak jemu.

Dem pokiwał powoli głową.

– Oczywiście.

– A zatem – ciągnął Dannyl – jaka jest cena za ochronę Tayenda?

Dem Marane wziął butelkę i ponownie napełnił swój kieliszek.

– Nie potrafię jej w tej chwili podać. To bardzo ciekawe pytanie. Muszę jednak skonsultować się z pewnym gronem znajomych.

– Ależ oczywiście – odpowiedział bez wahania Dannyl. Wstał i spojrzał z góry na mężczyznę. – Będę czekał na ich opinię. Obawiam się, że musimy już jechać. Oczekuje nas rodzina Tayenda.

Dem wstał i ukłonił się.

– Jestem bardzo zadowolony z naszej rozmowy, Ambasadorze Dannylu. I z naszej, Tayendzie z Tremmelin. Mam nadzieję, że będziemy mieli wiele okazji, żeby w przyszłości zacieśnić tę znajomość.

Dannyl skinął uprzejmie głową. Zatrzymał się i przesunął dłonią nad kieliszkiem swego rozmówcy, ogrzewając wino odrobiną magicznego ciepła, po czym uśmiechnął się na widok miny Dema, odwrócił i wyszedł z pokoju. Tayend ruszył za nim.

Kiedy znaleźli się w korytarzu, Dannyl obejrzał się za siebie. Dem trzymał w dłoniach kieliszek, wpatrując się weń z namysłem.

ROZDZIAŁ 6

SZPIEG

Drzwi rezydencji Wielkiego Mistrza jak zwykle otworzyły się pod najlżejszym dotykiem. Kiedy Sonea weszła do środka, spostrzegła z ulgą, że czeka na nią jedynie Takan. Służący ukłonił się.

– Wielki Mistrz pragnie z tobą rozmawiać, pani.

Ulgę zastąpił niepokój. Czy dostanie nową książkę do czytania? Może taką, jakiej najbardziej się obawia: zawierającą opis posługiwania się czarną magią.

Wzięła głęboki oddech.

– Zaprowadź mnie więc do niego.

– Tędy – powiedział. Odwrócił się i skierował ku schodom po prawej stronie.

Sonea poczuła, że serce podchodzi jej do gardła. Te schody prowadziły w dół, do podziemnego pomieszczenia, gdzie Akkarin potajemnie praktykował zakazaną magię. Ale prowadziły również, podobnie jak schody po lewej, na górę, do biblioteki i sali jadalnej.

Poszła za Takanem do drzwi. Klatka schodowa tonęła w mroku, dopóki więc nie przywołała kuli świetlnej, nie wiedziała, w którą stronę się skierował.

Takan schodził do podziemia.

Zatrzymała się z bijącym mocno sercem i podążała za nim wzrokiem. Stanął przy drzwiach podziemnego pokoju i spojrzał w górę, w jej kierunku.

– On nie zrobi ci krzywdy, pani – powiedział uspokajająco. Otworzył drzwi i gestem nakazał jej, by weszła do środka.

Wpatrywała się w niego. Ze wszystkich miejsc na terenie Gildii – ba, całego miasta – tego lękała się najbardziej. Zerknęła za siebie, ku salonowi. *Mogłabym uciec. Do drzwi nie jest daleko...*

– Wejdź, Soneo.

Usłyszała głos Akkarina. Był władczy, pobrzmiewała w nim też nuta ostrzeżenia. Pomyślała o Rothenie, o ciotce Jonnie, wuju Ranelu, małych kuzynach: ich bezpieczeństwo zależy od jej współpracy z Wielkim Mistrzem. Zmusiła nogi do ruchu.

Takan odsunął się, gdy podeszła do drzwi. Podziemne pomieszczenie wyglądało tak samo jak poprzednimi razy, kiedy tu była. Dwa stare, ciężkie stoły ustawiono pod ścianą po lewej. Na bliższym z nich stała lampa, a obok niej leżał ciemny tobołek. Pozostałe ściany zastawione były regałami i szafami. Niektóre z nich nosiły ślady naprawy, przypominając o stratach, jakie poczynił tu „zabójca". W jednym kącie stała zniszczona skrzynia. Czyżby ta, która zawierała księgi o czarnej magii?

– Dobry wieczór, Soneo.

Akkarin stał oparty o stół, z założonymi rękami. Ukłoniła się.

– Wielki Mi...

Zamrugała z niedowierzaniem, kiedy zorientowała się, że Akkarin ma na sobie zwykłe ubranie z grubego materiału. Spodnie i płaszcz były byle jakie, miejscami nawet przetarte.

– Muszę ci coś pokazać – oznajmił. – W mieście.

Cofnęła się o krok, czując niepokój.

– Co takiego?

– Gdybym ci powiedział, nie uwierzyłabyś mi. Jeśli chcesz poznać prawdę, musisz to zobaczyć na własne oczy.

Dostrzegła w jego wzroku wyzwanie. Patrząc na jego zwyczajne ubranie, przypomniała sobie, że widziała go tak już raz – był wtedy w zakrwawionych łachmanach.

– Nie jestem pewna, czy chcę znać prawdę.

Kąciki jego ust zadrżały w półuśmiechu.

– Zastanawiasz się, czemu czynię to, co czynię, odkąd się o tym dowiedziałaś. Nie zamierzam ci wprawdzie pokazywać *jak*, ale mogę ci pokazać *dlaczego*. Ktoś oprócz mnie i Takana powinien wiedzieć.

– Dlaczego ja?

– To stanie się oczywiste w odpowiednim czasie. – Sięgnął za siebie i podał jej tobołek leżący na stole. – Przebierz się w to.

Powinnam odmówić pójścia z nim, pomyślała. *Ale czy on by mi na to pozwolił?* Wpatrywała się w trzymane w rękach łachmany. *Jeśli pójdę, może dowiem się o nim czegoś, co będzie przydatne w przyszłości.*

A co jeśli pokaże mi coś zakazanego? Coś, za co mogę zostać wyrzucona z Gildii?

Jeśli doszłoby do tego, powiem prawdę. Podjęłam przecież to ryzyko w nadziei, że ocalę siebie i Gildię.

Zmusiła się, by zbliżyć się do Akkarina i wziąć tobołek. Kiedy go rozwinęła, okazało się, że był w nim długi czarny płaszcz. Zarzuciła go sobie na ramiona i zapięła pod szyją.

– Pamiętaj, żeby nie pokazać szaty – ostrzegł ją. Podniósł lampę i ruszył w kierunku ściany. Jej kawałek przesunął się i do pokoju wdarło się chłodne powietrze z podziemnych tuneli.

No oczywiście, pomyślała, przypominając sobie te wieczory, kiedy zwiedzała biegnące pod Gildią korytarze, póki Akkarin jej tego nie zakazał. Kiedyś dotarła aż do tego pomieszczenia, ale przerażenie faktem, że znalazła się u progu tajemnego świata swojego mentora było tak wielkie, że uciekła i nigdy nie wróciła do tej części tuneli.

Jeśli to, co powiedział, jest prawdą, te korytarze muszą prowadzić do miasta.

Akkarin wszedł do tunelu, obrócił się i nakazał jej gestem, żeby poszła za nim. Sonea wciągnęła głęboko powietrze i wypuściła je powoli. Podeszła do nieoświetlonego wejścia do tunelu i wkroczyła w ciemność.

Knot lampy zamigotał i pojawił się płomyk. Sonea dziwiła się przez moment, że Akkarin męczy się ze zwykłym źródłem światła, po czym uświadomiła sobie, że skoro nie włożył szaty, zamierza udawać zwykłego człowieka. A żaden zwykły człowiek nie oświetlałby sobie drogi magiczną kulą.

Skoro to takie ważne, żeby nikt go nie rozpoznał, mam coś, czego mogę użyć przeciwko niemu, gdyby zaszła taka potrzeba.

Zgodnie z jej przewidywaniem poprowadził ją w stronę przeciwną do tej, po której znajduje się Uniwersytet. Uszli jakieś dwieście kroków i zatrzymali się. Sonea poczuła wibracje pochodzące od blokującej przejście tarczy. Korytarz rozjaśniła słaba fala światła i bariera ustąpiła. Akkarin ruszył dalej bez słowa.

Zatrzymywał się jeszcze trzy razy, by usuwać bariery. Kiedy minęli czwartą, Wielki Mistrz odwrócił się i wzniósł je ponownie. Sonea zerknęła za siebie. Gdyby tamtego wieczoru przeszła za pokój Akkarina, natknęłaby się na te przeszkody.

Korytarz skręcał lekko w prawo. Pojawiły się boczne odnogi. Akkarin bez wahania skierował się w jedną z nich, prowadzącą do kilku zrujnowanych pomieszczeń. Kiedy ponownie się zatrzymał, przed nimi piętrzyło się usypisko kamieni i ziemi w miejscu, gdzie zapadło się sklepienie. Sonea spojrzała na niego pytająco.

Jego oczy błyszczały w świetle latarni. Wpatrywał się uważnie w blokujące drogę gruzowisko, które z cichym szmerem uniosło się, tworząc krzywe schody. Na ich szczycie ukazał się otwór. Akkarin postawił stopę na pierwszym stopniu i zaczął wspinaczkę.

Sonea ruszyła za nim. Na szczycie schodów weszli w kolejny tunel. Światło latarni ukazywało nierówne ściany, zbudowane z różnego sortu tanich cegieł. Powietrze było wilgotne i pachniało znajomo. To miejsce przypominało jej...

Ścieżkę Złodziei.

Znaleźli się w biegnących pod miastem tunelach używanych przez przestępczy półświatek. Akkarin odwrócił się i spojrzał na schody. Kamienie i ziemia osunęły się, blokując przejście. Kiedy znalazły się na swoim miejscu, ruszył korytarzem.

Głowa Sonei pękała od dręczących ją pytań. Czy Złodzieje zdawali sobie sprawę, że Wielki Mistrz Gildii Magów korzysta z ich korytarzy i że pod terenem Gildii biegną tunele łączące się z nimi? Wiedziała, że Złodzieje strzegą zazdrośnie swojego terytorium, wątpiła więc, by mogło to ujść ich uwadze. Czyżby zatem miał od nich pozwolenie na chodzenie tą ścieżką? Zastanowiła się nad jego obdartym ubraniem. Może zdobył pozwolenie, udając kogoś innego.

Kilkaset kroków dalej z zagłębienia w ścianie wychynął chudy mężczyzna o podpuchniętych oczach i skinął Akkarinowi głową. Przez chwilę wpatrywał się w Soneę, najwyraźniej zdumiony jej obecnością, ale nic nie powiedział. Odwrócił się i ruszył dalej korytarzem.

Milczący przewodnik nadawał szybkie tempo, prowadząc ich długo po krętym, skomplikowanym labiryncie przejść. Sonea poczuła wkrótce znany sobie zapach, którego jednak nie potrafiła zidentyfikować. Zmienił się on wkrótce, podobnie jak ściany, ale coś w tej zmienności zapachów też było znajome. Dopiero kiedy Akkarin zatrzymał się i zapukał do drzwi, uświadomiła sobie, czym tu czuć.

Slumsami. Na odór składały się odchody ludzkie i zwierzęce, pot, śmieci, dym i spyl. Sonea zachwiała się, gdy powróciły do niej wspomnienia: praca z ciotką i wujem, wymykanie się do Cery'ego i bandy uliczników, z którymi się zadawała.

Drzwi się otworzyły i jej myśli wróciły do teraźniejszości. W przejściu pojawił się potężny mężczyzna w opinającej klatkę piersiową grubej koszuli. Skłonił się z szacunkiem Akkarinowi, po czym skierował wzrok na Soneę i zmarszczył czoło jakby jej twarz wydawała mu się znajoma, choć nie wiedział skąd. Po chwili wzruszył ramionami i przepuścił ich.

– Wejdźcie.

Sonea przeszła za Akkarinem do maleńkiego pokoju, ledwie mieszczącego ich trójkę i wąską szafę. Po przeciwnej stronie pomieszczenia znajdowały się ciężkie drzwi. Sonea poczuła wibracje w ich pobliżu i zrozumiała, że zostały wzmocnione potężną barierą magiczną. Po jej ciele przebiegł dreszcz. Co w slumsach może potrzebować takich zabezpieczeń?

Mężczyzna zwrócił się do Akkarina. Z jego niepewnego i lekko przestraszonego zachowania Sonea wywnioskowała, że człowiek ten wie, kim jest jego gość – a przynajmniej domyśla się, że ma do czynienia z kimś ważnym i potężnym.

– Nie śpi – mruknął, rzucając lękliwe spojrzenie w stronę drzwi.

– Dzięki za twoją straż, Morrenie – powiedział uprzejmie Akkarin.

– Nie ma problema.

– Znalazłeś u niego czerwony klejnot?

– Nie. A szukałem mocno. Nicem nie znalazł.

Akkarin zmarszczył czoło.

– Doskonale. Zostań tutaj. To jest Sonea. Za chwilę odeślę ją tutaj.

Morren rzucił jej podejrzliwe spojrzenie.

– *Ta* Sonea?

– Owszem, chodząca żywa legenda – odpowiedział sucho Akkarin.

Morren uśmiechnął się do niej.

– Zaszczycony, pani.

– To zaszczyt dla mnie, Morrenie – odpowiedziała, gdyż rozbawienie wzięło chwilowo górę nad niepokojem. Chodząca żywa *legenda*?

Morren wyciągnął z kieszeni klucz i przekręcił go w zamku, a następnie odsunął się do tyłu, przepuszczając przed sobą Akkarina. Sonea zamrugała, wyczuwając wokół siebie magię. Akkarin otoczył ich oboje tarczą. Zajrzała przez jego ramię, pożerana przez ciekawość. Drzwi uchyliły się powoli do środka.

Pomieszczenie za nimi było niewielkie. Kamienna ława stanowiła jego jedyne umeblowanie. Na ławie leżał mężczyzna z rękami i nogami w łańcuchach.

Na widok Akkarina w oczach tego człowieka pojawiło się przerażenie, usiłował nawet bezskutecznie zrzucić kajdany. Sonea patrzyła na niego z niechęcią. Był młody, zapewne niewiele od niej starszy. Miał szeroką twarz i skórę o niezdrowym brązowawym kolorze. Chude ramiona były pokryte bliznami; wzdłuż jednej ręki biegła świeża rana pokryta ledwie zaschniętą krwią. Nie wyglądał na kogoś, kto mógłby wyrządzić jakąkolwiek szkodę.

Akkarin podszedł do ławy i położył dłoń na czole mężczyzny. Oczy jeńca rozszerzyły się. Sonea zadrżała, kiedy dotarło do niej, że Wielki Mistrz czyta jego myśli.

Nagle poruszył gwałtownie rękami i chwycił więźnia za żuchwę. Mężczyzna natychmiast zacisnął zęby i zaczął się wyrywać, Akkarin jednak przemocą otworzył znów jego usta. Sonea dostrzegła błysk złota, po czym Akkarin rzucił coś na podłogę.

Złoty ząb. Sonea cofnęła się o krok z obrzydzeniem, po czym podskoczyła na dźwięk śmiechu tego człowieka.

– Widzieli jusz tfoją kobietę – powiedział z mocnym akcentem, wzmaganym dodatkowo przez brak jednego z zębów. – Kariko mófi, że ona bedzie jego, jak już cię zabije.

Akkarin zerknął na nią.

– Co za szkoda, że żaden z nas tego nie dożyje. Widok mógłby być interesujący.

Uniósł stopę i zmiażdżył ząb. Ku zdumieniu Sonei ząb zachrzęścił, a kiedy Akkarin uniósł stopę, ujrzała, że złoto rozpadło się, ukazując drobne czerwone kryształki.

Zmarszczyła czoło, wpatrując się w powykręcaną bryłkę, która niegdyś była zębem. Usiłowała zrozumieć coś z tej przemiany. Co miał na myśli ten człowiek? „*Widzieli już twoją kobietę*". Kim są „oni"? W jaki sposób ją widzieli? Najwyraźniej miało to coś wspólnego z tym zębem. Po co wkładać klejnot do zęba? W dodatku najwyraźniej wcale nie był to kamień szlachetny. Prawdę mówiąc, wyglądał jak szkiełko. Przyglądając się okruchom, przypomniała sobie, że Akkarin zapytał Morrena o czerwony kamień. Słynny morderca nosił pierścień z czerwonym kamieniem. Lorlen też.

Spojrzała na więźnia. Był teraz całkiem nieruchomy i wpatrywał się ze strachem w Akkarina.

– Soneo.

Spojrzała na Wielkiego Mistrza. Jego wzrok był zimny i niewzruszony.

– Przyprowadziłem cię tutaj, żeby odpowiedzieć na kilka twoich pytań – oznajmił. – Wiem, że mi nie uwierzysz, dopóki nie zobaczysz na własne oczy, dlatego postanowiłem nauczyć cię czegoś, czego nigdy nie zamierzałem nikogo uczyć. To umiejętność, którą niezwykle łatwo nadużyć, ale jeśli...

– Nie! – wyprostowała się. – Nie będę się uczyć...

– Nie mam na myśli czarnej magii. – Oczy Akkarina błysnęły. – Nie zamierzam cię jej uczyć, nawet gdybyś tego chciała. Chcę ci tylko pokazać, jak czyta się myśli.

– Ale... – Nabrała powietrza głęboko w płuca, uświadamiając sobie, o czym on mówi. Jako jedyny z magów Gildii potrafi czytać myśli innych niezależnie od ich woli. Sama doświadczyła tego, kiedy Akkarin dowiedział się, że ona, Lorlen i Rothen wiedzą o jego praktykach czarnej magii. A teraz on chce ją nauczyć, jak się to robi.

– Po co? – słowa były szybsze niż zastanowienie.

– Jak już powiedziałem, chcę, żebyś ujrzała prawdę na własne oczy. Nie uwierzysz mi, jeśli ja ci to powiem. – Zmrużył oczy. – Nie powierzyłbym ci tego sekretu, gdyby nie to że znam twoją uczciwość i poczucie godności. A i tak musisz mi przysiąc, że nie posłużysz się tą umiejętnością wobec kogoś niechętnego, chyba że Kyralia znajdzie się w niebezpieczeństwie i nie będziesz miała innego wyjścia.

Sonea przełknęła ślinę i postarała się nie spuścić z niego wzroku.

– Wymagasz, żebym nie posługiwała się tą umiejętnością, mimo że sam jej używasz?

Jego oczy pociemniały, ale usta wygięły się w pozbawiony wesołości uśmiech.

– Owszem. Przysięgniesz, czy też wracamy do Gildii?

Zerknęła na więźnia. Akkarin najwyraźniej chciał, żeby zajrzała w głąb umysłu tego człowieka. Nie pozwoliłby jej, gdyby ta wiedza mogła mu w jakikolwiek sposób zaszkodzić. Czy jednak Sonea nie zobaczy tam czegoś, co może zaszkodzić jej?

Myśli nie mogą kłamać. W umyśle można ukrywać prawdę, owszem, ale jest to trudne, a w przypadku metody Akkarina wręcz niemożliwe. Gdyby jednak Wielki Mistrz postarał się, by ten człowiek uznał pewne kłamstwa za prawdę, wciąż mógłby wprowadzić ją w błąd.

Niemniej jeśli ona będzie o tym pamiętać i potem dokładnie przemyśli wszystko, czego się dowie…

Umiejętność czytania myśli może się okazać przydatna. Nawet jeśli złoży teraz tę przysięgę, nie musi jej dotrzymywać w walce z nim. Kyralia już znalazła się w wielkim niebezpieczeństwie, skoro w samym sercu Gildii zagnieździł się czarny mag.

Więzień spoglądał na nią.

– Żądasz przysięgi, że nie będę korzystać z tej umiejętności, chyba że Kyralia znajdzie się w niebezpieczeństwie – powiedziała z namysłem – ale chcesz, żebym przeczytała jego myśli. On chyba nie jest zagrożeniem dla Kyralii?

Akkarin uśmiechnął się. Najwyraźniej spodobało mu się to pytanie.

– Już nie. Ale nim był. A te przechwałki, że jego pan uczyni cię swoją niewolnicą, kiedy ja już zostanę zabity, pokazują, że to zagrożenie w przyszłości powróci. Skąd masz wiedzieć, czy jego pan istotnie może to uczynić, jeśli nie zajrzysz w jego myśli?

– W taki sposób można usprawiedliwić czytanie myśli każdego, kogo uzna się za zagrożenie.

Uśmiechnął się jeszcze szerzej.

– Dlatego właśnie chcę, żebyś złożyła przysięgę. Nie posłużysz się tą umiejętnością, chyba że nie będziesz miała innego wyjścia. – Spoważniał. – Nie jestem w stanie pokazać ci prawdy w inny sposób... w każdym razie bez narażania twojego życia. Przysięgniesz?

Zawahała się, po czym skinęła głową. Akkarin założył ręce w oczekiwaniu. Wzięła głęboki oddech.

– Przysięgam, że nigdy nie będę czytać myśli niechętnego temu człowieka, chyba że Kyralia znajdzie się w wielkim niebezpieczeństwie i nie będzie innego sposobu, by odwrócić to niebezpieczeństwo.

Potaknął.

– Dobrze. Jeśli odkryję, że złamałaś to przyrzeczenie, zapewniam cię, że tego pożałujesz. – Odwrócił się do jeńca. Mężczyzna przyglądał mu się uważnie.

– Wypuścisz mnie teraz? – spytał błagalnie. – Wiesz, że musiałem to zrobić. Byłem do tego zmuszony. A teraz, kiedy zniszczyłeś kamień, nie znajdą mnie. Nie będę...

– Cicho.

Mężczyzna skulił się na ten rozkaz, po czym jęknął cicho, kiedy Akkarin przykucnął obok niego.

– Połóż mu rękę na czole.

Pokonując niechęć, Sonea przyklękła obok ławy, po czym położyła więźniowi dłoń na czole. Serce jej podskoczyło, kiedy Akkarin położył na jej dłoni swoją. Jego dotyk był z początku chłodny, ale potem palce rozgrzały się.

~ *Pokażę ci, jak go czytać, ale kiedy już się nauczysz, będziesz mogła wędrować sama.*

Poczuła jego obecność na samej krawędzi swoich myśli. Zamknęła oczy i wyobraziła sobie swój umysł jako pokój, tak jak nauczył ją Rothen. Podeszła do drzwi, zamierzając otworzyć je, by go powitać – i odskoczyła w tył zaskoczona, ponieważ Akkarin pojawił się na środku pokoju. Machnął ręką w kierunku ścian.

~ *Zapomnij o tym. Zapomnij o wszystkim, czego cię uczono. Wizualizacja spowalnia i ogranicza umysł. Posługując się nią, możesz zrozumieć tylko to, co jesteś w stanie przełożyć na obrazy.*

Otaczający ją pokój rozpadł się, podobnie jak obraz postaci Akkarina. Obecność jednak pozostała. Przedtem, kiedy on czytał jej myśli, ledwie ją wyczuwała. Teraz zaś miała świadomość śladu osobowości i potęgi większej niż wszystko, co dotychczas napotkała.

~ *Chodź za mną…*

Obecność poruszyła się. Postępując za nią, Sonea poczuła, że zbliża się do trzeciego umysłu. W nim wyczuwała lęk i opór.

~ *Może cię powstrzymać, tylko jeśli cię wyczuje. By mu się to nie udało, musisz odsunąć od siebie wszelką wolę i wszelkie zamiary oprócz tego jednego: wejść do jego umysłu niezauważenie. O tak…*

Ku jej zdumieniu obecność Akkarina *zmieniła się*. Zamiast napierać swoją wolą na umysł tamtego, Wielki Mistrz jakby się poddał. Pozostał tylko słabiutki ślad obecności, ledwie wyczuwalna potrzeba poszybowania w kierunku cudzych myśli. Następnie obecność znów się wzmocniła.

~ *Spróbuj.*

Pamiętała, co robił. Wydawało się to proste, niemniej ilekroć próbowała naśladować jego czynności, napotykała na mur umysłu więźnia. W pewnej chwili poczuła, że myśli Akkarina znów wpływają do jej umysłu. Nim zdążyła zareagować, wysłał jej coś - jakiś pomysł. Zamiast usiłować oddzielić i odsunąć od siebie wszystkie zamiary poza tym jednym, powinna się na nim po prostu skoncentrować.

I nagle wiedziała dokładnie, jak przełamać opór więźnia. Chwilę później wdarła się do jego umysłu.

~ *Dobrze. Teraz utrzymuj ten lekki dotyk. Przyglądaj się jego myślom. Kiedy zobaczysz jakieś wspomnienie, które chciałabyś lepiej poznać, skup wolę na jego umyśle. To będzie trudniejsze. Przyjrzyj się.*

Więzień myślał o zębie, zastanawiając się, czy jego pan patrzył, kiedy pojawiła się dziewczyna.

~ *Kim jesteś?* - spytał Akkarin.

~ *Nazywam się Tavaka.*

Sonea nagle dostrzegła, że był on niewolnikiem - do niedawna.

~ *Kto jest twoim panem?*

~ *Harikava. Potężny Ichani.* ~ W jego myślach pojawiła się na moment twarz, niewątpliwie sachakańska. Okrutne oblicze człowieka surowego i inteligentnego.

~ *Kim są Ichani?*

~ *Potężnymi magami.*

~ *Po co im niewolnicy?*

~ *Do magii.*

Do myśli Sonei dotarło wielowarstwowe wspomnienie. Odebrała wrażenie niezliczonych powtórzeń tego samego zdarzenia: lekkiego bólu pochodzącego z płytkiej rany, czerpania mocy...

Zrozumiała, że Ichani przejmują moc swoich niewolników, nieustannie wzmacniając swoją.

~ *Już nie! Nie jestem już niewolnikiem. Harikava mnie wyzwolił.*

~ *Pokaż mi.*

Przez umysł Tavaki przemknęło wspomnienie. Harikava siedział w namiocie. Mówił, że uwolni Tavakę, jeśli ten podejmie się niebezpiecznej misji. Sonea poczuła, że Akkarin przejmuje kontrolę nad tym wspomnieniem. Misja polegała na udaniu się do Kyralii i przekonaniu się, czy to, co mówił Kariko, jest prawdą. Że Gildia jest słaba. Że odrzuciła wyższą magię. Wielu niewolnikom nie udało się. Jeśli Tavaka wypełni zadanie, zostanie dopuszczony do grona Ichanich. A jeśli nie, oni go dopadną.

Harikava otworzył złotą skrzyneczkę wysadzaną klejnotami. Wyciągnął z niej coś jasnego i twardego i podrzucił to w powietrze. Szybowało przez chwilę, zmieniając kształt przed oczami Tavaki. Harikava sięgnął do pasa i wziął do ręki ozdobny zakrzywiony sztylet z rękojeścią wysadzaną klejnotami. Sonea znała ten kształt. Był podobny do sztyletu, który widziała lata temu w ręku Akkarina, gdy ten czerpał moc z Takana.

Harikava przeciął skórę na swojej dłoni i pozwolił krwi spłynąć na roztopioną kulkę, która zmieniła barwę na czerwoną i zastygła. Zdjął jedną z wielu cienkich złotych obrączek zdobiących jego palce i zacisnął ją na klejnocie, tak że widać było tylko przebłysk czerwieni. Sonea zrozumiała, do czego posłuży ten kamień. Wszystko, co zobaczy, usłyszy, czy nawet pomyśli niewolnik, zostanie przekazane jego panu.

Mężczyzna spojrzał na Tavakę. Sonea poczuła echo lęku i nadziei. Pan skinął i zakrwawioną ręką ponownie uniósł sztylet.

Wspomnienie urwało się znienacka.

~ *Twoja kolej, Soneo.*

Przez chwilę zastanawiała się, które wspomnienie przywołać. Jakiś impuls kazał jej wysłać ku niemu obraz Akkarina w czarnych szatach.

Nie była przygotowana na falę nienawiści i lęku, która zalała umysł tamtego mężczyzny. W myślach rozbłyskały fragmenty wspomnień niedawnej magicznej walki. Akkarin znalazł go, zanim on zdążył się odpowiednio wzmocnić. Harikava będzie rozczarowany i zły. Kariko też. Pojawił się obraz kilkorga mężczyzn i kobiet siedzących w kręgu dookoła ognia: wspomnienie, którego Tavaka bardzo starał się jej nie ujawnić. Odgonił je z umiejętnością człowieka, którego ćwiczono w ukrywaniu myśli przed intruzami. Uświadomiła sobie, że zapomniała chwycić to wspomnienie.

~ *Spróbuj jeszcze raz. Musisz złapać wspomnienie i utrzymać je.*

Posłała w stronę Tavaki obraz kręgu nieznanych sobie ludzi, tak jak go zapamiętała. *Nie takie twarze*, pomyślał. W jego umyśle pojawiło się oblicze Harikavy. Sonea wysiliła moc i „złapała" wspomnienie, blokując jego usiłowania odepchnięcia tego obrazu.

~ *Doskonale. Teraz możesz je dokładnie zbadać.*

Przyglądała się uważnie twarzom.

~ *Kim są ci Ichani?*

Usłyszała potok imion i twarzy, wśród których jej uwagę zwróciło jedno.

~ *Kariko. Człowiek, który pragnie zabić Akkarina.*

~ *Dlaczego?*

~ *Akkarin zabił jego brata. Każdy niewolnik, który obraca się przeciwko swojemu panu, musi zostać odnaleziony i ukarany.*

Na dźwięk tych słów omal nie straciła kontroli nad wspomnieniem. Akkarin był kiedyś *niewolnikiem*! Tavaka ewidentnie wyczuł jej zaskoczenie. Zalała ją fala dzikiej radości.

~ *Dzięki Akkarinowi, dzięki temu, że brat Kariko schwytał Akkarina i odczytał jego myśli, wiemy, że Gildia jest słaba. Kariko mówi, że Gildia nie posługuje się wyższą magią. Twierdzi, że napadnie na Kyralię i bez trudu pokona Gildię. To będzie dobra zemsta za to, co Gildia nam zrobiła po wojnie.*

Sonea poczuła, że serce w niej zamiera. Ta grupa niezwykle potężnych czarnych magów zamierza napaść na Kyralię!

~ *Kiedy ma nastąpić inwazja?* ~ wtrącił się nagle Akkarin.

W umyśle więźnia pojawiło się wahanie.

~ *Nie wiem. Inni boją się Gildii. Niewolnicy nie wracają. Ja też nie wrócę... nie chcę umierać!*

Nagle w jego umyśle pojawił się obraz małego białego domku, któremu towarzyszyło straszliwe poczucie winy. Pulchna kobieta: matka Tavaki. Mocno zbudowany ojciec o zniszczonej słońcem skórze. Ładna dziewczyna o wielkich oczach: siostra. Potem ciało siostry. Przyszedł Harikava i...

Sonea musiała użyć całej swojej kontroli, by uciec z myśli mężczyzny. Zdarzało jej się słyszeć i oglądać, co się działo w slumsach po atakach tamtejszych zbirów. Rodzina Tavaki zginęła przez niego. Jego rodzice mogli spłodzić więcej utalentowanych dzieci. Siostra też mogła mieć talent. Ichani nie zamierzał ciągnąć za sobą całej grupy, na wszelki wypadek postanowił też nie pozostawiać potencjalnych źródeł mocy, które mogliby znaleźć i wykorzystać jego wrogowie.

Sonea poczuła wzbierające w niej litość i lęk. Tavaka miał straszne życie. Wyczuwała jednak również jego ambicje. Gdyby miał taką możliwość, powróciłby do swojego kraju i stał się jednym z tych potwornych Ichanich.

~ *Co robiłeś, odkąd przybyłeś do Imardinu?* ~ spytał Akkarin.

Pojawiły się wspomnienia nędznych izb w spylunkach, a także zatłoczonych sal. Miejsca, w których mógł się otrzeć o innych w poszukiwaniu potencjału magicznego. Nie ma sensu tracić czasu na podchodzenie ofiary, chyba że ma spory zapas uśpionej magii. Jeśli zachowa ostrożność, wzmocni się dostatecznie, by pokonać Akkarina. A potem wróci do Sachaki, pomoże Kariko zebrać Ichanich i wszyscy razem napadną na Kyralię.

Znalazł odpowiedniego człowieka i poszedł za nim. Wyciągnął nóż, prezent od Harikavy, i...

~ *Wycofaj się, Soneo.*

Poczuła, że palce Akkarina zaciskają się na jej dłoni. Kiedy zdjęła rękę z czoła Tavaki, łączność między ich umysłami została natychmiast przerwana. Spojrzała podejrzliwie na Akkarina.

– Dlaczego to zrobiłem? – Uśmiechnął się ponuro. – Mogłabyś nauczyć się czegoś, czego nie chcesz znać. – Wstał i przyjrzał się z góry Tavace. Oddech mężczyzny był szybki.

– Wyjdź, Soneo.

Spoglądała na niego. Nietrudno było odgadnąć jego zamiary. Chciała protestować, ale wiedziała, że nie powstrzymałaby go, nawet gdyby była do tego zdolna. Wypuszczenie Tavaki na wolność oznaczałoby uwolnienie mordercy. Nie przestałby żerować na Kyralianach, korzystając z czarnej magii.

Zmusiła się do odwrócenia, otwarcia drzwi, wyjścia z pomieszczenia. Drzwi zatrzasnęły się za nią. Morren podniósł wzrok, a jego spojrzenie złagodniało. Wyciągnął ku niej rękę z kubkiem.

Rozpoznała słodkawy zapach spylu, przyjęła więc poczęstunek i wypiła zawartość kubka kilkoma szybkimi łykami. Poczuła rozlewające się po jej ciele ciepło. Kiedy skończyła, oddała kubek Morrenowi.

– Już lepiej?

Potaknęła.

Za nią otworzyły się drzwi. Odwróciła się i spojrzała Akkarinowi prosto w oczy. Przez chwilę przyglądali się sobie wzajemnie w milczeniu. Sonea zastanawiała się nad tym, co wyjawił jej więzień. Ichani. Ich plany napaści na Kyralię. Akkarin był niewolnikiem... Zbyt to wszystko zawiłe, by mogło być oszustwem. Akkarin nie wymyślił tego wszystkiego.

– Masz sporo do przemyślenia – powiedział cicho. – Chodź. Wracajmy do Gildii. – Minął ją. – Dziękuję ci, Morrenie. Pozbądź się go tak jak zwykle.

– Tak, panie. Dowiedziałeś się czegoś użytecznego?

– Być może. – Akkarin zerknął w stronę Sonei. – Zobaczymy.

– Pojawiają się coraz częściej, prawda? – spytał Morren.

Sonea wyczuła w odpowiedzi Akkarina cień wahania.

– Owszem, ale twój pracodawca też potrafi ich coraz szybciej znajdować. Przekaż moje podziękowania, dobrze?

Mężczyzna skinął głową i podał Akkarinowi jego lampę.

– Nie omieszkam.

Akkarin otworzył drzwi i wyszedł na zewnątrz. Ruszył korytarzem, a Sonea podążała za nim, czując w głowie zamęt od kotłujących się wspomnień wszystkiego, czego się dziś dowiedziała.

ROZDZIAŁ 7

OPOWIEŚĆ AKKARINA

W tunelu słychać było szczęk metalu uderzającego o metal, a chwilę później rozległ się jęk bólu. Cery zatrzymał się i spojrzał z niepokojem na Gola. Wielki mężczyzna zmarszczył brwi.

Cery przechylił głowę ku znajdującemu się przed nimi korytarzowi. Gol pobiegł przodem, wyciągając zza paska długi, paskudnie wyglądający nóż. Gdy dotarł do drzwi i zajrzał do pomieszczenia, niepokój znikł z jego twarzy.

Odwrócił się do Cery'ego z szerokim uśmiechem. On zaś poczuł ulgę, której teraz dla odmiany towarzyszyła ciekawość, podszedł więc i też zajrzał do środka.

Dwie postacie zamarły w pozie walki, jedna pochylała się nad drugą, przykładając jej nóż do gardła. Cery w zwyciężonym rozpoznał Krinna, zabójcę i zdolnego zapaśnika, którego często wynajmował do ważnych przypadków. Krinn zerknął w stronę Cery'ego i wtedy w jego spojrzeniu zaskoczenie zamieniło się we wstyd.

– Poddajesz się? – spytała Savara.

– Tak – odpowiedział Krinn z wysiłkiem.

Savara cofnęła nóż i odskoczyła od niego jednym płynnym ruchem. Krinn wstał i spojrzał na nią niepewnie.

Był o co najmniej głowę wyższy, zauważył z rozbawieniem Cery.

– Znów ćwiczysz na moich ludziach, Savaro?

Uśmiechnęła się łobuzersko.

– Na ich własną prośbę, Ceryni.

Przyglądał się jej uważnie. A może by tak...? Ryzykowne, ale przecież zawsze istnieje ryzyko. Zerknął na wycofującego się ku drzwiom Krinna.

– Idź, Krinn. Zamknij za sobą drzwi. – Zabójca natychmiast skorzystał z okazji. Kiedy drzwi zatrzasnęły się, Cery podszedł do Savary. – A zatem proszę cię o wypróbowanie moich umiejętności.

Gol wciągnął szybko powietrze.

Uśmiechnęła się szeroko.

– Z przyjemnością.

Cery wyciągnął z kieszeni dwa sztylety. Do ich rękojeści były przymocowane skórzane paski zapobiegające zgubieniu broni, gdyby wyślizgnęła się z ręki. Savara uniosła brwi, widząc, jak Cery wkłada ręce w pętle.

– Dwa rzadko są lepsze niż jeden – zauważyła.

– Wiem – odpowiedział Cery, zbliżając się do niej.

– Ale *wyglądasz* na kogoś, kto wie, co robi – dodała. – Myślę, że to działa na przeciętnego łotrzyka.

– Owszem, działa.

Zrobiła kilka kroków w lewo, zbliżając się do niego.

– Ale ja nie jestem przeciętnym łotrzykiem, Ceryni.

– Nie jesteś. To widać.

Uśmiechnął się. Jeśli powodem, dla którego złożyła mu propozycję pomocy, miałoby być zdobycie jego zaufania w stopniu wystarczającym, by móc go przy okazji zabić, to zapewne właśnie stwarzał jej do tego doskonałą sytuację. Czegoś takiego ona jednak nie przeżyje: Gol się o to postara.

Rzuciła się ku niemu. Uskoczył, szybko odwrócił się i wycelował w jej ramię. Zrobiła unik szybkim obrotem.

Przez chwilę krążyli tak wokół siebie, sprawdzając wzajemnie swój refleks i zasięg. Potem Savara zaatakowała, a Cery zablokował i odparł kilka szybkich pchnięć. Obojgu nie udawało się przełamać obrony przeciwnika. Odskoczyli od siebie, dysząc ciężko.

– Co zrobiłeś z niewolnikiem? – zapytała.

– Nie żyje.

Przyglądał się uważnie jej twarzy. Nie wyglądała na zaskoczoną, może tylko lekko zirytowaną.

– *On* to zrobił?

– Oczywiście.

– Mogłam cię wyręczyć.

Zmarszczył brwi. Jej słowa brzmiały bardzo pewnie. Zbyt pewnie.

Skoczyła w przód, ostrze błysnęło w świetle lampy. Cery odtrącił jej rękę błyskawicznym ruchem ramienia. Nastąpiła szybka, szalona walka i w końcu na twarzy Cery'ego pojawił się triumfalny uśmiech, kiedy udało mu się zablokować jej prawą rękę i przyłożyć nóż do lewego boku, tuż pod ramieniem.

Zamarła – również z szerokim uśmiechem na twarzy.

– Poddajesz się? – spytała.

Na brzuchu czuł dotknięcie ostrza. Zerknął w dół: w jej lewej ręce dostrzegł inny nóż. W prawej wciąż trzymała ten, który widział od początku. Uśmiechnął się i przycisnął swój sztylet nieco mocniej do jej boku.

– Tutaj jest żyła, która biegnie prosto do serca. Jeśli ją przetnę, krew poleje się tak szybko, że nie zdążysz nawet wymyślić, jak mnie przekląć.

Nagrodą był widok jej otwartych szeroko w zaskoczeniu oczu i znikającego z twarzy uśmiechu.

– A zatem remis?

Znajdowali się bardzo blisko siebie. Pachniała cudownie: mieszanką świeżego potu i czegoś ostrego. Jej oczy błyszczały radośnie, ale usta zacisnęła w wąską linię.

– Remis – zgodził się Cery. Zrobił krok do tyłu, tak że nóż ześlizgnął się z jego brzucha, zanim odjął ostrze z jej boku. Czuł szybko bijące serce. Było to całkiem miłe uczucie.

– Czy wiesz, że ci niewolnicy są magami? – spytał.

– Wiem.

– Jak zamierzasz ich zabijać?

– Mam swoje sposoby.

Cery uśmiechnął się ponuro.

– Jeśli poinformuję mojego klienta, że nie potrzebuję go już do rozprawiania się z mordercami, może zacząć zadawać pytania. Na przykład kogo do tego wynająłem.

– Gdyby nie wiedział, że znalazłeś niewolnika, nie musiałby wiedzieć, kto go zabił.

– On wie, kiedy oni się pojawiają w okolicy. Ma gwardzistę, który informuje go o ofiarach. Jeśli nie przestaną znajdować ofiar, a to nie on będzie zabijał morderców, może zacząć się zastanawiać.

Wzruszyła ramionami.

– To nie ma znaczenia. Teraz już nie przysyłają niewolników pojedynczo. Mogę kilku zabić, a on się nawet nie zorientuje.

Informacja. A zarazem zła wiadomość.

– Kim są „oni"?

Uniosła brwi ze zdumieniem.

– Nie powiedział ci?

Cery uśmiechnął się, ale w duchu przeklinał sam siebie za to, że dał się złapać na niewiedzy.

– Może powiedział, a może nie – odpowiedział. – Chciałbym usłyszeć twoją wersję.

Savara spochmurniała.

– To Ichani. Wyrzutkowie. Król Sachaki wysyła na spustoszone ziemie tych, którzy popadli w niełaskę.

– A czemu oni wysyłają tu swoich niewolników?

– Ichani usiłują odzyskać władzę i pozycję poprzez zniszczenie odwiecznego wroga Sachaki. Gildii.

Kolejna informacja. Cery zsunął z rąk pętle swoich sztyletów. *Być może nie ma się czym przejmować*, pomyślał. *Zabijanie tych „niewolników" idzie nam całkiem dobrze.*

– Pozwolisz mi zabić kilku z tych niewolników? – spytała.

– Dlaczego pytasz mnie o pozwolenie? Jeśli potrafisz ich znaleźć i zabić, nie potrzebujesz mojej współpracy.

– Och, jeśli nie poproszę o pozwolenie, możesz mnie z którymś z nich pomylić.

Zaśmiał się pod nosem.

– Byłoby to wielce niefor…

Przerwało mu pukanie do drzwi. Cery rzucił Golowi porozumiewawcze spojrzenie i jego towarzysz ruszył do wejścia. W drzwiach pojawił się jeszcze większy mężczyzna, którego wzrok wędrował niespokojnie od Cery'ego do Gola i do Savary.

– Morren. – Cery zmarszczył brwi. Człowiek ten wysłał wczoraj późno w nocy składającą się z jednego słowa wiadomość, w której potwierdził, że pozbył się ciała mordercy. I miał nie pojawiać się osobiście u Cery'ego, chyba że zaistniałaby konieczność zakomunikowania czegoś bardzo ważnego.

– Ceryni – odpowiedział Morren. Spojrzał ponownie na Savarę, nie kryjąc niepokoju.

Cery zwrócił się do Sachakanki.

– Dziękuję ci za trening – powiedział.

Skinęła głową.

– To ja *tobie* dziękuję, Ceryni. Dam ci znać, kiedy znajdę następnego. Zapewne niedługo.

Cery przyglądał się jej, kiedy wychodziła z pokoju. Kiedy zamknęły się za nią drzwi, zwrócił się do Morrena.

– O co chodzi?

Wielki mężczyzna skrzywił się.

– Może to nic ważnego, ale pomyślałem sobie, że możesz chcieć o tym wiedzieć. On nie zabił od razu tego mordercy. Związał go, a potem wyszedł. A kiedy wrócił, przyprowadził jeszcze kogoś.

– Kogo?

– Tę dziewczynę ze slumsów, która wstąpiła do Gildii.

Cery wybałuszył na niego oczy.

– Soneę?

– Aha.

Cery'ego ogarnęło dziwaczne poczucie winy, gdy przypomniał sobie, jak przyspiesza mu tętno na samą myśl o Savarze. Jak może pozwolić sobie na zapatrzenie w obcą kobietę, w dodatku zapewne niegodną zaufania, skoro wciąż przecież kocha Soneę? Sonea jednak pozostawała poza jego zasięgiem. No i nigdy go nie kochała. W każdym razie nie tak jak on ją. Z jakiego zatem powodu miałby nie myśleć o innej?

Dopiero po chwili uświadomił sobie, co tak naprawdę przekazał mu Morren, i zaczął krążyć nerwowo po pokoju.

Wielki Mistrz zabrał Soneę do mordercy. Przyprowadził ją do niebezpiecznego człowieka. Zdawał sobie wprawdzie sprawę, że w towarzystwie Akkarina była raczej bezpieczna, czuł jednak rodzaj gniewu wynikającego z troski. Nie chciał, żeby miała z tym cokolwiek wspólnego.

Czyżby ona przez cały czas wiedziała o tajnej wojnie toczonej w najmroczniejszych zakątkach Imardinu? Czyżby przygotowywała się do wzięcia udziału w tej wojnie?

Musi się dowiedzieć. Obrócił się na pięcie i ruszył w kierunku drzwi.

– Gol, wyślij wiadomość do Wielkiego Mistrza. Musimy porozmawiać.

Lorlen wchodził właśnie do głównego holu Uniwersytetu, kiedy zobaczył przechodzącego przez wielkie drzwi Akkarina. Zatrzymał się.

– Lorlenie – powitał go Wielki Mistrz. – Czy jesteś zajęty?

– Zawsze jestem zajęty – odparł Administrator.

Usta Akkarina wygięły się w cierpki uśmiech.

– Zajmę ci najwyżej kilka minut.

– Oczywiście.

Akkarin wskazał gestem w kierunku gabinetu Lorlena. *A zatem chodzi o coś prywatnego*, pomyślał Administrator. Cofnęli się z holu z powrotem na korytarz, ale kilka kroków przed gabinetem zatrzymał ich czyjś głos.

– Wielki Mistrzu!

W drzwiach sali wykładowej, nieco dalej w głębi korytarza stał jeden z Alchemików.

Akkarin zatrzymał się.

– Słucham, Mistrzu Halvinie.

Nauczyciel podbiegł do nich.

– Sonea nie zjawiła się dziś rano na lekcji. Czyżby źle się czuła?

Lorlen zauważył wyraz niepokoju na twarzy Akkarina, ale nie mógł stwierdzić, czy chodziło o stan zdrowia Sonei, czy też o fakt, że nie było jej tam, gdzie powinna się znajdować.

– Jej służąca nie poinformowała mnie o żadnej chorobie – odpowiedział.

– Jestem pewny, że istnieje jakiś ważny powód tej nieobecności. Wydało mi się to tylko nietypowe. Ona jest zawsze bardzo punktualna. – Halvin zerknął w stronę sali, z której wyszedł. – Lepiej do nich wrócę, zanim zdążą tam nabroić.

– Dziękuję za informację – powiedział Akkarin. Halvin skinął głową i szybkim krokiem oddalił się w stronę sali wykładowej. Wielki Mistrz zwrócił się do Lorlena: – Tamta sprawa musi zaczekać. Muszę najpierw dowiedzieć się, co wymyśliła moja podopieczna.

Patrząc za nim, Lorlen z trudem powstrzymywał się od czarnych myśli. Gdyby Sonea była chora, służąca z pewnością zawiadomiłaby o tym Akkarina. Jeśli nie jest, to dlaczego miałaby zaniedbywać lekcje? Poczuł dreszcz. Czyżby ona i Rothen postanowili wystąpić przeciwko Akkarinowi? Ale przecież gdyby tak było, jego pierwszego by o tym poinformowali.

Czy aby na pewno?

Wrócił do holu i spojrzał w górę schodów. Jeśli coś razem uknuli, to zapewne obojga nie będzie na wykładach. Wystarczy zajrzeć do sali Rothena.

Ruszył pospiesznie w górę schodów.

*

Południowe słońce przedzierało się między gałęziami drzew, muskając świeżą zieleń młodych liści. Kamienna półka, na której usiadła Sonea, była wciąż nagrzana ciepłem słonecznym, podobnie jak głaz, o który się oparła.

W oddali usłyszała odgłos gongu. Nowicjusze biegną właśnie na przerwę, żeby nacieszyć się wiosenną pogodą. Ona też powinna wrócić i udawać, że jej nieobecność była spowodowana nagłym bólem głowy albo inną drobną niedyspozycją.

Nie miała jednak ochoty się stąd ruszać.

Wspięła się do źródła wczesnym rankiem, w nadziei, że spacer pomoże jej uspokoić skołatane myśli. Niestety, nie pomógł. Wszystko, czego się dowiedziała, kotłowało się w jej głowie. Może dlatego, że nie była w stanie zasnąć – teraz zbyt zmęczona, żeby cokolwiek z tego zrozumieć, i zbyt znużona, żeby wrócić do klasy i zachowywać się, jakby nic się nie zmieniło.

Zmieniło się bardzo wiele. Muszę mieć czas, żeby zastanowić się nad tym wszystkim, czego się dowiedziałam, powtarzała sobie. *Muszę to sobie uporządkować, zanim znów stanę z nim twarzą w twarz.*

Zamknęła oczy i wyciągnęła nieco proszku leczniczego, by odgonić zmęczenie.

Czego ja się właściwie dowiedziałam?

Gildii – i całej Kyralii – grozi inwazja czarnych magów z Sachaki.

Dlaczego Akkarin nikomu o tym nie mówi? Gdyby Gildia wiedziała, że stoi w obliczu niebezpieczeństwa, mogłaby się przygotować. Nie będzie miała szans, by się bronić, nie wiedząc nic o zagrożeniu.

Gdyby jednak Akkarin postanowił to wyjawić, musiałby się przyznać do uprawiania czarnej magii. Czyżby powód jego milczenia był aż tak prosty i egoistyczny? A może istnieje jakaś inna przyczyna?

Wciąż nie miała pojęcia, w jaki sposób nauczył się posługiwać czarną magią. Tavaka najwyraźniej uważał, że jedynie Ichani znają tę sztukę. Jego samego nauczono jej tylko po to, by mógł zabić Akkarina.

A Akkarin też był kiedyś niewolnikiem.

Nie potrafiła sobie wyobrazić tego wyniosłego, pełnego godności, potężnego Wielkiego Mistrza jako *niewolnika*.

A jednak kiedyś był nim, co do tego nie miała wątpliwości. Zdołał jakoś uciec i powrócić do Kyralii. I zostać Wielkim Mistrzem. A teraz potajemnie, samotnie powstrzymywał Ichanich, zabijając ich szpiegów.

Najwyraźniej nie jest tym, za kogo go uważała.

Może nawet jest dobrym człowiekiem.

Zmarszczyła brwi. *Nie zapędzajmy się aż tak daleko. W jakiś sposób nauczył się czarnej magii, a ja nadal jestem zakładniczką.*

Jak jednak pozbywałby się tych szpiegów bez uciekania się do czarnej magii? Jeśli istnieje dobry powód ukrywania prawdy, to nie miał wyboru: musiał zyskać pewność, że ona, Rothen i Lorlen zachowają milczenie.

– Soneo.

Podskoczyła i odwróciła się w kierunku głosu. Akkarin stał w cieniu wielkiego drzewa z założonymi rękami. Wstała pospiesznie i ukłoniła się.

– Wielki Mistrzu.

Przez chwilę nie ruszał się z miejsca, wpatrując w nią uważnie, a po chwili opuścił ręce i ruszył w jej kierunku. Kiedy wspiął się na skalną półkę, jego wzrok zatrzymał się na wielkim głazie, o który się opierała. Przykucnął i przyjrzał się dokładnie jego powierzchni. Sonea usłyszała, jak kamień uderza o kamień, i zamrugała ze zdumienia, kiedy część skały uchyliła się, ukazując nieregularną jamę.

– Och, ciągle tu jest – powiedział cicho Akkarin. Odstawił na bok kamienną płytę, którą właśnie odsunął, i sięgnął do środka, wyciągając stamtąd niewielkie, podniszczone drewniane pudełko. W jego wieczku wycięte było kilka otworów, układających się w regularny wzór. Wieczko podskoczyło i Akkarin pochylił pudełko ku Sonei, żeby mogła obejrzeć jego zawartość. – W środku znajdowały się pionki do gry, wszystkie miały kołeczki pasujące do otworów w wieczku. – Lorlen i ja przychodziliśmy tu, kiedy uciekaliśmy z wykładów Mistrza Margena. – Wyjął jeden z pionków i przyjrzał mu się dokładnie.

Sonea zamrugała ze zdumienia.

– Mistrza Margena? Mentora Rothena?

– Owszem. Był bardzo surowym nauczycielem. Nazywaliśmy go „potworem". Rothen objął po nim wykłady rok po tym, jak ja skończyłem studia.

Wyobrażenie sobie Akkarina jako nowicjusza okazało się równie trudne jak wyobrażenie go sobie jako niewolnika. Sonea wiedziała, że Wielki Mistrz jest zaledwie o kilka lat starszy od Dannyla, ale Dannyl wydawał się o wiele młodszy. Akkarin właściwie nie *wyglądał* staro: po prostu z powodu swojego sposobu bycia i pozycji sprawiał wrażenie znacznie dojrzalszego.

Schował pionki do pudełka i odłożył je do skrytki, po czym usiadł i oparł się plecami o kamień. Sonea czuła się dziwacznie nieswojo. Znikł ten pełen godności, przerażający Wielki Mistrz, który odebrał ją Rothenowi, żeby mieć pewność, że nie wydadzą się jego zbrodnie. Nie była pewna, jak powinna reagować na to swobodne zachowanie. Siedząc zaledwie kilka kroków od niego, obserwowała, jak on rozgląda się wokół źródła, jakby sprawdzając, czy nic się nie zmieniło od czasu, kiedy był tu ostatnio.

– Byłem niewiele starszy od ciebie, kiedy opuściłem Gildię – odezwał się. – Miałem dwadzieścia lat i jako swoją dyscyplinę wybrałem sztuki wojenne, czułem głód przygody i ryzyka. Problem w tym, że w Gildii nie znajdowałem ani jednego, ani drugiego, musiałem więc wyrwać się stąd na chwilę. Postanowiłem napisać książkę o starożytnej magii, co było pretekstem do odbycia podróży i zwiedzenia świata.

Wpatrywała się w niego ze zdumieniem. Jego wzrok był nieobecny, jakby spoglądał w głąb dawnych wspomnień, a nie na drzewa otaczające źródło. Wyglądało na to, że zamierza opowiedzieć jej swoje dzieje.

– Podczas moich poszukiwań natknąłem się na dziwaczne odniesienia do dawnej magii. Zaintrygowały mnie. To właśnie one zawiodły mnie do Sachaki. – Potrząsnął głową. – Gdybym trzymał się głównych szlaków, może przejechałbym bezpiecznie. Zdarza się przecież, że kyraliańscy kupcy zapędzają się do Sachaki w poszukiwaniu egzotycznych towarów. Król wysyła tam raz na kilka lat dyplomatów w towarzystwie magów. Ale Sachaka to wielkie państwo i na dodatek zazdrośnie strzegące swych sekretów. Gildia zdaje sobie sprawę z tego, że żyją tam magowie, ale niewiele o nich wie.

Ja jednak wjechałem tam od strony Elyne. Wprost na pustkowie. Włóczyłem się po nim przez miesiąc, aż natknąłem się na Ichanich. Ujrzałem namioty i zwierzęta, postanowiłem więc poznać bogatego i wpływowego kupca. Spotkałem się z ciepłym przyjęciem przez człowieka, który przedstawił się jako Dakova. Wyczułem, że jest magiem, co mnie dodatkowo zaciekawiło. On zaś wskazał na moją szatę i spytał, czy jestem z Gildii. A ja przyznałem, że tak. – Akkarin umilkł na chwilę. – Uważałem, że jako jeden z najpotężniejszych magów Gildii mogę obronić się przed wszystkim. Sachakanie, których dotychczas spotykałem, byli biednymi rolnikami, lękającymi się obcych. Powinienem był wyczuć niebezpieczeństwo. Kiedy Dakova mnie zaatakował, wziął mnie całkowicie z zaskoczenia. Zapytałem, czy go czymś obraziłem, ale on nie odpowiedział. Jego uderzenia były niewiarygodnie potężne i nawet nie zdążyłem się zorientować, że przegrywam, kiedy byłem już niemal zupełnie wyczerpany. Powiedziałem mu, że najpotężniejsi magowie Gildii przyjadą mnie szukać, jeśli nie wrócę do Imardinu. To musiało go zaniepokoić, albowiem przestał atakować. Byłem tak wyczerpany, że ledwie stałem na nogach, on zaś pewnie wykorzystał to, by bez trudu odczytać moje myśli. Przez kilka dni byłem przekonany, że zdradziłem Gildię. Później jednak z rozmów z niewolnikami Dakovy dowiedziałem się, że Ichani potrafią przedzierać się przez bariery umysłu bez ograniczeń.

Kiedy zamilkł, Sonea wstrzymała oddech. Czy opowie jej, jak był niewolnikiem? Poczuła strach pomieszany z ciekawością.

Akkarin wpatrywał się w jeziorko u ich stóp.

– Dakova wyczytał z moich myśli, że Gildia zakazała czarnej magii, w związku z czym jest znacznie słabsza, niż sądzili Sachakanie. Tak go to rozbawiło, że uznał za właściwe pokazać moje myśli pozostałym Ichanim. Byłem zbyt wyczerpany, by się sprzeciwić. Słudzy zabrali mi szatę i dali łachmany do przebrania. Z początku nie rozumiałem, że ci ludzie są niewolnikami i że ja stałem się jednym z nich. A kiedy to do mnie dotarło, nie mogłem się z tym pogodzić. Spróbowałem ucieczki, ale Dakova odnalazł mnie bez trudu. Na dodatek polowanie na mnie najwyraźniej sprawiało mu przyjemność... podobnie jak kara, którą następnie wymierzył.

Akkarin zmrużył oczy. Zwrócił twarz bardziej ku Sonei, ona tymczasem spuściła wzrok, nie mając odwagi spojrzeć mu prosto w oczy.

– Moja sytuacja doprowadzała mnie do rozpaczy – ciągnął cicho. – Dakova nazywał mnie swoim „magiem na smyczy". Byłem jak zwierzę, którym bawił gości. Niemniej trzymanie mnie stanowiło pewne ryzyko. W przeciwieństwie do pozostałych niewolników byłem wykształconym magiem. Dakova każdego wieczoru czytał moje myśli i – żeby zmniejszyć zagrożenie – odbierał mi tę moc, którą zdążyłem odzyskać w ciągu dnia.

Podciągnął jeden z rękawów. Jego przedramię pokrywały dziesiątki drobnych, cienkich linii. Blizn. Sonea poczuła dreszcz przebiegający jej po plecach. Dowód tego, przez co przeszedł w przeszłości, był cały czas tak blisko, ukryty jedynie pod zwykłą warstwą tkaniny.

– Innych niewolników Dakova przejął od Ichanich, których pokonał w walce, byli wśród nich młodzi mężczyźni i kobiety z uśpioną mocą magiczną, których wynajdował wśród okolicznych sachakańskich chłopów i górników. Każdego dnia czerpał od nich magiczną moc. Był bardzo potężny, ale też dziwacznie samotny. Zrozumiałem w końcu, że Dakova, podobnie jak inni Ichani mieszkający na pustkowiu, jest wyrzutkiem. Z jakiegoś powodu, może była to nieudana intryga, niemożność zapłacenia łapówki czy podatku, a może jakaś popełniona zbrodnia, wypadli z łask sachakańskiego króla, który wygnał ich na pustkowie i zakazał komukolwiek utrzymywać z nimi kontakty.

Można by pomyśleć, że w takiej sytuacji zaczęli ze sobą współpracować, ale było w nich na to zbyt wiele złości i ambicji. Nieustannie intrygowali przeciwko sobie nawzajem, w nadziei, że uda im się zebrać bogactwa i moc, lub też zemścić się za przeszłe urazy, a czasem po prostu ukraść zasoby żywności. Wygnany Ichani może wyżywić tylko ograniczoną liczbę niewolników. Na pustkowiach nie ma wiele pożywienia, a zabijanie i zastraszanie chłopów nie wpływa pozytywnie na wysokość zbiorów.

Znów umilkł na chwilę, by głęboko odetchnąć.

– Kobieta, która wyjaśniła mi to wszystko na samym początku, mogła stać się potężnym magiem. Gdyby urodziła się w Kyralii, zostałaby zapewne wybitną Uzdrowicielką. Dakova tymczasem trzymał ją jako niewolnicę i nałożnicę. – Akkarin skrzywił się. – Pewnego dnia zaatakował innego Ichaniego, ale okazało się, że nie jest w stanie go pokonać. W akcie desperacji zaczął czerpać moc od wszystkich swoich niewolników, zabijając ich. Najpotężniejszych zachował na koniec i zdołał zwyciężyć, zanim nas wszystkich powybijał. Przeżyliśmy tylko my: ja i Takan.

Sonea zamrugała. *Takan? Służący Akkarina?*

– Dakova był osłabiony przez następne kilka tygodni, usiłując odzyskać utracone siły – kontynuował tymczasem Akkarin. – I nie przejmował się tym, że ktoś mógłby zechcieć wykorzystać tę sytuację. Wszyscy Ichani wiedzieli, że ma on brata imieniem Kariko. Bracia znani byli z tego, że gdyby jeden zginął, drugi z pewnością pomściłby jego śmierć. Żaden Ichani z pustkowi nie potrafił pokonać jednego z nich i odzyskać sił dostatecznie szybko, by móc przeciwstawić się atakowi drugiego. Niedługo po tym, jak Dakova omal nie został zabity, Kariko przybył i podarował mu kilku niewolników, żeby mógł odzyskać siły.

Niewolnicy, z którymi miałem do czynienia, w większości marzyli tylko o tym, żeby Ichani wyzwolił ich moc i nauczył posługiwać się czarną magią, by mogli się uwolnić. Patrzyli na mnie z zawiścią: ja potrzebowałem jedynie nauczyć się czarnej magii, żeby odzyskać wolność. Nie wiedzieli, że prawa Gildii zabraniają posługiwania się tą sztuką.

Ale w miarę jak obserwowałem, do czego zdolny jest Dakova, zaczynałem się coraz mniej przejmować zakazami Gildii. Jemu niepotrzebna była czarna magia, by czynić zło. Widziałem, jak gołymi rękami robił takie rzeczy, o jakich nigdy nie będę mógł zapomnieć.

Akkarin spoglądał teraz przed siebie z udręczeniem. Zamknął oczy, a kiedy je z powrotem otworzył, jego wzrok był surowy i nie zdradzał żadnych emocji.

– Przez pięć lat byłem uwięziony w Sachace. Aż Dakova pewnego dnia, niedługo po tym jak otrzymał w prezencie od brata kilku niewolników, dowiedział się, że pewien Ichani, którym szczególnie pogardzał, ukrył się w kopalni z powodu wyczerpania walką. Uznał zatem, że odnajdzie i zabije tego człowieka.

Kiedy przybył na miejsce, kopalnia sprawiała wrażenie opuszczonej. Wszyscy: on, ja i inni niewolnicy weszliśmy w tunele w poszukiwaniu wroga. Po kilkuset krokach grunt zapadł się pode mną. Poczułem, jak magia chwyta mnie i osadza na twardym podłożu.

Akkarin uśmiechnął się ponuro.

– Ocalił mnie inny Ichani. Byłem przekonany, że mnie zabije, bądź też przejmie jako niewolnika. On tymczasem zabrał mnie tunelami do niewielkiego ukrytego pomieszczenia, gdzie złożył mi propozycję. Obiecał nauczyć mnie czarnej magii pod warunkiem, że gdy wyjdę, wrócę do Dakovy i zabiję go.

Uważałem, że umowa ta najpewniej zakończy się moją śmiercią. Zostanę pokonany i umrę, albo też zwyciężę i stanę się celem dla Kariko. Ale wówczas niewiele obchodziło mnie moje życie, nie mówiąc już o zakazie posługiwania się zakazaną sztuką, zgodziłem się więc.

Dakova odbierał mi moc przez wiele tygodni. Mogłem poznać tajniki czarnej magii, ale nie miałem czasu, by odzyskać siły. Mój nowy znajomy zrozumiał to i powiedział mi, co muszę zrobić.

Uczyniłem, jak mi nakazał Ichani. Wróciłem do Dakovy i powiedziałem mu, że straciłem przytomność podczas upadku, ale kiedy szukałem drogi na zewnątrz, natknąłem się na magazyn i skarbiec. Był wprawdzie wściekły, że wymknął mu się nieprzyjaciel, ale ta wiadomość ucieszyła go. Mnie i innym niewolnikom rozkazał wywieźć skarby z kopalni do jego namiotów. Poczułem ulgę. Gdyby wyczuł jakąkolwiek myśl o zdradzie, odczytałby ją i wykrył spisek. Posłałem do niego z kopalni niewolnika ze skrzynką elyńskiego wina. Warstwa kurzu na butelkach upewniła Dakovę, że nikt nic przy nich nie kombinował, toteż zaczął pić. Ale wino było zaprawione zielem, które mąci umysł i usypia zmysły. Kiedy wyszedłem z kopalni, Dakova leżał na ziemi pogrążony w półśnie.

Akkarin umilkł. Jego wzrok był utkwiony w jakimś odległym punkcie między drzewami. Kiedy milczenie się przedłużało, Sonea zaczęła się obawiać, że może na tym zakończy opowieść. *Mów dalej*, pomyślała. *Nie możesz teraz przerwać!*

Akkarin nabrał powietrza głęboko w płuca i westchnął. Spojrzał na kamienie pod nogami. Jego twarz była pozbawiona emocji.

– Zrobiłem wtedy coś strasznego. Zabiłem wszystkich nowych niewolników Dakovy. Potrzebowałem ich mocy. Nie mogłem jednak zabić Takana. Nie dlatego, że byliśmy przyjaciółmi, ale dlatego, że znałem go od samego początku i jakoś tak wyszło, że pomagaliśmy sobie nawzajem.

Dakova był zbyt oszołomiony przez narkotyk i wino, żeby cokolwiek zauważyć. Obudził się, kiedy go zraniłem, ale kiedy ktoś zaczyna czerpać moc, posłużenie się nią jest właściwie niemożliwe.

Głos Akkarina był cichy i spokojny.

– Zdawałem sobie sprawę, że jestem potężniejszy, niż to kiedykolwiek mogłem sobie wyobrazić, wiedziałem jednak również, że Kariko musi być niedaleko. Wkrótce spróbuje nawiązać kontakt z Dakovą, a następnie zacznie dociekać powodów milczenia brata. Jedyne, co przychodziło mi do głowy, to ucieczka z Sachaki. Nie pomyślałem nawet o tym, żeby zabrać zapasy. Nie sądziłem, że przeżyję. Następnego dnia zorientowałem się, że Takan idzie za mną. I ma przy sobie sporo pożywienia. Powiedziałem, żeby mnie zostawił, bo inaczej Kariko zabije również jego, ale on uparł się, że zostanie – i będzie mnie traktował tak, jakbym to ja był Ichanim i jego panem. Wędrowaliśmy przez wiele tygodni, aczkolwiek w górach wydawało się nieraz, że więcej się wspinamy, niż idziemy przed siebie. W końcu jednak dotarliśmy do podnóża Żelaznych Wzgórz i zrozumiałem, że udało nam się umknąć Kariko i dotrzeć do domu. – Po raz pierwszy odkąd rozpoczął opowieść, podniósł oczy i ich spojrzenia się spotkały. – Myślałem tylko o powrocie do Gildii, do zapewnianego przez nią bezpieczeństwa. Chciałem o wszystkim zapomnieć, przysiągłem sobie nigdy więcej nie posłużyć się czarną magią. Takan nie chciał mnie opuścić, uczyniłem go więc moim służącym, dając mu tyle wolności, ile tylko się dało. – Skierował wzrok ku wznoszącym się za linią lasu zabudowaniom Gildii. – Zostałem ciepło przywitany i przyjęty z powrotem. Kiedy pytano mnie, gdzie się podziewałem, opowiadałem o moich przygodach we wszystkich Krainach Sprzymierzonych, po czym dodawałem zmyśloną historyjkę o pobycie w górach w celu odbycia samotnych studiów.

Nieco później, niedługo po moim powrocie, zmarł Wielki Mistrz. Zwyczaj nakazuje, by tę funkcję objął najpotężniejszy z żyjących magów. Nigdy nie przeszło mi nawet przez myśl, że mógłbym się o nią ubiegać. Miałem przecież dopiero dwadzieścia pięć lat. Przez przypadek jednak pozwoliłem, by Mistrz Balkan poznał moje możliwości. Kiedy oznajmił, że powinno się brać mnie pod uwagę, byłem zaskoczony, zdumiało mnie również powszechne poparcie dla tego pomysłu. Ludzie potrafią przymknąć oczy na bardzo wiele rzeczy, byle tylko uniknąć wybrania kogoś, kogo nie mają ochoty oglądać na jakimś stanowisku.

Sonea poczuła ciekawość i już otwierała usta, by zapytać, o kogo chodziło, kiedy Akkarin odezwał się znowu.

– Balkan powiedział, że dojrzałem podczas podróży i mam doświadczenie w obcowaniu z ludźmi pochodzącymi z innych kultur. – Parsknął cicho. – Gdyby znał prawdę, być może nie upierałby się tak bardzo przy tym pomyśle. Sama idea wydawała mi się dziwaczna, zacząłem jednak dostrzegać jej pozytywne strony. Chciałem oderwać się od wspomnień ostatnich pięciu lat. Zacząłem też niepokoić się istnieniem Ichanich. Dakova i jego brat nieraz rozprawiali o tym, jak łatwo byłoby najechać Kyralię. Mimo że Kariko został teraz sam i zapewne nigdy nie zdołałby uzyskać poparcia innych Ichanich, inwazja nie była zupełnie niemożliwa. Co stałoby się, gdyby na przykład odzyskał względy króla i przekonał go do najazdu? Uznałem, że powinienem mieć Sachakan na oku, a byłoby to znacznie łatwiejsze z pozycji Wielkiego Mistrza. Samo przekonanie Gildii, żeby mnie wybrała, nie było trudne, kiedy tylko pozwoliłem im zbadać moją moc.

Po kilku latach dotarły do mnie wieści o pojawiających się w mieście mordercach, wzbudzających podejrzenia, że posługują się czarną magią. Zainteresowałem się tym i znalazłem pierwszego szpiega. Dowiedziałem się od niego, że Kariko podburza pozostałych Ichanich, namawiając ich do splądrowania Imardinu, pomszczenia Wojny Sachakańskiej i zmuszenia króla Sachaki do przywrócenia ich do łask. Przede wszystkim jednak zadaniem szpiega było potwierdzenie, że Gildia porzuciła wyższą magię. W związku z tym starannie przekonuję ich, że jest dokładnie na odwrót. – Uśmiechnął się i spojrzał na Soneę. – Umiesz słuchać, Soneo. Ani razu mi nie przerwałaś. Zapewne jednak chciałabyś mnie o coś zapytać.

Potaknęła z namysłem. Od czego zacząć? Rozważała wszystkie cisnące się jej pytania.

– Dlaczego nie opowiedziałeś Gildii o Ichanich?

Akkarin uniósł brwi.

– Myślisz, że uwierzyliby mi?

– Lorlen mógłby.

Odwrócił wzrok.

– Nie jestem tego pewien.

Przypomniało jej się przerażenie Lorlena, kiedy z jej wspomnień dowiedział się, że Akkarin uprawia czarną magię. Kiedy Wielki Mistrz czytał *jej* myśli, zobaczył zapewne to pełne lęku oburzenie. Poczuła wzbierające w niej współczucie. To musiało boleć: zniszczenie przyjaźni z powodu sekretu, którego nie mógł wyjawić.

– Myślę, że Lorlen uwierzyłby – powiedziała. – A gdyby nie chciał, mógłby przecież zbadać twą prawdomówność. – Skrzywiła się na sam dźwięk tych słów. Po całym tym czytaniu myśli przez Ichanich Akkarin zapewne bardzo nie chciał, żeby ktokolwiek zaglądał mu do umysłu.

Pokręcił głową.

– Nie mogę podjąć takiego ryzyka. Każdy, kto zajrzałby do moich myśli, mógłby bez trudu poznać sekret czarnej magii. Dlatego właśnie przerwałem wczoraj twoje badanie umysłu Tavaki.

– W takim razie… Gildia mogłaby wysłać innych magów do Sachaki, żeby potwierdzili twoją opowieść.

– Gdyby zjawili się tam całą gromadą i zaczęli zadawać niewygodne pytania, zostaliby zapewne uznani za zagrożenie. A to mogłoby stać się zarzewiem konfliktu, którego tak się obawiamy. Pamiętaj, że kiedy tu wróciłem, uważałem, że nie istnieje bezpośrednie zagrożenie ze strony Sachaki. Tak bardzo cieszyłem się z powrotu do domu, że nie widziałem powodów do wyjawiania, iż złamałem przysięgę, jeśli nie zaistnieje taka potrzeba.

– Teraz jednak *istnieje* zagrożenie.

Odwrócił wzrok.

– Tylko jeśli Kariko zdoła przekonać innych Ichanich, żeby się do niego przyłączyli.

– Im wcześniej Gildia się dowie, tym lepiej zdoła się przygotować.

Akkarin spoważniał.

– Tylko ja jestem zdolny przeciwstawić się tym szpiegom. Myślisz, że Gildia zatrzyma mnie na stanowisku Wielkiego Mistrza, jeśli się dowie, że poznałem czarną magię? Gdybym im teraz powiedział, straciłbym całe ich zaufanie. Strach zaślepiłby ich, zamykając im oczy na prawdziwe niebezpieczeństwo. Dopóki nie wymyślę, jak mogliby walczyć z Ichanimi, nie korzystając z czarnej magii, lepiej żeby nic nie wiedzieli.

Skinęła głową, chociaż nie mogła uwierzyć, że Gildia ukarałaby go, gdyby dowiedziała się tego wszystkiego, co ona właśnie usłyszała.

– A *istnieje* inny sposób?

– Jeszcze go nie odkryłem.

– Co w takim razie zrobisz?

– Będę nadal polował na szpiegów. Moi sprzymierzeńcy wśród Złodziei okazali się znacznie skuteczniejsi niż ci, których dotychczas wynajmowałem do poszukiwań.

– Złodzieje... – Sonea nie kryła rozbawienia. – Tak właśnie myślałam. Od jak dawna współpracujecie?

– Od około dwóch lat.

– Ile oni wiedzą?

– Tylko tyle, że polują na dzikich magów, którzy mają brzydki zwyczaj zabijać ludzi, i że ci dzicy na dodatek przybywają z Sachaki. Złodzieje znajdują ich, powiadamiają mnie, a potem pozbywają się ciał.

Przez myśl przemknęło jej wspomnienie Tavaki błagającego o życie. Obiecującego, że będzie dobry, podczas gdy jednocześnie planował zabicie tylu Kyralian, ilu tylko potrzebowałby, żeby powrócić do Sachaki i dołączyć do Ichanich. Gdyby nie Akkarin, Tavaka właśnie byłby w drodze.

Zmarszczyła brwi. Sporo zależało od Akkarina. A co jeśli on umrze? Kto wtedy powstrzyma szpiegów? Tylko ona i Takan będą wiedzieć, co się naprawdę dzieje, ale żadne z nich nie zna czarnej magii. Nikt nie zdołałby zrobić niczego, by powstrzymać Ichanich.

Zamarła, kiedy w nagłym przebłysku zrozumiała wszystkie konsekwencje tej sytuacji.

– Dlaczego mi o tym opowiedziałeś?

Uśmiechnął się posępnie.

– Ktoś powinien wiedzieć.

– Ale dlaczego ja?

– Bo już i tak wiedziałaś sporo.

Zawahała się.

– W takim razie... może powiemy Rothenowi? Jestem pewna, że on zachowa tajemnicę, jeśli zrozumie zagrożenie.

Akkarin zmarszczył brwi.

– Nie. Jeśli nie będzie absolutnej potrzeby, nie będziemy o niczym powiadamiać nikogo w Gildii.

– Ale on ciągle wierzy, że ja... Co jeśli będzie chciał coś zrobić? W mojej sprawie?

– Och. Nie martw się, mam Rothena pod stałą obserwacją.

W oddali rozległ się gong. Akkarin wstał. Fałdy jego czarnej szaty musnęły jej rękę. Sonea spojrzała w górę i poczuła dziwaczną mieszankę strachu i szacunku. Zabijał wielokrotnie. Ale robił to, żeby wydostać się z niewoli i żeby zapewnić bezpieczeństwo Gildii. I nie wiedział o tym nikt oprócz niej i Takana.

Akkarin z uśmiechem założył ręce.

– Wracaj na lekcje, Soneo. Moja podopieczna nie powinna wagarować.

Sonea opuściła wzrok i ukłoniła się.

– Tak jest, Wielki Mistrzu.

ROZDZIAŁ 8

ROZMYŚLANIA O ZBRODNI

Korytarz Uniwersytetu rozbrzmiewał głosami nowicjuszy. Ci dwaj, którzy szli za Rothenem i nieśli skrzynki pełne przyrządów i substancji chemicznych używanych podczas ostatniej lekcji, wiedli przyciszonymi głosami pochłaniającą ich bez reszty konwersację. W ostatni dzień wolny zauważyli przyglądającą się im podczas wyścigów konnych dziewczynę i teraz nie mogli ustalić, którym z nich mogła być zainteresowana.

Rothen z trudem utrzymywał powagę. Jego nastrój popsuł jednak widok szczupłej postaci, która pojawiła się na szczycie schodów. Na twarzy Sonei malował się wyraz napięcia i poirytowania. W rękach trzymała stertę ciężkich książek. Skierowała się ku bocznemu korytarzowi prowadzącemu do Biblioteki Nowicjuszy.

Chłopcy idący za Rothenem umilkli i wymruczeli jakieś wyrazy współczucia.

– Sama się o to prosiła – powiedział jeden z nich. – Ale przyznam, że podziwiam jej odwagę. Ja nie śmiałbym wagarować, gdyby *on* był moim mentorem.

Rothen odwrócił się i spojrzał na nich.

– Kto wagarował?

Chłopak spłonął rumieńcem, zorientowawszy się, że byli podsłuchiwani.

– Sonea – odpowiedział.

– Wielki Mistrz ukarał ją tygodniem pracy w bibliotece – dodał drugi.

Rothen nie potrafił powstrzymać się od uśmiechu.

– Jej się to spodoba.

– Och, niekoniecznie. To Biblioteka *Magów*. Mistrz Jullen postara się, żeby kara była karą.

A zatem Sonea rzeczywiście uciekła z lekcji, tak jak powiedziała mu Tania. Zastanawiał się, dlaczego i dokąd poszła, skoro nie było jej na wykładzie. Nie miała przyjaciół, z którymi mogłaby się gdzieś wymknąć, nie miała też takich zainteresowań czy pasji, które mogłyby ją odciągnąć od nauki. Wiedziała ponadto, że i on, i Lorlen zaniepokoją się, jeśli nagle zniknie. Skoro zaryzykowała przestraszenie ich, to musiała mieć poważniejsze powody do opuszczenia lekcji niż tylko buntowniczy kaprys.

Im dłużej o tym myślał, tym bardziej się martwił. Wytężył słuch, kiedy chłopcy wrócili do swej rozmowy, w nadziei, że uda mu się wyłowić jeszcze jakieś informacje.

– Da ci kosza. Ona dała kosza Seno.

– Może dała kosza Seno, dlatego że go nie lubi.

– Może. Ale to nieważne. Kara trwa tydzień. Pewnie też obejmuje dzień wolny. Nie będzie mogła z nami pójść.

Rothen powstrzymał się przed nagłym odwróceniem się i wlepieniem w nich zdumionego spojrzenia. Oni nadal rozmawiali o Sonei. A to oznaczało, że oni, a także jeszcze jeden chłopak o imieniu Seno rozważali zaproszenie jej na wyścigi. Poczuł, że choć trochę wraca mu dobry humor. Miał zawsze nadzieję, że nowicjusze w końcu ją zaakceptują. A teraz wyglądało na to, że niektórzy są zainteresowani czymś więcej niż tylko przyjaźnią.

Po czym westchnął. Odmówiła temu chłopakowi imieniem Seno, a on wiedział, że zapewne odrzuci też pozostałe propozycje. Jak na ironię, właśnie teraz, kiedy nowicjusze zaczęli ją akceptować, ona bała się z kimkolwiek zaprzyjaźnić, by nie komplikować trudnej sytuacji z Akkarinem.

Kiedy pojazd zatrzymał się na podjeździe, Dannyl i Tayend spojrzeli po sobie z powątpiewaniem.

– Denerwujesz się? – spytał Tayend.

– Nie – zapewnił go Dannyl.

Tayend prychnął w odpowiedzi.

– Kłamca.

Drzwiczki powozu otworzyły się, a gdy wysiedli, woźnica powitał ich ukłonem. Podobnie jak w wielu elyńskich rezydencjach, front domu Dema Marane był otwarty: arkadowe podcienia prowadziły do wykładanego ceramicznymi płytkami pomieszczenia, ozdobionego rzeźbami i roślinnością.

Dannyl i Tayend weszli między arkady i przeszli przez pokój. Do zamkniętej części domu prowadziły wielkie drewniane drzwi. Tayend pociągnął za wiszący przy drzwiach sznur. Gdzieś wysoko nad nimi rozległ się dźwięk dzwonu.

Z wnętrza dobiegł ich stłumiony odgłos kroków, drzwi otworzyły się i stanął w nich Dem Marane, witając ich ukłonem.

– Witajcie, Ambasadorze Dannylu i Tayendzie z Tremmelin. Jesteście mile widzianymi gośćmi w moim domu.

– Twoje zaproszenie jest dla nas zaszczytem, Demie Marane – odparł Dannyl.

Dem wprowadził ich do wspaniale urządzonego pokoju, a następnie przeszli przez dwa następne pomieszczenia, aż dotarli do kolejnej otwartej sali. Pomiędzy łukami arkad widać było morze oraz doskonale utrzymany ogród, opadający tarasami ku plaży. Pod ścianą stały wyściełane poduszkami ławy, na których siedziało sześciu mężczyzn. Na środku pomieszczenia na niewielkiej sofie półleżała w skromnej pozie kobieta.

Nieznajomi wpatrywali się w przybyszów. Na ich twarzach malowało się napięcie i lekki strach. Dannyl zdawał sobie sprawę, że jego wzrost w połączeniu z szatą robią imponujące wrażenie.

– Pozwalam sobie przedstawić Drugiego Ambasadora Gildii w Elyne, Mistrza Dannyla – oznajmił Royend. – Jego towarzysz, Tayend z Tremmelin, jest niektórym z was już znany.

Jeden z mężczyzn wstał i ukłonił się, pozostali po chwili wahania poszli w jego ślady. Dannyl odpowiedział uprzejmym skinieniem głowy. Czyżby to była cała grupa? Wątpił w to. Niektórzy pewnie nie będą chcieli się ujawnić, dopóki nie upewnią się, że można mu zaufać.

Dem przedstawił wszystkich po kolei. Dannyl domyślał się, że Royend jest najstarszy z nich. Wszyscy byli elyńskimi arystokratami z takiej czy innej bogatej rodziny. Kobieta okazała się żoną Dema, miała na imię Kaslie. Kiedy wszyscy zostali już sobie przedstawieni, poprosiła gości, by usiedli, podczas gdy sama udała się po przekąski. Dannyl wybrał wolną ławę, Tayend zaś usiadł tuż koło niego. Ambasador poczuł ukłucie niepokoju, gdy zauważył, że pozostali skrzętnie notują to w pamięci.

Zaczęły się uprzejme rozmowy o niczym. Goście zadawali mu zwyczajne pytania: co sądzi o Elyne, czy spotkał takich lub innych ważnych i sławnych ludzi. Niektórzy dawali mu do zrozumienia, że wywiedzieli się czegoś na jego temat, pytając o podróż do Lonmaru i Vinu.

Kaslie wróciła w towarzystwie służących niosących wino i tace z jedzeniem. Kiedy wszyscy zostali obsłużeni, Dem odesłał służbę i omiótł pokój wzrokiem.

– Czas porozmawiać o sprawach, które nas tu przywiodły. Zebraliśmy się z powodu wspólnej straty. Straciliśmy mianowicie pewną możliwość. – Dem spojrzał na Tayenda. – Niektórzy z nas mogli z niej skorzystać, ale musieli odmówić ze względu na okoliczności. Innym nigdy nie dano tej szansy, albo też dano, po czym odebrano. Niektórzy zaś chcieliby mieć możliwość kształcenia się, nie będąc związanymi z instytucją, której zasad nie popierają i która mieści się w obcym kraju. – Dem urwał na moment, rozglądając się wśród zebranych. – Wszyscy wiemy, o jakiej to szansie mówię. O możliwości nauki magii.

Tym razem skierował wzrok na Dannyla.

– Przez ostatnie dwa stulecia jedynym zgodnym z prawem sposobem poznania tajników magii było wstąpienie do Gildii. Dlatego aby uczyć się tej sztuki poza granicami Gildii, musimy złamać prawo. Ambasador Dannyl pogodził się z tym prawem. On jednak też opłakuje utracone możliwości. Jego towarzysz, Tayend z Tremmelin, posiada talent magiczny. Ambasador Dannyl postanowił nauczyć go, jak się magicznie chronić oraz leczyć. To bardzo rozsądne... ba, szlachetne postanowienie.

Dem spojrzał znów na zebranych, którzy kiwali potakująco głowami.

– Gdyby jednak Gildia kiedykolwiek to odkryła, Tayend będzie potrzebował ludzi, którzy pospieszą mu z pomocą i ukryją go. My mamy niezbędne znajomości i możliwości. Możemy mu pomóc.

Zwrócił się ponownie do Dannyla.

– A zatem, Ambasadorze, co nam możesz zaoferować w zamian za opiekę nad twoim przyjacielem?

Zapadło milczenie. Dannyl z uśmiechem lustrował twarze zebranych.

– Mogę dać wam tę szansę, której was pozbawiono. Mogę przekazać wam nieco wiedzy magicznej.

– Co nieco?

– Tak. Są rzeczy, których nie będę was uczył, i takie, których nie potrafię was nauczyć.

– Jakie?

– Nie zapoznam was z ofensywnymi sztukami walki nikomu, komu nie ufam. To broń bardzo niebezpieczna w niewłaściwych rękach. Poza tym jestem Alchemikiem, posiadłem zatem jedynie podstawową wiedzę w zakresie uzdrawiania.

– Brzmi rozsądnie.

– Poza tym zanim zacznę was czegokolwiek uczyć, muszę mieć pewność, że zdołacie ochronić Tayenda.

Dem uśmiechnął się.

– My z kolei nie zamierzamy dzielić się żadnymi sekretami, dopóki nie przekonamy się, że zamierzasz dotrzymać swojej części umowy. Na razie mogę jedynie przysiąc na mój honor, że będziemy chronić twojego przyjaciela. Ale teraz jeszcze nie mogę ci pokazać w jaki sposób. Musisz najpierw udowodnić, że możemy ci ufać.

– A skąd ja mam wiedzieć, że mogę ufać *wam*? – spytał Dannyl, ogarniając pokój gestem ręki.

– Nie możesz mieć takiej pewności – odparł Dem z prostotą. – Masz jednak dziś nad nami pewną przewagę. Mag, który postanawia nauczyć przyjaciela paru sztuczek, ryzykuje mniej niż grupa zwykłych ludzi, którzy zbierają się, by poznać magię. My już związaliśmy się z tym planem, ty dopiero go rozważasz. Gildia raczej nie skaże cię na śmierć za twój pomysł, podczas gdy my już biorąc udział w takim zebraniu, ryzykujemy życie.

Dannyl pokiwał powoli głową.

– Skoro udało wam się umknąć uwadze Gildii przez tak długi czas, zapewne *potraficie* również ukryć Tayenda. Poza tym nie zaprosilibyście mnie tutaj, gdybyście nie mieli planu ucieczki na wypadek, gdybym okazał się szpiegiem Gildii.

Oczy Dema rozbłysły.

– Zgadza się.

– Co zatem mam zrobić, żeby zyskać wasze zaufanie? – spytał Dannyl.

– Pomóż nam.

Te słowa wypowiedziała Kaslie. Dannyl spojrzał na nią z zaskoczeniem. W jej głosie pobrzmiewał niepokój i błaganie. Wpatrywała się w niego oczami wyrażającymi rozpaczliwą nadzieję.

W głowie Dannyla zrodziło się pewne podejrzenie. Przypomniał mu się list Akkarina. „Niedawno zdołali odnieść pewien sukces. Teraz, skoro jednemu z nich udało się rozwinąć moc, Gildia ma prawo i obowiązek rozprawić się z nimi".

Rozwinąć moc, ale nie nauczyć się ją kontrolować. Dannyl przeliczył szybko w myślach, ile tygodni minęło, odkąd otrzymał ten list, dodając jeszcze dwa, przez które list podróżował do niego z Kyralii. Podniósł wzrok na Dema.

– Mam pomóc w czym?

Mężczyzna spoważniał.

– Chodź, pokażę ci.

Kiedy Dannyl wstał, natychmiast podniósł się również Tayend, ale Royend pokręcił głową.

– Zostań tutaj, młodzieńcze. Ze względu na twoje bezpieczeństwo lepiej, żeby udał się ze mną tylko Ambasador.

Dannyl zawahał się, ale w końcu potaknął. Uczony zmarszczył czoło i opadł z powrotem na ławę.

Dem skinął ręką na Dannyla. Wyszli z pokoju i ruszyli korytarzem, na jego końcu znajdowały się schody wiodące w dół do innego przejścia. Tu zatrzymali się przed ciężkimi drewnianymi drzwiami. W powietrzu unosił się lekki swąd spalenizny.

– On spodziewa się twoich odwiedzin, ale nie mam pojęcia, jak zareaguje na twój widok – uprzedził Dem.

Dannyl potaknął. Dem zapukał do drzwi. Po dłuższej chwili podniósł rękę, by zapukać ponownie, ale zatrzymał się w pół gestu, ponieważ drzwi uchyliły się do środka.

Wyjrzał przez nie młody chłopak. Na widok Dannyla otworzył szeroko oczy.

W głębi pokoju rozległ się trzask. Chłopak odwrócił głowę i zaklął. Kiedy znowu spojrzał ku swoim gościom, na jego twarzy malował się niepokój.

– To jest Ambasador Dannyl – zwrócił się do niego Dem, a patrząc na Dannyla, powiedział: – A to brat mojej żony, Farand z Darellas.

– Bardzo mi miło – zwrócił się do młodzieńca Dannyl. Farand wymamrotał coś w odpowiedzi.

– Zaprosisz nas do środka? – spytał cierpliwie Dem.

– Och. Oczywiście – odpowiedział chłopak. – Wejdźcie. – Otworzył drzwi na oścież i wykonał niezbyt zgrabny ukłon.

Dannyl znalazł się w sporym pokoju o kamiennych ścianach. Kiedyś być może była to piwnica, ale teraz wstawiono tu łóżko i inne meble – teraz zniszczone i nadpalone. Sterta drewna w jednym z kątów sprawiała podejrzane wrażenie, że były to resztki innych mebli. Na podłodze leżały szczątki sporego wazonu, z którego właśnie rozlewała się woda. Dannyl domyślił się, że to naczynie właśnie przed chwilą się rozbiło.

U magów, którzy nie opanowali kontroli, moc najczęściej wyzwalała się jako reakcja na silne uczucia. Głównym wrogiem Faranda był jego strach: przed posiadaną mocą i przed Gildią. Dannyl zanim mógłby się zabrać do czegokolwiek innego, musiał przede wszystkim uspokoić chłopaka.

Uśmiechnął się lekko. Tego rodzaju sytuacje są niezwykle rzadkie, a mimo to on spotyka się z drugą w ciągu zaledwie kilku lat. Rothen zdołał nauczyć Soneę kontroli pomimo jej całkowitego braku zaufania do Gildii. Nauka Faranda powinna więc być łatwiejsza. Jeśli zaś chłopak dowie się, że ktoś inny przeżył podobną sytuację, może być jeszcze łatwiej.

– Z tego, co widzę, twoja moc ujawniła się i nie możesz nad nią zapanować – odezwał się Dannyl. – To bardzo rzadkie, ale kilka lat temu znaleźliśmy kogoś podobnego do ciebie. W ciągu kilku tygodni ta dziewczyna nauczyła się kontroli i teraz jest nowicjuszką. Powiedz mi, czy usiłowałeś rozbudzić w sobie moc, czy też stało się to przypadkiem.

Chłopak spuścił wzrok.

– Obawiam się, że to wyzwoliłem.

Dannyl usiadł na jednym z krzeseł. Im mniej groźnie będzie wyglądał, tym lepiej.

– Możesz mi powiedzieć, jak to się stało?

Farand przełknął ślinę i odwrócił wzrok.

– Od zawsze słyszałem myślowe rozmowy magów. Codziennie więc podsłuchiwałem, w nadziei, że dowiem się, jak używać magii. Kilka miesięcy temu podsłuchałem rozmowę dotyczącą uwalniania mocy magicznej. Kilka razy próbowałem zrobić to, o czym mówili, ale myślałem, że mi się nie udało. Ale potem zacząłem robić rzeczy, na które wcale nie miałem ochoty.

Dannyl pokiwał głową.

– Wyzwoliłeś swoją moc, ale nie masz pojęcia, jak ją kontrolować. Gildia uczy tych dwóch rzeczy razem. Nie muszę ci chyba mówić, jak bardzo niebezpieczne są niekontrolowane zdolności. Masz szczęście, że Royendowi udało się znaleźć maga, który podejmie się twojej nauki.

– Będziesz mnie uczył? – wyszeptał Farand.

Dannyl uśmiechnął się.

– Tak.

Farand westchnął i oparł się o łóżko.

– Tak bardzo się bałem, że mnie wyślą do Gildii i wszyscy zostaną wykryci z mojego powodu. – Wyprostował się. – Kiedy zaczynamy?

– Najlepiej będzie zacząć od razu – odpowiedział Dannyl ze wzruszeniem ramion.

W oczach chłopaka pojawił się cień przestrachu. Przełknął ponownie ślinę i potaknął.

– Powiedz mi, co mam zrobić.

Dannyl wstał i rozejrzał się po pokoju, po czym wskazał na krzesło.

– Usiądź.

Farand zamrugał i z wahaniem podszedł do krzesła, by usiąść. Dannyl założył ręce i przyglądał mu się z uwagą. Wiedział, jaki efekt wywoła ta zmiana pozycji: teraz to nie Farand górował nad nim, ale on nad chłopakiem. Kiedy już zgodził się współpracować, musi zrozumieć, że to Dannyl ma władzę i wie, co robi.

– Zamknij oczy – rozkazał. – Skoncentruj się na oddechu. – Przeprowadził Faranda przez podstawowe ćwiczenia oddechowe, mówiąc do niego cichym, ale stanowczym głosem. Kiedy uznał, że młodzieniec uspokoił się wystarczająco, stanął za krzesłem i lekko dotknął jego skroni. Zanim jednak wysłał w jego stronę myśli, chłopak odskoczył.

– Nie będziesz czytać moich myśli! – zawołał.

– Nie – zapewnił go Dannyl. – Nie da się czytać myśli bez zgody ich właściciela. Ale muszę cię zaprowadzić do tego miejsca w twoim umyśle, skąd czerpiesz moc. Mogę to zrobić tylko pod warunkiem, że pozwolisz mi wskazać ci drogę.

– To jedyny sposób? – spytał Dem.

Dannyl zwrócił się do niego.

– Tak.

– Czy jest możliwe, że zobaczysz rzeczy – spytał Farand – które muszę trzymać w tajemnicy?

Dannyl spojrzał na niego z powagą. Nie mógł powiedzieć, że nie. Kiedy tylko znajdzie się w umyśle Faranda, jego myśli zapewne go obskoczą. Tajemnice mają taki zwyczaj.

– To jest możliwe – odparł. – Prawdę mówiąc, jeśli zależy ci na ukryciu czegoś, to coś będzie zapewne na samym wierzchu twoich myśli. Dlatego właśnie Gildia woli uczyć nowicjuszy od bardzo młodego wieku. Im się jest młodszym, tym mniej ma się tajemnic.

Farand ukrył twarz w dłoniach.

– Nieee... – jęknął. – Nikt nie może mnie uczyć. Zawsze będę taki jak teraz.

Z pościeli na łóżku zaczął unosić się dym. Dem nerwowo nabrał powietrza w płuca i zrobił krok do przodu.

– Może Mistrz Dannyl przysięgnie, że zachowa wszystko dla siebie? – zaproponował.

Farand zaśmiał się gorzko.

– Jak możemy mu zaufać, że dotrzyma obietnicy, skoro właśnie postanowił złamać prawo?

– Doprawdy – powiedział sucho Dannyl. – Masz moją obietnicę, że nie przekażę nikomu wiedzy, którą uzyskam. Jeśli to ci nie wystarcza, radzę, żebyś spisał testament i wyniósł się stąd. Zaszyj się gdzieś z dala od wszystkich i wszystkiego, czego nie chciałbyś zniszczyć, bo gdy twoja moc wyzwoli się całkowicie, to pochłonie nie tylko ciebie, ale również wszystko wokół.

Młodzieniec pobladł.

– A zatem nie mam wyboru, tak? – zapytał cicho. – Umrę, jeśli się nie zgodzę. Śmierć albo… – W jego oczach rozbłysła nagła złość, po czym wziął głęboki oddech i wyprostował się. – Skoro nie mam wyboru, muszę zaufać, że nikomu nie powiesz.

Rozbawiony tą nagłą zmianą nastroju, Dannyl raz jeszcze poprowadził Faranda przez ćwiczenia uspokajające, a kiedy ponownie położył palce na jego skroniach, chłopak nawet nie drgnął. Dannyl zamknął oczy i wysłał przed siebie swoje myśli.

Nowicjusze byli zazwyczaj uczeni kontroli przez swoich nauczycieli, ale Dannyl nigdy nie był nauczycielem. Nie posiadał talentów Rothena, jednak po kilku próbach udało mu się przekonać Faranda do wyobrażenia sobie pokoju i zaproszenia go do środka. Pojawiły się udręczone cienie tajemnic młodzieńca, ale Dannyl skupił się na pokazywaniu, jak je ukrywać za drzwiami. Następnie znaleźli wejście do magazynu mocy chłopaka, ale stracili je z oczu, kiedy sekrety, które tamten usilnie próbował wcisnąć za drzwi, zaczęły wypływać znów na powierzchnię.

~ *Obaj wiemy, że w końcu się dowiem. Pokaż mi to i będziemy mogli kontynuować naukę kontroli* ~ zasugerował Dannyl.

Farand sprawiał wrażenie, jakby opowiedzenie komuś tajemnicy rozluźniło go. Pokazał Dannylowi, jak podsłuchiwał rozmowy myślowe, kiedy wyrastał z wieku dziecięcego. Było to nietypowe, ale nie niespotykane u osób z talentem magicznym. Farand został zbadany pod kątem możliwości i powiedziano mu, że może ubiegać się o przyjęcie do Gildii, kiedy będzie nieco starszy. Tymczasem Król Elyne dowiedział się o jego zdolnościach do podsłuchiwania rozmów magów i wezwał go na dwór, gdzie chłopak informował Króla o tym, czego się dowiedział.

Pewnego jednak dnia Farand przez przypadek podsłuchał, że Król zmawia się z jednym z potężnych Demów, żeby zamordować politycznego wroga owego Dema, a kiedy z kolei doszło to do Króla, wymógł na Farandzie przysięgę milczenia. Po jakimś czasie, kiedy Farand starał się o przyjęcie do Gildii, odmówiono mu. Dopiero później dowiedział się, że Król zdawał sobie sprawę, iż tajna umowa może zostać ujawniona podczas lekcji czytania w myślach, w związku z czym postarał się, by chłopak nie mógł zostać magiem.

Była to nieszczęśliwa sytuacja; Farand miał wrażenie, że wszystkie jego marzenia legły w gruzach. Dannyl poczuł autentyczne współczucie dla tego chłopaka. Teraz, kiedy sekret się wydał, myśli Faranda przestały się rozpraszać i bez trudu znaleźli źródło mocy. Po kilku próbach pokazania chłopakowi, jak na nie oddziaływać, Dannyl opuścił pokój jego umysłu i otworzył oczy.

– To wszystko? – spytał Farand. – Już umiem?

– Nie. – Dannyl roześmiał się, stając naprzeciwko krzesła. – Potrzebujesz kilku takich lekcji.

– A kiedy spróbujemy znowu? – W głosie chłopaka pobrzmiewał paniczny lęk.

Dannyl zerknął na Dema Marane.

– Postaram się wrócić jutro, jeśli wyrazisz zgodę.

– Oczywiście – zgodził się Dem.

Dannyl zwrócił się znów do Faranda.

– Nie pij wina, nie zażywaj niczego, co wpływa na umysł. Nowicjuszom nauka kontroli zazwyczaj zabiera tydzień lub dwa. Jeśli będziesz spokojny i postarasz się nie używać magii, powinieneś być bezpieczny.

Farand wyglądał na rozluźnionego, a oczy Royenda roziskrzyły się podnieceniem. Dem podszedł do drzwi i pociągnął za łańcuch, który zwieszał się z niewielkiego otworu w suficie.

– Wrócimy do pozostałych, Ambasadorze? Z pewnością chętnie usłyszą o naszych postępach.

– Oczywiście.

Dem nie poprowadził Dannyla z powrotem do pokoju, w którym poprzednio siedzieli, ale do innej części rezydencji. Weszli do niewielkiej biblioteki, gdzie Tayend i reszta zgromadzonych zdążyli rozsiąść się w wygodnych fotelach. Royend skinął głową do Kaslie. Kobieta zamknęła oczy i westchnęła z ulgą.

Tayend był pogrążony w lekturze wielkiej, bardzo zniszczonej księgi. Podniósł na Dannyla lśniące z podekscytowania oczy.

– Spójrz – powiedział, wskazując na jeden z regałów. – Książki o magii. Może znajdziemy tu coś, co pomoże nam w naszych poszukiwaniach.

Dannyl nie potrafił powstrzymać uśmiechu.

– Wszystko poszło dobrze. Dzięki, że zapytałeś.

– Że co? – Tayend zerknął na niego sponad książki. – Ach, to. Wiem doskonale, że potrafisz zatroszczyć się o siebie. Co on ci pokazał? – Ale zanim Dannyl zdążył odpowiedzieć, Tayend spojrzał na Dema. – Mogę to pożyczyć na jakiś czas?

Royend uśmiechnął się.

– Możesz zabrać to z sobą na tę noc. Ambasador zamierza wrócić tu jutro. Ty też będziesz mile widziany.

– Dziękuję. – Tayend zwrócił się teraz do siedzącej koło niego żony Dema. – Słyszałaś kiedykolwiek o królu Chakanu?

Dannyl nie usłyszał jej cichej odpowiedzi. Rozglądał się po pokoju, lustrując podniecone twarze Dema i jego przyjaciół. Na razie mu nie zaufają. Nie, dopóki Farand nie zdoła pokazać, że poczynił postępy w kontroli magii. Kiedy jednak mu się to uda, stanie się niebezpieczny. Będzie mógł wyzwolić w innych moc magiczną, nauczyć ich, jak ją kontrolować. Grupa przestanie potrzebować Dannyla. Mogą uznać, że bezpieczniej będzie zniknąć, niż zadawać się dalej z magiem z Gildii.

Może przeciągnąć lekcje na kilka tygodni, ale nie dłużej. Kiedy tylko Farand opanuje kontrolę, Dannyl powinien aresztować jego i wszystkich pozostałych. W ten sposób może jednak nie zatrzymać całej grupy. Im dłużej będzie pozostawał wśród nich, tym więcej osób ma szanse poznać. Najchętniej skonsultowałby się w tej sprawie z Wielkim Mistrzem, ale zdolność Faranda do podsłuchiwania magicznych rozmów uniemożliwiała to, a nie miał czasu na wymianę listów.

Przyjął oferowany mu kieliszek wina. Dem zaczął na niego naciskać, by wyjawił szczegóły tego, czego zamierzał ich uczyć, toteż Dannyl odepchnął na samo dno umysłu myśli o aresztowaniach i skupił się na odgrywanej roli zbuntowanego maga.

*

Sonea stała przy oknie swojej sypialni i przyglądała się szarym pióropuszom chmur pełznącym przez nocne niebo. Gwiazdy pojawiały się i znikały, a księżyc otaczała blada poświata. W opustoszałych ogrodach Gildii panowała całkowita cisza.

Była nieznośnie zmęczona. Mimo że nie przespała poprzedniej nocy, a po wykładach przez kilka godzin nosiła księgi dla Mistrza Jullena, nie potrafiła zasnąć. Miała wciąż mnóstwo pytań, ale odkryła, że jeśli ustawia je w kolejce w oczekiwaniu na spotkanie z Akkarinem, potrafi odepchnąć je z umysłu. Tylko jedno nijak nie dawało jej spokoju.

Dlaczego on mi to opowiedział?

Twierdził, że ktoś powinien wiedzieć. Odpowiedź ta wydawała się rozsądna, a jednak Sonea czuła, że coś się za tym kryje. Mógł przecież spisać swoją historię i zostawić ją Lorlenowi na wypadek swej śmierci. Dlaczego więc powiedział jej, zwykłej nowicjuszce, która nie może podejmować żadnych decyzji, ani też go zastąpić?

Musiał istnieć jakiś powód. A jedyny, jaki potrafiła wymyślić, przyprawiał ją o dreszcze.

On chce, żeby podjęła walkę, w razie gdyby sam poległ. Chce, żeby nauczyła się czarnej magii.

Odeszła od okna i zaczęła krążyć po pokoju. Akkarin kilkakrotnie wspominał, że nigdy nie nauczy jej zakazanej sztuki. Czy mówił tak po to, żeby ją uspokoić? Czyżby czekał, aż ona dojrzeje, może aż skończy studia, żeby w razie czego każdy mógł uznać, że podjęła taką decyzję dobrowolnie?

Zagryzła lekko wargę. To straszne żądać od kogoś czegoś takiego. Aby nauczył się sztuki uznawanej przez większość magów za złą. By złamał prawo Gildii.

W dodatku złamanie tego prawa bynajmniej nie oznacza wykonywania jakiejś nieprzyjemnej roboty za karę, pozbawienia wygód czy łask. Nie, kara za ten postępek jest najprawdopodobniej znacznie poważniejsza. Wygnanie – zapewne – związanie mocy, może więzienie.

Pod warunkiem, że przestępstwo zostanie wykryte.

Akkarinowi udało się przez lata ukrywać ten sekret. On jednak był Wielkim Mistrzem. To dawało mu wspaniałe możliwości, żeby być skrytym i tajemniczym. A to z kolei oznacza, że jej nietrudno będzie do niego dołączyć.

Co jednak, kiedy on umrze? Zmarszczyła brwi. Lorlen i Rothen wyjawią jego zbrodnie oraz to, że podjął się opieki nad nią tylko po to, żeby zapewnić sobie ich milczenie. Jeśli ona nie zgodzi się na badanie prawdomówności, nikt nie powinien podejrzewać, że nauczyła się czarnej magii. Może odegrać nieszczęsną ofiarę i nie wzbudzić niczyich wątpliwości.

A potem zostanie odesłana i nikt nie będzie się nią przejmował. Przestanie być podopieczną Wielkiego Mistrza, będzie więc mogła ukryć się w swojej zwyczajności. Nocami będzie się wymykać do tajnych korytarzy. Akkarin zorganizował już pomoc Złodziei. Oni będą znajdować dla niej szpiegów...

Zatrzymała się i usiadła na brzegu łóżka.

Nie wierzę, że w ogóle o tym myślę. Czarna magia jest zakazana nie bez powodu. Jest zła.

Czy na pewno? Kilka lat temu Rothen wytłumaczył jej, że magia nie jest ani dobra, ani zła: liczy się tylko, co czyni ten, kto się nią posługuje.

Czarna magia zakłada czerpanie mocy od innych. Nie musi oznaczać zabijania. Nawet Ichani nie zabijają niewolników, jeśli nie muszą. Kiedy po raz pierwszy widziała Akkarina posługującego się tą sztuką, czerpał moc od Takana. Moc, którą tamten najwyraźniej dobrowolnie mu oddawał.

Wróciła myślami do tekstów, które dał jej do czytania Akkarin. Gildia niegdyś powszechnie posługiwała się czarną magią. Uczniowie dobrowolnie dzielili się z nauczycielami mocą w zamian za naukę. A kiedy nauczyciel uznał ich za gotowych, uczył ich „wyższej magii", dzięki czemu stawali się mistrzami. Był to układ opierający się na dobrowolnej współpracy. Nikt nikogo nie zabijał. Nikt z nikogo nie robił niewolnika.

Wszystko zmieniła chorobliwa żądza władzy jednego człowieka. Ichani zaś wykorzystują do czarnej magii niewolników. Kiedy Sonea o tym rozmyślała, rozumiała, dlaczego Gildia zakazała posługiwania się tą sztuką. Zbyt łatwo jej nadużyć.

Akkarin jednak tego nie czyni. Ale czy na pewno?

Akkarin posługiwał się magią, by zabijać. Czy to nie jest najgorsze nadużycie mocy?

Akkarin posłużył się czarną magią, by odzyskać wolność, zabija zaś jedynie szpiegów, którzy mogą zaszkodzić Kyralii. To nie jest nadużycie. Wolno zabijać w obronie własnej i innych... nieprawdaż?

Dorastając wśród zagrożeń w slumsach, postanowiła kiedyś, że nie zawaha się przed zabójstwem, gdyby musiała się bronić. Wolałaby nie krzywdzić innych, gdyby było to możliwe, ale nie zamierzała też sama zostać ofiarą. To postanowienie opłaciło jej się kilka lat później, kiedy została zaatakowana nożem. Nie miała pojęcia, czy napastnik przeżył. Nie rozmyślała też wiele na ten temat.

Wojownicy uczyli się, jak walczyć za pomocą magii. Gildia przekazywała tę wiedzę na wypadek, gdyby Krainy Sprzymierzone zostały kiedyś zaatakowane. I nigdy nie słyszała, by Mistrz Balkan zamartwiał się tym, czy wolno zabijać magią w obronie własnej.

Położyła się na łóżku. Może Akkarin myli się co do Gildii. Może jeśli nie będą mieli wyboru, pogodzą się z użyciem czarnej magii, kiedy trzeba będzie się bronić.

Ale czy magowie zdołają się do tego ograniczyć? Wzdrygnęła się na myśl o tym, do czego mógłby się posunąć taki na przykład Mistrz Fergun, posiadając tę wiedzę. Fergun *został* jednak ukarany. Gildia w jakiś sposób zdołałaby utrzymać w ryzach swoich magów.

A potem przypomniała jej się Czystka. Skoro Król nie ma nic przeciwko temu, by magowie wypędzali z miasta biedotę, byle tylko zadowolić Domy, co mógłby uczynić, gdyby na jego usługach znaleźli się czarni magowie?

Gildia zawsze będzie bardzo ostrożna w kwestii uprawiania czarnej magii. Jeśli ustanowi odpowiednie prawa, jeśli będzie uczyć tej sztuki tylko wybranych – których charakter i uczciwość można sprawdzać badaniem prawdomówności…

Kimże ja jestem, żeby uważać, że mam dość mądrości, by przemienić Gildię? Gdyby taki system działał, nie miałabym szans zostać chociażby kandydatką.

Była dziewczyną ze slumsów. Co za tym idzie, oczywiście pozbawioną wewnętrznej uczciwości. Nikt nawet by na nią nie spojrzał.

Ja biorę siebie pod uwagę.

Podniosła się i podeszła znów do okna.

Ludzie, których kocham, są w niebezpieczeństwie. Muszę coś zrobić. Gildia przecież mnie nie zabije, jeśli złamię prawo po to, żeby ją chronić. Mogą mnie wygnać, ale jeśli muszę utracić ten luksus zwany magią po to, by ocalić życie tych, których kocham, to niech tak będzie.

Wzdrygnęła się: uświadomienie sobie tego zmroziło ją, ale zarazem wiedziała, że ma rację.

A zatem zdecydowałam. Nauczę się czarnej magii.

Odwróciła się do drzwi. Akkarin prawdopodobnie śpi. Nie będzie go budzić tylko po to, żeby mu oznajmić swą decyzję. Może zaczekać do jutra.

Westchnęła i wsunęła się pod kołdrę. Zamknęła oczy w nadziei, że teraz, skoro podjęła już decyzję, uda jej się wreszcie zasnąć.

A może padłam ofiarą oszustwa? Przecież kiedy się tego nauczę, nie będę mogła o tym zapomnieć.

Zaczęła znów rozmyślać o księgach, które dał jej do czytania Akkarin. Wyglądały na prawdziwe, ale mogły przecież być starannie wykonanymi podróbkami. Nie znała się na fałszerstwach dostatecznie, by móc to ocenić.

Szpiega można było zmanipulować, by wierzył w pewne rzeczy, konieczne do zwiedzenia jej, była jednak przekonana, że Akkarin nie mógłby wszystkiego wymyślić. W umyśle Tavaki były wspomnienia całego życia, a w nich Ichani i niewola, tego Wielki Mistrz nie zdołałby wprowadzić.

A co z opowieścią Akkarina?

Gdyby chciał wrobić ją w nauczenie się czarnej magii po to, by następnie ją szantażować i kontrolować, to musiałby jedynie przekonać ją, że Gildia znalazła się w wielkim niebezpieczeństwie. Po co miałby opowiadać, że był niewolnikiem?

Ziewnęła. Musi się wreszcie wyspać. Musi odzyskać jasność myśli.

Jutro zamierza przecież złamać jedno z najważniejszych praw Gildii.

ROZDZIAŁ 9

POMOCNIK AKKARINA

Pokój był zbyt mały, by po nim krążyć. Z sufitu zwieszała się samotna lampa, rzucając żółtawe światło na cegły ścian. Cery założył ręce i zaklął pod nosem. Akkarin mówił mu, że powinni unikać spotkań, chyba że będzie do załatwienia coś bardzo ważnego, co da się omówić tylko osobiście.

Bezpieczeństwo Sonei jest bardzo ważne, tłumaczył sobie. *I można o nim rozmawiać wyłącznie osobiście.*

Mało jednak prawdopodobne, żeby Wielki Mistrz zgodził się na spotkanie. Cery poczuł kolejne ukłucie niepokoju. Dotychczas nie żałował niczego, co zrobił w zamian za uwolnienie z rąk Mistrza Ferguna oraz za wsparcie udzielone mu przez Akkarina przy ustalaniu swojej pozycji wśród Złodziei. Śledzenie morderców było dość łatwe. Kiedy wiadomo było, czego się szuka, byli widoczni jak strażnik strzegący kryjówki przemytników. Pozbywanie się ciał po wszystkim stanowiło rutynową robotę, aczkolwiek wrzucanie ich do rzeki stało się niemożliwe, od kiedy Gwardia zaczęła zwracać na to uwagę.

Ale co ma z tym wszystkim wspólnego Sonea? Nie, tego już za wiele. Nie chodziło mu o to, by móc podjąć decyzję w jej imieniu. Chciał jednak dać Akkarinowi do zrozumienia, że to mu się nie podoba.

Wielki Mistrz go potrzebuje. Tego był pewny. Być może dziś przekona się jak bardzo.

Cery bębnił palcami po ramieniu. *Jeśli Wielki Mistrz w ogóle się pojawi*. Niewielu ludzi w mieście odważyłoby się spóźnić na spotkanie ze Złodziejem. Niewielu poza... Królem, większością członków Domów, całą Gildią...

Westchnął i zaczął się znów zastanawiać nad jedyną wiadomością, jaką miał do przekazania przywódcy Gildii: że do miasta przybył kolejny Sachakanin. Może ta drobniutka informacja ułagodzi nieco Akkarina, kiedy już pozna prawdziwy powód, dla którego Cery zażądał spotkania. Nie po raz pierwszy Cery zastanawiał się nad tym, jaka byłaby reakcja Akkarina, gdyby wiedział, od kogo pochodzi ta informacja. Zaśmiał się na samą myśl o Savarze. Ten uśmiech. Jej sposób poruszania się. Z pewnością nie jest zbyt bezpiecznie znajdować się w jej pobliżu.

Choć, prawdę mówiąc, ostatnio nie było również bezpiecznie znajdować się w pobliżu Cery'ego.

Pukanie sprowadziło go z powrotem na ziemię. Wyjrzał przez otwór w drzwiach. Obok potężnej sylwetki Gola widział wysoką postać, której twarz skrywał kaptur płaszcza. Gol zrobił ręką znak potwierdzający, że gościem jest Wielki Mistrz.

Cery odetchnął głęboko i otworzył drzwi. Akkarin wszedł do środka. Jego płaszcz nieco się rozchylił, ukazując rąbek czarnej szaty. Cery poczuł dreszcz. Kiedy Akkarin przychodził na Ścieżkę, ubierał się w zwykłe rzeczy. Czyżby to był przemyślany gest, mający przypomnieć Cery'emu, z kim ma do czynienia?

– Witaj, Ceryni – odezwał się Akkarin, odrzucając kaptur.

– Wielki Mistrzu.

– Nie mam zbyt wiele czasu. O czym to pragnąłeś ze mną rozmawiać?

Cery zawahał się.

– O ile wiem, w mieście pojawił się kolejny... morderca. – Miał zamiar powiedzieć „niewolnik", ale w ostatniej chwili powstrzymał się. Posłużenie się tym określeniem mogłoby zdradzić jego kontakty z kimś z Sachaki.

Akkarin zmarszczył brwi, tak że jego oczy pogrążyły się niemal całkowicie w cieniu.

– *O ile wiesz?*

– Tak. – Cery uśmiechnął się. – Jeszcze nie popełnił zbrodni, ale ostatni zabójca pojawił się tak szybko po poprzednim, że zacząłem przysłuchiwać się wieściom, na które wcześniej nie zwracałem uwagi. Tym razem to ktoś, kto się wyróżnia. Złapanie jej nie powinno być trudne.

– Jej? – powtórzył Akkarin. – A więc to kobieta... Jeśli Złodzieje dowiedzą się o tym, domyślą się, że jest więcej niż jeden zabójca. To dla ciebie problem?

Cery wzruszył ramionami.

– To niczego nie zmienia. Może nawet będą mnie bardziej szanować. Lepiej jednak złapmy ją szybko, może się nie zorientują.

Akkarin potaknął.

– To wszystko?

Cery zawahał się. Wciągnął głęboko powietrze i odsunął od siebie wszelkie wątpliwości.

– Przyprowadziłeś tu Soneę.

Akkarin wyprostował się. Światło lampy odbiło się w jego oczach. Sprawiał wrażenie rozbawionego.

– Owszem.

– Dlaczego?

– Miałem swoje powody.

– Mam nadzieję, że dobre – powiedział Cery, zmuszając się do spojrzenia Akkarinowi prosto w oczy i wytrzymania jego wzroku.

Wielki Mistrz nawet nie drgnął.

– Tak. Nie naraziłem jej na niebezpieczeństwo.

– Masz zamiar ją w to wszystko wtajemniczyć?

– Trochę. Ale nie w taki sposób, jakiego się spodziewasz. Ktoś w Gildii musi wiedzieć, co robię.

Cery zmusił się do zadania następnego pytania. Już sama myśl o tym, o co chciał zapytać, przyprawiała go o dziwaczne, sprzeczne uczucia.

– Przyprowadzisz ją tu znowu?

– Nie, nie zamierzam.

Odetchnął z ledwie skrywaną ulgą.

– Czy ona... czy ona wie o mnie?

– Nie.

Cery poczuł lekki żal i rozczarowanie. Nie miałby nic przeciwko temu, żeby się co nieco pochwalić swoimi sukcesami. Przez ostatnie lata przeszedł długą drogę. Wiedział wprawdzie, że Sonea nie ma najlepszego zdania o Złodziejach...

– To wszystko? – spytał Akkarin. W jego głosie zabrzmiała nutka szacunku... a może po prostu pobłażania?

Cery potaknął.

– Tak. Dziękuję.

Patrzył, jak Wielki Mistrz odwraca się ku drzwiom i otwiera je. *Opiekuj się nią*, pomyślał. Akkarin zerknął za siebie, skinął głową, po czym ruszył korytarzem, a płaszcz powiewał mu wokół kostek.

Poszło lepiej, niż się spodziewałem, uznał Cery.

*

Apartament Dannyla w Domu Gildii w Capii był obszerny i luksusowo wyposażony. Drugi Ambasador miał do dyspozycji sypialnię, gabinet i salon do przyjmowania gości, a jeśli chciał przywołać służącego, wystarczyło zadzwonić którymś z rozlokowanych po wszystkich pomieszczeniach dzwoneczków.

Jeden ze służących przyniósł właśnie Dannylowi filiżankę parującego sumi, kiedy drugi wszedł do gabinetu, by powiadomić o przybyciu gościa.

– Tayend z Tremmelin pragnie się z tobą widzieć, panie – oznajmił sługa.

Zdumiony Dannyl odstawił filiżankę. Tayend rzadko go tutaj odwiedzał. Woleli spotykać się w bardziej zacisznej atmosferze Wielkiej Biblioteki, gdzie nie musieli przejmować się tym, że służba mogłaby sobie coś pomyśleć na temat ich wzajemnych stosunków.

– Niech wejdzie.

Tayend był ubrany odpowiednio na spotkanie z ważną osobistością. Mimo że Dannyl zaczął się przyzwyczajać do ozdobnych strojów dworskich w Elyne, wciąż wydawały mu się zabawne. Niemniej te obcisłe kaftany, które tak komicznie wyglądały na starszych dworzanach, doskonale podkreślały sylwetkę Tayenda.

– Witaj, Ambasadorze Dannylu – powiedział Tayend, kłaniając się z wdziękiem. – Czytałem księgę pożyczoną od Dema Marane i znalazłem tam niezwykle interesujące informacje.

Dannyl wskazał na jedno z krzeseł ustawionych naprzeciwko jego biurka.

– Usiądź, proszę. I daj mi... chwilę. – Pojawienie się Tayenda o czymś mu przypomniało. Wyciągnął czystą kartkę papieru i zaczął pisać krótki list.

– Co piszesz?

– List do Dema Marane z przeprosinami, że nie mogę przybyć dziś na kolację z powodu niespodziewanych zadań, którymi muszę się bezzwłocznie zająć.

– A co z Farandem?

– Przeżyje. Mam trochę roboty, a trzeba się z nią koniecznie uporać, poza tym chcę, żeby poczekali. Kiedy skończę uczyć Faranda kontroli, przestaną mnie potrzebować i może się okazać, że nasi nowi znajomi niespodziewanie postanowią wyjechać za granicę.

– Musieliby być głupcami. Czy sądzą, że te wszystkie lata, które spędziłeś na nauce, były po nic?

– Nie docenią tego, czego nie rozumieją.

– Zamierzasz więc aresztować ich, kiedy tylko Farand będzie przygotowany?

– Nie wiem. Jeszcze nie zdecydowałem. Może warto zaryzykować ich ucieczkę. Jestem pewny, że nie spotkaliśmy jeszcze wszystkich wplątanych w intrygę. Jeśli zaczekam, może przedstawią mnie pozostałym.

– Jesteś pewny, że nie będziesz chciał, bym z tobą pojechał do Kyralii, kiedy już ich aresztujesz? Gildia może potrzebować drugiego świadka.

– Farand wystarczy jako dowód. – Dannyl podniósł wzrok i pogroził uczonemu palcem. – Chcesz po prostu na własne oczy ujrzeć Gildię. Kiedy jednak nasi nowi przyjaciele oddadzą cios, ujawniając krążące o nas plotki, wspólne pojawienie się w Imardinie raczej nam nie pomoże.

– Przecież nie musielibyśmy cały czas być razem. Nie muszę zatrzymywać się w Gildii. Mam w Imardinie dalekich krewnych. Poza tym mówiłeś, że Akkarin zaświadczy, że to była tylko sztuczka, mająca wprowadzić tamtych w błąd.

Dannyl westchnął. Wcale nie chciał zostawiać Tayenda. Nawet na kilka tygodni. Gdyby miał pewność, że pojawienie się w Gildii w towarzystwie młodzieńca ujdzie mu na sucho, postarałby się go z sobą zabrać. Może nawet pomogłoby to w rozwianiu raz na zawsze plotek, gdyby wszyscy zobaczyli, że zachowują się „normalnie". Wiedział jednak, że wystarczy słówko szepnięte do odpowiedniego ucha, żeby wzbudzić wątpliwości u podejrzliwych – a tych w Gildii nie brakowało.

– Będę podróżował statkiem – przypomniał Tayendowi. – Myślałem, że wolisz unikać morza.

Tayend zachmurzył się, ale tylko na moment.

– Mógłbym pogodzić się z odrobiną choroby morskiej, gdybym miał zapewnione dobre towarzystwo.

– Nie tym razem – powiedział stanowczo Dannyl. – Pewnego dnia wybierzemy się do Imardinu powozem. Wtedy również *ty* będziesz świetnym kompanem. – Uśmiechnął się na widok oburzonego wzroku Tayenda, po czym podpisał list i odłożył go na bok. – Dobra, co takiego znalazłeś?

– Pamiętasz napisy z Grobowca Białych Łez, które mówiły, że pochowana tam kobieta uprawiała „wyższą magię"?

Dannyl potaknął. Podróż do Vinu w poszukiwaniu starożytnej magii wydawała mu się teraz tak odległa.

– Pojęcie „wyższa magia" wyobrażał znak przedstawiający sierp księżyca i dłoń. – Tayend otworzył pożyczoną od Dema księgę i przesunął ją po blacie ku Dannylowi. – To jest kopia księgi napisanej dwa stulecia temu, kiedy powołano Przymierze i ustanowiono prawo mówiące, że wszyscy magowie mają się kształcić w Gildii i jej podlegać. Większość magów spoza Kyralii została członkami Gildii, ale nie wszyscy. Ta księga należała do kogoś, kto się nie przyłączył.

Dannyl przyciągnął do siebie księgę i dostrzegł, że karta, na której była otwarta, ozdobiona jest u góry tym samym symbolem, który nie dawał im spokoju od roku. Przeniósł wzrok na znajdujący się poniżej tekst.

„Sztuka zwana «wyższą magią» obejmuje kilka umiejętności, które niegdyś były powszechne we wszystkich krainach. Pomniejsze z nich służą do tworzenia «krwawych kamieni», zwanych też «krwawymi klejnotami», zwiększających zdolność ich twórcy do rozmawiania myślowego na odległość, a także kamieni, lub klejnotów «magazynujących», w których można przechowywać w specjalny sposób magię, a następnie ją z nich uwalniać.

Główny rodzaj wyższej magii polega na przyswajaniu sobie mocy. Mag, który wie, jak to robić, może czerpać moc od żywych stworzeń, by powiększać swój zasób mocy".

Dannyl wstrzymał oddech, wpatrując się z przerażeniem w kartę. To był opis czegoś podobnego do... Poczuł, że po plecach spływa mu pot. Wzrokiem wodził nadal po literach, jakby zmuszała go do tego czyjaś wola.

„Aby to uczynić, trzeba przełamać lub osłabić naturalną barierę, chroniącą żywe stworzenia i rośliny. Czyni się to prosto, poprzez nacięcie skóry lub kory dostatecznie głęboko, by polała się krew lub żywica. Istnieją również sposoby zakładające dobrowolne lub przymusowe osłabienie bariery. Możliwe jest wyćwiczenie dobrowolnego zdejmowania naturalnej bariery. W szczytowym momencie rozkoszy erotycznej bariera nierzadko «chwieje się», co daje na chwilę możliwość czerpania mocy".

Dannyl poczuł lodowaty dreszcz. Jego przygotowania do objęcia funkcji ambasadora obejmowały zaznajomienie się z wiedzą niedostępną dla zwykłych magów. Część tej wiedzy była czysto polityczna, ale poznał też kilka magicznych sekretów. Wśród magicznych znaków ostrzegawczych, jakich się uczył, były również podstawy rozpoznawania czarnej magii.

I oto trzymał w rękach księgę zawierającą *instrukcję* jej wykonywania. Nawet sama lektura tego dzieła była łamaniem prawa.

– Dannylu? Wszystko w porządku?

Podniósł wzrok na Tayenda, ale nie był w stanie wydusić z siebie słowa. Tayend przyglądał mu się z niepokojem.

– Strasznie zbladłeś. Myślałem... no... że jeśli w tej księdze napisano prawdę, to odkryliśmy, czym jest „wyższa magia".

Dannyl otworzył usta, po czym zamknął je z powrotem, wpatrując się w księgę. Utkwił wzrok w symbolu półksiężyca i dłoni. To nie jest sierp księżyca, uświadomił sobie. To jest ostrze. Wyższa magia to czarna magia.

Akkarin poszukiwał wiedzy na temat czarnej magii.

Nie. Musiał o tym nie wiedzieć. Nie zaszedł tak daleko, napomniał sam siebie Dannyl. *Zapewne nadal o niczym nie wie. W przeciwnym wypadku nie zachęcałby mnie do wznowienia poszukiwań.* Wziął głęboki wdech i powoli wypuścił powietrze z płuc.

– Tayendzie, sądzę, że nadszedł czas, by powiadomić Errenda o istnieniu buntowników. Być może będę musiał wyruszyć w tę podróż wcześniej, niż planowałem.

W miarę jak Sonea zbliżała się do rezydencji Wielkiego Mistrza, jej serce biło coraz szybciej. Czekała na tę chwilę cały dzień. Miała problemy z koncentracją na wykładach, a jeszcze trudniej było jej znieść wysiłki Jullena, który miał na celu jak najbardziej uprzykrzyć jej karę w bibliotece.

Z ciemności wyłonił się budynek z szarego kamienia. Sonea przystanęła, by odetchnąć głęboko i zebrać się na odwagę, w końcu podeszła do drzwi i musnęła palcami klamkę. Drzwi otworzyły się z lekkim skrzypnięciem.

Akkarin jak zwykle siedział w jednym z foteli w salonie. W smukłych palcach trzymał kieliszek ciemnoczerwonego wina.

– Dobry wieczór, Soneo. Jak tam twoje dzisiejsze lekcje?

Zaschło jej w ustach. Przełknęła ślinę, wzięła jeszcze jeden głęboki wdech, weszła do środka, po czym usłyszała, jak zatrzaskują się za nią drzwi.

– Chcę ci pomóc – powiedziała.

Spojrzał na nią uważnie spod opuszczonych powiek. Usiłowała wytrzymać jego wzrok, ale chwilę później złapała się na tym, że patrzy w podłogę. Zapanowało niewygodne milczenie, w pewnym momencie Akkarin wstał jednym płynnym ruchem i odstawił kieliszek.

– Doskonale. Chodź ze mną.

– Podszedł do drzwi klatki schodowej wiodącej do podziemnego pomieszczenia. Otworzył je i gestem wskazał jej, żeby weszła. Czuła, że uginają się pod nią nogi, ale zmusiła je do poruszania.

Kiedy podeszła do niego, usłyszeli pukanie do głównych drzwi wejściowych i oboje zamarli.

– Nie przejmuj się – mruknął Akkarin. – To Lorlen. Takan sobie z nim poradzi.

Przez moment zastanawiała się, skąd wie, że to Lorlen, po czym w jednej chwili zrozumiała. Pierścień na palcu Lorlena miał taki sam kamień jak ten, który znaleźli w zębie szpiega.

Kiedy schodzili na dół, słyszała kroki w salonie. Akkarin zamknął cicho drzwi prowadzące do korytarza i ruszył za nią. Zatrzymała się przed wejściem do podziemnego pomieszczenia i ustąpiła Akkarinowi. Drzwi otworzyły się na samo dotknięcie jego dłoni.

Znajdujący się za nimi pokój tonął w ciemności, ale szybko rozjaśniły go dwie kule świetlne. Sonea ogarnęła wzrokiem dwa stoły, starą zniszczoną skrzynię, regał i dwie szafki. Tak naprawdę nie było tam nic przerażającego.

Akkarin najwyraźniej czekał, aż Sonea wejdzie do środka. Zrobiła kilka kroków do przodu, po czym odwróciła się do niego. Wielki Mistrz uniósł oczy, spojrzał na sufit i skrzywił się.

– Poszedł sobie. Mam mu coś do powiedzenia, ale to może zaczekać.

– A może... może powinniśmy to zrobić później? – spytała, po części w nadziei, że się zgodzi.

Skierował na nią spojrzenie tak świdrujące i tak *drapieżne*, że cofnęła się o krok.

– Nie – odpowiedział. – To jest znacznie ważniejsze. – Założył ręce, a na jego twarzy pojawił się półuśmiech. – Słucham zatem. Jak zamierzasz mi pomóc?

– Ja... ty... – Nagle zabrakło jej powietrza. – Nauczę się czarnej magii – wydusiła w końcu.

Uśmiech znikł z jego twarzy.

– Nie. – Opuścił ręce. – Nie mogę cię tego nauczyć, Soneo.

Wpatrywała się w niego z nieukrywanym zaskoczeniem.

– W takim razie... po co pokazałeś mi prawdę? Czemu opowiedziałeś mi o Ichanich, skoro nie chciałeś, żebym do ciebie dołączyła?

– Nigdy nie zamierzałem uczyć cię czarnej magii – powiedział twardo. – Nie chcę narażać twojej kariery w Gildii.

A nawet gdyby mnie to nie obchodziło, i tak nie przekazałbym nikomu tej wiedzy.

– To… jak mogę ci pomóc?

– Zamierzałem… – zawahał się, po czym odwrócił wzrok z westchnieniem. – Chciałem, żebyś została źródłem mocy, jak Takan.

Poczuła dreszcz, który szybko zniknął. *Oczywiście*, pomyślała. *O to od początku chodziło.*

– Ichani równie dobrze mogą nas nigdy nie najechać – kontynuował. – Uczenie się czarnej magii będzie dla ciebie niepotrzebnym ryzykiem.

– Ryzykiem, które jestem gotowa ponieść – odparła, czując, że jej głos jest ledwie słyszalny w wielkim pomieszczeniu.

Podniósł oczy i obrzucił ją niezadowolonym spojrzeniem.

– Tak łatwo złamałabyś przysięgę?

Tym razem wytrzymała jego wzrok.

– Gdyby to był jedyny sposób obrony Kyralii…

Wyraz jego oczu złagodniał nieco. Sonea nie potrafiłaby opisać wyglądu jego twarzy w tym momencie.

– Naucz ją, panie.

Oboje odwrócili się na dźwięk tego głosu. W drzwiach stał Takan, wpatrując się w napięciu w Akkarina.

– Naucz ją – powtórzył. – Potrzebujesz sojusznika.

– Nie – odpowiedział Akkarin. – Cóż mi z tego przyjdzie, jeśli to uczynię? Jeśli zaczerpnę od niej mocy, nie będzie mogła zostać czarnym magiem. A jeśli zostanie czarnym magiem, to od kogo będzie sama czerpać moc? Od ciebie? Nie. Ty już dźwigasz wystarczające brzemię.

Takan nawet nie mrugnął.

– Ktoś oprócz ciebie, panie, powinien poznać sekret. Sonea nie musi posługiwać się sztuką, wystarczy, żeby ją znała i mogła zająć twoje miejsce, gdybyś zginął.

Akkarin wbił wzrok w sługę. Przez dłuższą chwilę wpatrywali się w siebie.

– Nie – powiedział w końcu Akkarin. – Ale... sytuacja może się zmienić, gdyby zaatakowali Kyralię.

– Wtedy będzie za późno – odparł cicho Takan. – Nie zaatakują, dopóki nie pozbędą się ciebie.

– On ma rację – wtrąciła się Sonea drżącym głosem. – Naucz mnie i posługuj się mną jako źródłem. Nie będę używać czarnej magii, chyba że nie będzie wyboru.

Rzucił jej chłodne spojrzenie.

– Wiesz, jaka kara grozi za naukę i praktykowanie czarnej magii?

Zawahała się, po czym pokręciła przecząco głową.

– Śmierć. Żadne inne wykroczenie nie skutkuje tą karą. A sama chęć dowiedzenia się czegoś o zakazanej sztuce kosztuje wypędzenie z Gildii.

Poczuła dreszcz. Usta Akkarina wykrzywił szyderczy uśmiech.

– Możesz mi się jednak przydać, nie popełniając przestępstwa. Nie istnieje prawo zabraniające użyczania mocy innemu magowi. Uczyłaś się już tego na lekcjach sztuk wojennych. Różnica polega tylko na tym, że ja mogę przechowywać moc, której mi użyczysz.

Zamrugała oczami. Żadnych sztyletów? Żadnego nacinania skóry. Oczywiście, nie ma takiej potrzeby.

– Po walce z Reginem i jego bandą byłaś w stanie odzyskać większość swojej mocy przez jedną noc – ciągnął Akkarin. – Musimy jednak uważać, żebyś nie oddała jej zbyt wiele, jeśli następnego dnia masz sobie poradzić na lekcjach sztuk wojennych. Jeśli naprawdę zależy ci na tym, byś mogła mnie zastąpić w walce ze szpiegami, to powinienem osobiście przyłożyć się do twojej nauki.

Sonea poczuła zawrót głowy. *Lekcje sztuk wojennych z Akkarinem?*

– Jesteś pewna, że tego chcesz? – spytał.

Wzięła głęboki oddech.

– Tak.

Zmarszczył brwi i przez chwilę wpatrywał się w nią uważnie.

– Dziś zaczerpnę odrobinę twojej mocy. Jutro zobaczymy, czy nadal będziesz chciała mi pomagać.

Skinął na nią.

– Podaj mi ręce.

Podeszła do niego z wyciągniętymi przed siebie rękami. Zadrżała, gdy jego smukłe palce dotknęły jej dłoni.

– Wyślij swoją moc, dokładnie tak, jak się nauczyłaś przesyłać ją towarzyszom podczas lekcji sztuk wojennych.

Zaczerpnęła i wysłała falę mocy poprzez swoje dłonie. Wyraz twarzy Akkarina zmienił się nieco, kiedy poczuł strumień energii i pociągnął go ku sobie. Sonea zastanawiała się, w jaki sposób magazynuje on magiczną moc. Mimo że uczyła się, jak otrzymywać wsparcie od innych nowicjuszy, zawsze pożytkowała tę energię na tworzenie pocisków lub wzmocnienie własnej tarczy.

– Zostaw sobie siły na lekcje – mruknął Akkarin.

Wzruszyła ramionami.

– I tak zużywam niewiele mocy. Nawet na lekcjach sztuk wojennych.

– Wkrótce będziesz potrzebowała jej więcej. – Zwolnił uścisk. – Wystarczy.

Wstrzymała przepływ mocy. Kiedy puścił jej ręce, cofnęła się o krok. Akkarin zerknął na Takana, po czym skinął ku niej głową.

– Dziękuję ci, Soneo. Idź teraz odpocząć. Jutro rano przekaż Takanowi swój plan zajęć, byśmy mogli coś zmienić w kwestii nauki sztuk wojennych. Jeśli nie zmienisz zdania, jutro wieczorem możemy to kontynuować.

Potaknęła. Zrobiła krok ku drzwiom, ale zatrzymała się i ukłoniła.

– Dobranoc, Wielki Mistrzu.

Na jego twarzy nie drgnął najmniejszy mięsień.

– Dobranoc, Soneo.

Czuła, że znów wali jej mocno serce. Wchodząc po schodach, odczuła jednak, że tym razem nie ze strachu. Była raczej dziwacznie podekscytowana.

Być może nie pomagam mu tak, jak się spodziewałam, pomyślała, *ale jakoś pomagam.*

Po czym zaśmiała się gorzko. *Mogę jednak zmienić zdanie, kiedy on włączy się do moich lekcji walki!*

ROZDZIAŁ 10

NIESPODZIEWANY PRZECIWNIK

Czekając na pojawienie się ostatnich studentów, Rothen wyglądał przez okno. Długie, ciepłe dni sprawiły, że ogrody zmieniły się w labirynty zieleni. Nawet ponura rezydencja Wielkiego Mistrza wyglądała przyjaźnie w jasnym świetle poranka.

Kiedy patrzył w tamtą stronę, nagle otworzyły się jej drzwi. Zobaczył wychodzącą Soneę i poczuł, że serce zaczyna bić mu mocniej. Późno jak na nią. Wedle informacji Tanii, Sonea wciąż wstawała o świcie.

Za nią pojawiła się wyższa postać i Rothen poczuł, że sztywnieje. Fałdy czarnej szaty Akkarina wydawały się jakby szare w jasnym słońcu. Wielki Mistrz odwrócił się ku Sonei, najwyraźniej coś do niej mówiąc. Uśmiechnęła się lekko w odpowiedzi. Następnie oboje wyprostowali się i ruszyli w stronę Uniwersytetu, a na ich twarzach ponownie malowała się powaga. Rothen obserwował ich, dopóki nie zniknęli mu z pola widzenia.

Odwrócił się od okna, a po jego ciele przebiegł dreszcz. Ogarnął go chłód, którego nic nie było w stanie przegonić.

Uśmiechnęła się do Akkarina.

To nie był uprzejmy, wymuszony uśmiech. Ani też spontaniczny, niekontrolowany grymas. To był chytry, tajemniczy uśmieszek.

Nie, napomniał sam siebie. *Widzę to, czego się najbardziej boję, ponieważ tego właśnie wypatruję. Pewnie po prostu uśmiechnęła się, żeby oszukać lub ułagodzić Akkarina. A może rozbawiło ją coś, co powiedział, może kpiła sobie z niego pod nosem...*

A jeśli nie? A jeśli jest jakiś inny powód?

– Mistrzu Rothenie?

Zorientował się, że wszyscy studenci już przyszli i cierpliwie czekają, aż zacznie wykład. Zmusił się do żałosnego uśmiechu i ruszył do katedry.

Nie może wybiec z klasy i zażądać od Sonei wyjaśnień. Nie, na razie musi przestać o tym myśleć i zająć się nauczaniem. Później jednak rozważy dokładnie to, co widział.

I będzie ją uważniej obserwował.

Kiedy powóz odjechał, Dannyl ruszył ku bramie domu Dema Marane i pociągnął za sznurek dzwonka.

Ziewnął i użył nieco magii, żeby odgonić zmęczenie. Odkąd Tayend pokazał mu księgę, minął tydzień, w czasie którego odbyło się kilka tajemnych narad z Ambasadorem Errendem i magami z Elyne. Wszystko to były przygotowania do dzisiejszej nocy. Teraz przekonają się, czy ich plan jest dobry.

Dannyl usłyszał zbliżające się kroki, po czym drzwi się otwarły i stanął w nich gospodarz, kłaniając się uprzejmie.

– Witaj, Ambasadorze Dannylu. Miło mi znów cię widzieć. Wejdź, proszę.

– Dziękuję. – Dannyl zrobił krok do środka.

– A gdzie młody Tremmelin? – spytał Dem.

– U swojego ojca – odparł Dannyl. – Zatrzymały go jakieś sprawy rodzinne. Przesyła pozdrowienia i prosi, żeby ci powiedzieć, że księga jest niezwykle pouczająca. Zamierza skończyć lekturę dziś wieczorem. Wiem też, że zdecydowanie wolałby rozmowę w waszym towarzystwie od roztrząsania problemów rodzinnych.

Royend pokiwał głową z uśmiechem, ale w jego oczach pojawił się cień niepokoju.

– Będzie mi go brakowało.

– A jak miewa się Farand? Żadnych niezamierzonych wypadków? – spytał Dannyl, starając się, by w jego głosie zabrzmiała troska.

– Nie. – Dem zawahał się. – Za to jeden zamierzony. On jest młody i niecierpliwy, nie potrafił więc oprzeć się pokusie zrobienia czegoś...

Dannyl nie musiał udawać niepokoju.

– Co się stało?

– Kolejny niewielki pożar. – Dem uśmiechnął się krzywo. – Musiałem kupić jego gospodarzowi nowe łóżko.

– Jest tam, gdzie ostatnio?

– Nie. Znowu go przeniosłem. Uznałem, że roztropnie będzie, dla dobra nas wszystkich, umieścić go z dala od miasta, na wypadek, gdyby jego sztuczki stały się tak poważne, by mogły przyciągnąć niepożądaną uwagę.

Dannyl potaknął.

– To rozważne posunięcie, aczkolwiek zapewne niepotrzebne. Mam nadzieję, że to niedaleko. Mam dziś tylko kilka godzin.

– Owszem, niedaleko – zapewnił go Dem.

Doszli do wejścia prowadzącego do następnego pokoju. Kaslie, żona Royenda, wstała, by przywitać Dannyla.

– Witaj, Ambasadorze. Miło cię znów widzieć. Myślisz, że mój brat nauczy się wkrótce kontroli?

– Tak – odpowiedział z powagą Dannyl. – Albo dziś wieczorem, albo następnym razem. Teraz już nie potrzeba wiele czasu.

Skinęła głową z wyraźną ulgą.

– Nie wiem, jak ci dziękować za pomoc. – Zwróciła się do Royenda. – Lepiej, żebyście już wyruszyli, mężu.

W jej głosie wyraźnie pobrzmiewała nuta żalu. Usta Dema wykrzywiły się w coś na kształt uśmiechu.

– Farand wkrótce będzie bezpieczny, moja droga.

Zmarszczka na jej czole pogłębiła się. Dannyl starał się zachować uprzejmie obojętny wyraz twarzy. Tayend zauważył, że Kaslie rzadko wyglądała na zadowoloną, często natomiast sprawiała wrażenie poirytowanej zachowaniem męża. Według Tayenda miała za złe Royendowi, że namawiając jej brata, by rozwijał swoje zdolności, doprowadził młodego człowieka do obecnej sytuacji.

Dem zaprowadził Dannyla do czekającego przed domem powozu, który ruszył, zanim zdążyli się porządnie usadowić. Okna miał zasłonięte.

– To ze względu na bezpieczeństwo gospodarzy Faranda – wyjaśnił Dem. – Mogę ujawnić ci *moje* nazwisko i miejsce zamieszkania, ale są w grupie osoby, które mniej ci ufają. Zgodzili się, by Farand przebywał w ich domach pod warunkiem, że zachowam wszelkie środki ostrożności. – Urwał na moment. – Uważasz mnie za głupca, ponieważ ci ufam?

Dannyl zamrugał oczami ze zdumienia. Zastanowił się nad tym pytaniem i wzruszył ramionami.

– Spodziewałem się, że raczej będziesz postępował małymi kroczkami. W jakiś sposób sprawdzał moją uczciwość.

Ale nie mogłeś sobie na to pozwolić: Farand potrzebował pomocy. Podjąłeś ryzyko, ale jestem pewny, że dobrze je skalkulowałeś. – Zaśmiał się. – Niewątpliwie miałeś w zanadrzu kilka dróg ucieczki… Zapewne wciąż masz.

– Ty zaś masz Tayenda, który potrzebuje opieki.

– Owszem. – Dannyl uśmiechnął się pogodnie. – Tym, co mnie natomiast intryguje, jest pytanie, czy kiedy już nauczę Faranda kontroli, nadal będę mile widzianym gościem w twoim domu.

Dem zaśmiał się cicho.

– Będziesz zatem musiał zaczekać, żeby się przekonać.

– Myślę, że nie muszę ci przypominać o tych wszystkich wspaniałych rzeczach, których mógłbym nauczyć Faranda, kiedy już opanuje kontrolę?

Oczy Royenda rozbłysły.

– Ależ przypomnij.

Przez następną godzinę dyskutowali o zastosowaniach magii. Dannyl starał się opisywać jedynie możliwości, a nie sposoby, Dem zaś najwyraźniej zdawał sobie sprawę z tych uników. Powóz w końcu się zatrzymał.

Dem zaczekał, aż drzwiczki się otworzą, po czym przepuścił Dannyla przodem. Na zewnątrz panowały ciemności, więc Dannyl odruchowo przywołał magiczną kulę, która oświetliła ceglane ściany tunelu, lśniące od wilgoci.

– Zgaś to światło, proszę – zażądał Dem.

Dannyl zgasił kulę.

– Przepraszam – powiedział. – Nawyk.

Gdy światło zgasło, ciemność stała się nieprzenikniona. Dannyl poczuł na swoim ramieniu dłoń, która popchnęła go do przodu. Wyostrzył zmysły i wyczuł w ścianie otwór, ku któremu zmierzali.

– Uważaj – mruknął Royend. – Tu są schody.

Dannyl wyczuł czubkiem buta ostrą krawędź. Ostrożnie wspiął się po stromych stopniach, a następnie został poprowadzony korytarzem o wielu zakrętach, załomach i bocznych odnogach. W końcu poczuł, że znalazł się w sporym pomieszczeniu, a ręka zsunęła się z jego ramienia.

Zamigotało światło lampy, ukazując kilka prostych sprzętów w pomieszczeniu wyciętym w litej skale. Ze szczeliny w jednej ze ścian kapała do skalnej misy woda, odpływająca następnie przez dziurę w podłodze. Panował tu chłód, toteż Farand siedział okutany w obszerny, podbity futrem płaszcz.

Młodzieniec skinął głową. W jego ruchach znać było więcej pewności siebie – wiedział, że jego kłopoty zmierzają ku końcowi.

– Ambasadorze Dannylu – odezwał się. – Witaj w mojej najnowszej kryjówce.

– Trochę tu chłodno – zauważył Dannyl, przywołując magiczną kulę, by nieco ogrzała powietrze. Farand uśmiechnął się i zrzucił futro.

– Zawsze marzyłem o dokonywaniu wielkich czynów za pomocą magii, a teraz byłbym szczęśliwy, mogąc zrobić choćby coś takiego.

Dannyl rzucił Royendowi porozumiewawcze spojrzenie. Dem uśmiechnął się i wzruszył ramionami.

– Zapewniam cię, że nie wszyscy tak myślą. Farand z pewnością chce się nauczyć więcej niż tylko podstaw.

Dem stał w pobliżu sznura zwieszającego się z sufitu. Drugi koniec zapewne jest przymocowany do dzwonka, pomyślał Dannyl. Zastanawiał się, kto może przy nim czuwać.

– Dobrze – powiedział. – Zaczynajmy więc. Nie ma sensu przetrzymywać cię w wilgotnych, zimnych kryjówkach dłużej niż to konieczne.

Farand podszedł do krzesła i usiadł. Wciągnął powietrze głęboko w płuca, zamknął oczy i rozpoczął odprężające ćwiczenia, których się nauczył. Kiedy twarz młodzieńca rozluźniła się, Dannyl zbliżył się do niego.

– To może być twoja ostatnia lekcja – powiedział, starając się, by jego głos brzmiał łagodnie i poważnie. – A może nie. Kontrola musi stać się dla ciebie nawykiem, ponieważ od niej zależy twoje bezpieczeństwo przez cały dzień i noc. Lepiej się jej uczyć we własnym tempie niż przyspieszać naukę. – Delikatnie położył palce na skroniach Faranda i zamknął oczy.

Podczas komunikacji mentalnej trudno jest skutecznie kłamać, można jednak ukrywać prawdę. Dotychczas Dannylowi udawało się utrzymywać w tajemnicy swoje zadanie i zamiar zdrady buntowników. Za każdym razem jednak, kiedy wnikał w umysł Faranda, młodzieniec coraz bardziej przyzwyczajał się do tej formy komunikacji. Zaczynał wyczuwać coraz więcej myśli swojego nauczyciela.

A teraz, kiedy nadszedł czas aresztowania buntowników, Dannyl nie był w stanie ukrywać napięcia i niepokoju. Wzbudziło to ciekawość Faranda.

~ *Spodziewasz się, że dziś w nocy coś się stanie* ~ zauważył.

~ *Zapewne uda ci się osiągnąć kontrolę* ~ odparł Dannyl. To była prawda i rzeczywiście się tego spodziewał. Zapewne było to też dostatecznie ważne i prawdopodobne uzasadnienie podekscytowania maga. Niemniej świadomość konsekwencji związanych z nielegalną nauką magii sprawiała, że był on jednocześnie bardziej nieufny i podejrzliwy.

~ *Chodzi o coś więcej. Coś przede mną ukrywasz.*

~ *Oczywiście* ~ odrzekł Dannyl. ~ *Będę przed tobą ukrywał wiele rzeczy, dopóki nie przekonam się, że twoi ludzie nie znikną, gdy tylko nauczysz się kontroli.*

~ *Dem to honorowy człowiek. Obiecał strzec Tayenda w zamian za twoją pomoc. Nie złamie swojej obietnicy.*

Dannyl poczuł przypływ współczucia dla tego naiwnego młodzieńca. Odepchnął jednak to uczucie od siebie, pamiętając, że Farand jest może młody, ale nie jest głupi.

~ *Zobaczymy. Teraz zaprowadź mnie w to miejsce, gdzie znajduje się twoja moc.*

Farand potrzebował mniej czasu, by poznać subtelne tajniki kontroli, niż Dannyl się spodziewał. Kiedy młodzieniec kontemplował swoje osiągnięcie, myśli Dannyla powędrowały ku przygotowaniom do tego, co musiało teraz nastąpić. Wdarł się do rozradowanego umysłu Faranda z pytaniem.

~ *Gdzie jesteśmy?*

Pojawił się obraz tunelu, a następnie pomieszczenia, w którym się znajdowali. Farand, tak samo jak i Dannyl, nie rozpoznawał tego miejsca.

~ *Kto jest twoim gospodarzem?*

Farand nie wiedział.

Royend zdawał sobie przecież sprawę z tego, że Dannyl mógłby wyczytać tę informację z umysłu młodzieńca, postarał się zatem, by jego szwagier o niczym nie wiedział. Na szczęście, by dowiedzieć się, gdzie są, trzeba tylko wyjść z tunelu i rozejrzeć się dookoła.

Farand wyczytał wystarczająco dużo z myśli Dannyla, by poczuć niepokój.

~ *Kim ty jesteś?*

Dannyl zdjął dłoń z jego skroni, przerywając połączenie. Równocześnie wytworzył wokół siebie lekką tarczę, na wypadek, gdyby Farand zdecydował się posłużyć swoją mocą. Młodzieniec wpatrywał się w niego.

– To wszystko podstęp – jęknął Farand. – To podstęp. – Zwrócił się do Royenda. – On zamierza nas zdradzić.

Royend zwrócił wzrok na Dannyla, poważniejąc w jednej chwili. Kiedy Dem wyciągnął rękę do sznura, Dannyl wytężył wolę. Mężczyzna cofnął dłoń, czując opór tarczy.

Dannyl skupił myśli na celu znajdującym się poza tym pomieszczeniem.

~ *Errend?*

Farand wybałuszył oczy, słysząc tę rozmowę.

~ *Dannyl. Masz dzikiego?*

~ *Mam.*

Na granicy zmysłów Dannyla rozległ się natychmiast szum rozmowy tuzina magów. Farand błądził oczami po ścianach, wsłuchując się w tę naradę.

– Aresztują pozostałych – powiedział. – Nie! To wszystko przeze mnie!

– Nie przez ciebie – zwrócił się do niego Dannyl. – To przez to, że wasz Król postanowił wykorzystać umiejętności kandydata na maga, a twój szwagier z kolei postanowił wykorzystać tę sytuację do swoich celów. Myślę, że twoja siostra o tym wie, aczkolwiek nie sądzę, by zdradziła któregokolwiek z was.

Farand spoglądał na Royenda, a Dannyl wyczytał z oskarżycielskiego wyrazu jego oczu, że miał rację.

– Nie próbuj naszczuć nas na siebie nawzajem, ambasadorze – odezwał się Royend. – To nie zadziała.

~ *Gdzie jesteś?* ~ spytał Errend.

~ *Nie wiem dokładnie. Godzina jazdy powozem z miasta.* ~ Wysłał obraz tunelu. ~ *Wygląda znajomo?*

~ *Nie.*

Farand przenosił wzrok z Dannyla na Royenda.

– On nie wie, gdzie jesteśmy – powiedział z nadzieją w głosie.

– Dowiedzenie się tego nie będzie trudne – zapewnił go Dannyl. – A ty powinieneś już wiedzieć, Farandzie, że podsłuchiwanie rozmów innych magów uważane jest za niegrzeczne.

– Nie obchodzą nas wasze zasady – warknął Royend.

Dannyl wbił wzrok w Dema.

– Zauważyłem.

Dem odwrócił na chwilę spojrzenie, po czym szybko rozłożył ręce i spojrzał Dannylowi prosto w oczy.

– Zostaniemy za to straceni. Łatwo ci będzie żyć z tą świadomością?

Dannyl wytrzymał jego spojrzenie.

– Przez cały czas znaliście ryzyko. Gdyby jedyną motywacją dla waszych czynów i planów była ochrona Faranda, moglibyście liczyć na ułaskawienie. Nie sądzę jednak, by wasze pobudki były tak szlachetne.

– Nie – warknął Dem. – Nie chodziło tylko o Faranda. Chodziło o ogólną niesprawiedliwość. Dlaczego to Gildia ma decydować, komu wolno się uczyć i używać magii? Marnuje się potencjał tylu ludzi…

– Gildia nie decyduje o tym, kto uczy się magii – przerwał mu Dannyl. – W Kyralii każda rodzina może zdecydować, czy odda syna lub córkę na naukę. W Elyne decyduje o tym Król. Każda z krain ma swój własny system wybierania kandydatów. My odmawiamy tylko tym, którzy nie są stabilni umysłowo lub popełnili wcześniej zbrodnię.

Oczy Royenda rozbłysły gniewem.

– A co jeśli Farand lub ktokolwiek inny nie chce się uczyć w Gildii? Dlaczego nie może się uczyć poza nią?

– Gdzie? W waszej własnej gildii?

– Tak.

– A przed kim miałaby ona odpowiadać?

Dem otworzył usta, ale zamknął je z powrotem bez słowa. Spojrzał na Faranda i westchnął.

– Nie jestem potworem – powiedział. – Owszem, zachęcałem Faranda, ale nie robiłbym tego, gdybym wiedział, jak bardzo jest to niebezpieczne. – Przeniósł wzrok na Dannyla. – Zdajesz sobie sprawę, że Król może chcieć go zabić, byleby Gildia nie dowiedziała się o wszystkim, co on wie?

– W takim razie będzie musiał zabić również mnie – odparł Dannyl. – A nie sądzę, by się na to odważył. Wystarczy jeden krótki okrzyk mentalny, żeby wszyscy magowie we wszystkich krainach dowiedzieli się o jego sekretach. A teraz, kiedy Farand nauczył się kontroli, jest magiem, gdyby więc Król usiłował go skrzywdzić, złamałby Przymierze. Los Faranda jest teraz zmartwieniem Gildii. Kiedy tam dotrze, powinien być chroniony przed zabójcami.

– Gildia – powtórzył cicho Farand. – Zobaczę Gildię.

Royend nie zwrócił na niego uwagi.

– A co potem?

Dannyl potrząsnął głową.

– Nie wiem. Nie chcę łudzić cię nadzieją co do konsekwencji tego wszystkiego.

Royend skrzywił się.

– Oczywiście, że nie.

– A zatem będziesz współpracował? Czy też mam powlec was za sobą, szukając wyjścia z tego pomieszczenia?

W oczach Dema rozbłysł buntowniczy ognik. Dannyl uśmiechnął się na widok jego wyrazu twarzy, zgadując kryjące się za nim myśli.

~ *Errend?*

~ *Dannyl.*

~ *Aresztowaliście pozostałych?*

~ *Wszystkich. Znasz już miejsce waszego pobytu?*

~ *Jeszcze nie, ale zaraz powinienem poznać.*

Dannyl podniósł wzrok na Royenda.

– Odwlekanie nie da twoim przyjaciołom czasu na ucieczkę. Farand potwierdzi, że tak jest.

Młodzieniec odwrócił wzrok i potaknął.

– Mówi prawdę.

Jego wzrok powędrował ku linie zwieszającej się z sufitu. Dannyl spojrzał w górę, po raz kolejny zastanawiając się, kto czeka przy drugim jej końcu. Niewątpliwie gospodarz Faranda, znający jakiś sposób na ostrzeżenie pozostałych członków grupy. Czy mają szansę zaaresztować również tego buntownika? Zapewne nie. Errend zgodził się, że najważniejszym zadaniem Dannyla jest schwytanie Faranda i Dema Marane. Odnalezienie i aresztowanie innych osób nie może się odbyć kosztem zatrzymania dzikiego.

Royend spojrzał w tym samym kierunku, po czym wyprostował ramiona.

– Niech będzie. Wyprowadzę cię stąd.

Dzień był ciepły i jasny, niemniej o zmroku Sonea poczuła chłód, którego nie potrafiła przepędzić, nawet podgrzewając magią powietrze w swoim pokoju. Ostatnio spała dobrze, ale ta noc była inna, a Sonea zupełnie nie wiedziała dlaczego.

Może dlatego, że Akkarina nie było przez cały wieczór. Kiedy wróciła po wykładach, w drzwiach powitał ją Takan, który poinformował ją, że Wielki Mistrz musiał wyjść. Zjadła więc kolację samotnie.

Zapewne jakieś obowiązki na dworze. Niemniej wyobraźnia podpowiadała jej ciemne zakamarki miasta, gdzie Akkarin załatwiał potajemne sprawy ze Złodziejami, lub też rozprawiał się z kolejnym szpiegiem.

Zatrzymała się przed biurkiem i wbiła wzrok w leżące na nim książki. *Skoro nie mogę zasnąć*, pomyślała, *mogę równie dobrze się uczyć. Przynajmniej zajmę czymś myśli.*

W tej chwili usłyszała hałas na zewnątrz pokoju.

Podbiegła do drzwi i uchyliła je nieco. Od strony klatki schodowej dobiegało słabe echo powolnych kroków, które wyraźnie się przybliżały. Usłyszała, jak zatrzymują się w korytarzu, potem do jej uszu dobiegł zgrzyt klamki.

Wrócił.

Poczuła, jak coś w niej się rozluźnia i westchnęła z ulgą. Następnie omal się nie roześmiała na głos. *Chyba nie martwię się o Akkarina...*

Czy to takie dziwne? Przecież on był wszystkim, co stało pomiędzy Ichanimi a Kyralią. Troska o to, czy żyje i ma się dobrze, była całkowicie uzasadniona, jeśli spojrzeć na to od tej strony.

Zamierzała właśnie zamknąć drzwi, kiedy na korytarzu rozległy się kolejne kroki.

– Panie?

W głosie Takana słychać było zaskoczenie i niepokój. Sonea poczuła przebiegający po skórze dreszcz.

– Takan. – Głos Akkarina był ledwie słyszalny. – Zaczekaj, będziesz musiał się tego pozbyć.

– Co się *stało*?

W głosie służącego niewątpliwie brzmiał strach. Nie namyślając się długo, Sonea otworzyła drzwi i poszła do końca korytarza. Takan stał w drzwiach sypialni Akkarina.

Odwrócił się na dźwięk jej kroków, a na jego twarzy malowała się niepewność.

– Sonea. – Tym razem Akkarin odezwał się cichym, spokojnym głosem.

Jego sypialnię oświetlała maleńka, wątła kula świetlna, on sam siedział na skraju wielkiego łoża. W tym przyćmionym świetle jego szaty zdawały się stapiać z półmrokiem, tak że widać było jedynie jego twarz i dłonie... i jedno ramię.

Sonea nabrała powietrza w płuca. Prawy rękaw szaty Wielkiego Mistrza zwisał dziwacznie – zauważyła, że był rozcięty. Od nadgarstka do łokcia biegła czerwona rana. Blada skóra była poznaczona kropelkami i smugami krwi.

– Co się stało? – spytała szeptem, po czym dodała szybko: – Wielki Mistrzu.

Akkarin przeniósł wzrok od niej do Takana i parsknął cicho.

– Chyba nie będzie mi dane odpocząć, dopóki wy dwoje wszystkiego się nie dowiecie. Wejdźcie i usiądźcie.

Takan wszedł do pokoju. Sonea zawahała się przez moment, ale też weszła. Nigdy wcześniej nie była w jego sypialni. Jeszcze tydzień wcześniej umierałaby na samą myśl o przekroczeniu jej progu. Rozejrzała się dookoła, czując rodzaj rozczarowania. Meble przypominały te stojące w jej pokoju. Papierowe okienniki były koloru granatowego, podobnie jak obramowanie wielkiego dywanu przykrywającego większość podłogi. Drzwi szafy były otwarte. Wewnątrz znajdowały się wyłącznie szaty, kilka płaszczy i jedna peleryna.

Kiedy zwróciła się do Akkarina, dostrzegła utkwiony w sobie wzrok i cień uśmiechu na ustach Wielkiego Mistrza. Ręką wskazał jej krzesło.

Takan wziął z szafki stojącej obok łóżka dzbanek z wodą, wyciągnął zza pazuchy chustkę, zwilżył ją i przybliżył do ramienia Akkarina, ale Wielki Mistrz wyrwał mu ją.

– W mieście działa kolejny szpieg – odezwał się, ocierając krew z ręki. – Choć ona nie jest zwyczajnym szpiegiem, jak sądzę.

– Ona? – przerwała mu Sonea.

– Tak. To kobieta. – Akkarin oddał chustkę Takanowi. – Ale to nie jest jedyna różnica między nią a poprzednimi szpiegami. Jest niezwykle potężna jak na byłą niewolnicę. Poza tym działa tu od niedawna, nie mogła więc zyskać takiej mocy, zabijając mieszkańców miasta. Nie mówiąc o tym, że usłyszelibyśmy o ofiarach.

– Została przygotowana? – podsunął Takan, ściskając zakrwawioną chustkę. – Pozwolili jej zabrać moc niewolnikom, zanim ją tu przysłali?

– Być może. Ale jakakolwiek jest tego przyczyna, ta kobieta potrafi walczyć. Udało jej się zmylić mnie co do tego, jak jest wyczerpana, po czym uderzyła mnie nożem, kiedy się zbliżyłem. Nie była jednak dostatecznie szybka, by dotknąć mojej rany i wyssać moc. Potem usiłowała zwrócić uwagę na naszą walkę.

– Zatem pozwoliłeś jej uciec – domyślił się Takan.

– Tak. Pomyślała zapewne, że wolałem ją puścić wolno, niż narażać życie innych.

– Albo też wie, że wolałbyś, by Gildia nie dowiedziała się o magicznych walkach w slumsach. – Takan zacisnął zęby. – Będzie musiała zabijać, żeby się wzmocnić.

Akkarin uśmiechnął się ponuro.

– Nie wątpię.

– A ty też jesteś teraz słabszy. Nie miałeś wiele czasu na odzyskanie sił po ostatnim razie.

– To nie powinno stanowić problemu. – Spojrzał na Soneę. – Mam do pomocy jednego z najpotężniejszych magów Gildii.

Sonea odwróciła wzrok, czując, że się rumieni. Takan potrząsnął głową.

– Nie podoba mi się to. Ona za bardzo różni się od pozostałych. Żaden Ichani nie wyzwoli niewolnicy. Poza tym jest potężna. I sprytna. Wcale nie zachowuje się jak niewolnica.

Akkarin wpatrywał się uważnie w swojego sługę.

– Myślisz, że ona sama jest Ichanim?

– Niewykluczone. Powinieneś być na to przygotowany. Powinieneś... – zerknął na Soneę. – Powinieneś mieć pomocnika.

Sonea spojrzała na Takana z niedowierzaniem. Czyżby miał na myśli, że następnym razem, kiedy Akkarin pójdzie walczyć z tą kobietą, powinna mu towarzyszyć?

– Już to przedyskutowaliśmy – zaczął Wielki Mistrz.

– I powiedziałeś, że się zastanowisz, jeśli zaatakują Kyralię – odparował Takan. – Jeśli ta kobieta należy do Ichanich, to już tu są. Co jeśli ona okaże się zbyt silna dla ciebie? Nie możesz ryzykować życiem, ani też pozostawić Gildii bez obrony.

Sonea poczuła, że jej tętno przyspiesza.

– Poza tym dwie pary oczu to więcej niż jedna – dodała szybko. – Gdybym była z tobą dziś wieczorem...

– To głównie byś przeszkadzała.

Zabolało. Sonea poczuła przypływ gniewu.

– Tak sądzisz? Że jestem tylko wypieszczoną nowicjuszką jak wszyscy pozostali? Że nie umiem poruszać się po slumsach ani ukrywać się przed magami?

Wpatrywał się w nią, po czym opuścił ramiona i zaśmiał się cicho.

– I co ja mam zrobić? – zapytał. – Oboje uparliście się, żeby mnie do tego przekonać.

Pocierał bezwiednie ramię. Sonea spojrzała w tamtym kierunku i zamrugała ze zdumienia. Czerwień ran zmieniła się w blady róż. Akkarin uzdrawiał się podczas rozmowy.

– Będę uczył Soneę, ale tylko jeśli ta kobieta okaże się Ichanim. Kiedy przekonam się, że zagrożenie jest prawdziwe.

– Jeśli ona jest Ichanim, możesz zginąć – zauważył oschle Takan. – Musisz być przygotowany, panie.

Akkarin wbił wzrok w Soneę. Oczy miał półprzymknięte, nieobecny wyraz twarzy zdradzał zamyślenie.

– Co o tym sądzisz, Soneo? Nie powinnaś się zgadzać na coś takiego, nie przemyślawszy dokładnie sytuacji.

Wciągnęła głęboko powietrze.

– Ależ ja to dokładnie przemyślałam. Skoro nie ma innego sposobu, podejmę ryzyko i nauczę się czarnej magii. W końcu po co mi być dobrą, prawą nowicjuszką, jeśli miałoby zabraknąć Gildii? Jeśli ty zginiesz, to prawdopodobnie nikt z nas nie przeżyje.

Akkarin kiwał powoli głową.

– Zatem dobrze. Choć wcale mi się to nie podoba. Gdyby istniał inny sposób, na pewno bym tego nie uczynił. – Westchnął. – Ale wygląda na to, że to jedyne wyjście. Zaczniemy jutro wieczorem.

ROZDZIAŁ 11

ZAKAZANA WIEDZA

W drzwi gabinetu wbiły się kolejno trzy yerimy. Cery wstał zza biurka i wyciągnął spomiędzy desek swoje narzędzia pisarskie, po czym wrócił na miejsce. Wpatrywał się w drzwi, rzucając w nie ponownie yerimami.

Trafiały dokładnie tam, gdzie sobie założył: w wierzchołki wyobrażonego trójkąta. Wstał ponownie, przeszedł przez pokój i wyciągnął ostrza. Uśmiechnął się na myśl o kupcu czekającym pod drzwiami. Co on sobie pomyśli o tych regularnych uderzeniach w drzwi biura Złodzieja?

Westchnął. Powinien spotkać się z kupcem i załatwić tę sprawę, ale nastrój nie skłaniał go do hojności, a ten człowiek zazwyczaj przychodził tylko po to, żeby błagać o więcej czasu na spłatę długów. W dodatku Cery nie był pewny, czy nie jest to sprawdzanie, do czego jest zdolny najmłodszy ze Złodziei. Powolnie spłacany dług jest lepszy od niespłacanego, ale Złodziej z opinią niewyczerpanej cierpliwości to Złodziej, którego trudno szanować.

Czasem trzeba pokazać, że ma się twardą rękę.

Cery spojrzał na yerimy wbite zaostrzonymi końcami głęboko w drewno. Musi to przyznać – kupiec nie jest prawdziwym powodem jego złego nastroju.

Uciekła, doniósł mu Morren. *Pozwolił jej uciec.*

A kiedy zapytał o szczegóły, Morren opisał zaciekłą walkę. Ta kobieta najwyraźniej była potężniejsza od Akkarina, który nie zdołał opanować jej magii. Walka zrujnowała salę w spylunce, gdzie zatrzymała się Sachakanka. Kilku klientów widziało więcej, niż powinno, aczkolwiek Cery postarał się wcześniej, żeby większość z nich porządnie i uczciwie się upiła, wysyłając do spylunki kilku swoich ludzi ze znacznej wysokości „wygranymi na wyścigach". Ci, którzy nie byli pijani, albo też znajdowali się na zewnątrz spylunki, dostali pieniądze za milczenie. Niestety rzadko wystarczało to, by zupełnie powstrzymać plotki. Nie wtedy, gdy w grę wchodziła kobieta wzbijająca się w powietrze na wysokość trzeciego piętra.

To jeszcze nie katastrofa, powtórzył sobie Cery po raz setny. *Znajdziemy ją ponownie. Akkarin lepiej się przygotuje.* Wrócił do biurka i usiadł. Otworzył szufladę i wrzucił do niej yerimy.

Tak jak się spodziewał, chwilę później rozległo się nieśmiałe pukanie do drzwi.

– Wejdź, Gol – zawołał Cery. Obrzucił wzrokiem swoje ubranie i wygładził je, zanim drzwi się otworzyły i jego potężny współpracownik wszedł do środka. – I może poproś Hema. – Wzniósł oczy do góry. – Załatwmy to wreszcie... Co ci się stało?

Twarz Gola promieniała uśmiechem.

– Przyszła Savara.

Cery poczuł, jak przyspiesza mu puls. Ile ona wie? Ile powinien jej powiedzieć? Wyprostował ramiona.

– Poproś ją.

Gol cofnął się. Kiedy drzwi ponownie się otworzyły, do pokoju weszła Savara. Z wyrazem zadowolenia na twarzy ruszyła natychmiast w kierunku biurka.

– Słyszałam, że wasz Wielki Mistrz trafił wczoraj na równego sobie przeciwnika?

– Skąd wiesz? – spytał Cery.

Wzruszyła ramionami.

– Ludzie mają zwyczaj powierzać mi sekrety, jeśli ładnie poproszę. – Mówiła lekko, ale na jej czole rysowała się zmarszczka.

– Nie wątpię – odparł Cery. – Czego jeszcze się dowiedziałaś?

– Że się wymknęła. Co nie zdarzyłoby się, gdybyś mi pozwolił się nią zająć.

Nie potrafił powstrzymać uśmiechu.

– Że niby poradziłabyś sobie lepiej?

Jej oczy zabłysły.

– Owszem.

– Jak?

– Mam swoje sposoby. – Założyła ręce. – Chciałabym zabić tę kobietę, ale teraz, skoro Akkarin o niej wie, nie mogę. Szkoda, że mu powiedziałeś. – Rzuciła mu ostre spojrzenie. – Kiedy ty mi wreszcie zaufasz?

– Zaufam ci? – Zaśmiał się. – Nigdy. Mam ci pozwolić zabić któregoś z morderców? – Wydął usta w zadumie. – Następnym razem.

Savara wpatrywała się w niego w napięciu.

– Dajesz mi słowo?

Wytrzymał jej wzrok i potaknął.

– Tak, daję słowo. Znajdź tę kobietę i nie daj mi powodu, żebym zmienił zdanie, a pozwolę ci zabić następnego niewolnika.

Zmarszczyła brwi, ale nie zaprotestowała.

– Zatem umowa stoi. Kiedy on zabije tę kobietę, ja się

tam pojawię, niezależnie od tego, czy się na to zgodzisz, czy nie. Chcę przynajmniej zobaczyć, jak umiera.

– Kim ona jest dla ciebie?

– Dawno temu pomogłam jej, a ona sprawiła, że pożałowałam tej pomocy. – Patrzyła na niego z powagą. – Wydaje ci się, że jesteś twardy i bezlitosny, Złodzieju. Jeśli bywasz okrutny, robisz to po to, żeby zachować porządek i zyskać szacunek. Dla Ichanich zaś zabijanie i okrucieństwo to zabawa.

Cery zmarszczył brwi.

– Co ona zrobiła?

Savara zawahała się, po czym potrząsnęła głową.

– Nic więcej nie mogę ci powiedzieć.

– Czyli że jest coś więcej, prawda? – westchnął Cery. – I ty chcesz, żebym ci zaufał.

Uśmiechnęła się.

– To tak jakbym ja miała zaufać tobie. Ty też nie opowiedziałeś mi o szczegółach twojej umowy z Wielkim Mistrzem, a mimo to chcesz, bym ufała, że nie powiedziałeś mu o tym, że tu jestem.

– Musisz mi więc zaufać, kiedy mówię ci, którego z morderców, czy też morderczyń, masz zabić. – Cery nie powstrzymał się od uśmiechu. – A skoro tak zależy ci na oglądaniu tej walki, to ja też tam będę. Nie podoba mi się, że zawsze omija mnie to, co najciekawsze.

Potaknęła z uśmiechem.

– W porządku. – Urwała i zrobiła krok ku drzwiom. – Chyba powinnam zacząć szukać tej kobiety.

– Chyba powinnaś.

Odwróciła się i wyszła. Kiedy zatrzasnęły się za nią drzwi, Cery poczuł coś na kształt rozczarowania i zaczął zastanawiać się nad sposobami zatrzymania jej nieco dłużej. Drzwi otworzyły się ponownie, ale tym razem był to Gol.

– Poprosić Hema?

Cery skrzywił się.

– Proś.

Wysunął szufladę, wyciągnął z niej jeden z yerimów i ostrzałkę. Kiedy kupiec wszedł do pokoju, Cery gładził czule ostrze narzędzia pisarskiego.

– Och, Hem. Powiedz mi, proszę, co powstrzymuje mnie od sprawdzenia, ilu dziur trzeba, żebym wreszcie zobaczył strumień pieniędzy?

Z dachu Uniwersytetu widać było zaledwie kikut starej, po części rozebranej Strażnicy. Gdzieś poza granicą drzew wozy zaprzężone w gorimy transportowały kamień na szczyt długą krętą drogą.

– Prawdopodobnie będziemy zmuszeni rozpocząć budowę dopiero po letniej przerwie – powiedział Mistrz Sarrin.

– Mówisz o opóźnieniu budowy? – Lorlen zwrócił się do stojącego obok maga. – Miałem nadzieję, że to nie potrwa dłużej niż trzy miesiące. Już mam problemy z narzekaniem na opóźnione projekty i brak wolnego czasu.

– Zapewne wielu by się z tobą zgodziło – odparł Mistrz Sarrin. – Ale nie mogę powiedzieć wszystkim zatrudnionym przy budowie, że w tym roku nie odwiedzą rodzin. Problem z magicznie wzmacnianymi budynkami polega na tym, że nie są pewne konstrukcyjnie, póki kamienie nie są spojone, a tego z kolei się nie robi, póki wszystko nie znajdzie się na swoim miejscu. Do tego czasu musimy podtrzymywać stałą kontrolę. Przerwy nie są pożądane.

Mistrz Sarrin, w przeciwieństwie do Mistrza Peakina, nie wniósł dużo do dysputy o nowej Strażnicy. Lorlen nie był pewny, czy to dlatego, że stary Arcymistrz Alchemików nie miał w tej sprawie wyrobionej opinii, czy też od początku wiedział, czyje zdanie przeważy, i wolał zachować milczenie. Może warto zapytać.

– Co ty naprawdę sądzisz o tym projekcie, Sarrinie?

Stary mag wzruszył ramionami.

– Uważam, że Gildia powinna co jakiś czas podejmować coś wielkiego i wymagającego wiele wysiłku, zastanawia mnie jednak, czy nie powinno to być coś innego niż wznoszenie kolejnego budynku.

– Słyszałem, że Peakin chciał wykorzystać zarzucony projekt Mistrza Corena?

– Mistrz Coren! – Sarrin przewrócił oczami. – Mam już dość tego imienia! Podobają mi się niektóre jego budynki, ale w naszych czasach też żyją magowie zdolni projektować ładne i praktyczne budowle, tak samo jak on.

– Zgoda – przytaknął Lorlen. – Słyszałem, że Balkan omal nie dostał zawału, gdy zobaczył projekt Corena.

– Nazwał go „koszmarnym snem cukiernika".

Lorlen westchnął.

– Obawiam się, że nie tylko przerwa letnia spowolni tę budowę.

Sarrin wydął usta.

– Niewielki nacisk z zewnątrz mógłby ją przyspieszyć. Czy Królowi się z tym spieszy?

– Królowi *zawsze* się spieszy.

Sarrin zaśmiał się.

– Poproszę Akkarina, żeby szepnął słówko – powiedział Lorlen. – Jestem pewny…

– Administratorze? – rozległ się jakiś głos.

Lorlen odwrócił się. Przez dach biegł ku niemu Osen.

– Słucham.

– Przyszedł kapitan Barran z Gwardii i chciałby się z tobą widzieć.

Lorlen odwrócił się do Sarrina.

– Lepiej się tym zajmę.

– Oczywiście. – Sarrin skinął mu głową na pożegnanie.

Lorlen ruszył w stronę Osena, a młody mag zatrzymał się, czekając na niego.

– Czy kapitan powiedział ci, z czym przyszedł? – spytał Administrator.

– Nie – odparł Osen, zrównując krok z Lorlenem – ale wyglądał na zdenerwowanego.

Wyszli przez prowadzące na dach drzwi, potem przeszli przez korytarze Uniwersytetu. Wchodząc do Wielkiego Holu, Lorlen dostrzegł Barrana stojącego przed drzwiami jego gabinetu. Gwardzista wyraźnie się rozluźnił na widok magów.

– Dzień dobry, kapitanie – powiedział Lorlen.

Barran ukłonił się.

– Witaj, Administratorze.

– Wejdźmy do gabinetu. – Lorlen przytrzymał drzwi, przepuszczając Barrana i Osena, po czym wskazał gościowi krzesło. Usiadł za biurkiem i spojrzał z powagą na kapitana.

– Co sprowadza cię do Gildii? Mam nadzieję, że nie kolejne morderstwo.

– Niestety, właśnie ta sprawa. A mówiąc bez ogródek, to nie jedno morderstwo. – W głosie Barrana słychać było napięcie. – Na to, co się stało, jest jedno określenie: jatka.

Lorlen poczuł, że serce w nim zamiera.

– Mów.

– Czternaście ofiar, wszyscy zabici w ten sam sposób, wszyscy znalezieni po północnej stronie miasta wczoraj wieczorem. Większość na ulicy, niektórzy w domach. – Barran potrząsnął głową. – Jakby jakiś szaleniec włóczył się po slumsach, zabijając kogo popadnie.

– W takim razie muszą być świadkowie.

Barran potrząsnął przecząco głową.

– Żadnych przydatnych informacji. Kilka osób powiedziało, że wydaje im się, że widzieli kobietę, inni twierdzą, że to był mężczyzna. Nikt nie dojrzał twarzy zabójcy. Za ciemno.

– A przyczyna śmierci? – Lorlen z trudem wydusił z siebie to pytanie.

– Płytkie rany. Żadna nie powinna być śmiertelna. Żadnych śladów trucizny. Odciski palców na ranach. Dlatego właśnie przyszedłem do ciebie. To jedyna cecha wspólna z przypadkami, o których rozmawialiśmy wcześniej. – Urwał na moment. – Ale jest coś jeszcze.

– Słucham.

– Jeden z moich śledczych dowiedział się od żony ofiary, że po slumsach krążą plotki o wczorajszej walce w jednej ze spylunek. O walce między magami.

Lorlen z wysiłkiem przybrał sceptyczny wyraz twarzy.

– Między magami?

– Tak. Jeden z nich ponoć zeskoczył na ziemię z okna trzeciego piętra. Myślałem, że to tylko bajdy wymyślane wieczorami, problem w tym, że szlak tych zabójstw wiedzie w prostej linii do tej spylunki. Albo też z niej.

– Zrobiłeś wywiad w spylunce?

– Tak. Jedna z izb została całkowicie zrujnowana, więc coś tam się rzeczywiście wczoraj działo. Ale czy była to magia... – Wzruszył ramionami. – Kto to wie?

– My możemy sprawdzić – podsunął Osen.

Lorlen podniósł wzrok na swojego asystenta. Osen miał rację: ktoś z Gildii powinien zbadać spylunkę. *Akkarin chciałby, żebym ja to zrobił*, pomyślał.

– Obejrzę tę spylunkę.

Barran skinął głową.

– Możemy tam od razu pojechać. Przed Gildią czeka powóz Gwardii.

– Mogę pójść za ciebie – zaproponował Osen.

– Nie – odrzekł Lorlen. – Ja to zrobię. Wiem więcej od ciebie o tych zabójstwach. Zostań tutaj i miej wszystko na oku.

– Inni magowie mogą się dowiedzieć – powiedział Osen. – I zacząć się martwić. Co mam im powiedzieć?

– Tyle, że zdarzyły się kolejne niepokojące zabójstwa i że opowieść o spylunce to zapewne przesada. Nie chcemy, żeby ludzie wyciągali pochopne wnioski albo siali panikę.

Wstał, a Barran natychmiast się podniósł.

– A jeśli znajdziesz dowody na użycie magii? – spytał jeszcze Osen.

– Będę się martwił wtedy, kiedy je znajdę.

Osen został w gabinecie, stojąc obok biurka, Lorlen i Barran ruszyli zaś ku drzwiom. Administrator rzucił za siebie spojrzenie, które przekonało go, że jego asystent marszczy brwi w zamyśleniu.

– Nie przejmuj się – pocieszył go Lorlen, siląc się na łobuzerski uśmiech. – To zapewne równie przerażające jak poprzednie przypadki.

Osen uśmiechnął się blado i przytaknął.

Lorlen zamknął za sobą drzwi gabinetu i pospieszył ku wyjściu, a następnie ku bramie Uniwersytetu.

~ Powinieneś rozmawiać z kapitanem Barranem w cztery oczy, mój drogi.

Lorlen zerknął w stronę rezydencji Wielkiego Mistrza.

~ Osen jest rozsądny.

~ Rozsądni ludzie stają się czasem zupełnie nieprzewidywalni, jeśli podejrzenia wezmą nad nimi górę.

~ A ma powody do podejrzeń? Co się stało wczoraj wieczorem?

~ Grupa pijanych bylców widziała, jak zabójca wymknął się Złodziejom.

~ Naprawdę to się wydarzyło?

– Administratorze?

Lorlen zamrugał oczami, uświadamiając sobie, że stoi przed otwartymi drzwiczkami powozu. Barran wpatrywał się w niego wyczekująco.

– Przepraszam – uśmiechnął się Lorlen. – Konsultacje z kolegą.

Oczy Barrana rozszerzyły się nieco, gdy dotarło do niego, co Lorlen miał na myśli.

– Przydatna umiejętność.

– Owszem – zgodził się Lorlen, wsiadając do powozu. – Ma jednak pewne ograniczenia.

A w każdym razie powinna mieć, dodał w myślach.

Sonea, wchodząc do podziemnego pomieszczenia, czuła ucisk w żołądku – jak zawsze, kiedy myślała o nadciągającej lekcji czarnej magii. Czyli co kilka minut. W jej myśli zakradły się wątpliwości, toteż kilkakrotnie rozważała już ewentualność powiedzenia Akkarinowi, że się rozmyśliła. Kiedy się jednak uspokajała i myślała o tym poważnie, jej decyzja okazywała się nieodwołalna. Nauka czarnej magii stanowiła dla niej ryzyko, ale alternatywą było zagrożenie Gildii i Kyralii.

Ukłoniła się, gdy tylko Akkarin spojrzał na nią.

– Usiądź, Soneo.

– Tak, Wielki Mistrzu.

Usiadła i popatrzyła na stół. Znajdowało się na nim dziwaczne zbiorowisko przedmiotów: czarka z wodą, zwykła roślina w niewielkiej doniczce, klatka z harrelem obwąchującym wszystko dookoła, niewielkie ręczniki, książki, a także niczym nieozdobione pudełko z polerowanego drewna. Akkarin przeglądał jedną z książek.

– Po co to wszystko? – spytała.

– Do twojej nauki – odpowiedział, zamykając książkę. – Tego, co dzisiaj ci przekażę, nie uczyłem jeszcze nikogo. Kiedy ja się uczyłem, nie otrzymałem żadnych wyjaśnień. Dowiedziałem się czegoś więcej, dopiero wtedy gdy znalazłem te stare księgi, które Mistrz Coren zakopał pod gmachem Gildii.

Przytaknęła.

– W jaki sposób je znalazłeś?

– Coren zdawał sobie sprawę, że magowie, którzy wcześniej je zakopali, mieli rację co do tego, że należy przechować tę wiedzę na wypadek, gdyby Gildia stanęła kiedyś w obliczu potężniejszego przeciwnika. Aby jednak mogły się przydać, musiały być ukryte tak, żeby dało się je odnaleźć. Coren napisał więc list do Wielkiego Mistrza, rozkazując doręczyć go dopiero po swej śmierci, w którym wyjawił, że ukrył pod budynkiem Uniwersytetu księgi z wiedzą, która może uchronić Gildię przed straszliwym niebezpieczeństwem. – Akkarin uniósł oczy ku sufitowi. – Znalazłem ten list włożony między karty starej kroniki, kiedy przenosiłem tutejszą bibliotekę po przebudowie tego domu. Instrukcje zostawione przez Corena były tak zawiłe, że żadnemu z moich poprzedników nie starczyło cierpliwości, by je rozszyfrować. W końcu zapomniano o liście. Ja jednak odgadłem, czym mógł być sekret Corena.

– I odczytałeś instrukcje?

– Nie. – Akkarin zaśmiał się. – Przez pięć miesięcy każdej nocy błądziłem po podziemnych korytarzach, aż wreszcie znalazłem skrzynię.

Sonea uśmiechnęła się.

– Dobrze, że Gildia nie znalazła się w obliczu prawdziwego zagrożenia. – Otrzeźwiała. – Teraz się *znalazła.*

Akkarin również spoważniał. Jego wzrok powędrował ku leżącym na stole przedmiotom.

– Wiele z tego, co ci teraz powiem, już wiesz. Uczono cię, że każde żywe stworzenie posiada zasób energii i że każde posiada również barierę, którą jest skóra, chroniącą je przed magicznym działaniem z zewnątrz. Gdyby tak nie było, byle mag mógłby cię zabić na odległość, na przykład sięgając swoim umysłem w głąb twojego ciała i miażdżąc ci serce. Przez tę barierę mogą się przedostać pewne rodzaje magii, zwłaszcza uzdrawianie, ale konieczny jest do tego kontakt fizyczny.

Odsunął się od stołu i zbliżył się do Sonei.

– Rozerwanie skóry oznacza przerwanie bariery. Czerpanie mocy przez taką wyrwę może być powolne. Na lekcjach Alchemii uczyłaś się, że magia przenosi się lepiej po wodzie niż przez powietrze czy kamień. Na lekcjach uzdrawiania dowiedziałaś się, że naczynia krwionośne docierają do wszystkich zakamarków ciała. Jeśli przetniesz skórę dostatecznie głęboko, żeby polała się krew, możesz szybko pobrać energię ze wszystkich części ciała. Pobierania energii można nauczyć się dość szybko – ciągnął Akkarin. – Mógłbym ci wytłumaczyć wszystko tak, jak opisują to księgi, a potem kazać ci zrobić doświadczenia na zwierzętach, ale zapewne minęłoby wiele dni, a może i tygodni, zanim nauczyłabyś się czerpać moc w sposób kontrolowany. – Uśmiechnął się. – A przemycanie tu wszystkich tych zwierząt mogłoby przysporzyć nam więcej kłopotów, niż byłoby warte. – Spoważniał znowu. – Jest jeszcze jedna przyczyna. Tamtej nocy, kiedy widziałaś, jak czerpię moc od Takana, wyczułaś coś. Czytałem, że podobnie jak w przypadku zwykłej magii, inni magowie mogą wyczuć użycie czarnej magii, zwłaszcza jeśli znajdują się w pobliżu. I znów podobnie jak w przypadku każdej innej magii, można to ukryć. Nie wiedziałem, że jestem wyczuwalny, dopóki nie odczytałem twoich myśli. Później robiłem eksperymenty jedynie wtedy, kiedy byłem pewny, że nie da się mnie wykryć. Muszę nauczyć cię szybko tej sztuki, żeby uniknąć ryzyka. – Spojrzał znów na sufit. – Będę cię prowadził mentalnie i posłużymy się Takanem jako naszym pierwszym źródłem. Kiedy przyjdzie, uważaj na słowa. On nie chce nauczyć się tych rzeczy z powodów, które są zbyt złożone i osobiste, żeby je teraz tłumaczyć.

Na schodach rozległy się stłumione kroki, po czym drzwi otworzyły się i Takan wszedł do podziemia, kłaniając się.

– Wezwałeś mnie, panie.

– Czas zacząć uczyć Soneę czarnej magii – powiedział Akkarin.

Takan przytaknął. Podszedł do stołu i otworzył skrzyneczkę. W jej środku, owinięty w czarny materiał, leżał ten sam sztylet, którym Akkarin zabił sachakańskiego szpiega. Takan wyciągnął go ostrożnie i z szacunkiem.

Następnie szybkim, wyćwiczonym ruchem przyłożył sobie ostrze do nadgarstka i podszedł do Sonei z pochyloną głową. Akkarin zmrużył oczy.

– Dość tego, Takanie... i żadnego klękania. – Wielki Mistrz potrząsnął głową. – Jesteśmy cywilizowanymi ludźmi. Nie trzymamy innych w niewoli.

Na ustach Takana igrał cień uśmiechu. Podniósł wzrok na Akkarina, a oczy mu błyszczały. Akkarin parsknął cicho, po czym zwrócił się do Sonei.

– To sachakańskie ostrze, noszą je tylko magowie – wyjaśnił. – Takie sztylety ostrzy się przy użyciu magii. Ten ma wiele setek lat i przechodził z ojca na syna. Ostatnim jego właścicielem był Dakova. Ja zostawiłbym go, ale Takan zabrał z sobą. Weź nóż, Soneo.

Sonea bez wahania wzięła nóż do ręki. Ilu ludzi to ostrze pozbawiło życia? Setki? Tysiące? Wzdrygnęła się.

– Takan będzie potrzebował tego krzesła.

Wstała. Takan usiadł na jej miejscu i zaczął podwijać rękaw.

– Zrób płytką ranę. Naciskaj lekko. Jest bardzo ostry.

Spojrzała na służącego i poczuła, że zasycha jej w ustach. Takan uśmiechnął się do niej i wyciągnął rękę. Całą skórę miał poznaczoną bliznami. Jak Akkarin.

– Sama widzisz – powiedział Takan. – Mam w tym doświadczenie.

Ostrze zadrżało, kiedy przyłożyła je do skóry Takana. Uniosła je z powrotem i zobaczyła czerwone kropelki zbierające się wokół ranki. Przełknęła głośno ślinę. *Naprawdę to robię.* Podniosła wzrok i napotkała utkwione w niej uważne spojrzenie Akkarina.

– Nie musisz się tego uczyć, Soneo – powiedział, odbierając od niej nóż.

Zaczerpnęła powietrza głęboko w płuca.

– Owszem, muszę – odparła. – Co teraz?

– Połóż rękę na ranie.

Takan wciąż się uśmiechał. Delikatnie przyłożyła dłoń do rany. Akkarin wyciągnął ręce i ujął ją za skronie.

~ *Skup się tak samo jak wtedy, kiedy uczyłaś się kontroli. Na początek może ci pomóc wizualizacja. Pokaż mi pokój swojego umysłu.*

Zamknęła oczy, stworzyła obraz pokoju i stanęła w środku. Na ścianach widniały obrazy przedstawiające znajome twarze i sceny, ale nie zwracała na nie uwagi.

~ *Otwórz drzwi do twojej mocy.*

Natychmiast jeden z obrazów przekształcił się w drzwi z klamką. Sięgnęła i nacisnęła na nią. Drzwi uchyliły się i znikły. Przed nią rozciągała się otchłań mroku, pośrodku której unosiła się kula światła – jej moc.

~ *Wejdź do wnętrza swojej mocy.*

Sonea zamarła. Ma wkroczyć w przepaść?

~ *Nie. Wejdź w moc. W sam jej środek.*

~ *Ale to bardzo daleko! Nie dam rady!*

~ *Oczywiście, że dasz radę. To twoja moc. Jest tak daleko, jak ty tego pragniesz, a ty możesz zrobić taki krok, jaki zechcesz.*

~ *A co jeśli ona mnie spali?*

~ *Nie spali. To twoja moc.*

Sonea przystanęła na progu, zebrała całą odwagę i zrobiła krok.

Poczuła coś jakby rozciąganie, po czym biała kula nabrzmiała, pochłaniając ją. Przez Soneę przebiegł dreszcz. Nagle poczuła się lekka, unosiła się pośrodku białej mgiełki światła. Przepełniała ją moc.

~ *Widzisz?*

~ *Widzę. To cudowne uczucie. Dlaczego Rothen mi tego nie pokazał?*

~ *Zaraz się dowiesz dlaczego. Chcę, żebyś się rozprzestrzeniła. Sięgnij jak najdalej, poczuj całą należącą do ciebie moc. Wizualizacja to użyteczne narzędzie, ale musisz zrobić krok dalej. Musisz poznać swoją moc wszystkimi zmysłami.*

Sonea poczuła, że słyszy słowa, zanim je wypowiedział do końca. Była otoczona jedynie bielą, więc rozprzestrzenienie wszystkich zmysłów nie stanowiło trudności.

Kiedy uświadomiła sobie lepiej moc, poczuła też swoje ciało. Z początku przestraszyła się, że świadomość ciała oznacza, że traci koncentrację. Chwilę później uzmysłowiła sobie, że moc *była* jej ciałem. Nie istniała zawieszona w jakiejś otchłani w głębi jej umysłu. Przepływała przez wszystkie jej członki, wszystkie kości i żyły jej ciała.

~ *Doskonale. Teraz skup się na swojej prawej dłoni i tym, co leży poza nią.*

Z początku tego nie zobaczyła, ale nagle coś przyciągnęło jej uwagę. Było to jak wyrwa, jak przebłysk czegoś leżącego poza nią. Skupiła się na tym i wyczuła tę inność na zewnątrz siebie.

~ *Skup się na tej inności, a potem zrób to...*

Wysłał jej myśl tak dziwaczną, że nie potrafiła przełożyć jej na słowa. Było to tak, jakby miała wstąpić w ciało Takana, tyle że wciąż pozostając w swoim. Była świadoma obu ciał.

~ *Postaraj się uzmysłowić sobie energię znajdującą się w jego ciele. I weź trochę dla siebie.*

Nagle zorientowała się, że Takan posiada ogromny zapas mocy. Jest potężny, pomyślała, prawie tak potężny jak ona.

Tyle tylko, że jego umysł nie znajduje z tą mocą połączenia, jakby nie był w stanie dostrzec spoczywającej w nim potęgi. Ona natomiast widziała ją. A rana w jego skórze dawała jej połączenie. Bez trudu mogła skierować tę moc z jego ciała w swoje. Poczuła, że jej siła rośnie.

~ *Wystarczy.*

Uwolniła moc, czując, że przepływ energii słabnie.

~ *Jeszcze raz.*

Zaczerpnęła ponownie mocy. Powolne przepływanie magii. Zastanowiło ją, jakby to było, gdyby dodać całą jego energię do swojej, podwajając własną. Zapewne cudowne uczucie.

Co jednak miałaby z tą potęgą zrobić? Z pewnością nie potrzebowała być dwa razy potężniejsza. Podczas uniwersyteckich lekcji nie zużywała nawet własnej mocy.

~ *Dość.*

Usłuchała. Kiedy dłonie Akkarina puściły jej skronie, otworzyła ponownie oczy.

– Doskonale – oznajmił Wielki Mistrz. – Teraz możesz wyleczyć Takana.

Sonea spojrzała na rękę służącego i skupiła wolę. Rana zasklepiła się w jednej chwili, a jej świadomość jego ciała i mocy osłabła. Takan skrzywił się, a w niej serce zamarło.

– Dobrze się czujesz?

Uśmiechnął się szeroko.

– Tak, pani Soneo. Jesteś bardzo delikatna. Chodzi tylko o to, że uzdrawianie swędzi. – Podniósł wzrok na Akkarina i spoważniał. – Będzie z niej potężny sojusznik, panie.

Akkarin nie odpowiedział. Sonea odwróciła się i zobaczyła, że podszedł do półki z książkami, gdzie stanął z założonymi na piersi rękami i zmarszczonym czołem.

Wyczuwając jej spojrzenie, odwrócił się ku niej z wyrazem twarzy trudnym do odgadnięcia.

– Gratuluję, Soneo – powiedział cicho. – Właśnie zostałaś czarnym magiem.

Zamrugała, zaskoczona.

– To wszystko? To *takie* proste?

Przytaknął.

– Tak. Wiedzę, jak kogoś zabić w okamgnieniu, nabywa się w okamgnieniu. Od dziś nie możesz nikomu pozwolić wejść do twojego umysłu. Wystarczy jedna zabłąkana myśl, by wyjawić ten sekret innemu magowi.

Spojrzała na niewielką smugę krwi na swojej dłoni i poczuła przeszywający ją dreszcz.

Właśnie posłużyłam się czarną magią, pomyślała. *Nie ma już odwrotu. Ani teraz, ani nigdy.*

Takan przyglądał się jej uważnie.

– Żałujesz, pani Soneo?

Wzięła głęboki oddech i powoli wypuściła powietrze.

– Bardziej żałowałabym, gdyby Gildia została zniszczona, a ja wiedziałabym, że mogłam temu zapobiec. Ale... mam też nadzieję, że nigdy nie będę musiała tego użyć. – Uśmiechnęła się krzywo, spoglądając na Akkarina. – Oznaczałoby to przecież, że Wielki Mistrz nie żyje, a ostatnio przestałam mu tego życzyć z całego serca.

Akkarin uniósł brwi, Takan zaś zaśmiał się głośno.

– Podoba mi się, panie – powiedział. – Dokonałeś dobrego wyboru, przyjmując ją pod opiekę.

Akkarin prychnął cicho i opuścił ręce.

– Wiesz doskonale, że nikogo nie wybierałem, Takanie. – Podszedł do stołu i obrzucił wzrokiem znajdujące się na nim przedmioty.

– A teraz, Soneo, chciałbym, żebyś przyjrzała się wszystkim żywym stworzeniom i roślinom na tym stole i zastanowiła się, jak można do nich zastosować to, czego cię właśnie nauczyłem. Potem dostaniesz jeszcze kilka książek do przeczytania.

ROZDZIAŁ 12

CENA STRASZLIWYCH TAJEMNIC

Wstając z łóżka, Rothen odsunął na bok okiennik i westchnął. Po jednej stronie nieba malowało się blade światło. Świt dopiero się zbliżał, a on już się obudził.

Spojrzał na niepozorną rezydencję Wielkiego Mistrza, stojącą na samym brzegu lasu. Sonea za chwilę wstanie i uda się do łaźni.

Przez ostatni tydzień uważnie ją obserwował. Mimo że już nie zobaczył jej w towarzystwie Akkarina, coś w jej sposobie bycia zdecydowanie się zmieniło.

Na przykład w jej kroku było więcej pewności siebie. W czasie południowej przerwy siadała zazwyczaj w ogrodzie, żeby się uczyć, co dawało mu okazję do obserwacji z okien Uniwersytetu. Przez ostatni tydzień łatwo się dekoncentrowała. Często zatrzymywała się w pół kroku i rozglądała po Gildii z wyrazem troski czy zmartwienia na twarzy. Czasem wpatrywała się ponuro w jakiś punkt w przestrzeni. W takich chwilach wyglądała tak dorośle, że ledwie ją poznawał.

Niemniej spojrzenia, jakie rzucała w stronę rezydencji Wielkiego Mistrza, napawały Rothena strachem. Miała wtedy na twarzy wyraz zamyślenia, ale jego niepokoiło to, czego brakowało w jej wzroku. Brakowało w nim niechęci lub strachu.

Wzdrygnął się. Jak ona może patrzeć na dom Akkarina, nie wykazując choćby minimum niepokoju? Przecież zawsze tak było. Co się stało?

Bębnił palcami po parapecie okna. Przez półtora roku stosował się do rozkazu Akkarina, żeby trzymać się z dala od Sonei. Rozmawiał z nią tylko kilka razy, kiedy ze względu na obecność innych osób byłoby dziwne, gdyby od siebie stronili.

Bardzo długo byłem posłuszny. On przecież nie zrobi jej krzywdy tylko dlatego, że ja spróbuję porozmawiać z nią na osobności.

Niebo już nieco pojaśniało, w ogrodach przybywało światła. Trzeba tylko zejść na dół i złapać ją po drodze do łaźni.

Odwrócił się od okna i założył szaty. Kiedy jednak podszedł do drzwi, zawahał się i zastanowił. *Kilka pytań*, pomyślał. *Tylko tyle. Zapewne nawet tego nie zauważy.*

Korytarz Domu Magów był pusty i cichy. Buty Rothena wystukiwały szybki rytm, kiedy biegł po schodach ku wyjściu. Wszedł na dziedziniec i zwrócił się w kierunku ogrodów.

Postanowił zaczekać na jednym z wydzielonych żywopłotem kwadratów w pobliżu głównej alejki, miejsce to było bowiem niewidoczne z okien rezydencji Wielkiego Mistrza. Większość terenu ogrodów dało się ogarnąć wzrokiem z najwyższego piętra Uniwersytetu, ale było za wcześnie, by jakiś mag się tam zapuścił.

Pół godziny później usłyszał zbliżające się lekkie kroki. Dostrzegł Soneę pomiędzy drzewami i westchnął z ulgą.

Była spóźniona, ale nie porzuciła swoich zwyczajów. Następnie poczuł, że serce mu przyspiesza. Co, jeśli odmówi rozmowy? Wstał i podszedł do bramki w żywopłocie w momencie, kiedy ją mijała.

– Soneo.

Podskoczyła, po czym odwróciła się w jego stronę.

– Rothen! – szepnęła. – Co tu robisz o tak wczesnej porze?

– Usiłuję cię złapać, to chyba oczywiste.

Niemal się uśmiechnęła, po czym w jej wzroku pojawiła się znajoma niepewność, gdy zerknęła w stronę Uniwersytetu.

– Dlaczego?

– Chciałbym wiedzieć, jak ci idzie.

Uniosła ramiona.

– Nieźle. To już tyle czasu. Przyzwyczaiłam się... a poza tym umiem go unikać.

– Teraz spędzasz z nim wszystkie wieczory.

Odwróciła wzrok.

– Owszem. – Zawahała się, po czym na jej ustach pojawił się blady uśmiech. – Miło wiedzieć, że masz na mnie oko, Rothenie.

– Nie w takim stopniu, jak bym chciał. – Wziął głęboki oddech. – Muszę cię o coś zapytać. Czy on... czy on zmusza cię do robienia czegokolwiek, na co nie masz ochoty, Soneo?

Zamrugała, po czym zmarszczyła czoło i spuściła wzrok.

– Nie. Jeśli nie liczyć, że zostałam jego podopieczną i muszę się dużo uczyć.

Zaczekał, aż podniosła oczy i napotkała jego spojrzenie. W układzie jej ust było coś, co znał. Minęło dużo czasu, ale on pamiętał jak...

...jak ona niemal uśmiecha się, kiedy wprawdzie nie kłamie, ale też nie mówi całej prawdy.

Szybko przeformułował swoje pytanie.

– Czy zażądał od ciebie czegoś, na co *ja* nie wyraziłbym zgody?

Kącik jej ust zadrżał ponownie.

– Nie, Rothenie. Nie zdarzyło się nic takiego.

Rothen pokiwał głową, aczkolwiek jej odpowiedzi nie uspokoiły go. Nie mógł jednak powtarzać w kółko tego samego pytania w zmienionej formie. *Może Ezrille ma rację,* pomyślał. *Może za bardzo się przejmuję.*

Sonea uśmiechnęła się żałośnie.

– Ja też czekam, kiedy stanie się coś niedobrego – powiedziała – ale z każdym dniem wiem więcej. Jeśli dojdzie do bitwy, nie będzie łatwo mnie pokonać. – Zerknęła w stronę rezydencji Wielkiego Mistrza. – Nie pozwólmy jednak, żeby ktokolwiek uznał, że należy wydać bitwę.

– Nie – zgodził się Rothen. – Uważaj na siebie, Soneo.

– Oczywiście. – Odwróciła się, żeby odejść, ale zawahała się i spojrzała przez ramię. – Ty też na siebie uważaj, Rothenie. I nie zamartwiaj się o mnie. W każdym razie nie *za* bardzo.

Zdołał przywołać uśmiech. Patrząc za nią, pokiwał głową i westchnął. Żądała niemożliwego.

Wychodząc na środek areny, Sonea zauważyła, że słońce jest już nisko. To był długi dzień, ale wkrótce zajęcia się skończą. Jeszcze ostatnia lekcja.

Zaczekała, aż nowicjusze wybrani przez Balkana, ustawią się na pozycjach. Wokół niej sformował się krąg dwunastu osób, stali niczym punkty na kompasie. Obróciła się dookoła, patrząc każdemu z nich prosto w oczy. Nie spuszczali z niej wzroku: ich liczba niewątpliwie sprawiała, że czuli się pewnie. Sonea bardzo chciała być równie pewna swej pozycji. Wszyscy jej przeciwnicy byli z czwartego i piątego roku, a większość z nich wybrała sztuki wojenne jako swoją dyscyplinę.

– Zaczynamy – zawołał Balkan.

Cała dwunastka zaatakowała jednocześnie. Sonea wytworzyła wokół siebie mocną tarczę i wysłała w ich kierunku deszcz uderzeń mocy. Nowicjusze połączyli swoje tarcze.

Ichani tak nie zrobią. Zmarszczyła brwi na wspomnienie lekcji Akkarina.

Ichani nie walczą dobrze w zespole. Od lat rywalizują między sobą i nie ufają sobie nawzajem. Niewielu z nich wie, jak przekazywać moc innym, jak tworzyć barierę z mocy kilku magów, jak walczyć wspólnymi siłami.

Miała nadzieję, że nigdy nie przyjdzie jej walczyć z Ichanimi. Będzie jedynie musiała stawiać czoła ich szpiegom, a i to tylko w wypadku, gdyby zginął Akkarin. Chyba że ostatni – ta kobieta – *jest* Ichanim. Ale z nią poradzi sobie Wielki Mistrz.

„Szpiedzy lękają się magów Gildii, niezależnie od tego, co mówi im Kariko. Kiedy zabijają, starają się nie przyciągać uwagi Gildii. Wzmacniają się powoli. Gdybyś miała do czynienia z którymś z nich, powinnaś dać sobie z nim radę szybko i cicho".

Nowicjusze zwiększyli siłę ataku, zmuszając Soneę do skupienia się z powrotem na walce. Oddała im. Każdy z osobna nie byłby dla niej przeciwnikiem. Razem może im się w końcu udać ją pokonać. Ona jednak musi jedynie uderzyć w wewnętrzną tarczę jednego z nich, żeby wygrać rundę.

Chodziło o coś więcej niż duma. Musi wygrać – i to szybko – żeby zachować moc.

Przez ostatni tydzień każdego wieczoru oddawała Akkarinowi większość swojej mocy. W mieście znów pojawiły się pogłoski o morderstwach, ponieważ każdego dnia znajdowano nowe ofiary. Trudno było powiedzieć, ile mocy zdołała dzięki nim odzyskać Sachakanka. Akkarin tymczasem miał do dyspozycji jedynie Soneę i Takana.

Nie wolno jej wyczerpać się w tej walce.

A to nie takie łatwe. Przeciwnicy byli najwyraźniej doskonale wyćwiczeni w tworzeniu wspólnej tarczy. Pamiętała pierwsze próby swojej grupy w tej taktyce. Dopóki nie opanowali odpowiednich reakcji na różne typy ataku, dopóki nie nauczyli się działać jak jedno ciało, nietrudno było o pomyłki.

Muszę więc zrobić coś niespodziewanego, żeby ich zmylić. Coś, czego jeszcze nigdy nie widzieli.

Jak to, co zrobiła wtedy, kiedy banda Regina zaatakowała ją w lesie. Tyle że za dnia nie będzie mogła porządnie oślepić tych nowicjuszy jasnym światłem. Może jednak zrobić coś innego, co sprawi, że nie będą wiedzieli, gdzie jest, po czym podkraść się do jednego z nich...

Stłumiła uśmiech. Jej tarcza *nie musi* być przezroczysta.

Potrzebowała minimalnego wysiłku woli, by otoczyła ją kula białego światła. Wadą tego pomysłu było to, że teraz również ona *ich* nie widziała.

A teraz zmyłka. Wytworzyła kilka podobnych tarcz jak ta, którą się osłaniała, i posłała je w rozmaitych kierunkach. Jednocześnie zaczęła się poruszać, ciągnąc za sobą jedną z nich.

Poczuła, że atak nowicjuszy słabnie i musiała zakryć dłonią usta, żeby się nie roześmiać na myśl o tym, jak musi wyglądać arena z kilkoma latającymi po niej wielkimi białymi bańkami. Nie mogła jednak uderzyć, ponieważ wtedy zdradziłaby, która tarcza ją ukrywa.

Kiedy tarcze zbliżyły się do jej przeciwników, poczuła, że napotykają opór bariery stworzonej przez nowicjuszy. Zatrzymała się i spowolniła ruch wszystkich tarcz z wyjątkiem jednej. Nowicjusze skierowali atak na tę, która się do nich zbliżała. Sonea opuściła jedną z pustych tarcz – kolejny element rozpraszający uwagę.

Przywróciła przezroczystość tej, za którą się znajdowała, i okazało się, że stoi w pobliżu trzech nowicjuszy. Zebrała moc i uderzyła w jednego z nich wściekłą serią uderzeń mocy. Podskoczył, a jego sąsiedzi obrócili się szybko ku niej. Reszta wciąż była jednak zbyt zajęta pozostałymi tarczami, by dostrzec, że towarzysze potrzebują pomocy.

Wspólna bariera zachwiała się i upadła pod atakiem Sonei.

– Stop!

Sonea odwróciła się do Balkana i zamrugała ze zdumienia na widok jego uśmiechu.

– Interesująca strategia, Soneo – powiedział. – Zapewne nie do zastosowania w prawdziwej walce, ale całkiem skuteczna na arenie. Wygrałaś rundę.

Ukłoniła się. Wiedziała, że na następnej lekcji z Balkanem jej taktyka zwielokrotnionej tarczy będzie już zupełnie bezużyteczna. Rozległ się gong, obwieszczając zakończenie lekcji. Do uszu Sonei dotarło kilka westchnień od strony nowicjuszy. Uśmiechnęła się, ale bardziej z powodu zakończenia rundy bez wyczerpania mocy niż ich wyraźnej ulgi.

– Koniec lekcji – oznajmił Balkan. – Możecie się rozejść.

Nowicjusze kłaniali się i opuszczali arenę. Sonea rozejrzała się dokoła i spostrzegła dwóch magów stojących przy wyjściu. Serce skoczyło jej do gardła, gdy rozpoznała Akkarina i Lorlena.

Ruszyła za pozostałymi nowicjuszami, którzy kłaniali się mijanym magom. Akkarin nie zwracał na nich uwagi, ale skinął na Soneę.

– Wielki Mistrzu. – Ukłoniła się. – Administratorze.

– Nieźle ci poszło, Soneo – powiedział Akkarin. – Oceniłaś ich moc, rozpoznałaś słabości, zastosowałaś oryginalną taktykę.

Zamrugała oczami ze zdziwienia, czując, że się rumieni.

– Dziękuję.

– Nie traktowałbym natomiast zbyt poważnie uwagi Balkana – dodał Wielki Mistrz. – W prawdziwej walce mag stosuje każdą strategię, która ma szanse zadziałać.

Lorlen rzucił Akkarinowi badawcze spojrzenie. Wyglądał tak, jakby rozpaczliwie pragnął zadać jakieś pytanie, ale nie miał śmiałości. *Może nawet dziesiątki pytań*, pomyślała Sonea. Ogarnęło ją współczucie dla Administratora, po czym przypomniała sobie o noszonym przez niego pierścieniu.

Klejnot pozwalał Akkarinowi odbierać wszystko to, co Lorlen widział, słyszał, myślał. Czy Lorlen zdaje sobie z tego sprawę? Jeśli tak, to musi się czuć kompletnie zdradzony przez przyjaciela. Wzdrygnęła się. Gdyby tylko Akkarin mógł wyjawić Lorlenowi prawdę...

Gdyby tak się stało, czy powiedziałby mu również, że ona z własnej woli nauczyła się czarnej magii? Na myśl o tym poczuła się nieswojo.

Akkarin ruszył w kierunku Uniwersytetu, Sonea i Lorlen podążyli więc za nim.

– Gildia straci zainteresowanie mordercą, gdy tylko ambasador Dannyl przywiezie tu dzikiego, Lorlenie – odezwał się Wielki Mistrz.

Sonea słyszała o buntownikach schwytanych przez Dannyla. Wieści o dzikim, którego miał przywieźć do Gildii rozeszły się między nowicjuszami szybciej niż katar.

– Być może – odparł Lorlen – ale nie zapomną o nim. Nikt nie zapomina o takiej jatce. Nie zdziwiłbym się, gdyby ktoś zażądał, żeby Gildia się z tym rozprawiła.

Akkarin westchnął.

– Tak jakby zdolności magiczne pozwalały nam łatwiej znajdować pojedyncze osoby w mieście zamieszkanym przez tysiące ludzi.

Lorlen otworzył usta, chcąc coś na to odpowiedzieć, po czym zerknął na Soneę i zmienił zdanie. Milczał, dopóki nie dotarli do schodów wiodących do gmachu Uniwersytetu, po czym w pośpiechu życzył im dobrej nocy i oddalił się. Akkarin ruszył w kierunku rezydencji.

– A zatem Złodzieje nie znaleźli jeszcze szpiega? – spytała cicho Sonea.

Akkarin potrząsnął głową.

– Czy to zawsze tyle trwa?

Spojrzał na nią, unosząc lekko brew.

– Nie możesz się doczekać walki, co?

– Nie mogę się doczekać...? – Pokręciła głową. – Nie. Wcale nie. Nie mogę tylko odgonić od siebie myśli, że im dłużej ona pozostaje na wolności, tym więcej ludzi zabije. – Urwała. – Moja rodzina mieszka po północnej stronie.

Wyraz jego twarzy złagodniał nieco.

– Wiem. Ale w slumsach są tysiące ludzi. Szansa, że ona dopadnie kogoś z twoich krewnych, jest niewielka, zwłaszcza jeśli nie będą się włóczyć po nocy.

– Nie włóczą się – westchnęła. – Ale martwię się o Cery'ego i moich dawnych przyjaciół.

– Jestem pewny, że twój mały złodziejaszek potrafi się o siebie zatroszczyć.

Potaknęła.

– Zapewne masz rację. – Kiedy mijali ogrody, pomyślała o porannym spotkaniu z Rothenem i poczuła ukłucie winy. Przecież tak naprawdę nie *okłamała* go. Akkarin nigdy nie *żądał* od niej nauki czarnej magii.

Czuła się jednak fatalnie na myśl o tym, co pomyślałby sobie Rothen, gdyby się dowiedział. Tyle dla niej zrobił, a czasami miała wrażenie, że tylko przysporzyła mu kłopotów. Może to i dobrze, że zostali rozdzieleni.

Poza tym – jakkolwiek niechętnie – musiała przyznać, że Akkarin zrobił więcej niż Rothen, by zapewnić jej najlepsze możliwe wykształcenie. Nigdy nie osiągnęłaby tyle w sztukach wojennych, gdyby jej nie zachęcał. A teraz okazuje się, że być może będzie musiała wykorzystać te umiejętności w walce ze szpiegami.

Kiedy dotarli do rezydencji i drzwi się przed nimi otworzyły, Akkarin zatrzymał się, unosząc wzrok ku górze.

– Takan czeka na nas. – Wszedł do środka i podszedł do szafki z winami. – Zatem pójdźmy do niego.

Wspinając się po schodach, myślała o tym, co powiedział jej na arenie. Czy słyszała w jego głosie nutkę dumy? Czy był z niej zadowolony jako z uczennicy? Na myśl o tym robiło jej się dziwnie przyjemnie. Może istotnie zasłużyła na tytuł podopiecznej Wielkiego Mistrza.

Ona. Dziewczyna ze slumsów.

Zwolniła kroku. Uświadomiła sobie, że Akkarin nigdy nie zdradził cienia wstrętu czy pogardy dla jej pochodzenia. Może i manipuluje ludźmi, jest przerażający i okrutny, ale nigdy nie dał jej do zrozumienia, że pochodzi z najnędzniejszej części miasta.

Jak on mógłby spoglądać na kogokolwiek z góry? – pomyślała nagle. – *Przecież on sam był kiedyś niewolnikiem!*

Okręt należał do floty króla Elyne, był więc większy od statków vindońskich, którymi Dannyl dotychczas podróżował. Ponieważ statek został zaprojektowany dla potrzeb ważnych osobistości, a nie do przewożenia towarów, znajdowały się w nim niewielkie, ale luksusowo urządzone kajuty.

Mimo że Dannylowi udało się przespać większość dnia, kiedy już wstał, umył się i ubrał, nie potrafił opanować ziewania. Służący przyniósł mu pieczeń z harrela oraz wyszukanie przyrządzone jarzyny. Kiedy zjadł, poczuł się lepiej, a filiżanka sumi rozbudziła go całkowicie.

Przez niewielki luk widział żagle innych statków zabarwione na pomarańczowo przez zachodzące słońce. Wyszedł z kajuty i przeszedł długim korytarzem do celi Faranda.

Tak naprawdę trudno ją było nazwać celą. Była to najmniejsza i najmniej wykwintnie urządzona kabina na statku, ale też nie brakowało w niej wygód. Dannyl zapukał do drzwi. Powitał go niski mag o okrągłej twarzy.

– Twoja wachta, Ambasadorze – powiedział Mistrz Barene, najwyraźniej czując ulgę, że jego warta dobiegła końca. Przyjrzał się Dannylowi, pokiwał głową, zamruczał coś pod nosem i wyszedł.

Farand leżał na łóżku. Podniósł wzrok na Dannyla i uśmiechnął się nieznacznie. Na niewielkim stoliku stały dwa talerze. Danyl zobaczył na nich ogryzione kostki harrela, domyślił się więc, że wszystkim podano taki sam posiłek.

– Jak się czujesz, Farandzie?

Młodzian ziewnął.

– Zmęczony.

Dannyl usiadł na jednym z wyściełanych krzeseł. Wiedział, że Farand nie sypia dobrze. *Ja też bym nie sypiał*, pomyślał, *gdybym myślał, że za tydzień mogę umrzeć.*

Nie sądził, żeby Gildia skazała młodzieńca na śmierć. Od ponad stu lat nie wykryto jednak dzikiego maga, Dannyl nie miał zatem pojęcia, jaka będzie decyzja. Najgorsze było to, że bardzo chciał pocieszyć Faranda, ale nie potrafił. Byłoby to okrucieństwem, gdyby się okazało, że się pomylił.

– Co robiłeś?

– Rozmawiałem z Barene. A raczej on mówił do mnie. O tobie.

– Naprawdę?

Farand westchnął.

– Royend rozpowiada dookoła o tobie i twoim kochanku. – Dannyl poczuł dreszcz. A więc zaczęło się. – Bardzo mi przykro – dodał Farand.

Dannyl zamrugał oczami ze zdziwienia.

– Niepotrzebnie, Farandzie. To była część gry mającej was zmylić. Sposób na przekonanie Royenda, żeby nam zaufał.

Farand zmarszczył brwi.

– Nie wierzę.

– Nie? – Dannyl zmusił się do uśmiechu. – Kiedy dotrzemy do Kyralii, sam Wielki Mistrz to potwierdzi. To on wymyślił, byśmy odegrali kochanków, dając w ten sposób buntownikom narzędzie szantażu.

– Ale to, co Barene opowiada, jest prawdą – powiedział cicho Farand. – Było to dla mnie oczywiste od chwili, kiedy was zobaczyłem razem. Nie przejmuj się. Nikomu nie powiedziałem, jakie mam na ten temat zdanie. – Ziewnął ponownie. – I nie powiem. Nie mogę jednak pozbyć się przekonania, że mylisz się co do Gildii.

– Niby jak?

– Powtarzasz mi, że Gildia jest zawsze sprawiedliwa i rozsądna. Jednak z tego, jak inni magowie reagują na plotki o tobie, wnoszę, że jest inaczej. I nieładnie ze strony twojego Wielkiego Mistrza, że kazał ci się przyznać do czegoś takiego, jeśli wiedział, jak odbiorą to inni magowie. – Zamknął powieki, po czym zamrugał znowu. – Jestem taki zmęczony. I nie czuję się dobrze.

– Odpocznij zatem.

Młodzieniec zamknął oczy. Jego oddech natychmiast się uspokoił, więc Dannyl uznał, że podopieczny zasnął. *Nie pogadamy sobie dzisiaj*, pomyślał. *To będzie długa noc.*

Wyjrzał przez luk na inne statki. A zatem Royend mści się. *Nieważne, że Farand w to wierzy*, powtarzał sobie. *Kiedy Akkarin potwierdzi, że to wszystko dla zmyłki, nikt nie da wiary Demowi.*

Ale może Farand ma rację? Czy Akkarin rzeczywiście postąpił nieładnie, wykorzystując w ten sposób Dannyla i Tayenda? Dannyl nie mógł już udawać, że nic nie wie o upodobaniach swego asystenta. Czy ludzie spodziewają się, że będzie go odtąd unikał? I co powiedzą, jeśli się tak nie stanie?

Westchnął. Nienawidził życia w tym strachu. Nienawidził udawania, że Tayend znaczy dla niego nie więcej niż przystoi przydatnemu asystentowi. Nie łudził się jednak, że może bezczelnie przyznać się do prawdy i zmienić nastawienie Kyralian. A już tęsknił za Tayendem, jakby zostawił w Elyne jakąś cząstkę samego siebie.

Pomyśl o czymś innym, napomniał sam siebie.

Jego myśli powędrowały do księgi, którą Tayend „pożyczył" od Dema; księgi, która spoczywała teraz między rzeczami Dannyla. Nie wspomniał o tym znalezisku nikomu, nawet Errendowi. Mimo że odkrycie księgi było tym, co przekonało go, że nadszedł czas, by aresztować buntowników, nie trzeba było ujawniać jej istnienia. Nie miał takiego zamiaru. Poprzez samo przeczytanie kilku jej ustępów Dannyl złamał prawo zabraniające nauki czarnej magii. Ale słowa wciąż powracały w jego myślach...

„Pomniejsze umiejętności służą do tworzenia «krwawych kamieni», czy też «krwawych klejnotów», które zwiększają zdolność ich twórcy do rozmawiania myślowego na odległość...".

Przyszedł mu na myśl ekscentryczny Dem, którego on i Tayend odwiedzili w górach przed ponad rokiem, podczas ich drugiej podróży w poszukiwaniu informacji o starożytnej magii. W imponującej kolekcji ksiąg i artefaktów, zgromadzonej przez Dema Ladeiri, znaleźli również pierścień z symbolem wyższej magii wyrytym w szkiełku będącym jego oczkiem. Pierścień, który zdaniem Dema umożliwiał noszącemu go porozumiewanie się z innymi magami tak, że rozmowy nie można było podsłuchać. Czyżby klejnot w tym pierścieniu był jednym z tych krwawych kamieni?

Dannyl wzdrygnął się. Czy miał w ręce artefakt czarnej magii? Sama myśl o tym przyprawiała go o dreszcze. Przecież nawet założył ten pierścień na palec.

„...a także kamieni, czy też klejnotów «magazynujących», w których można przechowywać w specjalny sposób magię, a następnie ją z nich uwalniać".

On i Tayend wybrali się w góry wznoszące się nad rezydencją Ladeiri, aby obejrzeć ruiny starożytnego miasta.

Odnaleźli tam ukryty korytarz prowadzący – wedle dokonanego przez Tayenda przekładu inskrypcji nad wejściem – do Groty Kary Ostatecznej. Dannyl wszedł w tunel i dotarł do ogromnej pieczary, której sklepienie pokrywały błyszczące kamienie. One zaatakowały go magicznymi pociskami i z trudem udało mu się stamtąd wymknąć.

Poczuł dreszcz na skórze. Czyżby sklepienie Groty Kary Ostatecznej było wykonane z takich właśnie kamieni magazynujących? Czy to właśnie miał na myśli Akkarin, kiedy powiedział, że z powodów politycznych lepiej będzie utrzymać istnienie Groty w tajemnicy? Było to przecież pomieszczenie pełne artefaktów czarnej magii.

Akkarin wspomniał też coś o tym, że grota traci moc. A zatem najwyraźniej wiedział, czym ona jest. Wiedza, jak rozpoznawać zakazaną magię i jak sobie z nią radzić, z pewnością należy do obowiązków Wielkiego Mistrza. Właśnie dlatego księga musi na razie pozostać w ukryciu. Dannyl przekaże ją Akkarinowi, kiedy dotrze do Imardinu.

Farand wydawał przez sen niespokojne dźwięki. Dannyl spojrzał na niego i spochmurniał. Młodzieniec był blady i wyglądał niezdrowo. Stres związany ze schwytaniem musiał go sporo kosztować. Dannyl przyglądał mu się uważnie. Usta Faranda były ciemne. Niemal niebieskie…

Skoczył ku niemu, chwycił go za ramię i potrząsnął nim. Młodzieniec otworzył oczy, ale nie był w stanie skupić wzroku.

Dannyl położył mu dłoń na czole, zamknął oczy i wysłał myślową sondę. Wstrzymał oddech, wyczuwając chaos panujący w ciele młodzieńca.

Ktoś go otruł.

Dannyl zaczerpnął mocy i wysłał uzdrowicielski strumień energii, ale nie potrafił zdecydować, od czego zacząć.

Najpierw więc zajął się najsilniej uszkodzonymi organami, ale szkody postępowały, ponieważ trucizna wciąż krążyła po organizmie.

To mnie przerasta, pomyślał z rozpaczą Dannyl. *Potrzebuję Uzdrowiciela.*

Pomyślał o pozostałych dwóch magach podróżujących okrętem. Żaden nie był Uzdrowicielem. Na dodatek obaj byli Elynami. Przypomniało mu się ostrzeżenie Dema Marane.

„Zdajesz sobie sprawę, że Król może chcieć go zabić, byleby Gildia nie dowiedziała się o tym wszystkim, co on wie?".

Barene był w kajucie, kiedy podano posiłek. Czy to on otruł Farenda? Lepiej go nie wzywać, na wszelki wypadek. Drugi z magów, Mistrz Hemend, jest bliskim doradcą Króla Elyne. Dannyl postanowił nie ufać również jemu.

Istniało tylko jedno wyjście. Zamknął oczy.

~ *Vinara!*

~ *Dannyl?*

~ *Potrzebuję twojej pomocy. Ktoś otruł dzikiego.*

Pozostali dwaj magowie usłyszą to wezwanie, ale na to Dannyl nie mógł nic poradzić. Założył magiczną blokadę na drzwi. Nie zatrzyma to maga na długo, ale zapobiegnie jego niespodziewanemu wtargnięciu lub pojawieniu się zwykłego człowieka.

Poczucie obecności Mistrzyni Vinary spotęgowało się; Dannyl wyczuwał w niej niepokój i pośpiech.

~ *Opisz objawy.*

Dannyl posłał jej obraz Faranda, którego skóra była teraz bardzo blada, a oddech utrudniony. Następnie posłał swój umysł na powrót w głąb ciała chłopaka i przekazał Vinarze to, co wyczuwał.

~ *Przede wszystkim pozbądź się trucizny, potem zajmiesz się obrażeniami.*

Słuchając jej wskazówek, Dannyl zabrał się do męczącego i skomplikowanego uzdrawiania. Najpierw zmusił Faranda do zwymiotowania. Następnie sięgnął po jeden z noży przyniesionych do posiłku, oczyścił go, naostrzył za pomocą magii i przeciął żyłę na ręce młodzieńca. Vinara tłumaczyła mu, jak podtrzymywać działanie narządów wewnętrznych, walczyć z trucizną i pobudzać ciało do produkcji większej ilości krwi, by zastępowała wypływający zanieczyszczony płyn.

Nie było to łatwe dla ciała Faranda. Magia uzdrowicielska nie może zastąpić pożywienia, które pomaga w odtwarzaniu krwi i tkanek. Rezerwy tłuszczu i tkanka mięśniowa zmniejszyły się. Kiedy Farand się obudzi – jeśli się obudzi – ledwie będzie mógł oddychać.

Kiedy Dannyl zrobił już wszystko, co było w jego mocy, otworzył oczy i zobaczył znów wokół siebie pokój. Dotarło też do niego, że ktoś dobija się do drzwi.

~ *Wiesz, kto to zrobił?* ~ spytała Vinara.

~ *Nie. Ale podejrzewam dlaczego. Mogę zbadać...*

~ *Zostaw badanie innym. Musisz zostać i pilnować pacjenta.*

~ *Nie ufam im.* ~ Stało się. Powiedział to.

~ *Jesteś odpowiedzialny za Faranda. Nie możesz jednocześnie go chronić i szukać truciciela. Miej się na baczności, Dannylu.*

Oczywiście miała rację. Dannyl wstał z łóżka, wyprostował ramiona i przygotował się do stawienia czoła temu, kto dobijał się do drzwi.

ROZDZIAŁ 13

MORDERCZYNI

Kiedy Sonea weszła do podziemnego pomieszczenia, natychmiast dostrzegła spoczywające na stole przedmioty. Na talerzu leżały kawałki potłuczonego szkła. Obok srebrny widelec, czarka i szmatka, a przy nich drewniane pudełko ze sztyletem Akkarina.

Od dwóch tygodni ćwiczyła się w czarnej magii. Stawała się coraz sprawniejsza i teraz już potrafiła pobierać szybko duże ilości mocy, albo też małe jej dawki przez drobniutkie ukłucie. Pobierała moc od zwierząt, roślin, nawet z wody. Ale dziś na stole leżały inne niż zwykle przedmioty, przystanęła więc, zastanawiając się, czego teraz będzie ją uczył Akkarin.

– Dobry wieczór, Soneo.

Podniosła wzrok. Akkarin pochylał się nad skrzynią. Stała otwarta, a w środku widać było stare księgi. Wielki Mistrz przeglądał jedną z nich. Ukłoniła się.

– Dobry wieczór, Wielki Mistrzu.

Zamknął tomiszcze, przeszedł przez pokój i położył je obok znajdujących się na stole przedmiotów.

– Skończyłaś czytać kroniki wojny sachakańskiej?

– Prawie. Zadziwiające, że Gildia potrafiła tyle zapomnieć z własnej historii.

– Nie zapomniała – poprawił ją. – Wymazała. Te księgi historyczne, których nie zniszczono, przepisano tak, żeby nie było w nich żadnych wzmianek na temat wyższej magii.

Sonea potrząsnęła głową. Kiedy zrozumiała, ile wysiłku włożyła Gildia w to, żeby wykreślić z pamięci wszelkie informacje o czarnej magii, przestała się dziwić, że Akkarin nie chce ryzykować opowiadania o swojej przeszłości. Nadal jednak nie potrafiła sobie wyobrazić Lorlena i starszyzny powtarzających ślepo wyuczone formułki na temat czarnej magii, gdyby znali prawdziwe przyczyny, dla których Akkarin się jej nauczył, albo gdyby uzmysłowili sobie zagrożenie ze strony Ichanich.

To mnie wyklną, pomyślała nagle, *ponieważ ja uczę się z własnej woli.*

– Dziś pokażę ci, jak się tworzy krwawe kamienie – oznajmił Akkarin.

Krwawe kamienie? Serce jej podskoczyło, gdy uświadomiła sobie, o czym mówi jej mentor. Miałaby wykonać taki sam kamień jak ten w zębie szpiega, czy też jak ten w pierścieniu Lorlena.

– Krwawy kamień pozwala magowi widzieć i słyszeć wszystko to, co widzi i słyszy człowiek go noszący... a także znać jego myśli – wyjaśnił jej Akkarin. – Jeśli osoba nosząca klejnot czegoś nie widzi, nie dojrzy tego również twórca kamienia. Klejnot skupia komunikację myślową na swoim twórcy, toteż nikt nie jest w stanie podsłuchać rozmów pomiędzy twórcą a tym, kto nosi kamień.

Są jednak pewne ograniczenia – ostrzegł. – Twórca jest nieustannie połączony z kamieniem. Część jego umysłu bez przerwy otrzymuje obrazy i myśli od tego, kto nosi kamień, a to bywa rozpraszające. Po jakimś czasie uczysz się to blokować.

Połączenie z twórcą nie może być przerwane, chyba że kamień zostanie rozbity. Jeśli zatem klejnot zagubi się, a ktoś inny go znajdzie, twórca będzie musiał się pogodzić z zamieszaniem, jakie w jego umyśle poczyni niepożądane połączenie. – Uśmiechnął się blado. – Takan opowiedział mi kiedyś o Ichanim, który wystawił niewolnika na pożarcie dzikim limkom i dał temu nieszczęśnikowi kamień, żeby móc to oglądać. Jedno ze zwierząt połknęło kamień, a Ichani przez kilka dni nie mógł skupić myśli z powodu limka. – Uśmiech Akkarina znikł, a wzrok zdawał się błądzić gdzieś daleko. – Ichani są mistrzami posługiwania się magią do okrutnych celów. Dakova wykonał kiedyś klejnot z krwi pewnego mężczyzny, po czym zmusił go do oglądania tortur, którym poddano jego brata. – Skrzywił się. – Na szczęście szklane krwawe kamienie łatwo zniszczyć. Temu bratu udało się zgnieść swój.

Potarł czoło.

– Ponieważ takie myślowe połączenie rozprasza uwagę, nie należy tworzyć zbyt wielu krwawych klejnotów. Ja mam w tej chwili trzy. Wiesz, kto je nosi?

Sonea potaknęła.

– Lorlen.

– Owszem.

– I... Takan? – Zmarszczyła brwi. – Ale on nie ma pierścienia.

– Nie, nie ma. Kamień Takana jest ukryty.

– A kto ma trzeci?

– Przyjaciel w przydatnym miejscu.

Wzruszyła ramionami.

– Nie sądzę, żeby udało mi się zgadnąć. Dlaczego Lorlen?

Akkarin uniósł brwi, słysząc to pytanie.

– Potrzebowałem mieć go na oku. Rothen nigdy nie zrobiłby niczego, co mogłoby ci zaszkodzić. Lorlen natomiast poświęciłby ciebie, aby chronić Gildię.

Poświęciłby mnie? Ależ oczywiście. Wzdrygnęła się. *Zapewne na jego miejscu zrobiłabym to samo.* Mając taką świadomość, żałowała jeszcze bardziej, że Akkarin nie może powiedzieć Lorlenowi prawdy.

– Okazało się to przydatne – dodał Akkarin. – Lorlen utrzymuje kontakty z kapitanem Gwardii, który bada sprawę morderstw. Mogłem więc oceniać moc poszczególnych szpiegów, opierając się na liczbie znalezionych ciał.

– Czy on wie, czym jest ten kamień?

– Wie, jak działa.

Biedny Lorlen, pomyślała. *Jest przekonany, że jego przyjaciel zszedł na drogę złej magii i wie, że Akkarin zna każdą jego myśl.* Zmarszczyła czoło. *Akkarinowi chyba też nie jest łatwo z myślą, że jego przyjaciel boi się go i nie pochwala jego czynów.*

Akkarin odwrócił się do stołu.

– Podejdź.

Stanęła po drugiej stronie stołu i patrzyła, jak Akkarin otwiera skrzyneczkę. Uniósł nóż i podał go jej.

– Kiedy pierwszy raz widziałem, jak Dakova wytwarza krwawy klejnot, pomyślałem, że w krwi musi być jakaś magia. Dopiero wiele lat później przekonałem się, że to nieprawda. Krew służy jedynie do odciśnięcia tożsamości twórcy w szkle.

– Nauczyłeś się z ksiąg, jak robić te klejnoty?

– Nie. Ich magii nauczyłem się, przede wszystkim, studiując starożytny artefakt, na który natknąłem się podczas pierwszego roku moich poszukiwań. Wtedy jeszcze nie wiedziałem, co to jest, ale później wypożyczyłem go na jakiś czas, żeby go dokładniej przestudiować. Mimo że twórca dawno nie żył, a klejnot oczywiście nie działał, pozostał w nim dostatecznie mocny ślad magii, żebym mógł się domyślić, na czym to polegało.

– Masz go nadal?

– Nie, zwróciłem właścicielowi. Niestety zmarł niedługo później i nie mam pojęcia, co się stało z jego kolekcją starożytnej biżuterii.

Potaknęła i przeniosła wzrok na leżące na stole przedmioty.

– Można posłużyć się dowolną żywą częścią naszych ciał – powiedział Akkarin. – Nawet włosami, ale to nie jest najlepszy pomysł, ponieważ większa ich część jest martwa. Istnieje sachakańska baśń, która mówi o tworzeniu kamieni z łez, ale obawiam się, że to tylko fantastyczna opowieść. Można wyciąć sobie kawałek ciała, ale to nie jest ani przyjemne, ani szczególnie wygodne. Krew jest najprostszym rozwiązaniem. – Postukał palcem w czarkę. – Potrzebujesz jedynie kilku kropli.

Sonea przeniosła wzrok z noża na miseczkę. Akkarin przyglądał się jej w milczeniu. Zerknęła na swoją lewą rękę. Gdzie powinna się zranić? Obróciła dłoń i jej wzrok padł na starą, ledwie widoczną bliznę na dłoni, w miejscu, gdzie jeszcze w dzieciństwie przecięła się o krawędź rynny. Uniosła nóż i dotknęła jego czubkiem dłoni. Ku swojemu zaskoczeniu nie poczuła bólu, kiedy ostrze przecięło jej skórę.

Następnie krew wypłynęła z rany i ostre pieczenie przywróciło jej zmysły. Pozwoliła krwi kapać do czarki.

– Ulecz się – podpowiedział Akkarin. – Zawsze natychmiast się lecz. Nawet częściowo zagojone rany stanowią wyrwę w twojej barierze.

Skupiła się na rance. Krew przestała płynąć, krawędzie skaleczenia powoli zasklepiły się. Akkarin podsunął jej szmatkę, żeby mogła wytrzeć resztkę krwi z dłoni.

Teraz podał jej kawałek szkła.

– Rzuć go w powietrze i stop. Łatwiej uzyskasz odpowiedni kształt, jeśli będzie przy tym wirował.

Sonea skupiła tym razem wolę na okruchu szkła i uniosła go w górę. Otoczyła go ciepłem i wprawiła w ruch. Rozbłysł i powoli skurczył się w kulkę.

– Nareszcie! – syknął Akkarin.

Zaskoczona, wypuściła szkiełko z ręki. Upadło na blat, wypalając w nim płytką dziurę.

– Oj.

Wielki Mistrz jednak najwyraźniej tego nie zauważył. Jego wzrok był skupiony gdzieś daleko poza pokojem. Wpatrywała się w niego, widząc, jak powoli skupia spojrzenie z powrotem na bezpośrednim otoczeniu. Uśmiechnął się ponuro i podniósł nóż.

– Takan właśnie otrzymał wiadomość. Złodzieje znaleźli szpiega.

Serce Sonei podskoczyło.

– Twoja lekcja musi zaczekać do naszego powrotu.

Podszedł do szafki i wyciągnął skórzany pas z pochwą na sztylet – ten sam, który widziała tamtej nocy, kiedy go podglądała. Szmatką wytarł ostrze noża i wsunął je do pochwy. Sonea zamrugała ze zdziwienia, kiedy następnie rozwiązał pas swojej szaty i zdjął wierzchnie ubranie. Pod nim miał czarną koszulę.

Zapiął pas, po czym podszedł do innej szafy i wyciągnął z niej długi, znoszony płaszcz dla siebie, drugi dla Sonei, oraz latarnię.

– Ukryj dobrze swoje szaty – powiedział, podając jej płaszcz, który z przodu zapinał się na mnóstwo niewielkich guziczków, po bokach zaś miał otwory na ręce.

Akkarin przyjrzał się jej uważnie i zmarszczył czoło.

– Gdybym mógł tego uniknąć, nie zabierałbym cię z sobą, ale skoro masz się nauczyć stawiać czoła tym szpiegom, muszę pokazać ci, jak sobie z nimi radzić. Masz postępować *dokładnie* według poleceń.

Potaknęła.

– Tak, Wielki Mistrzu.

Akkarin podszedł do ściany i otworzył ukryte drzwi do podziemnych korytarzy. Sonea weszła za nim w tunel. Zamigotała lampa.

– Nie możemy pozwolić, żeby ta kobieta cię zobaczyła – oznajmił jej, kiedy ruszyli korytarzem. – Pan Tavaki zapewne zdążył cię dostrzec przez klejnot, zanim go zniszczyłem. Jeśli którykolwiek z Ichanich znów ujrzy cię u mego boku, domyślą się, że cię szkolę. Będą usiłowali cię zabić, póki jesteś zbyt słaba i jeszcze mało wiesz, żeby móc się obronić.

Zamilkł, kiedy minęli pierwszą barierę i nie odezwał się więcej, dopóki nie przeszli przez labirynt korytarzy i nie dotarli do zablokowanego tunelu. Akkarin wskazał ręką rumowisko.

– Przyjrzyj się temu dobrze wewnętrznymi zmysłami i odtwórz schody.

Sonea rozprzestrzeniła swoje zmysły, poznając ułożenie kamieni. Z początku sprawiały na niej wrażenie rozrzuconej przypadkowo sterty, ale nagle zaczęła dostrzegać regularność. Była jak ogromna układanka, podobna do tych drewnianych klocków, które można było kupić na targu. Jeśli przestawiło się jeden z nich, kawałki układanki przemieszczały się, tworząc nowy kształt – albo się rozsypywały. Nabrała nieco mocy magicznej i zaczęła przestawiać kamienie. Korytarz wypełnił się dźwiękiem ocierających się o siebie głazów, a przed nią zaczęły się formować schody.

– Nieźle – mruknął Akkarin i ruszył do przodu, przeskakując po dwa stopnie.

Sonea pobiegła za nim. Na szczycie schodów zatrzymała się, obróciła i nakazała kamieniom rozsypać się do poprzedniego układu.

Światło latarni padło na znajome ceglane ściany Złodziejskiej Ścieżki. Akkarin ruszył przed siebie. Po kilkuset krokach dotarli do miejsca, gdzie poprzednim razem spotkali przewodnika. Tym razem na spotkanie wyszedł im mniejszy cień.

Sonei wydawało się, że chłopiec mógł mieć dwanaście lat. Miał jednak twardy, czujny wzrok – oczy dużo starszego człowieka. Obrzucił ich badawczym spojrzeniem, przyjrzał się dokładnie butom Akkarina i skinął głową. Bez słowa nakazał im, żeby poszli za nim, i ruszył korytarzem.

Mimo że droga raz po raz zakręcała, zmierzali w jednym określonym kierunku. Ich przewodnik zatrzymał się w końcu koło drabiny i wskazał na klapę na górze. Akkarin zamknął latarnię i tunel pogrążył się w ciemności. Sonea po dźwiękach domyśliła się, że postawił nogę na szczeblu i zaczął się wspinać. Do korytarza wpadło słabe światło, kiedy ostrożnie uniósł klapę i wyjrzał na zewnątrz. Skinął na nią, a kiedy weszła na drabinę, odsunął całkowicie klapę i wydostał się na zewnątrz.

Kiedy Sonea wysunęła głowę przez otwór, stwierdziła, że znajdują się w zaułku. Otaczające ich domy wykonano z najróżniejszych zrabowanych gdzie bądź materiałów. Niektóre z nich wyglądały, jakby miały się za chwilę rozlecieć. Wokół roztaczał się silny odór śmieci i ścieków. Sonea poczuła zapomnianą mieszaninę współczucia i ostrożności. Znaleźli się na obrzeżach slumsów, gdzie najbiedniejsi z bylców z trudem walczyli o życie. Było to smutne i niebezpieczne miejsce.

Z pobliskich drzwi wysunął się potężnie zbudowany mężczyzna i podszedł do nich. Sonea odetchnęła z ulgą, kiedy przekonała się, że to ten sam człowiek, który pilnował poprzedniego szpiega. Uśmiechnął się do niej, po czym zwrócił się do Akkarina.

– Właśnie wyszła – oznajmił. – Śledzimy ją od dwóch godzin. Tutejsi mówią, że spędziła tam dwie noce. – Wskazał na pobliskie drzwi.

– Skąd wiecie, że wróci dziś w nocy? – spytał Akkarin.

– Jak już wyszła, obejrzeliśmy to miejsce. Zostawiła tam rzeczy. Wróci.

– Teren poza tym jest pusty?

– Kręci się tu kilku żebraków i kurw, ale kazaliśmy im dziś w nocy zająć się sobą gdzie indziej.

Akkarin przytaknął.

– Zajrzymy do środka i przekonamy się, czy to dobre miejsce na zasadzkę. Pilnuj, żeby nikt nie wchodził.

Mężczyzna skinął głową.

– Ona zajęła ostatnie pomieszczenie po prawej.

Sonea podeszła za Akkarinem do drzwi, które skrzypnęły niechętnie, kiedy je uchylił. Zeszli po nierównych stopniach z ubitej ziemi podtrzymywanych przez drewniane, już nieco przegniłe belki, i znaleźli się w korytarzu.

Panowała tam ciemność, a klepisko było nierówne. Akkarin uchylił klapę latarni tyle tylko, by oświetlić im drogę. Pokoje nie miały drzwi, w niektórych otworach wisiały zasłony z szorstkiego, powyciąganego płótna. Ściany obito drewnem, ale deski gdzieniegdzie poodpadały, a znajdująca się między nimi glina osuwała się, tworząc wybrzuszenia.

Większość pomieszczeń była pusta. Ostatnie wejście po prawej stronie zasłonięte było workowatym kawałkiem materiału. Akkarin wpatrywał się uważnie w zasłonę, po czym odsunął ją i otworzył latarnię.

Pokój okazał się zaskakująco obszerny. Kilka drewnianych skrzyń i powyginana deska tworzyły stół. W jednej ze ścian utworzono półkę, a pod inną leżał cienki materac i kilka koców.

Akkarin zaczął obchodzić pokój, przyglądając się wszystkiemu dokładnie. Przerzucił posłanie i pokręcił głową.

– Morren mówił o dobytku. Chyba nie to miał na myśli.

Sonea powstrzymała uśmiech. Podeszła do najbliższej ze ścian i wsunęła palec między deski. Akkarin przyglądał się jej, jak obmacywała kolejne szczeliny. W pobliżu posłania wyczuła charakterystyczny luz.

Deski dały się bez trudu wyjąć. Znajdująca się za nimi tkanina była obłożona gliną, ale gdzieniegdzie przebijało płótno. Sonea ostrożnie uniosła brzeg. Z tyłu zobaczyła podtrzymywaną przez spróchniałe belki wnękę, dość dużą, by zmieściło się w niej dziecko. Pośrodku leżał niewielki tobołek.

Akkarin podszedł do niej i zaśmiał się.

– No, no, jednak *do czegoś* się przydałaś.

Sonea wzruszyła ramionami.

– Mieszkałam kiedyś w takim miejscu. Bylcy nazywają je dziurami.

Spojrzał na nią.

– Długo?

Przekonała się, że patrzy na nią, jakby ją oceniał.

– Przez jedną zimę. To było dawno, kiedy byłam całkiem mała. – Odwróciła się z powrotem do wnęki. – Pamiętam, że było tłoczno i zimno.

– Teraz mieszka tu tylko parę osób. Dlaczego?

– Czystka. Nie robi się jej, zanim nie spadnie pierwszy śnieg. To tu przychodzą ludzie, których Gildia wygania z miasta. Ci, których Domy uważają za niebezpiecznych złodziei, podczas gdy tak naprawdę są tylko brzydkimi kalekami i żebrakami, przez których miasto wygląda nieporządnie, podczas gdy Czystka nijak nie przeszkadza prawdziwym Złodziejom...

Z tyłu rozległo się ciche, odległe skrzypnięcie drzwi. Akkarin obrócił się szybkim ruchem.

– To ona.

– Skąd...

– Morren zatrzymałby każdego innego. – Zasunął klapkę latarni prawie całkowicie i rozejrzał się szybko po pokoju. – Nie ma innego wyjścia – mruknął. Uniósł worek zasłaniający wnękę. – Dasz radę się tam wcisnąć?

Nie traciła czasu na odpowiedź. Obróciła się, usiadła na krawędzi półki i wepchnęła się do środka. Kiedy podciągnęła nogi, Akkarin opuścił zasłonę i z powrotem założył deski.

Zapadła całkowita ciemność. Sonea słyszała w ciszy bicie swojego serca. A następnie zobaczyła przed sobą linie jasnych gwiazdek.

– Znowu ty – powiedział kobiecy głos z dziwacznym akcentem. – Zastanawiałam się, kiedy dasz mi wreszcie szansę, żebym cię zabiła.

Gwiazdy pojaśniały i Sonea wyczuła wibrację magii. Zrozumiała, że te gwiazdki to punkciki światła przedzierającego się przez pokrytą gliną zasłonę, wychyliła się więc do przodu, w nadziei, że zobaczy kawałek pokoju.

– Przygotowałeś się – zauważyła kobieta.

– Oczywiście – odparł Akkarin.

– Ja również – oznajmiła. – Twoje brudne miasto jest teraz nieco mniej ludne. A twoja Gildia też lada moment będzie słabsza o jednego człowieka.

W jednym miejscu, gdzie wyschnięta glina pokrywająca tkaninę była cienka, Sonea dostrzegała poruszające się postacie oświetlane rozbłyskami światła. Zaczęła drapać w zasłonę, żeby usunąć nieco więcej gliny.

– Co sobie pomyśli Gildia, kiedy znajdą jej przywódcę martwego? Czy domyślą się, kto go zabił? Obawiam się, że nie.

Sonea widziała teraz postać. Kobieta w koszuli nijakiego koloru i spodniach stała po jednej stronie pokoju. Nie dostrzegała natomiast Akkarina. Drapała dalej, odrywając kawałki gliny, żeby zyskać lepszą perspektywę. Jak ma się nauczyć czegokolwiek o pokonywaniu tych szpiegów, jeśli nie zobaczy walki?

– Nie będą mieli pojęcia, kto na nich poluje – kontynuowała Sachakanka. – Zastanawiałam się nad wejściem i pokonaniem ich za jednym zamachem, ale teraz myślę sobie, że znacznie ciekawiej będzie wabić ich po kolei i pozabijać jednego po drugim.

– Też doradzałbym to drugie – odparł Akkarin. – W przeciwnym razie masz małe szanse.

Kobieta roześmiała się.

– Doprawdy? – spytała drwiąco. – Myślę, że Kariko ma rację. Twoja Gildia nie ma pojęcia o wyższej magii. Są słabi i głupi... tak głupi, że musisz ukrywać przed nimi swoją wiedzę, żeby cię nie zabili.

Pokój rozbłysł światłem, kiedy od tarczy kobiety odbiły się uderzenia. Odpowiedziała podobnym atakiem. W górze rozległo się trzeszczenie. Sonea widziała, że kobieta podnosi wzrok, po czym odsuwa się w bok, w kierunku wnęki.

– To, że nie nadużywamy naszej wiedzy magicznej, nie znaczy, że jesteśmy całkowitymi ignorantami – odrzekł spokojnie Akkarin. Pojawił się w polu widzenia Sonei, utrzymując pozycję naprzeciwko kobiety.

– Ależ widziałam prawdę w umysłach twoich ludzi – odparowała. – Wiem, dlaczego polujesz na mnie samotnie: żeby nikt nie widział, jak walczymy. Niech więc zobaczą.

Pokój wypełnił nagle ogłuszający trzask pękającego drewna. Z sufitu posypał się deszcz drzazg i kawałków gliny, wypełniając powietrze kurzem. Kobieta roześmiała się, znów podchodząc bliżej wnęki, w której schroniła się Sonea.

Zatrzymała się, gdy kolejny oderwany kawałek sufitu zablokował jej drogę. Sachakanką niespodziewanie rzuciło na przeciwną ścianę. Sonea poczuła siłę uderzenia mocy Akkarina przez podłogę niszy. Na plecy spadły jej kawałki gruzu.

Kobieta oderwała się od ściany, warknęła coś pod nosem, po czym ruszyła w kierunku rumowiska... i przeszła przez nie. Sonea zamrugała, uświadamiając sobie, że miała do czynienia z iluzją, po czym poczuła, że serce w niej zamiera: kobieta zmierzała prosto w jej kierunku.

Akkarin zaatakował, zmuszając ją do zwolnienia kroku. Kiedy Sachakanka zatrzymała się przed swoją skrytką, Sonea została wystawiona na atak Akkarina. Zaskoczona, szybko wzniosła wokół siebie mocną tarczę.

Pokój drżał w posadach, kiedy dwoje magów obrzucało się wzajemnie pociskami. Na plecy Sonei leciały kawałki gliny. Sięgnęła ręką w górę i wyczuła chwiejące się i rozpadające belki podtrzymujące sufit niszy. Zaniepokoiło ją to, więc rozszerzyła tarczę, żeby je podeprzeć.

Śmiech przyciągnął jej uwagę z powrotem do tego, co działo się w pokoju. Wyjrzała przez otwór w worku i zobaczyła, że Akkarin wycofuje się. Jego uderzenia zdawały się słabnąć. Zrobił krok w kierunku drzwi.

Traci moc, pomyślała nagle. Poczuła ucisk w żołądku, kiedy zobaczyła, że Wielki Mistrz ostrożnie wycofuje się ku wyjściu.

– Tym razem mi się nie wymkniesz – syknęła kobieta.

W drzwiach pojawiła się bariera. Oblicze Akkarina spochmurniało. Kobieta jakby wyprostowała się i urosła. Zamiast zbliżyć się do niego, cofnęła się nieco i odwróciła w kierunku Sonei.

Patrząc na Akkarina, Sonea dostrzegła niepokój i niezadowolenie na jego twarzy. Kobieta wyciągnęła rękę w kierunku skrytki, ale zatrzymała się, gdy dosięgło jej szczególnie mocne uderzenie.

Udawał, pomyślała Sonea. *Usiłował ją odciągnąć ode mnie.* Ale ona zamiast iść za nim, podeszła do wnęki. *Dlaczego? Czyżby wiedziała, że tu jestem? A może chodzi o coś innego?*

Macając wokół siebie, Sonea znalazła zawiniątko. Nawet w ciemności mogła ocenić, że materiał jest doskonałej jakości.

Przywołała maleńką, słabą kulę świetlną. Odwinęła tobołek i przekonała się, że był zrobiony z kobiecego szala. Kiedy podniosła tkaninę, spomiędzy jej fałdów wypadł niewielki przedmiot. Srebrny pierścień.

Podniosła go. Był to męski sygnet, podobny do tych, które nosili przywódcy Domów dla podkreślenia swojej pozycji. Na płaskim prostokącie po jednej stronie wyryto inkal Domu Saril.

W tej samej chwili wnęka eksplodowała, z trzaskiem wyrzucając ogromne ilości gruzu.

Sonea poczuła, że coś odrzuca ją do tyłu. Zwinęła się w kulkę, myśląc tylko o tym, żeby utrzymać wokół siebie tarczę. Nacisk na nią wzrósł, po czym ustalił się.

A później zapadła cisza. Sonea otworzyła oczy i przywołała kolejne maleńkie światełko. Wokół niej był gruz. Tarcza trzymała go na odległość, otaczając Soneę rodzajem bańki. Rozprostowała się nieco, przykucnęła i zastanowiła się nad swoją sytuacją.

Została zasypana. Mimo że była w stanie przez jakiś czas utrzymywać tarczę, powietrza wewnątrz niej nie mogło wystarczyć na długo. Nie będzie bardzo trudno przepchnąć się przez rumowisko. Ale jeśli to zrobi, przestanie być w ukryciu.

W takim razie zostanę tu najdłużej jak się da, postanowiła. *Nie zobaczę reszty walki, ale nic na to nie poradzę.*

Potrząsnęła głową, rozmyślając o tym, czego była świadkiem. Walka wcale nie toczyła się zgodnie z przewidywaniami Akkarina. Kobieta okazała się potężniejsza niż zwykli szpiedzy. Jej sposób bycia nie przypominał zachowania niewolnika, a gdy mówiła o Ichanich, używała formy „my", a nie „moi panowie", jak Tavaka. Poza tym była szkolona do walki. Poprzedni szpiedzy wysyłani do Kyralii nie mieli czasu, by nabyć umiejętności w tej dziedzinie.

Jeśli ta kobieta nie jest niewolnicą, to może być tylko jednym.

Ichanim.

Sonea poczuła, że jej żołądek zaciska się na samą myśl o tym. Akkarin walczy z Ichani. Skoncentrowała się i wyczuła gdzieś w pobliżu magiczne wibracje. Walka nadal się toczyła.

Nacisk na jej tarczę osłabł. Spojrzała w górę i zobaczyła nad sobą niewielki otwór w miejscu, gdzie gruz osuwał się z jej tarczy. Dziura powiększała się w miarę obsuwania się rumowiska.

Przed sobą miała znów pokój. Wyprostowała się i zamarła z przerażenia. Sachakanka znajdowała się zaledwie kilka kroków od niej.

Przerażona, zmniejszyła objętość swojej tarczy, ale to tylko przyspieszyło osypywanie się gruzu. Ujrzała przed sobą Akkarina. Rzucił jej pojedyncze spojrzenie, ale wyraz jego twarzy nie zmienił się. Wielki Mistrz zaczął posuwać się do przodu.

Sonea kuliła się we wnętrzu swojej tarczy, bezradnie obserwując wycofującą się Sachakankę i opadający gruz. Nie śmiała się poruszyć, żeby kobieta nie usłyszała czegoś i nie odwróciła się. Sachakanka zrobiła krok, cofając się przed nacierającym Akkarinem. Widać było jej pełne skupienia napięcie.

Sonea poczuła, że o jej tarczę ociera się magia Akkarina, który usiłował otoczyć kobietę barierą i pociągnąć ku sobie. Ona jednak wyrwała się z jego uścisku i wykonała kolejny krok do tyłu. Kiedy jej tarcza przybliżyła się, Sonea skurczyła znów swoją, żeby uniknąć zetknięcia się z nią. Bariera

Sachakanki pobłyskiwała teraz na wyciągnięcie dłoni. Jeszcze krok i Sonea zostanie odkryta.

Pod warunkiem, że mnie wykryje, pomyślała. *Jeśli zrzucę ochronę, jej tarcza może się po mnie prześlizgnąć, a ona nic nie zauważy.*

Tarcza kobiety miała kulisty kształt – najłatwiejszy do utrzymywania. Ponadto kula chroniła także stopy maga, zagłębiając się nieznacznie pod ziemię, ale tarcza, która byłaby wystarczająca do powstrzymania podziemnego ataku, nie mogłaby się przemieszczać. Wszyscy nowicjusze uczyli się osłabiać tę część tarczy, która napotykała przeszkody lub powierzchnię, po której się poruszali, a następnie wzmacniać ją, kiedy tylko znów staną w miejscu.

Jeśli ta kobieta ma podobne zwyczaje, być może pozwoli tarczy przemknąć się po Sonei – uznając ją za zwykłą przeszkodę – kiedy znów zacznie się cofać.

I tak mnie zauważy. Wyczuje moją obecność.

Sonea wstrzymała oddech. *A ja znajdę się wewnątrz jej tarczy! Przez chwilę, zanim zorientuje się, co się stało, będzie bezbronna. Potrzebuję tylko czegoś, żeby...*

Spojrzała na ziemię. W pobliżu leżała na pół zagrzebana w gruzie długa drzazga z belki podtrzymującej strop wnęki. Na samą myśl, co zamierzała zrobić, serce Sonei zaczęło bić szybciej. Wzięła głęboki oddech i zaczekała, aż kobieta wykona kolejny krok w tył. Nie musiała czekać długo.

Kiedy poczuła, że przechodzi nad nią bariera, chwyciła drewienko, podniosła się i uderzyła kobietę w kark. Sachakanka zaczęła się odwracać, ale Sonea to przewidziała. Szybko położyła drugą dłoń na ranie i skupiła całą wolę na czerpaniu energii najszybciej, jak potrafiła.

Kobieta otworzyła szeroko oczy, kiedy z przerażeniem uświadomiła sobie, co się dzieje. Jej tarcza znikła, a kolana się pod nią ugięły. Sonea omal jej nie puściła, chwyciła więc przeciwniczkę drugą ręką w talii. Sachakanka była jednak zbyt ciężka, toteż Sonea musiała opuścić jej ciało na ziemię.

Czuła zalewającą ją falę mocy, która chwilę później niespodziewanie ustała. Sonea cofnęła rękę i ciało kobiety upadło na plecy. Puste oczy Sachakanki wpatrywały się w przestrzeń.

Nie żyje. Sonea poczuła wielką ulgę. *Podziałało*, pomyślała. *Naprawdę podziałało.*

Po chwili spojrzała na swoją dłoń. We wpadającym przez roztrzaskany strop świetle księżyca krew pokrywająca jej palce była czarna. Poczuła dreszcz przerażenia. Zachwiała się na nogach.

Właśnie zabiłam człowieka czarną magią.

Poczuła mdłości i oparła się o ścianę. Wiedziała, że oddycha za szybko, ale nie potrafiła nic na to poradzić. Jakieś ręce podtrzymały ją, zapobiegając upadkowi.

– Soneo – usłyszała głos – weź głęboki oddech. Zatrzymaj powietrze. I wypuść.

Akkarin. Spróbowała zrobić tak, jak kazał. Potrzebowała kilku prób. Wyciągnął skądś chustkę i wytarł jej dłoń.

– Nieprzyjemne, co? – Pokręciła głową. – I dobrze.

Potrząsała dalej głową. W jej umyśle krążyły sprzeczne myśli.

Ona by mnie zabiła, gdybym nie zrobiła tego pierwsza. Zabiłaby innych. Dlaczego tak fatalnie się z tym czuję?

Może dlatego, że to trochę upodabnia mnie do nich.

Co jeśli nie będzie szpiegów do zabijania, co jeśli Takan nie wystarczy i będę musiała poszukać innych sposobów, żeby się wzmocnić do walki z Ichanimi? Czy zacznę krążyć po ulicach, zabijać przypadkowych rzezimieszków czy rabusiów?

Czy posłużę się argumentem o obronie Kyralii, żeby usprawiedliwić zabijanie niewinnych?

Pokręciła głową, usiłując strząsnąć ten oszałamiający nawał uczuć. Nigdy dotąd nie miała tylu wątpliwości.

– Spójrz na mnie, Soneo.

Obróciła się. Niechętnie popatrzyła mu prosto w oczy. Wyciągnął rękę i poczuła, że delikatnie wyjmuje coś z jej włosów. Na ziemię upadł kawałek tkaniny.

– To niełatwa decyzja, ale ty ją podjęłaś – powiedział. – Nauczysz się bardziej ufać samej sobie. – Podniósł wzrok.

Spojrzała również w górę i ujrzała w wyrwie w suficie księżyc w pełni.

Oko, pomyślała. *Otwarte. Albo pozwoliło mi to uczynić, ponieważ nie było to złe, albo też pogrążę się w obłędzie.*

Nie wierzę przecież w głupie zabobony, upomniała samą siebie.

– Musimy się stąd zbierać – odezwał się Akkarin. – Złodzieje zajmą się ciałem.

Potaknęła. Kiedy Akkarin się podniósł, przejechała ręką po włosach, żeby je wygładzić. Skóra zaswędziała ją lekko w miejscu, gdzie jej dotknął. Wyszła za nim z pokoju, starając się nie patrzeć na martwe ciało kobiety.

ROZDZIAŁ 14

ŚWIADEK

Coś naciskało delikatnie na plecy Cery'ego. Coś ciepłego. Dłoń.

Uświadomił sobie, że to dłoń Savary.

Jej dotyk sprowadził go z powrotem na ziemię. Uświadomił sobie, że od dłuższej chwili był jakby pogrążony w półśnie. W chwili gdy Sonea zabiła Sachakankę, świat przewrócił się do góry nogami i zawirował wokół niego. Od tego momentu nie istniało nic, tylko myśl o tym, co zrobiła.

A tak naprawdę to prawie nic. Savara coś powiedziała. Zmarszczył brwi. Coś o tym, że Akkarin ma uczennicę. Odwrócił się i spojrzał na stojącą u jego boku kobietę.

Uśmiechała się krzywo.

– Nie zamierzasz mi podziękować?

Spuścił wzrok. Siedzieli na nietkniętym kawałku dachu. Szczyt dziury wydawał się niezłym miejscem do obserwowania walki. Dach wykonano z kawałków drewna i okruchów połamanych kafli, co pozostawiało mnóstwo otworów. Dopóki siedzieli tak, by obciążać głównie belki, byli bezpieczni.

Niestety ani Cery'emu, ani Savarze nie przyszło na myśl, że walczący rozwalą ich wygodną grzędę.

Kiedy dach się zawalił, coś powstrzymało Cery'ego od upadku. Zanim pojął, jak to możliwe, że oboje z Savarą unoszą się w powietrzu, przenieśli się na nienaruszony kawałek, znikając z oczu walczącym.

Nagle wszystkie informacje o Savarze nabrały sensu: skąd wiedziała, kiedy w mieście pojawia się nowy morderca, skąd wie tyle o ludziach, z którymi walczy Wielki Mistrz, skąd ta pewność, że sama dałaby radę zabić szpiega.

– Kiedy zamierzałaś mi powiedzieć? – spytał.

Wzruszyła ramionami.

– Kiedy byś mi zaufał. Gdybym powiedziała ci od razu, mogłabym skończyć jak ta tam. – Spojrzała w dół na ciało, które Gol i jego pomagierzy odciągali właśnie na bok.

– Mimo wszystko mogłaś – powiedział. – Zaczyna być trudno rozróżnić was, Sachakan.

Jej oczy zapłonęły gniewem, ale gdy odpowiedziała, w jej głosie był spokój.

– Nie wszyscy magowie w moim kraju są jak Ichani, Złodzieju. W naszym społeczeństwie jest wiele grup... frakcji... – Potrząsnęła niecierpliwie głową. – Nie macie na to odpowiedniego słowa. Ichani to wyrzutki, zesłani za karę na pustkowie. To najgorsi łajdacy w moim kraju. Nie oceniaj nas wszystkich ich miarą.

Moi ludzie boją się, że pewnego dnia Ichani mogą się zjednoczyć, ale nie mamy dostatecznie silnego wpływu na Króla i nie możemy przekonać go, żeby porzucił tradycyjne karanie zsyłką na pustkowie. Przez wieleset lat obserwowaliśmy ich i zabijaliśmy tych, którzy mieli największe szanse zebrać wokół siebie pozostałych. Usiłowaliśmy zapobiec temu, co się teraz tutaj dzieje, ale musimy działać ostrożnie i z ukrycia, w Sachace jest bowiem wielu takich, którzy tylko czekają na powód, żeby nas zaatakować.

– *Co* się właściwie tutaj dzieje?

Zawahała się.

– Nie jestem pewna, ile mogę ci powiedzieć. – Ku rozbawieniu Cery'ego zagryzła wargę niczym dziecko odpytywane przez rodziców. Słysząc jego chichot, podniosła na niego wzrok. – O co chodzi?

– Nie wyglądasz na kogoś, kto pyta innych o zgodę.

Wytrzymała jego spojrzenie, po czym opuściła oczy. Cery spojrzał w tym samym kierunku i zobaczył, że po ciele i Golu nie zostało śladu.

– Nie spodziewałeś się jej tutaj, prawda? – spytała cicho. – Czy jest to dla ciebie problemem, że twoja utracona ukochana zabija innych ludzi?

Wbił w nią wzrok, czując się nagle niezręcznie.

– Skąd o tym wiesz?

Uśmiechnęła się.

– Masz to wypisane na twarzy, kiedy ją widzisz lub o niej rozmawiasz.

Spojrzał w głąb pokoju. Przed oczami przemknął mu widok Sonei rzucającej się na tę kobietę. Na jej twarzy malowało się zdecydowanie. Naprawdę przeszła długą drogę od tej niepewnej siebie dziewczyny, którą tak martwiły jej magiczne zdolności.

Następnie przypomniał sobie, jak zmienił się jej wyraz twarzy, kiedy Akkarin wyjął coś z jej włosów.

– To tylko młodzieńcze zakochanie – oznajmił Savarze. – Od dawna wiem, że ona nie jest dla mnie.

– Wcale nie – odpowiedziała, a dach zatrzeszczał, kiedy zmieniła pozycję. – Dowiedziałeś się tego dopiero dzisiaj.

Obrócił się ku niej.

– Jak możesz...

Ku jego zdumieniu zbliżyła się do niego. Kiedy spojrzał jej prosto w oczy, położyła mu rękę na karku, nachyliła się i pocałowała go.

Miała ciepłe i twarde wargi. Poczuł zalewającą go falę gorąca. Wysunął rękę, żeby ją przyciągnąć do siebie, ale belka, na której siedział, obsunęła się nieco i stracił równowagę. Ich usta rozstały się, kiedy Cery przechylił się do tyłu.

Coś go zatrzymało. Rozpoznał dotknięcie magii. Savara uśmiechnęła się łobuzersko, wychyliła się do przodu i złapała go za koszulę. Położyła drugą rękę na dachu i pociągnęła Cery'ego, tak że przewrócił się na nią. Belki zatrzeszczały niepokojąco, kiedy przetaczali się w bezpieczniejszą okolicę. Gdy się zatrzymali, Savara leżała na nim. Uśmiechała się – tym zapierającym dech zmysłowym uśmiechem, który za każdym razem sprawiał, że Cery'emu przyspieszał puls.

– Hmmm – powiedział. – Całkiem miło.

Roześmiała się cicho i nachyliła, żeby go pocałować. Wahał się jedynie przez chwilę, gdyż jakaś myśl niczym ostrzegawcze przeczucie pojawiła się na obrzeżu jego umysłu.

Od momentu kiedy Sonea odkryła swoją moc, należała już do innego świata. Savara też posiada talent magiczny. I już należy do innego świata...

Ale w tej jednej chwili mało go to obchodziło.

Lorlen zmarszczył czoło i zamrugał oczami. W sypialni było dość ciemno. Księżyc w pełni jednak przenikał swym blaskiem przez okienniki, podkreślając kształty symboli Gildii wymalowanych na papierze.

Nagle uświadomił sobie, co go obudziło. Ktoś dobijał się do drzwi.

Która może być godzina? Usiadł i przetarł oczy, na darmo starając się odpędzić senność. Pukanie nie ustawało. Westchnął, wstał i chwiejnym krokiem wyszedł z sypialni do głównego wejścia do apartamentu.

Za drzwiami stał Mistrz Osen. Potargany i z błędnym wzrokiem.

– Administratorze – szepnął. – Mistrz Jolen wraz z całą rodziną zostali zamordowani.

Lorlen wpatrywał się w swojego asystenta. Mistrz Jolen. Uzdrowiciel. Młody człowiek, niedawno się ożenił. *Zamordowany?*

– Mistrz Balkan zwołał już starszyznę – ponaglił Osen. – Macie się spotkać w sali dziennej. Czy mam tam wrócić, zanim się ubierzesz, i powiedzieć im, że za chwilę przyjdziesz?

Lorlen spojrzał na swoją koszulę nocną.

– Oczywiście.

Osen skinął głową i oddalił się pospiesznie. Lorlen zamknął drzwi i wrócił do sypialni. Wyciągnął z szafy błękitną szatę i zaczął się ubierać.

Jolen nie żyje. Jego rodzina też. Według Osena zostali zamordowani. Lorlen spochmurniał, ponieważ w jego umyśle kotłowały się pytania. *Jak* to możliwe? Maga niełatwo zabić. Morderca albo posiadał sporą wiedzę i spryt, albo sam był magiem. *Albo, co gorsza*, pomyślał, *czarnym magiem.*

Spojrzał na swój pierścień, ponieważ w jego umyśle pojawiły się straszliwe przypuszczenia.

Nie, powiedział sobie. *Zaczekaj, aż dowiesz się czegoś więcej.*

Przepasał szatę i wybiegł z pokoju. Kiedy znalazł się poza Domem Magów, skierował kroki ku budowli zwanej Siedmiołukiem. Po lewej jego stronie znajdowała się sala wieczorna, gdzie co tydzień zbierali się magowie na pogaduszki. Pośrodku mieściła się sala bankietowa, po prawej zaś dzienna, w której podejmowano ważnych gości.

Kiedy Lorlen wszedł do środka, zamrugał oślepiony jasnym światłem. Sala nocna miała ściany pomalowane na granatowo i srebrno, dzienna zaś na biało i złoto. Teraz rozświetlało ją kilka kul świetlnych. Efekt był bolesny dla oczu.

Na środku sali stało siedmiu mężczyzn. Mistrz Balkan i Mistrz Sarrin skinęli Lorlenowi głowami. Rektor Jerrik rozmawiał z dziekanami Peakinem i Telano. Mistrz Osen stał obok jedynego człowieka, który nie miał na sobie szaty.

Na widok kapitana Barrana Lorlen poczuł, że serce w nim zamiera. Zginął mag, a tutaj pojawił się gwardzista prowadzący śledztwo w sprawie tajemniczych morderstw. Być może sytuacja jest tak zła, jak się obawiał.

Balkan podszedł, żeby się z nim przywitać.

– Administratorze.

– Mistrzu Balkanie – odparł Lorlen. – Podejrzewam, że wolelibyście, żebym powstrzymał się od pytań, dopóki nie dotrą tu Mistrzyni Vinara, Administrator Kito i Wielki Mistrz.

Balkan zawahał się.

– Owszem. Ale nie wezwaliśmy Wielkiego Mistrza. Za chwilę wyłożę dlaczego.

Lorlen zdołał przybrać wyraz zaskoczenia.

– Nie wezwaliście Akkarina?

– Jeszcze nie.

Wszyscy odwrócili się, słysząc otwierające się drzwi. Pojawił się w nich vindoński mag. Funkcja, jaką pełnił Kito – Administrator Zagraniczny – trzymała go przez większość czasu poza Gildią i granicami Kyralii. Kilka dni wcześniej powrócił jednak z Vinu, żeby zająć się dzikim magiem, którego Dannyl miał przywieźć na proces.

Lorlenowi zabrzmiała w uszach przepowiednia Akkarina: „Gildia straci zainteresowanie mordercą, gdy tylko ambasador Dannyl przywiezie tu dzikiego, Lorlenie".

Jeśli jest tak źle, jak przypuszczam, pomyślał Lorlen, *to bardzo się pomyliłeś.*

Balkan oddalił się, by przywitać Administratora Kito, a tymczasem do Lorlena podszedł kapitan Barran. Młody gwardzista uśmiechnął się posępnie.

– Witaj, Administratorze. Po raz pierwszy to Gildia zawiadomiła mnie o morderstwie, a nie na odwrót.

– Doprawdy? – zdziwił się Lorlen. – A kto cię poinformował?

– Mistrz Balkan. Wygląda na to, że Mistrz Jolen zdołał się z nim porozumieć, zanim zginął.

Lorlen poczuł, że zamiera mu serce. Czy zatem Balkan wie, kim jest morderca? Kiedy odwrócił się, by spojrzeć na Wojownika, drzwi sali dziennej otworzyły się ponownie i do środka weszła Mistrzyni Vinara.

Rozejrzała się po zebranych, notując w pamięci wszystkich obecnych, po czym pokiwała głową.

– Wszyscy są. Doskonale. Myślę, że równie dobrze możemy usiąść. Musimy omówić poważne i szokujące sprawy.

Stojące pod ścianami krzesła przepłynęły na środek. Na twarzy kapitana Barrana malowała się fascynacja pomieszana z lękiem, kiedy patrzył na ustawiające się w okrąg meble. Kiedy już wszyscy zasiedli, Vinara zwróciła się do Balkana:

– Sądzę, że Mistrz Balkan powinien rozpocząć – powiedziała – jako że pierwszy dowiedział się o zabójstwie.

Balkan skinął głową na znak zgody i rozejrzał się po zebranych.

– Dwie godziny temu moją uwagę przyciągnęło mentalne wezwanie od Mistrza Jolena. Było bardzo słabe, ale usłyszałem swoje imię i wyczułem strach. Jednak kiedy się skoncentrowałem, wszystkim, co udało mi się usłyszeć, była osoba wołającego i poczucie, że ktoś inny robi mu krzywdę, i to używając magii, a następnie komunikacja urwała się nagle. Usiłowałem wywołać Mistrza Jolena, ale nie dostałem odpowiedzi.

Powiadomiłem o tej komunikacji Mistrzynię Vinarę, która powiedziała mi, że Jolen przebywa wraz z rodziną w mieście. Również ona nie mogła się z nim skontaktować, postanowiłem więc wybrać się do domu jego rodziny. Kiedy tam przybyłem, do drzwi nie podszedł żaden służący. Otworzyłem więc zamek i zobaczyłem w środku przerażający widok.

Oblicze Balkana spochmurniało.

– Wymordowano wszystkich domowników. Przeszukałem dom i odkryłem ciała rodziny Jolena oraz służących. Obejrzałem wszystkie ofiary, ale nie znalazłem nic poza skaleczeniami i siniakami. Potem znalazłem ciało Jolena.

Urwał, a Mistrz Telano prychnął ze zdziwieniem.

– Jego *ciało*? Jakim cudem jest całe? Czyżby zdołał wyczerpać moc?

Lorlen dostrzegł, że Vinara wlepiła wzrok w ziemię i potrząsa głową.

– Wywołałem wówczas Vinarę i poprosiłem ją, żeby przyszła i obejrzała ofiary – ciągnął dalej Balkan. – A kiedy przybyła na miejsce, pospieszyłem na posterunek Gwardii, żeby sprawdzić, czy mieli wiadomości o jakichś dziwnych zajściach w tej okolicy. Znalazłem tam kapitana Barrana, który właśnie przesłuchiwał świadka – Balkan urwał. – Kapitanie, myślę, że powinieneś zrelacjonować nam opowieść tej kobiety.

Młody gwardzista rozejrzał się po zebranych i odchrząknął.

– Owszem, moi panowie... i pani. – Założył ręce na piersi. – Ponieważ mieliśmy ostatnio do czynienia ze zwiększeniem się liczby zabójstw, przesłuchiwałem wielu świadków, mało kto z nich miał jednak coś ciekawego do powiedzenia. Niektórzy przychodzili dlatego, że mieli nadzieję, że coś, co widzieli, chociażby tylko zdawało im się, że dostrzegli nocą obcego człowieka na ich ulicy, może okazać się istotne. Opowieść tej kobiety była podobna, ale zawierała jeden interesujący szczegół.

Wracała późno, po tym jak dostarczyła do jednego z domów w Wewnętrznym Kręgu jarzyny i owoce. Zmierzając w kierunku swojego domu, usłyszała krzyki w jednym z mijanych budynków, to jest w rezydencji rodziny Mistrza Jolena. Uznała, że lepiej będzie, jeśli ucieknie, ale chwilę później usłyszała za sobą jakiś hałas. Przerażona schowała się w pobliskiej bramie. Spojrzała za siebie i zobaczyła mężczyznę wychodzącego przez drzwi dla służby z domu, który właśnie minęła.

Barran przerwał i rozejrzał się znów po siedzących wokół magach.

– Powiedziała, że ten człowiek miał na sobie szatę maga. Czarną szatę.

Starsi magowie spoglądali po sobie, marszcząc brwi. Lorlen zauważył, że na twarzach wszystkich z wyjątkiem Balkana i Osena malowało się niedowierzanie. Vinara nie wyglądała na zaskoczoną.

– Miała pewność, że była czarna? – spytał Sarrin. – W ciemności każdy kolor wydaje się czarny.

Barran przytaknął.

– Zadałem jej to samo pytanie. Była absolutnie pewna. Ten człowiek przeszedł obok bramy, w której się ukryła. Opisała czarną szatę z naszytym na rękawie inkalem.

Wyraz twarzy zmienił się z powątpiewania w zaniepokojenie. Lorlen wpatrywał się w Barrana. Ledwie mógł oddychać.

– Z pewnością nie… – zaczął Sarrin, ale zamilkł, kiedy Balkan gestem pokazał mu, żeby zaczekał.

– Kontynuuj, kapitanie – powiedział cicho Wojownik – opowiedz im wszystko.

Barran potaknął.

– Powiedziała jeszcze, że jego ręce były całe zakrwawione i że niósł sztylet, który dokładnie opisała. Zakrzywione ostrze z wysadzaną klejnotami rękojeścią.

Nastąpiło długie milczenie, po czym Sarrin wciągnął głęboko powietrze.

– W jakim stopniu możemy zaufać temu świadkowi? Możesz ją tu przyprowadzić?

Barran wzruszył ramionami.

– Zapisałem jej imię i miejsce pracy według znaku. Prawdę mówiąc, nie przywiązywałem do jej opowieści większej wagi, póki nie usłyszałem, co Mistrz Balkan odkrył w tym domu. Teraz żałuję, że nie zadałem jej więcej pytań albo że nie zatrzymałem jej dłużej na posterunku.

Balkan skinął głową.

– Znajdziemy ją. A teraz – zwrócił się do Vinary – zdaje się, że nadszedł czas, by usłyszeć, co odkryła Mistrzyni Vinara.

Uzdrowicielka wyprostowała się.

– Owszem, obawiam się, że tak. Mistrz Jolen mieszkał ze swoją rodziną, żeby móc opiekować się siostrą, która miała problemy z utrzymaniem ciąży. Zbadałam najpierw jego ciało i zauważyłam dwa niepokojące szczegóły. Pierwszym... – Sięgnęła do fałd szaty i wyciągnęła z kieszeni skrawek czarnej materii, haftowanej złotą nitką – jest to. Jolen trzymał to w prawej ręce.

Kiedy uniosła kawałek tkaniny do góry, Lorlen poczuł lodowaty dreszcz. Haft układał się we fragment symbolu, który był mu aż za dobrze znany: inkal Wielkiego Mistrza. Vinara rzuciła mu spojrzenie, w którym było zarówno zatroskanie, jak i współczucie.

– Jakie jest drugie odkrycie? – spytał cichym głosem Balkan.

Vinara zawahała się na moment, po czym odetchnęła głęboko.

– Powodem, dla którego ciało Mistrza Jolena wciąż istnieje, jest to, że zostało całkowicie wyssane z energii. Jedyną raną na jego ciele jest płytkie zranienie na szyi. Podobnie rzecz się ma z pozostałymi ciałami. Mój poprzednik nauczył mnie rozpoznawać takie ślady. – Urwała i rozejrzała się po zebranych. – Mistrz Jolen, jego rodzina i służba zostali zabici czarną magią.

Rozległy się jęki i krzyki, a następnie zapadło głębokie milczenie, gdy jej słowa dotarły do słuchających. Lorlen niemal słyszał ich myśli o mocy Akkarina; rozważali szanse, czy Gildia może pokonać go w bitwie. Widział na ich twarzach lęk i panikę.

On sam czuł dziwaczny spokój i... ulgę. Przez ponad dwa lata czuł na sobie ciężar wiedzy o zbrodni Akkarina. Teraz, na dobre albo na złe, Gildia sama odkryła ten sekret.

Spojrzał na twarze otaczających go członków starszyzny. Czy powinien się przyznać, że wiedział o zbrodniach Akkarina? *Nie, chyba że będę musiał*, uznał.

Co zatem powinien zrobić? Gildia nie jest dość silna, Akkarin zaś – jeśli istotnie popełnił tę zbrodnię – z pewnością nie jest osłabiony. Poczuł, że ulga ustępuje miejsca dobrze znanemu lękowi.

Muszę chronić Gildię. Powinienem zrobić wszystko, co w mojej mocy, aby zapobiec konfrontacji z Akkarinem. Ale jeśli on to zrobił... Nie, niekoniecznie. Wiem, że inni czarni magowie zabijają Kyralian.

– Co zrobimy? – zapytał słabym głosem Telano.

Wszystkie głowy zwróciły się w kierunku Balkana. Lorlen poczuł się lekko urażony. Czyż to nie on był przywódcą Gildii pod nieobecność Akkarina? W tej samej chwili Balkan spojrzał na niego i Lorlen poczuł, że znów przytłacza go ciężar jego urzędu.

– Co radzisz, Administratorze? Ty znasz go najlepiej.

Lorlen zmusił się do wyprostowania na krześle. Tyle razy ćwiczył to, co miał im do powiedzenia w podobnej sytuacji.

– Musimy zachować ostrożność – zaczął. – Jeśli Akkarin jest zabójcą, to teraz będzie znacznie silniejszy. Myślę, że powinniśmy się zastanowić, zanim stawimy mu czoła.

– Jak potężny może być? – spytał Telano.

– Bez trudu pokonał dwudziestu najsilniejszych spośród nas, kiedy testowaliśmy go przed wyborem na Wielkiego Mistrza – odrzekł Balkan. – Skoro ma do dyspozycji czarną magię, nie sposób ocenić jego mocy.

– Ciekawe, od jak dawna ją praktykował – odezwała się ponuro Vinara, spoglądając na Lorlena. – Czy zauważyłeś kiedykolwiek coś niepokojącego w zachowaniu Akkarina, Administratorze?

Lorlen nawet nie musiał udawać, że rozbawiło go to pytanie.

– Dziwacznego? W zachowaniu Akkarina? On nawet w stosunku do mnie był zawsze tajemniczy i skryty.

– Mógł praktykować od lat – mruknął Sarrin. – Jak potężnym mogło go to uczynić?

– Bardziej interesuje mnie, skąd wziął tę wiedzę – wtrącił się cicho Kito. – Czyżby nauczył się podczas swoich podróży?

Lorlen westchnął, przysłuchując się debacie o wszystkich tych możliwościach, które on rozważał, kiedy sam dowiedział się prawdy. Postanowił dać im chwilę, a kiedy zdecydował się wreszcie wtrącić, odezwał się Balkan.

– Na razie nie jest ważne, jak i gdzie nauczył się czarnej magii. Liczy się tylko to, czy możemy go pokonać, gdyby doszło do konfrontacji.

Lorlen przytaknął.

– Wątpię, żebyśmy mieli szanse. Myślę, że może powinniśmy zachować tę wiedzę dla siebie…

– Sugerujesz, żebyśmy to przemilczeli? – zawołał Peakin. – Pozostawili czarnego maga na czele Gildii?

– Nie – Lorlen pokręcił głową. – Potrzebujemy jednak czasu na zastanowienie, jak się go bezpiecznie pozbyć, jeśli istotnie to on jest mordercą.

– My nie zyskujemy mocy – zauważyła Vinara – a on owszem.

– Lorlen ma rację. Ostrożność jest niezbędna – wtrącił się Balkan. – *Mój* poprzednik nauczył mnie, jak walczyć z czarnym magiem. Nie jest to proste, ale też nie niemożliwe.

Lorlen poczuł przypływ zainteresowania i nadziei. Gdyby tylko miał okazję porozmawiać o tym z Wojownikiem, zanim Akkarin dowiedział się, że ten zna jego sekret. Może jednak mają jakieś szanse na pozbycie się Akkarina.

W tej samej chwili coś przyszło mu do głowy. Czy naprawdę pragnie śmierci Akkarina? *Jeśli rzeczywiście zabił Jolena i wszystkich domowników – to chyba zasługuje na karę?*

Owszem, ale może najpierw upewnijmy się, że to on.

– Musimy również wziąć pod uwagę możliwość, że to nie on – odezwał się, spoglądając na Balkana. – Mamy jedynie zeznanie świadka i kawałek tkaniny. Czy inny mag mógł się ubrać tak jak Akkarin? Czy mógł wsunąć ten skrawek w dłoń Jolena? – Coś nagle przyszło mu do głowy. – Mogę zobaczyć ten materiał?

Vinara podała mu skrawek. Lorlen pokiwał głową, przyglądając mu się.

– Spójrzcie. To zostało odcięte, a nie oddarte. Jeśli Jolen to zrobił, to musiał mieć w ręku jakieś ostrze. Dlaczego w takim razie nie bronił się nim przed napastnikiem? No i trochę to dziwne, żeby zabójca nie zauważył, że odcięto mu kawałek rękawa. Sprytny morderca nie zostawiłby takich dowodów... nie wyszedłby też na ulicę, wymachując bronią, którą się właśnie posłużył.

– Myślisz zatem, że to mógł być ktoś inny z Gildii, kto chciał nas przekonać, że Akkarin jest winien tych zbrodni? – spytała Vinara, marszcząc brwi. – To niewykluczone.

– Albo też mag spoza Gildii – dodał Lorlen. – Skoro Dannyl znalazł dzikiego w Elyne, mogą też istnieć inni.

– Nie mamy żadnych dowodów na istnienie dzikiego maga w Kyralii – zaoponował Sarrin. – Poza tym dzicy są zazwyczaj nieszkoleni i brakuje im wiedzy. W jaki sposób dziki miałby się nauczyć czarnej magii?

Lorlen wzruszył ramionami.

– W jaki sposób jakikolwiek mag miałby się nauczyć czarnej magii? Niewątpliwie w sekrecie. Może nam się to nie podobać, ale ktokolwiek jest zabójcą, Akkarin czy ktoś inny, jakoś nauczył się zakazanej sztuki.

Zapadło milczenie.

– Może zatem to nie Akkarin – odezwał się w końcu Sarrin. – A jeśli to nie on, to zdaje sobie sprawę, że musimy podjąć zwyczajowe śledztwo, i powinien z nami współpracować.

– Ale jeśli on jest winien, to może się zwrócić przeciwko nam – odpowiedział Peakin.

– Co zatem zrobimy?

Balkan wstał i zaczął krążyć po sali.

– Sarrin ma rację. Jeśli Akkarin jest niewinny, będzie współpracował. Jeśli natomiast jest winny, to powinniśmy zacząć działać natychmiast. Liczba zabójstw dokonanych tej nocy, na dodatek bez wysiłku, żeby ukryć dowody, wskazuje na to, że czarny mag szykuje się do walki. Musimy stawić mu czoła już teraz albo będzie za późno.

Lorlen poczuł, że serce w nim zamiera.

– Powiedziałeś przecież, że potrzebujemy czasu do namysłu.

Balkan uśmiechnął się posępnie.

– Powiedziałem, że ostrożne planowanie to podstawa. Do moich obowiązków jako Arcymistrza Wojowników należy zapewnienie stałej gotowości do przeciwstawienia się takim niebezpieczeństwom. Zdaniem mojego poprzednika kluczem do sukcesu jest zaskoczenie, odcięcie czarnego maga od sojuszników. Mój służący twierdzi, że nocą w rezydencji Wielkiego Mistrza pozostają tylko trzy osoby. Akkarin, jego sługa i Sonea.

– Sonea! – wykrzyknęła Vinara. – Jaka jest jej rola w tym wszystkim?

– Ona go nie znosi – powiedział Osen. – Rzekłbym, że go wręcz nienawidzi.

Lorlen spojrzał z zaskoczeniem na swojego asystenta.

– Jak to? – spytała Vinara.

Osen wzruszył ramionami.

– Zauważyłem to, kiedy została jego nowicjuszką. Nawet teraz nie przepada za jego towarzystwem.

Vinara zamyśliła się.

– Zastanawiam się, czy ona o czymkolwiek wie. Mogłaby być ważnym świadkiem.

– I sojusznikiem – dodał Balkan. – Chyba że on ją zabije dla jej mocy.

Uzdrowicielka wzdrygnęła się.

– W jaki sposób ich rozdzielimy?

Balkan uśmiechnął się.

– Chyba mam pomysł.

Ich przewodnikiem w powrotnej podróży przez podziemne korytarze był ten sam chłopiec o poważnym wzroku. Idąc za nim, Sonea czuła, że zamęt panujący w jej myślach uspokaja się nieco. Niemniej do czasu, kiedy przewodnik ich opuścił, miała głowę pełną pytań.

– To była Ichani, prawda?

Akkarin rzucił jej przelotne spojrzenie.

– Owszem. Z tych słabszych. Nie mam pojęcia, jak Kariko zdołał ją przekonać, żeby tu przybyła. Zapewne ją przekupił albo zaszantażował.

– Będą wysyłać więcej takich?

Zamyślił się.

– Zapewne tak. Szkoda, że nie miałem okazji odczytać jej myśli.

– Przepraszam.

Na jego ustach pojawił się cień uśmiechu.

– Nie przepraszaj. Lepiej, że ty żyjesz.

Uśmiechnęła się. Podczas tej powrotnej wędrówki wydawał się nieobecny i zadumany. Teraz z kolei sprawiał wrażenie zaniepokojonego. Szła za nim korytarzem krok w krok, aż dotarli do wnęki zasypanej gruzem. Akkarin rzucił okiem na rumowisko i kamienie ułożyły się w stopnie. Sonea zaczekała, aż ucichł zgrzyt, po czym zadała następne pytanie.

– Dlaczego ona trzymała w tej wnęce pierścień Domu Saril i drogocenny szal?

Akkarin zatrzymał się w połowie schodów i odwrócił się do niej.

– Słucham? Jak...

Jego wzrok stał się nieobecny. Na twarz Wielkiego Mistrza powróciła zmarszczka znamionująca niepokój, którą Sonea widziała przez ostatnią godzinę. Akkarin nagle spochmurniał.

– Co się stało? – spytała.

Uniósł rękę, nakazując jej milczenie. Chwilę później ze świstem nabrał powietrza w płuca i otworzył szeroko oczy, po czym wymamrotał przekleństwo, które zdaniem Sonei powinni znać tylko mieszkańcy slumsów.

– Co się stało? – powtórzyła.

– Starszyzna Gildii jest w moim domu. W podziemnym pokoju.

Zamurowało ją. Poczuła lodowaty dreszcz przebiegający jej po kręgosłupie.

– Dlaczego?

Wzrok Akkarina utkwiony był gdzieś poza murami tunelu.

– Lorlen...

Sonea poczuła ucisk w żołądku. Lorlen chyba nie postanowił wystąpić na czele Gildii przeciw Akkarinowi.

Coś w wyrazie twarzy Wielkiego Mistrza sprawiło, że powstrzymała cisnące się jej na usta pytania. Myśli gorączkowo, uznała. Musi podjąć niełatwą decyzję. W końcu, po długiej chwili milczenia, odetchnął głęboko i powoli wypuścił powietrze z płuc.

– Od tej chwili nic już nie będzie takie samo – oznajmił, podnosząc na nią wzrok. – Musisz zrobić wszystko, co ci każę, niezależnie od tego, jak trudne to będzie.

Mówił cicho i z wysiłkiem. Potaknęła, starając się nie dopuścić do siebie rosnącego przerażenia.

Akkarin odwrócił się i wspiął po schodach, aż stanęli twarzą w twarz.

– Dziś w nocy zamordowano Mistrza Jolena wraz z jego rodziną i służbą. Zapewne uczyniła to kobieta, którą właśnie zabiłaś. Dlatego miała w skrytce szal i pierścień Domu Saril, trofea. Vinara znalazła w ręce Jolena skrawek mojej szaty – Ichani pewnie odcięła go z mojego rękawa podczas naszej pierwszej walki. Vinara rozpoznała również czarną magię jako przyczynę śmierci wszystkich ofiar. Jakiś świadek widział zaś kogoś ubranego tak jak ja wychodzącego z domu z nożem w ręce. – Odwrócił wzrok. – Zastanawiam się, skąd ona wzięła szatę i gdzie ją założyła...

Sonea nie odrywała od niego wzroku.

– I Gildia uważa cię za zabójcę.

– Owszem, rozważają taką możliwość. Balkan założył słusznie, że jeśli jestem niewinny, będę z nimi współpracował, jeżeli zaś owa zbrodnia jest moim dziełem, to trzeba się ze mną natychmiast rozprawić. Zastanawiałem się, jak sobie z tym poradzić i co ty powinnaś zrobić lub powiedzieć, ale sytuacja właśnie się zmieniła.

Urwał i westchnął ciężko.

– Balkan bardzo rozsądnie postanowił rozdzielić mnie z tobą i Takanem. Wysłał posłańca z wieścią o śmierci Jolena i wezwaniem na naradę starszyzny. Kiedy dowiedział się, że nie ma mnie w domu, posłał po ciebie. Nie omówił z pozostałymi, co robić w przypadku, gdyby ciebie też nie zastali w rezydencji, zakładałem więc, że się tym zajmą, a ja będę wszystko wiedział dzięki Lorlenowi. Balkan jednak musiał wcześniej mieć gotowy plan. – Zmarszczył brwi. – Oczywiście, że miał.

Sonea potrząsnęła głową.

– To działo się już od jakiegoś czasu, kiedy wyruszyliśmy z powrotem, prawda?

Akkarin przytaknął.

– Nie mogłem niczego powiedzieć przy naszym przewodniku.

– Co Balkan zrobił?

– Wrócił do rezydencji i przeszukał ją.

Sonea poczuła dreszcz na myśl o księgach i przedmiotach, które Wojownik musiał znaleźć w podziemnym pomieszczeniu.

– Och.

– Owszem. Och. Z początku nie włamali się do podziemi. Ale kiedy znaleźli księgi o czarnej magii w twoim pokoju, postanowili przeszukać każdy kąt.

Serce w niej zamarło. Księgi o czarnej magii. W jej pokoju.

Oni wiedzą.

Przed oczami przemknęły jej obrazy przyszłości, jaką sobie ostatnio wyobrażała. Jeszcze dwa lata nauki, egzaminy, wybór dyscypliny, może udałoby się jej namówić Uzdrowicieli, żeby leczyli biedotę, może przekonałaby Króla, aby skończył z Czystkami.

Nic z tego się nie zdarzy. Nigdy.

Gildia wie, że szukała wiedzy o czarnej magii. Karą za to jest wygnanie. A jeśli dowiedzą się, że uczyła się tej sztuki i za jej pomocą zabiła...

Ale przecież uczyniła to, ryzykując swoją przyszłość, z dobrego powodu. Gdyby na Kyralię najechali Ichani, marzenia o studiach, a nawet powstrzymaniu dalszych Czystek i tak nigdy by się nie spełniły.

Rothen będzie bardzo, bardzo zmartwiony.

Z trudem odgoniła od siebie tę myśl. Musi się zastanowić. Gildia wie już o wszystkim, jak w takim razie postąpi? Jak ona i Akkarin mają kontynuować walkę z Ichanimi?

Nie mogą, oczywiście, powrócić do Gildii. Muszą ukryć się w mieście. Unikanie wykrycia przez Gildię skomplikuje działania, ale ich nie uniemożliwi. Akkarin zna Złodziei. Ona też ma kilka pożytecznych znajomości. Spojrzała na Akkarina.

– Co teraz zrobimy?

Spojrzał w dół schodów.

– Wrócimy.

Wbiła w niego wzrok.

– Do Gildii?

– Owszem. Opowiemy im wszystko o Ichanich.

Czuła ucisk w żołądku.

– Mówiłeś, że ci nie uwierzą.

– Bo nie uwierzą. Ale muszę dać im szansę.

– Ale co jeśli na prawdę ci nie uwierzą?

Akkarin odwrócił wzrok. Spojrzał pod nogi.

– Przepraszam, że cię w to wplątałem, Soneo. Postaram się uchronić cię przed najgorszym, jeśli tylko będę mógł.

Wstrzymała oddech, po czym przeklęła samą siebie pod nosem.

– Nie przepraszaj – powiedziała z mocą. – To była moja decyzja. Znałam ryzyko. Powiedz mi, co mam robić, a zrobię wszystko.

Spojrzał na nią i otworzył usta, ale szybko jego wzrok znów stał się nieobecny.

– Zabierają Takana. Musimy się pospieszyć.

Pobiegł w dół schodów. Sonea pospieszyła za nim. Natychmiast ruszył w labirynt korytarzy, Sonea zaś rzuciła okiem za siebie.

– Co ze schodami?

– Zostaw je.

Zaczęła biec i wkrótce go dogoniła. Niełatwo było teraz dotrzymać mu kroku, ale powstrzymała się od komentarza o względach dla ludzi mających krótsze nogi.

– Muszę chronić dwie osoby w całym tym zamieszaniu – odezwał się. – Takana i Lorlena. Nie wspominaj o pierścieniu Lorlena ani o tym, że wiedział wcześniej o czymkolwiek. Możemy go potrzebować w przyszłości.

Szybko znaleźli się przed wejściem do podziemnego pomieszczenia. Akkarin zdjął płaszcz, zwinął go i położył obok drzwi. Następnie odpiął pas ze sztyletem i ułożył go na płaszczu. Nad ich głowami zamigotała kula świetlna. Akkarin zdmuchnął latarnię i postawił ją obok ubrań.

Przez dłuższą chwilę stał z nagimi ramionami, z rękami założonymi na opinającym pierś czarnym kubraku, wpatrując się w drzwi do swego podziemnego pokoju. Sonea czekała obok niego w milczeniu.

Nie mogła uwierzyć, że to się stało. Jutro miała się uczyć leczenia połamanych żeber. Za kilka tygodni rozpoczną się egzaminy semestralne. Czuła, że coś ciągnie ją ku tym drzwiom, że wystarczy, by odnalazła drogę do łóżka, a kiedy obudzi się, wszystko będzie tak jak dawniej.

Zapewne jednak pomieszczenie za drzwiami roiło się od magów czekających na powrót Akkarina. Magów wiedzących, że uczyła się o czarnej magii. Podejrzewających Akkarina o zabójstwo Jolena. Gotowych do walki.

Akkarin nadal stał bez ruchu. Właśnie zaczęła się zastanawiać, czy nie zmienił zdania, kiedy odwrócił się do niej.

– Zaczekaj tutaj, dopóki cię nie wezwę.

Wbił wzrok spod zmrużonych powiek w drzwi, a te uchyliły się cicho.

Wejście blokowały plecy dwóch magów. Za nimi Sonea dostrzegła krążącego po pokoju Mistrza Balkana. Mistrz Sarrin siedział przy stole, wpatrując się zdumionym wzrokiem w znajdujące się na nim przedmioty.

Żaden z nich nie zauważył otwierających się drzwi, ale chwilę później jeden z magów stojących przy przejściu zadrżał i zerknął przez ramię. Na widok Akkarina wstrzymał oddech, cofnął się i pociągnął towarzysza za rękaw.

Wszyscy odwrócili się w stronę wchodzącego do pomieszczenia Wielkiego Mistrza. Nawet bez szaty prezentował się imponująco.

– Och, co za tłum gości – powiedział. – Cóż sprowadza was do mojej siedziby o tak późnej godzinie?

Balkan uniósł brwi. Zerknął ku klatce schodowej. Dały się słyszeć pospieszne kroki, po czym w podziemiu pojawił się Lorlen. Administrator obrzucił Akkarina dziwnie spokojnym spojrzeniem.

– Dziś w nocy zamordowano Mistrza Jolena i wszystkich domowników. – Głos Lorlena brzmiał pewnie i mocno. – Na miejscu zbrodni znaleziono dowody, które każą nam podejrzewać, że możesz być zabójcą.

– Rozumiem – odrzekł ze spokojem Akkarin. – To poważna sprawa. Nie zabiłem Mistrza Jolena, ale będziecie musieli sami się o tym przekonać. – Urwał na chwilę. – Czy możecie mi powiedzieć, w jaki sposób zginął Jolen?

– Zabiła go czarna magia – powiedział Lorlen. – A ponieważ właśnie znaleźliśmy księgi poświęcone tej sztuce w twoim domu, nawet w pokoju Sonei, mamy jeszcze więcej powodów, by cię podejrzewać.

Akkarin pokiwał powoli głową.

– W istocie, macie. – Kącik jego ust uniósł się nieznacznie. – I wszyscy musicie czuć przerażenie z powodu tego odkrycia. No cóż, niepotrzebnie. Mogę się wytłumaczyć.

– Zamierzasz współpracować? – spytał Lorlen.

– Oczywiście.

Na wszystkich twarzach pojawił się wyraz nieskrywanej ulgi.

– Ale pod jednym warunkiem – dodał Akkarin.

– Jakim? – spytał ostrożnie Lorlen. Balkan rzucił mu spojrzenie.

– Mój sługa – odrzekł Akkarin. – Przyrzekłem mu, że nigdy więcej nie zostanie pozbawiony wolności. Przyprowadźcie go tutaj.

– A co jeśli się nie zgodzimy? – spytał Lorlen.

Akkarin przesunął się o krok od drzwi.

– Weźmiecie na jego miejsce Soneę.

Sonea poczuła dreszcz na skórze, kiedy magowie dostrzegli ją stojącą w przejściu. Wzdrygnęła się na myśl o tym, co sobie muszą myśleć. Czy nauczyła się czarnej magii?

Czy jest niebezpieczna? Tylko Lorlen może mieć nadzieję, że zbuntuje się przeciwko Wielkiemu Mistrzowi; pozostali nie mają pojęcia o prawdziwych powodach, dla których została jego podopieczną.

– Sprowadźcie tu oboje, to będzie miał pod ręką dwóch sojuszników – mruknął ostrzegawczo Sarrin.

– Takan nie jest magiem – odparł spokojnie Balkan – i dopóki pozostaje poza zasięgiem Akkarina, nie stanowi żadnego zagrożenia. – Powiódł wzrokiem po pozostałych członkach starszyzny. – Musimy odpowiedzieć sobie na pytanie: czy wolimy mieć na oku Soneę czy służącego?

– Soneę – odpowiedziała bez wahania Vinara. Pozostali skinęli głowami.

– Doskonale – oznajmił Lorlen. Jego wzrok stał się na moment nieobecny, a chwilę później znów skupił się na zebranych w podziemnym pokoju. – Kazałem go przyprowadzić.

Nastąpiło długie milczenie pełne napięcia. W końcu na schodach dały się słyszeć kroki. W drzwiach pojawił się Takan, przytrzymywany mocno za ramię przez Wojownika. Był blady, a na jego twarzy widać było troskę.

– Wybacz mi, panie – powiedział. – Nie mogłem ich zatrzymać.

– Wiem – zwrócił się do niego Akkarin. – Nie powinieneś był próbować, przyjacielu. – Zrobił kilka kroków na środek pokoju i zatrzymał się przy stole stojącym pod jedną ze ścian. – Bariery są opuszczone i pozostawiłem schody na miejscu. Za drzwiami znajdziesz wszystko, czego potrzebujesz.

Takan skinął głową. Przez chwilę dwaj mężczyźni wpatrywali się w siebie nawzajem, po czym służący skłonił się ponownie. Akkarin odwrócił się w kierunku tunelu.

– Chodź, Soneo. Kiedy wypuszczą Takana, pójdziesz z Lorlenem.

Sonea, zanim weszła do pokoju, wzięła głęboki oddech. Spojrzała na Wojownika, który przytrzymywał, Takana, a następnie na Lorlena. Administrator potaknął.

– Puśćcie go.

Takan odsunął się od swojego strażnika, Sonea zaś ruszyła w kierunku Lorlena. Służący przystanął, gdy się mijali, i ukłonił się.

– Opiekuj się moim mistrzem, pani Soneo.

– Zrobię wszystko, co w mojej mocy – obiecała.

Poczuła nagle ucisk w gardle. Podchodząc do Lorlena, odwróciła się, żeby spojrzeć jeszcze na odchodzącego sługę. Takan ukłonił się Akkarinowi i wszedł w korytarz. Kiedy znikł w ciemności, drzwi zasunęły się za nim.

Akkarin zwrócił się do Lorlena, po czym skierował wzrok na stół i stojące obok krzesła. Jego szata wciąż wisiała na oparciu jednego z nich. Wziął ją i narzucił na siebie.

– A zatem, Administratorze, w jaki sposób Sonea i ja możemy być pomocni w twoim dochodzeniu?

ROZDZIAŁ 15

ZŁE WIEŚCI

Rothen wkładał właśnie świeżo wypraną szatę, kiedy usłyszał, że otwierają się drzwi jego mieszkania.

– Mistrzu Rothenie – zawołała Tania.

Słysząc niepokój w głosie służącej, pospiesznie opuścił sypialnię. Tania stała na środku salonu, zaciskając dłonie.

– Co się stało? – spytał.

Odwróciła się do niego, a na jej twarzy malował się ból.

– Wielki Mistrz i Sonea zostali pojmani wczoraj w nocy.

Nabrał powietrza, czując wzbierające w nim nadzieję i ulgę. Wreszcie pojmali Akkarina! Gildia zapewne wykryła jego zbrodnie, stawiła mu czoła – i wygrała!

Dlaczego jednak uwięziono również Soneę?

Właśnie, dlaczego? Podniecenie uleciało, nagle zastąpił je znajomy strach.

– Za co ich zatrzymano? – z trudem wydusił z siebie to pytanie.

Tania zawahała się.

– Słyszałam to z czwartej czy piątej ręki, Mistrzu Rothenie. Może to nieprawda.

– Za co? – powtórzył.

Skrzywiła się.

– Wielki Mistrz został aresztowany za zamordowanie Mistrza Jolena i całej jego rodziny oraz za to, że znał jakiś rodzaj magii. Chyba chodzi o czarną magię. Co to jest?

– Najbardziej złowrogi rodzaj magii – odparł niechętnie Rothen. – Ale co z Soneą? Z jakiego powodu ją zatrzymano?

Tania rozłożyła bezradnie ręce.

– Nie jestem pewna. Może jako jego wspólniczkę.

Rothen opadł na jeden z foteli stojących w salonie. Wziął długi, głęboki oddech. Gildia musi rozważyć, że Sonea mogła być w to uwikłana. To jeszcze nie znaczy, że jest winna.

– Nie przyniosłam do tej pory jedzenia – odezwała się Tania przepraszającym tonem. – Wiedziałam, że będziesz chciał o tym usłyszeć jak najszybciej.

– Nie przejmuj się – odpowiedział. – Nie wygląda na to, żebym miał dziś rano czas na śniadanie. – Wstał i podszedł do drzwi. – Myślę, że powinienem porozmawiać z Soneą.

Tania uśmiechnęła się z wysiłkiem.

– Też tak myślę. Proszę, powiedz mi potem, co ona o tym sądzi.

Młody człowiek siedzący naprzeciwko Dannyla w powozie był niemożliwie wręcz wychudzony. Mimo że Farand w tydzień po próbie otrucia go odzyskał tyle sił, że mógł już chodzić, potrzeba jeszcze nieco czasu, zanim naprawdę się wzmocni. Ale przynajmniej żył i czuł wielką wdzięczność z tego powodu.

Przez resztę podróży Dannyl ani na chwilę nie spuszczał chłopaka z oczu. Nie było mu trudno powstrzymywać się od snu i odganiać zmęczenie za pomocą magii uzdrowicielskiej, ale taki tryb życia musiał się w końcu na nim odbić. Po tygodniu czuł się niemal tak źle, jak Farand wyglądał.

Powóz wjechał w bramę Gildii. Kiedy młodzieniec zobaczył gmach Uniwersytetu, zaparło mu dech w piersiach.

– Jakie to piękne – szepnął.

– Owszem – odpowiedział z uśmiechem Dannyl, wyglądając przez okno. Na schodach stała trójka magów: Administratorzy Lorlen i Kito oraz Mistrzyni Vinara.

Poczuł lekkie ukłucie niepokoju i rozczarowania. Miał nadzieję, że Wielki Mistrz przywita go osobiście. *Pewnie chce omówić to wszystko na osobności.*

Powóz zatrzymał się u podnóża schodów i Dannyl wysiadł. Kiedy tuż za nim w drzwiach powozu pojawił się Farand, troje magów spojrzało na niego z zaciekawieniem.

– Miło cię widzieć w domu, Ambasadorze Dannylu – odezwał się Lorlen.

– Dziękuję, Administratorze Lorlenie. Witaj, Administratorze Kito, Mistrzyni Vinaro – odpowiedział Dannyl, pochylając lekko głowę. – Przedstawiam wam Faranda z Darellas.

– Witaj, paniczu Darellas – zwrócił się do niego Lorlen. – Obawiam się, że przez najbliższe kilka dni będziemy zajęci inną sprawą, ale zapewnimy ci wszelkie wygody i zajmiemy się twoją wyjątkową sytuacją, kiedy tylko uporamy się z tym, co najpilniejsze.

– Dziękuję, Administratorze – odpowiedział odrobinę niepewnie Farand.

Lorlen kiwnął mu głową, po czym ruszył w górę schodów. Dannyl zmarszczył czoło. Coś mu nie pasowało w zachowaniu Lorlena. Sprawiał wrażenie jeszcze bardziej przytłoczonego troskami niż zwykle.

– Chodź ze mną, Farandzie – odezwała się Vinara do młodzieńca, po czym przeniosła wzrok na Dannyla i spochmurniała. – Wyśpij się, Ambasadorze. Musisz odzyskać siły.

– Tak jest, Mistrzyni Vinaro – zgodził się Dannyl, a kiedy Uzdrowicielka odeszła z Farandem, spojrzał pytająco na Kito: – Co to za inna sprawa, o której mówił Administrator Lorlen?

Kito westchnął ciężko.

– Mistrz Jolen został zamordowany zeszłej nocy.

– Zamordowany? – Dannyl wlepił w niego wzrok. – Jak?

Mag skrzywił się.

– Czarną magią.

Dannyl poczuł, że krew odpływa mu z twarzy. Zerknął w kierunku powozu, gdzie ukryta głęboko między jego bagażami leżała zakazana księga.

– Czarną magią? Kto...?

– Wielki Mistrz został zatrzymany – przerwał mu Kito.

– Akkarin!? – Dannyl poczuł, że uginają się pod nim kolana. – To niemożliwe!

– Obawiam się, że to możliwe. Dowody go pogrążają. Zgodził się jednak współpracować w śledztwie. Jutro odbędzie się Przesłuchanie.

Dannyl ledwie go słyszał. Myślał o tych wszystkich dziwacznych zbiegach okoliczności i zastanawiających wydarzeniach. Przypomniały mu się poszukiwania, które zlecił mu na samym początku Lorlen, po to by następnie się z nich wycofać. Pomyślał o nagłym zainteresowaniu tą samą materią, jakie wykazał Rothen – tuż po tym, jak Sonea została podopieczną Akkarina. Myślał też o tym, co wyczytał w księdze Dema. Starożytna magia – wyższa magia – to była czarna magia.

Założył, że poszukiwania Akkarina nie zakończyły się sukcesem.

Najwyraźniej był w błędzie.

Czy Lorlen podejrzewał coś takiego? A Rothen? Czy to był powód ich poszukiwań?

A ja zamierzałem oddać tę księgę Akkarinowi!

– Po Przesłuchaniu zajmiemy się sprawą dzikiego – powiedział tymczasem Kito.

Dannyl zamrugał, po czym potaknął.

– Oczywiście. Ja zaś posłucham polecenia Mistrzyni Vinary.

Vindoński mag uśmiechnął się.

– Śpij zatem dobrze.

Dannyl skinął mu głową i ruszył w kierunku Domu Magów. Spać? Jakże mógłby zasnąć, po tym jak dowiedział się czegoś takiego?

Kontynuowałem badania z polecenia Akkarina i skończyłem z księgą o czarnej magii w kufrze. Czy to wystarczy, by uznać mnie za współwinnego? Mogę schować księgę. Z pewnością nie dam jej Akkarinowi... ani też nie będę z nim o niczym rozmawiał.

Wstrzymał na moment oddech, gdy uświadomił sobie, co to oznacza dla niego samego. Kto teraz uwierzy zapewnieniom Akkarina, że związek Dannyla z Tayendem był tylko grą mającą na celu uśpienie czujności buntowników?

Sonea nie była we wnętrzu Kopuły od czasu treningu przed pojedynkiem z Reginem. Była to wydrążona w skale ogromna półkula, służąca niegdyś jako sala treningowa dla Wojowników. Gildia przestała z niej korzystać, kiedy zbudowano arenę, Sonea jednak ćwiczyła tu przed walką po to, żeby uniemożliwić poplecznikom Regina podglądanie treningu. Akkarin wzmocnił ściany, żeby zabezpieczyć je przed zniszczeniem. Jak na ironię, ta sama magia trzymała ją teraz w zamknięciu.

Nie planowała jednak ucieczki. Obiecała przecież Akkarinowi, że będzie postępować zgodnie z jego rozkazami. A powiedział tylko, że muszą chronić Takana i Lorlena. Następnie wymienił ją na Takana. Chciał zatem, żeby się tu znalazła.

Albo o to chodzi, albo też postanowił ją poświęcić w imię przyrzeczenia złożonego swemu słudze.

Nie, pomyślała, *on mnie potrzebuje, ktoś musi potwierdzić jego zeznania*. Takan jest zbyt bliski Akkarinowi. Nikt by mu nie uwierzył.

Krążyła po wnętrzu Kopuły. Przypominające korek drzwi były otwarte, żeby zapewnić dopływ powietrza do środka. Przy drzwiach stało dwoje magów, obserwowali ją, jeśli tylko zostawała sama.

Ale rzadko zostawała sama. Vinara, Balkan i Sarrin po kolei wypytywali ją o działalność Akkarina. Odmawiała odpowiedzi, nie chciała bowiem ryzykować wyjawienia czegokolwiek, zanim Akkarin nie będzie na to gotowy. W końcu się poddali.

Teraz, kiedy wreszcie dali jej spokój, okazało się, że wcale jej się to nie podoba. Zastanawiała się, gdzie może być Akkarin i czy jej milczenie było tym, czego się po niej spodziewał. Nie była w stanie ocenić upływu czasu, ale podejrzewała, że nastał już dzień. Nie spała przez całą noc, wątpiła jednak, czy zdołałaby zasnąć w miękkim łóżku, a co dopiero na twardej, piaszczystej podłodze.

Jakiś ruch za drzwiami zwrócił jej uwagę. Podniosła wzrok i poczuła, że coś chwyta ją boleśnie za serce.

Rothen.

Gdy wszedł do wnętrza Kopuły, dostrzegła, że twarz ma pobrużdżoną zmarszczkami znamionującymi niepokój. Kiedy ich oczy się spotkały, usiłowała zmusić się do uśmiechu, ale czuła, że z powodu winy ściska się jej żołądek.

– Soneo – powiedział. – Jak się masz?

Pokręciła głową.

– To głupie pytanie, Rothenie.

Rozejrzał się po Kopule i przytaknął.

– Chyba masz rację. – Westchnął i spojrzał znów na nią. – Jeszcze nie postanowili, co z tobą zrobić. Lorlen powiedział mi, że w twoim pokoju znaleźli książki o czarnej magii. Czy to Akkarin albo jego sługa je tam podłożyli?

Westchnęła.

– Nie. To ja je czytałam.

– Dlaczego?

– Żeby zrozumieć wroga.

Zmarszczył brwi.

– Wiesz, że samo czytanie o czarnej magii jest przestępstwem.

– Owszem, wiem.

– A mimo to czytałaś?

Spojrzała mu prosto w oczy.

– Czasem warto podjąć ryzyko.

– W nadziei, że wiedza pomoże nam go pokonać?

Spuściła wzrok.

– Niezupełnie.

Umilkł na chwilę.

– W takim razie dlaczego, Soneo?

– Nie mogę ci powiedzieć. Nie teraz.

Rothen podszedł o krok bliżej.

– Dlaczego nie możesz? Jak on cię przekonał, żebyś została jego wspólniczką? Znaleźliśmy twoją ciotkę i wuja.

Są bezpieczni, podobnie jak ich dzieci. Dorrien też żyje i ma się dobrze. Czy jest ktoś jeszcze, kogo chronisz?

Westchnęła. *Całą Kyralię.*

– Nie mogę ci powiedzieć, Rothenie. Na razie nie mogę. Nie wiem, co powiedział im Akkarin ani co pozwoliłby mi wyjawić. To wszystko musi poczekać do Przesłuchania.

W oczach Rothena pojawiły się iskierki gniewu.

– Odkąd to obchodzi cię, czego on chce?

Wytrzymała jego wzrok.

– Odkąd dowiedziałam się, dlaczego to robi. Ale to jest jego historia, nie moja. Zrozumiesz, kiedy on ją opowie.

Spoglądał na nią z powątpiewaniem.

– Trudno mi w to uwierzyć. Ale spróbuję. Czy mogę coś dla ciebie uczynić?

Pokręciła przecząco głową, zawahała się przez chwilę. Rothen wie, że Lorlen miał świadomość występków Akkarina przez ponad dwa lata. Co się stanie, jeśli powie o tym Gildii. Podniosła wzrok.

– Owszem – powiedziała cicho. – Chroń Lorlena.

Savara przesunęła dłonią po pościeli i uśmiechnęła się.

– Ładne.

Cery zachichotał.

– Złodziej musi zapewnić swoim gościom pełny komfort.

– Nie jesteś jak pozostali Złodzieje – zauważyła. – On maczał w tym ręce, prawda?

– Kto?

– Wielki Mistrz.

Cery prychnął urażony.

– Nie we *wszystkim*.

– Nie?

– Część tego to zasługa Sonei. Faren zgodził się chronić ją przed Gildią, ale pozostali Złodzieje zdecydowali, by wydać ją magom. W związku z tym niektórzy twierdzą, że Faren nie dotrzymał umowy.

– I co z tego?

– Skoro ja chciałem mieć z nim do czynienia, inni nie mieli wyboru. A on pomógł mi w kilku sprawach.

– A zatem Akkarin nie przysłużył się temu?

– No, troszeczkę – przyznał Cery. – Może ja nie odważyłbym się, gdyby on mnie nie namówił. Może gdybym nie miał od niego informacji o wszystkich Złodziejach, oni staraliby się mnie wyeliminować. Trudno jest odmawiać komuś, kto zna zbyt wiele twoich sekretów.

Zamyśliła się.

– Wygląda na to, że od dawna planował coś takiego.

– Też tak sądzę. – Cery wzruszył ramionami. – Kiedy morderca zaczął irytować pozostałych Złodziei, zaoferowałem swoją pomoc. Spodobała im się ta propozycja. Nie wiedzieli, że siedzę w tym od miesięcy. Zachowują się tak, jakby uważali za zabawne, że jeszcze go nie złapałem, mimo że żadnemu z nich też się to nie udało.

– Ty jednak ich *znajdujesz*.

– Oni sądzą, że jest tylko jeden.

– Ach.

– W każdym razie z pewnością sądzili – dodał.

– A teraz wiedzą, ponieważ ostatnim była kobieta.

– Być może.

Rozejrzał się po pokoju i meblach. Dobra jakość, ale nic ekstrawaganckiego. Nie miał ochoty myśleć, że *wszystko* jest zasługą Akkarina.

– Staram się utrzymać pozycję również na inne sposoby – powiedział. – Kiedy skończy się popyt na wyszukiwanie morderców na zlecenie magów, będę musiał jakoś przeżyć i pociągnąć interes.

Uśmiechnęła się chytrze i przebiegła palcem po jego klatce piersiowej.

– Zdecydowanie wolę cię żywego i cieszącego się powodzeniem w interesach.

Chwycił jej dłoń i przyciągnął ją do siebie.

– Doprawdy? A w czym ty siedzisz?

– Nawiązuję kontakty z potencjalnymi sojusznikami – odpowiedziała, otaczając go ramieniem. – Szczególnie interesuje mnie bardzo bliski kontakt z jednym z nich.

Jej pocałunki były zdecydowane i uwodzicielskie. Poczuł, że serce znowu mu przyspiesza.

W tej samej chwili rozległo się pukanie do drzwi. Puścił ją, krzywiąc się przepraszająco.

– Muszę się tym zająć.

Wydęła usta.

– Naprawdę?

Potaknął.

– Gol nie pukałby, gdyby nie chodziło o coś ważnego.

– Miejmy nadzieję.

Wstał, pospiesznie włożył spodnie i koszulę, po czym wymknął się z sypialni. Gol krążył niespokojnie po pokoju, a na jego twarzy malował się wyraz całkowicie odmienny od głupkowatego uśmiechu, którego spodziewał się Cery.

– Wielki Mistrz został aresztowany przez Gildię – oznajmił. – Sonea także.

Cery przez chwilę nie rozumiał.

– Dlaczego?

– Wczorajszej nocy został zamordowany mag. Podobnie jak mnóstwo ludzi w jego domu. Oni myślą, że to sprawka Wielkiego Mistrza. – Urwał. – Całe miasto o tym szumi.

Cery podszedł do najbliższego krzesła i usiadł. Akkarin *aresztowany*? Za *morderstwo*? I Sonea? Usłyszał otwierające się drzwi sypialni. Savara wyjrzała przez szparę, teraz już całkowicie ubrana. Kiedy napotkała jego wzrok, zmarszczyła brwi.

– Możesz mi powiedzieć?

Przez jego twarz przemknął cień uśmiechu, ponieważ rozbawiło go to pytanie.

– Wielki Mistrz został aresztowany. Gildia uważa, że jest winny śmierci innego maga.

Otworzyła szeroko oczy i weszła do pokoju.

– Kiedy?

Gol wzruszył ramionami.

– Nie wiem. Wszyscy w domu tego maga również zginęli. Zabiła ich jakaś zła magia. Czarna magia. Tak, tak mówią.

Wciągnęła głośno powietrze.

– A zatem to prawda.

– Co? – spytał Cery.

– Część Ichanich twierdziła, że Gildia nie zna wyższej magii i uważa ją za złą. Uważaliśmy, że to może być prawda. Akkarin jednak się nią posługuje. – Urwała. – Dlatego działa w tajemnicy. Myślałam, że nie chce, by inni dowiedzieli się, że jego przeszłość ma z tym coś wspólnego.

Cery zamrugał oczami.

– Jaka przeszłość?

Spojrzała na niego z uśmiechem.

– Och, twój Wielki Mistrz ma więcej sekretów, niż mógłbyś przypuszczać.

– Tak?

– To nie moja sprawa – odpowiedziała. – Mogę ci jednak powiedzieć, że...

Rozległ się dźwięk pukania w ścianę, przerwała więc. Cery skinął na Gola. Potężny mężczyzna podszedł do ściany, zajrzał w dziurkę, po czym odsunął na bok jeden z obrazów. Do środka zajrzał któryś z chłopaków zatrudnianych przez Cery'ego do dziwacznych zadań.

– Jakiś człowiek chce się z tobą widzieć, Ceryni. Podał wielkie hasło i mówi, że ma złe wieści o twoim przyjacielu. Mówi, że to pilne.

Cery skinął głową i zwrócił się do Savary.

– Lepiej się tym zajmę.

Wzruszyła ramionami i wróciła do sypialni.

– W takim razie ja się wykąpię.

Cery odwrócił się i napotkał wyszczerzoną twarz Gola.

– Wyglądasz jak głupek – rzucił mu.

– Tak jest, Ceryni – odpowiedział olbrzym pokornie, ale uśmiech nie zniknął z jego twarzy, gdy ruszył przed Cerym korytarzem.

Biuro Cery'ego mieściło się w pobliżu. Istniało kilka sposobów na dostanie się do środka. Gol obrał zwykłą drogę, dając Cery'emu możliwość przyjrzenia się gościowi czekającemu w przedsionku przez otwór w ścianie.

Mężczyzna był Sachakaninem, zauważył z niechęcią Cery. Następnie rozpoznał płaszcz i serce mu podskoczyło do gardła.

Dlaczego ten człowiek ma na sobie płaszcz, który poprzedniego dnia nosił Akkarin?

Kiedy mężczyzna się obrócił, Cery dostrzegł pod płaszczem liberię służącego z Gildii.

– Chyba wiem, kto to taki – mruknął Cery, podchodząc do drzwi gabinetu. – Przyślij go, kiedy tylko usiądę.

Kilka minut później usadowił się za swoim biurkiem. Drzwi otworzyły się i mężczyzna wszedł do środka.

– Witam – odezwał się Cery. – Ponoć masz złe wieści o jakimś moim przyjacielu.

– Owszem – odparł tamten. – Jestem Takan, służący Wielkiego Mistrza. Został on aresztowany w związku z zabójstwem maga Gildii. Przysłał mnie tutaj, żebym ci pomógł.

– Pomógł mi? W jaki sposób?

– Mogę utrzymywać z nim kontakt myślowy – wyjaśnił Takan, dotykając dłonią czoła.

– Jesteś magiem?

Takan pokręcił przecząco głową.

– Nie, ale istnieje między nami połączenie, które on ustanowił dawno temu.

Cery skinął głową.

– Powiedz mi zatem coś, co wiemy tylko ja i on.

Twarz Takana przybrała na moment nieobecny wyraz.

– Kiedy spotkaliście się ostatnim razem, powiedział ci, że nie przyprowadzi tu więcej Sonei.

– Zgadza się.

– Bardzo żałuje, że nie mógł dotrzymać obietnicy.

– Sonea zapewne też. Za co ona została aresztowana?

Takan westchnął.

– Za zdobywanie wiedzy o czarnej magii. Znaleźli w jej pokoju książki.

– A ta czarna magia...?

– Jest zakazana – powiedział Takan. – Sonei grozi wydalenie z Gildii.

– A Wielkiemu Mistrzowi?

Na twarzy Takana pojawił się autentyczny niepokój.

– Został oskarżony o zabójstwo z użyciem czarnej magii. Jeśli uznają go winnym którejkolwiek z tych zbrodni, karą jest śmierć.

Cery pokiwał powoli głową.

– Kiedy Gildia podejmie decyzję?

– Jutro odbędzie się Przesłuchanie, podczas którego zbadają dowody i postanowią, czy jest winny, czy nie.

– A jest?

Takan podniósł gniewny wzrok.

– Wielki Mistrz nie zabił Mistrza Jolena.

– A co z tą czarną magią?

Służący pokiwał głową.

– Tak, tego jest winny. Ale gdyby się nią nie posługiwał, nie zdołałby pokonać żadnego z morderców.

– A Sonea? Jest winna?

Takan ponownie przytaknął.

– Gildia oskarżyła ją jedynie o uczenie się o czarnej magii. Dlatego grozi jej łagodniejsza kara. Ale gdyby znali prawdę, stanęłaby w obliczu tych samych oskarżeń co Akkarin.

– Posłużyła się tą czarną magią, żeby zabić tamtą kobietę, prawda?

Takan spojrzał na niego z zaskoczeniem.

– Owszem. Skąd wiesz?

– Zgaduję. Czy powinienem udać się na to Przesłuchanie jako świadek?

Takan milczał przez chwilę, a jego wzrok powędrował gdzieś daleko.

– Nie. Ale mówi, że dziękuje ci za dobre chęci. Jeśli wszystko pójdzie dobrze, on może potrzebować twojej pomocy w przyszłości. Na razie chciałby cię prosić o tylko jedną przysługę.

– Tak?

– Postaraj się, żeby Gwardia znalazła ciało morderczyni. I żeby znaleźli przy niej jej sztylet.

Cery uśmiechnął się.

– To się da zrobić.

*

Wyglądając przez okno swojego gabinetu, Lorlen widział, że Akkarin wciąż zachowuje się tak samo jak wcześniej. Administrator pokręcił głową. Akkarin w jakiś sposób nadal wyglądał godnie i pewnie, mimo że siedział właśnie na arenie, wsparty o jeden z masztów, a wokół areny stało dwudziestu magów, bacznie go obserwujących.

Lorlen obrócił się i rozejrzał się po swoim gabinecie, krążył po im Balkan. Administrator nigdy nie widział Wojownika w stanie takiego podniecenia. Słyszał, jak ten pomrukuje coś o zdradzie. To zrozumiałe. Lorlen wiedział, że Arcymistrz Wojowników zawsze bardzo poważał Akkarina.

Sarrin siedział w fotelu, przerzucając karty jednej z ksiąg znalezionych w skrzyni Akkarina. Uznano, że ktoś musi je przeczytać, mimo że w zasadzie było to przestępstwo. Na twarzy Sarrina malowało się przerażenie pomieszane z fascynacją. Od czasu do czasu pod nosem coś do siebie mówił.

Vinara stała spokojnie koło regału. Wcześniej nazwała Akkarina potworem. Balkan przypomniał jej, że nie mieli pewności, czy Akkarin popełnił jakiekolwiek przestępstwo, jeśli nie liczyć czytania o czarnej magii. Nie była jednak o tym przekonana. Kiedy natomiast rozmowa schodziła na Soneę, wyglądała na zaniepokojoną i niepewną.

Lorlen spojrzał na leżące na biurku rzeczy: okruchy potłuczonego szkła, częściowo stopiony srebrny widelec, talerz ze śladami zaschniętej krwi. Pozostali wciąż nie mogli wymyślić, do czego miały służyć te przedmioty. Mała szklana kulka znaleziona na stole podpowiadała jednak Lorlenowi pewne podejrzenia. Czy Akkarin tworzył kolejny pierścień taki jak jego, czy też uczył Soneę tej sztuki?

Podobnie jak dziewczyna, Akkarin odmawiał wszelkich zeznań. Uparł się, że zaczeka, aż cała Gildia zbierze się na Przesłuchanie, i nie zamierzał wcześniej się tłumaczyć. Tyle jeśli chodzi o współpracę.

To nieuczciwe, pomyślał Lorlen. Zastanawiał się nad pierścieniem spoczywającym w kieszeni jego szaty. Akkarin kazał mu go zdjąć i trzymać pod ręką. Jeśli Sarrin nie przerwie lektury, dowie się o takich klejnotach i rozpozna, co takiego nosił Lorlen. Administrator rozważał ewentualność pozbycia się pierścienia, ale dostrzegał zalety możliwości porozumiewania się z Akkarinem. Jego dawny przyjaciel wciąż najwyraźniej mu ufał. Jedynym problemem było to, że mógł on podsłuchiwać rozmowy, kiedy Lorlen miał pierścień na palcu, ale teraz nie stanowiło to problemu. Lorlen mógł go powstrzymać po prostu zdejmując pierścień.

Akkarin pragnął zatrzymać w sekrecie fakt, że Lorlen już wcześniej wiedział o jego zainteresowaniu czarną magią.

~ *Gildia potrzebuje przywódcy, któremu może zaufać* ~ powiedział mu w myślach. ~ *Zbyt wiele zmian i niepewności osłabi ją.*

Rothen i Sonea byli jedynymi ludźmi, którzy wiedzieli. Sonea milczała, a Rothen zgodził się zachować dla siebie wiedzę o jego zaangażowaniu tak długo, jak nie przynosiło to żadnych szkód. W zamian za to Lorlen pozwolił mu odwiedzić Soneę.

Na dźwięk uprzejmego pukania do drzwi wszyscy podnieśli głowy. Lorlen rozkazał drzwiom, by się otworzyły, i do środka wszedł kapitan Barran, a za nim Mistrz Osen. Gwardzista ukłonił się i uprzejmie przywitał z obecnymi, po czym zwrócił się do Administratora.

– Byłem w sklepie, w którym pracuje świadek – oznajmił. – Jej pracodawca powiedział mi, że nie zjawiła się dziś w pracy. Ustaliliśmy, gdzie mieszka, ale rodzina twierdzi, że nie wróciła na noc do domu.

Arcymistrzowie wymienili spojrzenia.

– Dziękuję, kapitanie – powiedział Lorlen. – Czy jest coś jeszcze?

Młody człowiek pokręcił przecząco głową.

– Nie. Wrócę jutro rano, tak jak prosiłeś, chyba że wypłyną jakieś nowe informacje.

– Dziękuję. Możesz odejść.

Kiedy drzwi się za nim zatrzasnęły, Vinara westchnęła.

– Nie wątpię, że za parę dni gwardziści znajdą jej ciało. Miał sporo roboty wczoraj w nocy.

Balkan potrząsnął głową.

– To nie ma sensu. Skąd miałby o niej wiedzieć? Jeśli zauważyłby ją, wychodząc, postarałby się, żeby nie dotarła do posterunku Gwardii.

Sarrin wzruszył ramionami.

– Chyba że nie zdołał jej dogonić. A potem, kiedy wyszła już z posterunku, zabezpieczył się przed dalszymi obciążającymi go zeznaniami.

Balkan westchnął.

– To nie jest zachowanie, którego bym się spodziewał po czarnym magu. Jeśli zależało mu na ukryciu dowodów, czemu był wcześniej nieostrożny? Czemu się nie przebrał? Czemu...

Urwał na dźwięk kolejnego pukania do drzwi. Lorlen z westchnieniem otworzył je siłą woli. Ku jego zaskoczeniu stanął w nich Dannyl. Pod oczami miał głębokie cienie.

– Administratorze – odezwał się. – Czy moglibyśmy zamienić parę słów? Na osobności.

Lorlen zmarszczył brwi z niezadowolenia.
– Czy chodzi o dzikiego, Ambasadorze?
– Po części. – Dannyl zerknął na pozostałych i najwyraźniej ostrożnie dobierał słowa. – Ale nie tylko. Nie przychodziłbym do ciebie, gdybym nie uważał, że mam ważne sprawy do omówienia.
Vinara podniosła się.
– I tak mam dość snucia domysłów – oznajmiła. Rzuciła Sarrinowi i Balkanowi znaczące spojrzenia. – Jeśli będziemy ci potrzebni, Administratorze, wezwij nas.
Dannyl wszedł do środka i ukłonił się wychodzącym magom. Kiedy drzwi się za nimi zamknęły, Lorlen podszedł do biurka i usiadł.
– O czym tak ważnym chciałbyś porozmawiać?
Dannyl podszedł bliżej.
– Nie jestem pewny, od czego zacząć, Administratorze. Znalazłem się w niezręcznej sytuacji. A nawet w dwóch niezręcznych sytuacjach, o ile to w ogóle możliwe. – Urwał. – Jakkolwiek napisałeś, że nie potrzebujesz już mojej pomocy, kontynuowałem badania nad starożytną magią wiedziony własną ciekawością. Wielki Mistrz, kiedy się o tym dowiedział, zachęcił mnie do dalszych poszukiwań, ale niewiele pozostało do odkrycia w Elyne. W każdym razie tak mi się wydawało.
Lorlen zmarszczył brwi. Akkarin *zachęcił* Dannyla do dalszych poszukiwań?
– Następnie, kiedy mój asystent i ja staraliśmy się zdobyć zaufanie buntowników, odkryliśmy to w bibliotece Dema Marane. – Dannyl sięgnął między fałdy szaty i wydobył spomiędzy nich starą księgę, którą położył na blacie biurka Lorlena. – Znalazłem w niej wiele odpowiedzi w kwestii starożytnej magii. Wygląda na to, że jedna z jej form, zwana

wyższą magią, to tak naprawdę czarna magia. Ta księga zawiera instrukcje, jak się nią posługiwać.

Lorlen wpatrywał się w księgę. Czy to zbieg okoliczności, czy też Akkarin wiedział, że buntownicy mają dostęp do tego dzieła? A może *współpracował* z nimi? Wstrzymał na chwilę oddech. Może w ten sposób nauczył się czarnej magii?

Ale gdyby tak było, czy chciałby ich aresztować?

– Widzisz więc – ciągnął Dannyl – że znalazłem się w nieszczególnej sytuacji. Niektórzy mogą uznać, że badałem czarną magię za zgodą Wielkiego Mistrza i że rozkaz Akkarina, by pojmać buntowników, miał na celu zdobycie większej wiedzy. – Skrzywił się. – Prawdę mówiąc, przeczytałem fragmenty tej księgi, co oznacza, że złamałem prawo dotyczące nauki o czarnej magii. Nie wiedziałem jednak, co księga zawiera, dopóki nie zacząłem lektury.

Lorlen potrząsnął głową. Nie dziwił go niepokój Dannyla.

– Rozumiem twoje obawy. Nie mogłeś wiedzieć, dokąd zaprowadzą cię poszukiwania. *Ja* też nie wiedziałem, do czego one prowadzą. Gdyby ktokolwiek miał zamiar podejrzewać ciebie, musiałby podobne zarzuty postawić i mnie.

– Czy powinienem wyjaśnić to wszystko podczas Przesłuchania?

– Omówię to ze starszyzną, ale nie sądzę, by istniała taka potrzeba – odpowiedział Lorlen.

Dannyl odetchnął.

– Jest coś jeszcze – dodał cicho.

Jeszcze? Lorlen stłumił jęk.

– Tak?

Dannyl wbił wzrok w podłogę.

– Kiedy Wielki Mistrz rozkazał mi odnaleźć buntowników, zasugerował, żebyśmy wraz z moim asystentem podsunęli im coś, co mogliby uznać za przydatne do ewentualnego zaszantażowania nas. Akkarin zapewnił mnie, że Gildia dowie się, że ta informacja była jedynie oszustwem, rozpowszechnionym po to, żeby zdobyć zaufanie buntowników. – Dannyl popatrzył na Lorlena. – Niestety w obecnej sytuacji Akkarin nie może mi pomóc.

Administrator przypomniał sobie nagle rozmowę z Akkarinem koło areny, kiedy przyglądali się walce Sonei.

„Gildia straci zainteresowanie mordercą, gdy tylko ambasador Dannyl przywiezie tu dzikiego, Lorlenie".

Czyżby miał na myśli coś więcej niż samo istnienie buntowników? Czyżby chodziło o tę informację, którą sprokurował Dannyl dla pozyskania ich zaufania?

Spoglądał na Ambasadora: młody mężczyzna odwrócił wzrok, najwyraźniej zmieszany. Lorlen powoli zaczynał składać w całość strzępy plotek, które zasłyszał, aż wreszcie odgadł, w co Dannyl pozwolił uwierzyć rebeliantom.

Interesujące, pomyślał. *I odważne, zważywszy na jego problemy za czasów nowicjatu.*

Co powinien zrobić? Lorlen pocierał skronie w zamyśleniu. Akkarin ma znacznie większy talent do tego rodzaju rozgrywek.

– Boisz się zatem, że nikt nie uwierzy w to, co Wielki Mistrz powie o tobie, ponieważ cała jego uczciwość została podana w wątpliwość?

– Tak.

– A czy tych buntowników można uznać za bardziej uczciwych? – Lorlen pokręcił głową. – Wątpię. Jeśli martwisz się tym, że nikt nie uwierzy Akkarinowi, to przekonaj ludzi, że to był twój pomysł.

Dannyl podniósł na niego szeroko otwarte oczy. Wyprostował się i skinął głową.

– Oczywiście. Dziękuję, Administratorze.

Lorlen wzruszył ramionami, po czym przyjrzał mu się uważniej.

– Wyglądasz jakbyś nie spał od tygodnia.

– Bo nie spałem. Nie chciałem, żeby ktoś zniweczył ciężką pracę, którą wykonałem, ratując życie Faranda.

Lorlen spochmurniał.

– Wróć lepiej do domu i odpocznij. Możemy cię jutro potrzebować.

Młody mag zdołał się uśmiechnąć. Wskazał na księgę leżącą na biurku Lorlena.

– Jak już się *tego* pozbyłem, nie powinienem mieć problemów z zaśnięciem. Dziękuję jeszcze raz, Administratorze.

Wyszedł, a Lorlen westchnął. *Przynajmniej ktoś ma szansę się wyspać.*

ROZDZIAŁ 16

PRZESŁUCHANIE

Pierwsze, co Sonea pomyślała po przebudzeniu, to że Viola zapomniała ją obudzić, w związku z czym spóźni się teraz na zajęcia. Zamrugała zaspanymi oczami. Następnie poczuła piasek między palcami i dostrzegła, że otaczają ją słabo oświetlone kamienne ściany Kopuły, i przypomniała sobie, co się zdarzyło.

Sam fakt, że zdołała zasnąć, był zadziwiający. Pamiętała tylko, jak leży w ciemności, a wspomnienia wydarzeń poprzedniego dnia wirują w jej umyśle. Musiała powściągnąć całą wolę, żeby nie wezwać mentalnie Akkarina, nie zapytać go, czy nie nadszedł czas, by powiedziała już coś magom, a może po prostu przekonać się, gdzie jest, czy traktują go dobrze... czy jeszcze żyje.

W najgorszych chwilach zwątpienia nie potrafiła pozbyć się myśli, że Gildia mogła już wydać na niego wyrok i nic jej o tym nie powiedzieć. Gildia przerażająco konsekwentnie i starannie wymazała niegdyś wszelką czarną magię z historii Krain Sprzymierzonych. Ci dawno zmarli magowie, którzy to uczynili, nie ociągaliby się z wykonaniem wyroku na Akkarinie.

I na mnie, pomyślała, i przebiegł ją dreszcz.

Tak bardzo pragnęła móc z nim porozmawiać. Powiedział, że opowie Gildii o Ichanich. Czy zamierza się również przyznać do umiejętności posługiwania się czarną magią? Czy zamierza im wyjawić, że ona też wie co nieco na ten temat?

A może zamierza wyprzeć się tego, że praktykował zakazaną sztukę? Albo też przyznanie, że ją zna, ale nigdy nie uczynił niczego złego?

Ona jednak *uczyniła*. Natrętny obraz martwej Ichani pojawił się w jej umyśle. A wraz z nim silne i sprzeczne emocje.

Jesteś zabójczynią, oskarżył ją jakiś wewnętrzny głos.

Musiałam to zrobić, odpowiedziała mu. *Nie miałam wyboru. Ona by mnie zabiła.*

I tak zrobiłabyś to, odparło jej sumienie, *nawet gdybyś miała wybór.*

Owszem. Żeby chronić Gildię. Żeby chronić Kyralię. Zmarszczyła brwi. *Od kiedy stanowi to dla mnie taki problem, co? W slumsach zabiłabym napastnika bez wahania. Może nawet zabiłam. Nie mam pojęcia, czy ten zbir, który mnie napadł, przeżył moje pchnięcie nożem.*

To co innego. Wtedy nie umiałaś posługiwać się magią, wytknęło jej sumienie.

Westchnęła. Nie mogła przestać myśleć, że przy całej tej przewadze, jaką dawały jej magiczne umiejętności, powinna móc uniknąć zabijania kogokolwiek. Tylko że Ichani też znała magię.

Trzeba było ją powstrzymać. Zrządzeniem losu to ja znalazłam się w dogodnej pozycji, by to uczynić. Nie żałuję, że ją zabiłam, żałuję, że musiałam to zrobić.

Sumienie zamilkło.

No, dalej, dręcz mnie, powiedziała do niego. *Wolę to niż zabijać i nie czuć się z tego powodu źle.*

Nadal cisza.

Świetnie. Potrząsnęła głową. *Może jednak ten zabobon o Oku jest prawdą. Nie tylko gadam do siebie, ale nawet prowadzę dysputy sama ze sobą. To z pewnością pierwsza oznaka szaleństwa.*

Jakiś dźwięk na zewnątrz Kopuły wyrwał ją z rozmyślań. Usiadła i zobaczyła, że pilnujący jej Wojownicy rozstępują się, a między nimi przechodzi Mistrz Osen. Nad jego głową unosiła się magiczna kula, wypełniając sklepione pomieszczenie światłem.

– Zaraz rozpocznie się Przesłuchanie, Soneo. Przyszedłem, żeby zaprowadzić cię do Rady Gildii.

Poczuła nagle, że serce jej przyspiesza. Wstała, otrzepała się z piasku i ruszyła ku wyjściu. Osen usunął się na bok, pozwalając jej przejść.

Kilka stopni prowadziło do następnych otwartych drzwi. Zawahała się na widok kręgu magów czekających na zewnątrz. Jej eskorta składała się z Uzdrowicieli i Alchemików. Wojownicy i najsilniejsi magowie Gildii będą zapewne pilnować Akkarina.

Przyglądali się jej uważnie, gdy weszła pomiędzy nich. Czując na sobie podejrzliwe i karcące spojrzenia, zarumieniła się. Spojrzała za siebie i zobaczyła, że dwaj Wojownicy, którzy trzymali straż, zamykają okrąg. Osen wszedł do środka, gdy na moment opuścili kawałek bariery, którą wokół niej wytworzyli.

– Soneo – odezwał się Osen. – Twój mentor jest oskarżony o morderstwo i uprawianie czarnej magii. Jako jego nowicjuszka będziesz przesłuchiwana w obu tych sprawach. Czy jest to dla ciebie jasne?

Przełknęła ślinę, bo zaschło jej już w gardle.

– Tak, Mistrzu.

Milczał przez chwilę.

– Ze względu na odnalezienie w twoim pokoju ksiąg dotyczących czarnej magii zostaniesz również oskarżona o zdobywanie wiedzy na temat zakazanej sztuki.

A zatem ją też będą sądzić.

– Rozumiem – powiedziała.

Osen skinął głową. Odwrócił się w stronę ogrodów rozpościerających się obok Uniwersytetu.

– A zatem do Rady Gildii.

Eskorta trzymała równy krok za Osenem prowadzącym ich ścieżką biegnącą wzdłuż gmachu Uniwersytetu. Wokół było pusto i panowała nienaturalna cisza, zakłócana jedynie przez odgłosy ich kroków oraz co jakiś czas świergot jakiegoś ptaka. Sonea myślała o rodzinach magów i służących, którzy zamieszkiwali Gildię. Czyżby wszyscy musieli wyjechać na wypadek, gdyby Akkarin postanowił zaatakować?

Kiedy eskorta zbliżyła się do głównej bramy Uniwersytetu, Osen zatrzymał się nagle. Otaczający go magowie wymienili zaniepokojone spojrzenia. Sonea zorientowała się, że wszyscy nasłuchują komunikacji mentalnej, wyostrzyła więc zmysły.

~ *...mówi, że nie wejdzie, dopóki nie przybędzie Sonea* ~ powiedział Lorlen.

~ *Co w takim razie mamy zrobić?* ~ spytał Osen.

~ *Zaczekajcie. Zaraz coś postanowimy.*

Sonea poczuła, że budzi się w niej nadzieja. Akkarin odmówił wejścia do Rady Gildii, jeśli ona się tam nie zjawi. Chce, by ona tam była. Jednak z twarzy Osena i reszty eskorty można było wyczytać niepewność – najwyraźniej niepokoili się tym, co mógłby zrobić Akkarin, gdyby Lorlen odrzucił jego żądania. Nie zdają sobie sprawy z tego, jak potężny jest Wielki Mistrz.

Otrzeźwiała. *Ja też nie.*

Czekając, usiłowała ocenić jego moc. Przez dwa tygodnie poprzedzające walkę z Ichani pobierał energię od niej i Takana. Sonea nie miała pojęcia, jak potężny był wcześniej, niemniej walka musiała poważnie osłabić jego moc. Mógł wciąż mieć jej dość, żeby pokonać każdego z magów Gildii, ale wątpiła, czy dałby radę całej Gildii.

A ja?

Miała świadomość ogromnego wzrostu mocy, odkąd przejęła energię tej Ichani, nie potrafiła jednak ocenić, o ile silniejszą ją to uczyniło. Podejrzewała jednak, że nie aż tak potężną jak Akkarin. On przecież miał przewagę w walce z ową kobietą, zanim wmieszała się Sonea. Ichani musiała więc być już słabsza niż na początku. Moc, którą zaczerpnęła od niej Sonea, nie mogła się równać tej, którą on posiadał.

Chyba że Ichani z jakichś powodów udawała słabszą...

~ *Przyprowadźcie ją.*

Lorlen nie sprawiał wrażenia zadowolonego. Osen mruknął coś pod nosem, po czym ponownie ruszył w kierunku Uniwersytetu, a eskorta za nim. Kiedy zbliżyli się do schodów, Sonea poczuła, że serce znów wali jej mocno, ale tym razem z niespokojnej niecierpliwości.

Przed budynkiem tłoczyli się magowie. Odwrócili się, gdy eskorta Sonei podeszła bliżej, po czym rozstąpili się, by ją przepuścić.

Akkarin stał pośrodku Wielkiego Holu. Sonea poczuła lekki dreszcz na jego widok. Kiedy ją zobaczył, uniósł nieznacznie kącik ust w dobrze znanym półuśmiechu. Niemal go odwzajemniła, spoważniała jednak, dostrzegając napięte twarze otaczających go magów.

W Holu było tłoczno. Na eskortę Akkarina składało się około pięćdziesięciu magów, w większości Wojowników. Zgromadziła się niemal cała starszyzna; na wszystkich twarzach widać było zdenerwowanie i gniew. Mistrz Balkan był posępny.

Lorlen wystąpił do przodu i stanął przed Akkarinem.

– Możecie wejść razem – powiedział, ale w jego głosie brzmiało ostrzeżenie – musicie jednak pozostawać z dala od siebie.

Akkarin potaknął, po czym skinął na Soneę. Zamrugała ze zdumienia, kiedy jej eskorta rozstąpiła się.

Hol wypełnił się pomrukami, kiedy weszła pomiędzy magów otaczających Akkarina. Zatrzymała się obok niego, jednak dostatecznie daleko, by nie mogli podać sobie rąk. Akkarin popatrzył na Lorlena i uśmiechnął się.

– A teraz, Administratorze, zobaczmy, czy można wyjaśnić to nieporozumienie.

Odwrócił się i ruszył korytarzem wiodącym do Rady Gildii.

Rothen nigdy nie czuł się równie źle. Poprzedni dzień był chyba najdłuższy w jego życiu. Bał się Przesłuchania, ale też nie mógł się go doczekać. Chciał usłyszeć tłumaczenia Akkarina, pragnął też przekonać się, co sprawiło, że Sonea złamała prawo. Chciał zobaczyć Akkarina ukaranego za to, co zrobił Sonei. A równocześnie bał się chwili, kiedy zostanie ogłoszona jej kara.

Po obu stronach auli Rady Gildii stali w szeregach magowie. Za nimi nowicjusze, gotowi w razie potrzeby wspomóc mistrzów swoją mocą. Salę wypełniał szmer głosów; wszyscy oczekiwali na rozpoczęcie Przesłuchania.

– Idą – mruknął Dannyl.

Do sali weszły dwie osoby. Jedna w czarnej szacie, druga w brązowym stroju nowicjuszki. Akkarin kroczył z podniesioną głową, jak zwykle. A Sonea... Rothen poczuł wzbierające współczucie na widok jej spuszczonego wzroku i twarzy pełnej lęku i zawstydzenia.

Za nimi wyłoniła się starszyzna; twarze magów wyrażały ostrożność i powagę. Kiedy Akkarin i Sonea doszli do końca sali, zatrzymali się. Rothen z zadowoleniem dostrzegł, że Sonea zachowuje dystans wobec Wielkiego Mistrza. Członkowie starszyzny stanęli przed tą parą, przy przynależnych sobie krzesłach, ustawionych na stopniach podwyższenia z przodu sali. Pozostali magowie eskortujący oskarżonych ustawili się w kręgu wokół Sonei i Akkarina.

Rothen i Dannyl usiedli w bocznych rzędach, podobnie jak pozostali magowie i nowicjusze. Kiedy wszyscy zajęli miejsca, Lorlen uderzył w niewielki gong.

– Pokłońmy się królowi Merinowi, władcy Kyralii – oznajmił z zaśpiewem.

Sonea podniosła zdumiony wzrok. Wpatrywała się teraz w najwyższy stopień podwyższenia, gdzie pojawił się władca w towarzystwie dwóch magów. Na ramionach miał ciemny jaskrawopomarańczowy płaszcz z połyskującej materii z symbolami królewskiego mullooka wyszytymi złotem na całej długości. Na jego piersi spoczywał wielki złoty sierp księżyca – królewski pektorał.

Kiedy cała Gildia przyklękła na jedno kolano, Rothen wpatrywał się uważnie w Soneę. Ona zaś zerknęła w stronę Akkarina, a widząc, że on również przyklęka, uczyniła to samo. Następnie podniosła ponownie wzrok na Króla.

Rothen mógł bez trudu zgadnąć, co ona sobie teraz myśli. Oto człowiek, który co roku nakazuje Czystkę, człowiek, który dwa i pół roku temu wygnał z domu jej rodzinę i sąsiadów.

Król rozejrzał się po sali, a następnie skierował nieodgadniony wzrok na Akkarina. Potem jego spojrzenie powędrowało ku Sonei, a ona spuściła oczy. Zadowolony z siebie monarcha zasiadł na tronie.

Po krótkiej chwili magowie zaczęli się podnosić. Starszyzna usadowiła się w kolejnych rzędach krzeseł na przodzie. Akkarin nie wstawał z przyklęku, dopóki nie zapadła cisza. Dopiero wtedy się wyprostował.

Lorlen rozejrzał się po sali i skinął głową.

– Zwołaliśmy dziś to posiedzenie, aby osądzić Akkarina z rodu Delvon, Domu Velan, Wielkiego Mistrza Kyraliańskiej Gildii Magów, a także Soneę, jego nowicjuszkę. Na Akkarinie ciąży oskarżenie o zamordowanie Mistrza Jolena z Domu Saril, jego rodziny i służących, a także o poszukiwanie, naukę i uprawianie czarnej magii. Sonea oskarżona jest o zdobywanie wiedzy na temat czarnej magii. Są to ciężkie zarzuty. Dowody na ich poparcie zostaną przedstawione do naszej oceny. Wzywam pierwszego z mówców, Arcymistrza Wojowników, Balkana.

Balkan wstał ze swego miejsca i zszedł na dół. Obrócił się w stronę Króla i przyklęknął.

– Przysięgam, że wszystko, co powiem podczas tego Przesłuchania, będzie prawdą.

Twarz Króla ani drgnęła, władca nie wykonał też żadnego gestu znamionującego, że przyjął do wiadomości słowa Balkana.

Wojownik wyprostował się i zwrócił twarzą do zebranych magów.

– Dwie noce temu usłyszałem słabe wezwanie od Mistrza Jolena. Było dla mnie jasne, że znalazł się w jakichś kłopotach. Ponieważ nie mogłem się z nim skontaktować, postanowiłem udać się do domu jego rodziny. Kiedy dotarłem na miejsce, znalazłem Mistrza Jolena oraz domowników martwych. Zginęli wszyscy: mężczyźni, kobiety, dzieci, zarówno rodzina, jak i służba. Pobieżne śledztwo upewniło mnie, że morderca dostał się przez okno w pokoju Mistrza Jolena, co może wskazywać, że Mistrz Jolen był pierwszą ofiarą. Nie dokonałem oględzin ciał w poszukiwaniu przyczyny śmierci, pozostawiając to Mistrzyni Vinarze. Kiedy przybyła, udałem się na posterunek Gwardii. Zastałem tam kapitana Barrana, gwardzistę zajmującego się śledztwem w sprawie niedawnej serii zabójstw w mieście, przesłuchującego właśnie świadka. – Balkan urwał i spojrzał na Lorlena. – Zanim jednak zostanie wezwany kapitan Barran, proponuję, abyśmy wysłuchali, co wykazało dochodzenie Mistrzyni Vinary.

Lorlen potaknął.

– Wzywam Arcymistrzynię Uzdrowicieli, Vinarę.

Vinara wstała i z gracją zeszła na dół. Odwróciła się, przyklękła i powtórzyła przysięgę prawdomówności. Następnie powstała i obrzuciła audytorium poważnym spojrzeniem.

– Przybyłam do domu rodziny Mistrza Jolena po wezwaniu Mistrza Balkana i obejrzałam ciała dwudziestu dziewięciu ofiar. Wszyscy mieli niewielkie zadrapania i sińce na szyjach, brakowało natomiast jakichkolwiek innych obrażeń. Nie zostali uduszeni ani otruci. Ciało Mistrza Jolena było nietknięte, ten fakt był pierwszym niepokojącym sygnałem w kwestii przyczyny śmierci. Przyglądając się bliżej, przekonałam się, że ciało było zupełnie pozbawione energii, co pozostawiało dwie możliwości: albo Mistrz Jolen przed śmiercią wykorzystał całą swą moc, albo też została mu ona odebrana. Oględziny pozostałych ciał potwierdziły drugą hipotezę. Wszystkim osobom odebrano całą ich energię, a ponieważ nikt z nich oprócz Mistrza Jolena nie mógł tego dokonać sam, pozostało jedyne możliwe rozwiązanie. – Urwała, rozglądając się wokół posępnie. – Mistrz Jolen, jego rodzina i służba zginęli w wyniku działania czarnej magii.

Po tych słowach salę wypełnił szmer głosów. Rothen wzdrygnął się. Zbyt łatwo przychodziło mu wyobrażenie sobie Akkarina zakradającego się do domu, podchodzącego do ofiary i zabijającego. Wbił wzrok w Wielkiego Mistrza. Akkarin zaś wpatrywał się z powagą w Vinarę.

– Bliższe oględziny ciała Mistrza Jolena wykazały krwawe ślady palców odciśnięte na karku – ciągnęła Uzdrowicielka, zerkając na Akkarina. – Ukazały również coś, co Mistrz Jolen wciąż trzymał w zaciśniętej ręce.

Vinara spojrzała w bok i skinęła głową. Podszedł do niej mag trzymający szkatułkę. Uzdrowicielka otworzyła ją i wyjęła ze środka kawałek czarnej tkaniny.

W świetle zamigotała złota nitka. Na skrawku zachowało się dość haftu, by rozpoznać inkal Wielkiego Mistrza. Salę wypełniło skrzypienie krzeseł i szelest szat: magowie obracali się i wychylali ze swych miejsc, a gwar stawał się coraz głośniejszy.

Vinara położyła tkaninę na wieczku pudełka i oddała je z powrotem asystentowi, który usunął się pod ścianę sali. Vinara zerknęła na Akkarina, który siedział ze zmarszczonym czołem, a następnie obejrzała się przez ramię na Lorlena.

– Wzywam kapitana Barrana, śledczego Gwardii – oznajmił Lorlen.

W sali zapanowała na powrót cisza, kiedy w drzwiach pojawił się mężczyzna w mundurze gwardzisty, przyklęknął przed Królem i wypowiedział formułę przysięgi. Według Rothena człowiek ten mógł mieć jakieś dwadzieścia pięć lat. Był bardzo młody jak na gwardzistę w stopniu kapitana, ale zdarzało się, że młodzieńcy z Domów awansowali szybko, jeśli byli utalentowani, lub też pracowici.

Kapitan odchrząknął.

– Pół godziny przed tym, jak zjawił się u mnie Mistrz Balkan, na posterunek przyszła młoda kobieta, twierdząc, że widziała mordercę, który przez ostatnie tygodnie pastwił się nad naszym miastem.

Opowiedziała, że wracała do domu po dostarczeniu owoców i jarzyn do jednej z rezydencji w Wewnętrznym Kręgu. Miała przy sobie pusty koszyk i znak dający jej wstęp do tej dzielnicy. Kiedy mijała dom należący do rodziny Mistrza Jolena, usłyszała w środku krzyki, które wkrótce ustały, a ona pobiegła dalej. Zanim jednak minęła następny budynek, usłyszała za sobą otwierające się drzwi. Ukryła się więc w bramie, skąd dostrzegła mężczyznę wychodzącego z domu rodziny Mistrza Jolena wyjściem dla służby. Człowiek ten miał na sobie czarną szatę maga z inkalem wyszytym na rękawie. Ręce miał całe we krwi i trzymał w nich zakrzywiony sztylet z rękojeścią wysadzaną klejnotami.

Cała aula rozbrzmiała okrzykami zgrozy. Rothen pokiwał głową na wspomnienie noża, który Sonea widziała w dłoni Akkarina wtedy, gdy podglądała. Lorlen uniósł rękę i gwar powoli przycichł.

– Co wówczas zrobiłeś?

– Zapisałem jej imię oraz miejsce pracy według znaku. Zgodnie z twoim poleceniem usiłowałem ją odnaleźć następnego dnia, ale jej pracodawca powiedział mi, że nie zjawiła się tego ranka i dał mi adres domowy. Okazało się, że jej rodzina była zaniepokojona, ponieważ dziewczyna nie wróciła owej nocy do domu.

Obawiałem się, że również ona mogła zostać zamordowana – ciągnął Barran. – I tego samego dnia znaleźliśmy jej ciało. Podobnie jak Mistrz Jolen i jego rodzina, a także wiele ofiar zabójcy w ostatnich tygodniach, nie miała żadnych ran, jeśli nie liczyć powierzchownych skaleczeń.

Urwał i skierował wzrok w stronę Akkarina, który zachowywał niewzruszony spokój.

– Mimo że mogłem ją zidentyfikować jako naszego świadka, wezwaliśmy na posterunek rodzinę, by to potwierdziła. Rodzina powiedziała nam, że to nie jest ich córka, ale ktoś przebrany w jej rzeczy. Przeżyli szok, kiedy okazało się, że inna zamordowana dziewczyna, którą znaleźliśmy, nagą i uduszoną, *okazała się* ich córką. Kolejnym zadziwiającym szczegółem jest fakt, że przy zwłokach kobiety, którą wcześniej przesłuchiwałem, znaleźliśmy dokładnie taki nóż, jaki miała widzieć w ręce zabójcy. Nie muszę dodawać, że rzuca to cień na wiarygodność świadka.

Sala rozbrzmiała echem przyciszonych głosów. Kapitan zwrócił się znów do Lorlena.

– To wszystko, co jak na razie mam do powiedzenia.

Administrator wstał.

– Zrobimy przerwę, aby omówić to, co na razie wiemy, i obejrzeć dowody. Mistrzyni Vinara, Mistrz Balkan i Mistrz Sarrin przekażą mi wasze opinie.

Natychmiast podniósł się gwar, a magowie zaczęli się zbierać w grupki, by omawiać zaprezentowane im fakty i snuć domysły. Yaldin podszedł do Rothena i Dannyla.

– Nóż można było podrzucić tej kobiecie, kiedy była już martwa.

Dannyl pokiwał głową.

– Zapewne, ale po co miałaby kłamać, kim jest? Dlaczego nosiła cudze ubranie? Czy ktoś ją opłacił albo przekupił, żeby udała tamtą? Nie miała pewnie pojęcia, że sama zginie. Ale to oznacza, że wszystko zostało wcześniej zaplanowane.

– To nie ma sensu. Po co Akkarin miałby sobie zapewniać świadka, który by go rozpoznał? – spytał Yaldin.

Dannyl wciągnął szybko powietrze.

– Na wypadek, gdyby znaleźli się inni świadkowie. Jeśli odrzucimy opowieść tej kobiety, to powinniśmy mieć wątpliwości także co do pozostałych.

Yaldin zaśmiał się.

– Albo tak, albo też mamy do czynienia z czarnym magiem, który usiłuje zrzucić na Akkarina odpowiedzialność za swoje czyny. Akkarin może być niewinny.

Rothen potrząsnął głową.

– Nie zgadzasz się?

– Akkarin posługuje się czarną magią – odrzekł Rothen.

– Nie wiesz tego. Znaleźli w jego rezydencji księgi o czarnej magii – zauważył Dannyl. – To jeszcze nie dowód, że ją *praktykuje*.

Rothen zmarszczył brwi. *Przecież wiem, że tak jest. Mam dowód. Tylko... tylko nie mogę nikomu powiedzieć. Lorlen prosił mnie o zachowanie tego w tajemnicy, a Sonea chce, żebym ochraniał Lorlena.*

Z początku Rothen zakładał, że Administrator stara się chronić ich obu. Potem zorientował się, że pozycja Lorlena w Gildii zostałaby osłabiona, gdyby okazało się, że od lat wiedział o występkach Akkarina. Gdyby Gildia zaczęła podejrzewać Administratora o współpracę z Wielkim Mistrzem, straciłaby wiarę w kogoś, komu powinna ufać.

Chyba że... może Lorlen nadal stara się uniknąć konfrontacji z Akkarinem i usiłuje doprowadzić do uznania jego niewinności? Zachmurzył się i potrząsnął głową. Jedno przestępstwo zostało udowodnione ponad wszelką wątpliwość: zarówno Akkarin, jak i Sonea mieli dostęp do zakazanych ksiąg. To wystarczy, żeby wygnać ich z Gildii. Lorlen nic na to nie poradzi.

Poczuł skurcz w żołądku. Ilekroć myślał o tym, że Sonea zostanie wyrzucona, czuł ból. Po tym wszystkim co przeszła – przekonana, że Gildia pragnie ją zabić, prawie straciła kontrolę nad swoją mocą, schwytana, szantażowana przez Ferguna, prześladowana przez innych nowicjuszy, wyszydzana przez magów, trzymana przez Akkarina jako zakładniczka, rezygnująca z uczucia do Dorriena – po tym wszystkim miała stracić to, na co tak ciężko pracowała?

Wziął głęboki oddech i zaczął ponownie zastanawiać się, jakie są zamiary Lorlena. Być może Administrator liczył na to, że Akkarin pogodzi się z wygnaniem i odejdzie. Gdyby chodziło o karę śmierci, Wielki Mistrz nie byłby zapewne tak ugodowy. A jeśli zagrożenie życia popchnęłoby go do walki z Gildią, Sonea zapewne by mu pomogła. Mogłaby zginąć w walce. Może to lepsze niż wygnanie.

Gdyby jednak Gildia wygnała Akkarina, musiałaby najpierw zablokować jego moc. Rothen wątpił, czy Wielki Mistrz zgodziłby się na to. Czy da się to wszystko rozwiązać, nie wdając się w walkę?

Rothen nie zauważył, że Dannyl oddalił się, by porozmawiać z Mistrzem Sarrinem. Yaldin z kolei najwyraźniej dostrzegł, że Rothen pogrążył się w myślach, zostawił go więc samego. Po kilku minutach w sali rozległ się ponownie głos Lorlena.

– Wróćcie na swoje miejsca.

Dannyl pojawił się u boku Rothena, bardzo z siebie zadowolony.

– Czy mówiłem ci już, jak wspaniale jest być Ambasadorem?

Rothen potaknął.

– Wiele razy.

– Ludzie wreszcie zaczęli mnie *słuchać*.

Kiedy magowie zajęli miejsca, w sali ponownie zaległa cisza. Lorlen spojrzał w stronę Arcymistrza Wojowników.

– Proszę Mistrza Balkana o kontynuowanie.

Wojownik wyprostował się.

– Dwie noce temu, po tym, jak dowiedzieliśmy się o morderstwie i wnioskach Vinary, a także obejrzeliśmy dowody i wysłuchaliśmy o zeznaniu świadka, uznaliśmy, że trzeba przesłuchać Wielkiego Mistrza. Wkrótce dowiedziałem się, że w rezydencji nie ma nikogo oprócz służącego, a zatem zarządziłem przeszukanie.

Spojrzał na Soneę.

– Pierwszego niepokojącego odkrycia dokonaliśmy w pokoju Sonei: znaleźliśmy trzy księgi poświęcone czarnej magii. Jedna z nich była założona niewielką karteczką, na której znaleźliśmy notatki wykonane jej ręką.

Urwał, a po sali przeszedł pomruk dezaprobaty. Rothen zmusił się do spojrzenia na Soneę. Miała wzrok utkwiony w podłodze, ale z jej twarzy można było wyczytać determinację. Przypomniało mu się jej wyjaśnienie: *Żeby zrozumieć wroga*.

– Kontynuując przeszukanie, przekonaliśmy się, że wszystkie drzwi są otwarte – z wyjątkiem jednych. Te ostatnie były zabezpieczone potężną magią i najwyraźniej prowadziły do podziemnego pomieszczenia. Służący Wielkiego Mistrza twierdził, że to składzik i że nie wie, jak się tam dostać. Mistrz Garrel rozkazał mu nacisnąć klamkę, podejrzewał bowiem, że mężczyzna kłamie. Kiedy sługa odmówił, Mistrz Garrel chwycił go za rękę i położył ją na klamce.

Drzwi otworzyły się i znaleźliśmy się w obszernym pomieszczeniu. Wewnątrz odkryliśmy skrzynię zawierającą więcej ksiąg poświęconych czarnej magii, w większości bardzo starych. Niektóre zostały przepisane ręką Wielkiego Mistrza. Jedna zaś była jego osobistymi zapiskami związanymi z eksperymentami z zakazaną sztuką i posługiwaniem się nią. Na stole... – Balkan przerwał, albowiem zagłuszyły go krzyki oburzenia rozlegające się na sali.

Dannyl zwrócił się do Rothena z szeroko otwartymi oczami.

– *Posługiwaniem się* czarną magią – powtórzył. – Wiesz, co to oznacza.

Rothen potaknął. Z trudem oddychał. W świetle prawa Gildia powinna skazać Akkarina na śmierć. Lorlen nie zdoła zrobić już niczego, żeby zapobiec konfrontacji.

A ja nie mam nic do stracenia, jeśli spróbuję zapobiec wygnaniu Sonei.

Z miejsca, w którym stał, Lorlen widział kiwające głowy i ręce poruszające się w szybkich, wyrazistych gestach. Niektórzy z magów siedzieli spokojnie i w milczeniu, najwyraźniej całkiem zaskoczeni tymi wiadomościami.

Akkarin stał bez ruchu, obserwując całe to zamieszanie. Lorlen zastanawiał się nad dotychczasowym przebiegiem Przesłuchania. Zgodnie z tym, czego się spodziewał, opowieść kapitana Barrana sprawiła, że magowie zaczęli podważać dowody i przypuszczenie, że Akkarin był mordercą. Niektórzy pytali, dlaczego Wielki Mistrz miałby, nie kryjąc się, wyjść na ulicę po popełnieniu zbrodni. Inni sugerowali, że Akkarin podstawił świadka po to, żeby jego opowieść została zdyskredytowana, co spowodowałoby odrzucenie również ewentualnych innych zeznań. Tego jednak nie dało się udowodnić. Wielu magów zwróciło uwagę na równo ucięte brzegi skrawka tkaniny. Akkarin raczej by zauważył, gdyby Jolen odciął mu kawałek rękawa. No i nie zostawiłby tak pogrążającego dowodu.

Administrator był pewny, że Akkarin w ogóle nie zostałby oskarżony o morderstwo, gdyby nie odkrycie ksiąg o czarnej magii. Teraz jednak, skoro Gildia poznała jego sekret, uwierzy we wszystko. Oskarżenie o morderstwo przestało się liczyć. Jeśli Gildia postanowi trzymać się litery prawa, skaże go na śmierć.

Lorlen bębnił palcami w poręcz krzesła. W zapiskach Akkarina pojawiały się wielokrotnie uwagi o grupie magów posługujących się czarną magią. Mistrz Sarrin obawiał się, że taka grupa mogłaby wciąż istnieć. Akkarin twierdził, że ma dobre powody, by robić to, co robi.

Teraz wreszcie Administrator będzie mógł zapytać, co to za powody.

Wstał i gestem nakazał milczenie. Gwar ucichł zaskakująco szybko. Lorlen podejrzewał, że magowie nie mogli się doczekać przesłuchania Akkarina.

– Czy ktoś jeszcze chciałby przedstawić dowody w tej sprawie?

Nastąpiła chwila ciszy, po czym skądś odezwał się głos.

– Ja, Administratorze.

Głos Rothena brzmiał spokojnie i jasno. Wszystkie twarze zwróciły się ku Alchemikowi. Lorlen spoglądał na niego z niesmakiem.

– Mistrzu Rothenie – zmusił się do powiedzenia – wystąp zatem.

Rothen podszedł i stanął obok Balkana. Spojrzał na Akkarina, na którego twarzy pojawiły się oznaki nieskrywanej złości. Lorlen zerknął na Wielkiego Mistrza, który podniósł wzrok na Alchemika. Wsunął rękę do kieszeni i wymacał gładką obrączkę pierścienia.

~ *Prosiłem go, żeby siedział cicho* ~ powiedział.

~ *Może nie byłeś dość przekonujący.*

Rothen przykląkł na jedno kolano i złożył przysięgę prawdomówności. Następnie powstał i obrzucił wzrokiem Starszyznę.

– Sonea już ponad dwa lata temu wyjawiła mi, że Wielki Mistrz praktykuje czarną magię.

W sali znów zawrzało.

– Widziała, jak czerpał moc od swojego sługi. Mimo że sama nie zrozumiała, co to było, ja się domyśliłem. Ja... – Spuścił wzrok. – Wiele słyszałem o nadzwyczajnej potędze Wielkiego Mistrza i bałem się, co może się stać, gdyby wystąpił przeciwko Gildii. Nie mogłem się więc zdecydować na ujawnienie tego. Zanim postanowiłem, co zrobię, Wielki Mistrz dowiedział się, że znamy jego tajemnicę. Zażądał więc opieki nad Soneą, która od tego czasu była jego zakładniczką, gwarancją mojego milczenia.

Rozległy się okrzyki oburzenia i gniewu. Lorlen westchnął z ulgą. Rothen nie ujawnił jego udziału w tej konspiracji, a niczego nie ryzykował ujawniając swój. Zrozumiał, po co Alchemik zabrał głos. Ujawniając, że Sonea była ofiarą Akkarina, mógł dać jej szanse na ułaskawienie.

Lorlen rozglądał się po sali, obserwując reakcje magów. Zauważył, że Dannyl wpatruje się w Rothena szeroko otwartymi ze zdumienia oczami. Nie uszło też jego uwadze, że nowicjusze przyglądają się jej ze współczuciem, a nawet podziwem. Przez długi czas sądzili, że została niesprawiedliwie wyróżniona przez Wielkiego Mistrza. Tymczasem okazała się jego więźniem.

Czy jest nim nadal? – zastanawiał się Administrator.

~ *Nie.*

Spojrzał na nich oboje. Przypomniał sobie, jak bez słowa wypełniała wszystkie jego polecenia, kiedy aresztowano ich w podziemnym pomieszczeniu. Przed oczami mignął mu wyraz jej twarzy, kiedy dołączyła do Akkarina w Holu. *Coś* sprawiło, że zmieniła zdanie o nim. Poczuł ukłucie niecierpliwości.

Podniósł znów rękę. Magowie niechętnie się uciszyli. Zwrócił się do Rothena.

– Czy masz nam coś jeszcze do powiedzenia, Mistrzu Rothenie?

– Nie, Administratorze.

Lorlen rozejrzał się po sali.

– Czy ktoś chciałby dodać coś istotnego w tej sprawie?

Kiedy nie doczekał się odpowiedzi, spojrzał w kierunku Wielkiego Mistrza.

– Akkarinie z Domu Velan, czy odpowiesz na pytania zgodnie z prawdą?

Kącik ust Akkarina uniósł się lekko.

– Tak.

– A zatem przysięgnij.

Wielki Mistrz spojrzał w górę, ponad swoją głowę, i przyklęknął na jedno kolano.

– Przysięgam, że wszystko, co powiem podczas tego Przesłuchania, będzie prawdą.

W sali zapanowała cisza jak makiem zasiał. Akkarin podniósł się, a Lorlen zwrócił się tym razem do Sonei.

– Soneo, czy odpowiesz na pytania zgodnie z prawdą?

Otworzyła szeroko oczy.

– Tak.

Przyklękła i powtórzyła formułę. Kiedy podniosła się, Lorlen zaczął się zastanawiać, od jakiego pytania zacząć. *Zacznijmy od oskarżeń*, zdecydował.

– Akkarinie – spojrzał niegdysiejszemu przyjacielowi prosto w oczy – czy zabiłeś Mistrza Jolena?

– Nie.

– Czy studiowałeś i praktykowałeś czarną magię?

– Tak.

Po sali przebiegł pomruk, ale szybko ucichł.

– Od jak dawna studiowałeś i praktykowałeś czarną magię?

Przez twarz Akkarina przebiegł ledwie zauważalny cień.

– Pierwszy raz... to było osiem lat temu, zanim powróciłem do Gildii.

Po tych słowach zapadło na moment milczenie, po czym sala wypełniła się gwarem domysłów.

– Czy uczyłeś się sam, czy też miałeś mistrza?

– Uczyłem się od innego maga.

– Kim był ten mag?

– Nigdy nie poznałem jego imienia. Wiem tylko, że był Sachakaninem.

– A zatem nie należał do Gildii.

– Nie.

Sachakaninem? Lorlen wstrzymał oddech, poczuł, że zaczyna go ściskać w żołądku.

– Wyjaśnij nam, jak to się stało, że nauczyłeś się zakazanej sztuki od sachakańskiego maga.

Akkarin uśmiechnął się.

– Zastanawiałem się, kiedy wreszcie o to zapytasz.

ROZDZIAŁ 17

STRASZLIWA PRAWDA

Sonea zamknęła oczy, kiedy Akkarin zaczął swoją opowieść. W kilku słowach zawarł historię poszukiwań starożytnej magii i tego, jak poczynione odkrycia zawiodły go do Sachaki. W jego głosie pobrzmiewał lekko sarkastyczny ton, jakby uważał za głupca tego młodego człowieka, o którym opowiadał, dawnego siebie.

Następnie zrelacjonował swoje spotkanie z Ichanim Dakovą. Mimo że słyszała już tę opowieść, była wtedy zbyt pochłonięta samym faktem, że Wielki Mistrz się przed nią otworzył, by zauważyć cień niechęci i przerażenia w jego głosie. Potem w historię wkradła się gorycz: Akkarin opowiadał o tych latach, kiedy był niewolnikiem, i o okrutnych zwyczajach Ichanich.

Uświadomiła sobie, że zapewne nigdy nikomu nie wspominał o tych przeżyciach aż do tego dnia, kiedy spotkali się przy źródle. Przez lata ukrywał tę część swego życia, nie tylko dlatego że to wtedy nauczył się czarnej magii i zaczął się nią posługiwać. Opowiadanie o tym, co przeszedł i co widział, bolało go i upokarzało.

Otwierając oczy, sądziła, że dostrzeże ten ból na jego twarzy, ale mimo że jego mina była poważna, nie sposób było odgadnąć emocji.

Magom zebranym w sali musiał się wydawać spokojny i opanowany. Nie zauważali zapewne napięcia w jego głosie. Ona też by tego nie dostrzegła jeszcze kilka miesięcy wcześniej. Teraz jednak tak bardzo przywykła do jego sposobu bycia, że dostrzegała nieco ukrytych emocji.

Wyczuwała w jego głosie żal, gdy opowiadał o Ichanim, który zaoferował mu naukę czarnej magii w zamian za zabicie swego pana. Wyjaśnił, że nie sądził, iż dane mu będzie przeżyć, że nawet jeśli zabiłby Dakovę, to jego brat Kariko, również Ichani, zemściłby się na nim. Opowiedział o zabiciu pozostałych niewolników i samego Dakovy z zimną prostotą. Następnie w kilku krótkich zdaniach wspomniał o swojej podróży do domu.

Jego ton złagodniał nieco, kiedy mówił o tym, jak dotarł do Gildii, kiedy pragnął tylko jednego: zapomnieć o Sachace i czarnej magii. Powiedział, że przyjął stanowisko Wielkiego Mistrza, by mieć zajęcie i by móc bez trudu mieć oko na Ichanich. Po tych słowach zamilkł, a w sali panowała cisza.

– Dwa lata po wybraniu mnie na stanowisko dowiedziałem się, że w mieście zdarzają się dziwaczne, rytualne morderstwa – ciągnął. – Gwardziści twierdzili, że znaki na ciałach ofiar oznaczają zemstę Złodziei, ja jednak wiedziałem swoje.

Przyglądałem się tym przypadkom ostrożnie, chodziłem w przebraniu do slumsów, gdzie zdarzały się te zabójstwa, wypytywałem i słuchałem. Kiedy zaś wytropiłem zabójcę, okazał się on tym, kogo się spodziewałem: sachakańskim czarnym magiem.

Na szczęście był słaby i łatwo go pokonałem. Z jego umysłu wyczytałem, że to niewolnik, wyzwolony i nauczony czarnej magii w zamian za podjęcie się niebezpiecznej misji.

Kariko wysłał go, by ocenił potęgę Gildii i, gdyby nadarzyła się okazja, zabił mnie.

Dakova przekazał bratu wiele z tego, czego się ode mnie dowiedział, włącznie z tym, że Gildia zakazała czarnej magii i jest znacznie słabsza niż kiedyś. Kariko jednak nie odważyłby się zaatakować samotnie. Musiałby przekonać innych, aby się do niego przyłączyli. Gdyby zdołał udowodnić, że jesteśmy istotnie tak słabi, jak twierdził jego brat, bez trudu znalazłby sojuszników wśród Ichanich.

Akkarin podniósł oczy. Sonea podążyła wzrokiem za jego spojrzeniem i zorientowała się, że patrzył na Króla. Monarcha przyglądał się Wielkiemu Mistrzowi z napięciem. Sonea poczuła przypływ nadziei. Nawet jeśli Król nie do końca uwierzy w opowieść Akkarina, na pewno uzna, że warto ją sprawdzić. Może pozwoli Akkarinowi przeżyć i pozostać w Gildii, dopóki...

Wzrok Króla nagle przeniósł się na nią. Patrzyła prosto w niewzruszone zielone oczy. Przełknęła ślinę i zmusiła się do wytrzymania tego spojrzenia. *To prawda*, myślała bardzo intensywnie. *Uwierz mu.*

– Co zrobiłeś z tym niewolnikiem, którego odkryłeś w mieście? – spytał Lorlen.

Sonea znowu popatrzyła na Administratora, a następnie na Akkarina.

– Nie mogłem puścić go wolno, by żerował na mieszkańcach Imardinu – odparł Akkarin. – Nie mogłem również przyprowadzić go do Gildii. Przekazałby swojemu panu wszystko, co widział, włącznie z naszymi słabościami. Nie miałem wyboru: musiałem go zabić.

Lorlen uniósł brwi. Zanim zdążył zadać kolejne pytanie, Akkarin podjął opowieść na nowo. Jego głos brzmiał mrocznie i złowrogo.

– Przez ostatnie pięć lat wytropiłem i zabiłem dziewięciu takich szpiegów. Dzięki nim dowiedziałem się, że wysiłki Kariko mające na celu zjednoczenie Ichanich, nie powiodły się dwukrotnie. Obawiam się jednak, że tym razem może mu się udać. – Akkarin zmrużył oczy. – Ostatni szpieg, którego przysłał, nie był niewolnikiem. Była to kobieta, jedna z Ichanich, która z pewnością odczytała myśli Mistrza Jolena i dowiedziała się wszystkiego, co miałem nadzieję ukryć przed Sachakanami. Gdyby upozorowała śmierć Jolena na naturalną i zostawiła przy życiu jego rodzinę oraz służbę, to nikomu z nas nie przyszłoby do głowy prowadzenie śledztwa, a ja nie wiedziałbym, że Ichani znają całą prawdę o Gildii. Tymczasem, ustawiając wszystko tak, tworząc pozory, że to ja jestem zabójcą Jolena, zmusiła mnie do wyjawienia wam prawdy o istnieniu Ichanich. – Potrząsnął głową. – Pozostaje mi tylko mieć nadzieję, że popłynie z tego jakaś korzyść.

– Uważasz zatem, że to owa Ichani zabiła Mistrza Jolena?

– Tak.

– I ci szpiedzy są powodem, dla którego zacząłeś na powrót praktykować czarną magię?

– Tak.

– Dlaczego nie powiedziałeś nam o tym pięć lat temu?

– Zagrożenie było wówczas niewielkie. Miałem nadzieję, że zabijając kolejnych szpiegów, uda mi się w końcu przekonać innych Ichanich, że Gildia nie jest aż tak słaba, jak utrzymuje Kariko. Albo też że on sam zrezygnuje z zabiegania o ich pomoc. Albo może jakiś Ichani zabije go: jest przecież pozbawiony wsparcia brata.

– Mimo wszystko powinieneś był skonsultować to z nami.

– Ryzyko było zbyt wielkie – odparł Akkarin. – Gdybym został publicznie oskarżony o posługiwanie się czarną magią, Ichani dowiedzieliby się o tym, przekonaliby się, że Kariko miał rację. Gdybym zaś zdołał udowodnić wam, jak naprawdę przedstawia się nasza sytuacja, moglibyście uznać, że nauka czarnej magii jest jedynym sposobem na ochronę Kyralii. Nie chciałem mieć tego na sumieniu.

Starszyzna wymieniła spojrzenia. Lorlen stał zamyślony.

– Posługiwałeś się czarną magią, żeby się wzmacniać i móc walczyć z tymi szpiegami oraz z ową Ichani – powiedział wreszcie powoli.

– Tak – potaknął Akkarin. – Ale była to moc oddawana dobrowolnie przez mojego służącego i ostatnio przez Soneę.

Sonea usłyszała jęki i westchnienia.

– Używałeś czarnej magii wobec Sonei? – wyszeptała Mistrzyni Vinara.

– Nie – odparł z uśmiechem Akkarin. – Nie było takiej potrzeby. Ona jest magiem, więc może dzielić się mocą w bardziej konwencjonalny sposób.

Lorlen zmarszczył brwi i popatrzył na Soneę.

– Ile z tego wiedziała wcześniej Sonea?

– Wszystko – odpowiedział Akkarin. – Zgodnie z tym, co przypomniał Mistrz Rothen, przez przypadek odkryła kiedyś coś, czego nie powinna była, musiałem więc podjąć kroki mające na celu zapewnienie sobie milczenia jej i jej poprzedniego mentora. Ostatnio zaś postanowiłem wyjawić jej prawdę.

– Dlaczego?

– Uznałem, że ktoś poza mną powinien wiedzieć o zagrożeniu ze strony Ichanich.

Lorlen zmrużył oczy.

– I wybrałeś do tego nowicjuszkę? Nie maga, nie kogoś ze starszyzny?

– Owszem. Jest potężna, a jej wiedza o slumsach okazała się bardzo przydatna.

– Jak udało ci się ją przekonać?

– Pokazałem jej jednego ze szpiegów, a następnie nauczyłem ją, jak przeczytać jego myśli. Zobaczyła tam dostatecznie wiele, żeby przekonać się, że moja opowieść o przeżyciach w Sachace jest prawdziwa.

Salę wypełniły pomruki, do magów bowiem powoli zaczynały docierać konsekwencje tego, co zostało tu powiedziane. Oczy członków starszyzny zwróciły się ku Sonei. Poczuła, że się rumieni, spuściła więc wzrok.

– Powiedziałeś mi, że nie możesz nikogo nauczyć tej umiejętności – powiedział cicho Lorlen. – Skłamałeś.

– Nie, nie skłamałem – Akkarin uśmiechnął się. – Nie mogłem wtedy nikogo uczyć, ponieważ zorientowałbyś się, że i mnie ktoś tego nauczył, i pytałbyś kto.

Administrator zmarszczył brwi.

– Czego jeszcze nauczyłeś Soneę?

Słysząc to pytanie, poczuła, że serce w niej zamiera.

Akkarin zawahał się.

– Dałem jej do przeczytania kilka książek, żeby mogła lepiej zrozumieć naszego wroga.

– Książek z tej skrzyni? Skąd ją wziąłeś?

– Odnalazłem ją w korytarzach pod gmachem Uniwersytetu. Gdy zakazano posługiwania się czarną magią, księgi zostały tam ukryte przez Gildię, na wypadek gdyby ta wiedza miała się kiedyś okazać użyteczna. Jestem pewny, że przeczytaliście wystarczająco dużo, żeby wiedzieć, że to prawda.

Lorlen rzucił spojrzenie w kierunku Mistrza Sarrina. Stary Alchemik potaknął.

– W świetle kronik, które znalazłem w skrzyni, to prawda. Przestudiowałem je uważnie i wyglądają na prawdziwe. Według nich ponad pięćset lat temu, zanim Gildia zakazała czarnej magii, była ona w powszechnym użyciu. Magowie mieli uczniów, którzy użyczali im mocy w zamian za kształcenie. Jeden z takich uczniów zabił swojego mistrza i wymordował tysiące ludzi, usiłując zdobyć pełnię władzy. Kiedy umarł, Gildia zakazała praktykowania czarnej magii.

Sala rozbrzmiała najpierw szmerem głosów, który następnie przerodził się w potężny gwar. Wsłuchując się uważnie, Sonea zdołała wyłowić strzępy rozmów.

– Skąd mamy wiedzieć, że jakakolwiek część tej opowieści jest prawdziwa?

– Dlaczego nigdy nie słyszeliśmy o tych Ichanich?

Lorlen uniósł obie ręce, wzywając do zachowania ciszy. Gwar ucichł.

– Czy ktoś ze starszyzny chciałby zadać Akkarinowi jakieś pytanie?

– Owszem – odezwał się tubalnie Balkan. – Ilu może być tych magicznych wyrzutków?

– Dziesięciu do dwudziestu – odparł Akkarin. Po jego słowach rozległ się gdzieniegdzie śmiech. – Każdego dnia pobierają oni moc od swoich niewolników, którzy dysponują sporym zasobem energii, porównywalnym z naszą mocą. Wyobraźcie sobie czarnego maga, który ma dziesięciu niewolników. Gdyby czerpał moc tylko od połowy z nich co parę dni, w ciągu kilku tygodni mógłby stać się wiele set razy potężniejszy od każdego z magów Gildii.

Zapadło milczenie.

– Ta moc zużywa się jednak, prawda? – odezwał się Balkan. – Czarny mag jest osłabiony po walce?

– Owszem – odpowiedział Akkarin.

Balkan zamyślił się.

– Dobry taktyk zabiłby najpierw niewolników.

– Dlaczego nie słyszeliśmy wcześniej o tych Ichanich? – wtrącił się Administrator Kito donośnym głosem. – Do Sachaki cały czas podróżują kupcy. Opowiadają czasami o spotkaniach z magami w Arvice, ale nigdy nie wspominali o czarnych magach.

– Ichani to wyrzutkowie. Mieszkają na pustkowiu i nie wspomina się o nich w Arvice – odparł Akkarin. – A dwór w Arvice to pole niebezpiecznych walk politycznych. Magowie sachakańscy nie chcą, żeby ktokolwiek poznał granice ich umiejętności i mocy. Nie zamierzają pozwolić kyraliańskim kupcom i dyplomatom dowiedzieć się rzeczy, które ukrywają przed własnymi ludźmi.

– Z jakiego powodu ci Ichani chcą najechać Kyralię? – spytał Balkan.

Akkarin wzruszył ramionami.

– Z wielu powodów. Przede wszystkim, jak przypuszczam, żeby wyrwać się z pustkowia i odzyskać pozycję oraz władzę w Arvice, ale wiem, że niektórzy pragną też wziąć odwet za wojnę sachakańską.

Balkan zmarszczył brwi.

– Wyprawa do Arvice mogłaby to potwierdzić.

– Ichani zabiją każdego, kto zostanie rozpoznany jako mag z Gildii – ostrzegł Akkarin. – Podejrzewam natomiast, że w Arvice mało kto zdaje sobie sprawę z ambicji Kariko.

– Jak inaczej możemy znaleźć potwierdzenie twoich słów? – spytała Vinara. – Czy poddasz się badaniu na prawdomówność?

– Nie.

– To nie skłania do zaufania ci.

– Ten, kto by mnie badał, mógłby poznać tajniki czarnej magii z mojego umysłu – wyjaśnił Akkarin. – Nie zamierzam ryzykować.

Vinara zmrużyła oczy i spojrzała na Soneę.

– Może zatem Sonea?

– Nie.

– Czy ona też poznała czarną magię?

– Nie – odpowiedział – ale powierzyłem jej informacje, które powinny pozostać tajemnicą, chyba że staniemy w obliczu najwyższej potrzeby.

Sonea czuła, że serce jej wali. Trzymała wzrok wbity w ziemię. Skłamał, mówiąc o niej.

– Czy to, co powiedział Rothen, jest prawdą? – spytała Vinara.

– Owszem.

– Przyznajesz, że zażądałeś opieki wyłącznie po to, żeby zmusić Rothena i Soneę do milczenia?

– Nie. Zażądałem opieki również dlatego, że Sonea dysponuje ogromną mocą. Potencjałem, który był beznadziejnie zaniedbywany. Okazało się, że jest uczciwa, pracowita i niezwykle utalentowana.

Sonea podniosła na niego zdumiony wzrok. Poczuła, że usta same układają jej się w szeroki uśmiech, ale stłumiła ten odruch.

Po czym zamarła, kiedy zrozumiała, do czego on zmierza.

Usiłował ich przekonać, by zatrzymali ją w Gildii ze względu na umiejętności i wiedzę, których mogą potrzebować. Nawet jeśli mu nie uwierzą, może zrobi im się jej żal. Była jego zakładniczką. Gildia może ją nawet ułaskawić.

Przecież przeczytała jedynie kilka książek, a i to za namową Akkarina.

Zmarszczyła brwi. W ten sposób sprawa Akkarina przedstawiała się gorzej. A on zachęcał ich, żeby tak na to spojrzeli. Odkąd Sonea po raz pierwszy dowiedziała się o Ichanich, wierzyła, że gdyby również Gildia poznała prawdę, wybaczyłaby Wielkiemu Mistrzowi. Teraz zaczęła mieć wątpliwości, czy Akkarin kiedykolwiek postrzegał to w taki sposób.

Jeśli nie miał nadziei na ułaskawienie, to do czego chciał doprowadzić? Przecież chyba nie chce, żeby go skazali na śmierć?

Nie, gdyby do tego doszło, będzie walczył i ucieknie. Czy mu się uda?

Zastanowiła się ponownie, ile energii stracił w walce z Ichani. Na myśl, że mógłby okazać się za słaby, żeby wyrwać się z Gildii, wstrząsnął nią dreszcz.

Chyba że ona oddałaby mu całą swoją moc, włącznie z tym, co zaczerpnęła od tej Ichani.

Wystarczy, żeby go na moment dotknęła i wysłała mu moc. Niechby tylko Wojownicy stojący wokół nich spróbowali ją powstrzymać. Będzie musiała się im przeciwstawić.

Kiedy to zrobi, zorientują się, że posługuje się większą mocą, niż powinna.

A wtedy mogą się rozmyślić w kwestii ułaskawienia jej.

Jedynym sposobem na uratowanie Akkarina jest ujawnienie, że sama używała czarnej magii.

– Soneo.

Podniosła wzrok i uświadomiła sobie, że Lorlen wpatruje się w nią badawczo.

– Tak, Administratorze.

Zmrużył oczy.

– Czy Akkarin nauczył cię, jak czytać czyjeś myśli wbrew jego woli?

– Tak.

– I jesteś pewna, że to, co widziałaś w myślach szpiega, było prawdą?

– Jestem pewna.

– Gdzie byłaś tej nocy, kiedy zginął Mistrz Jolen?

– Towarzyszyłam Wielkiemu Mistrzowi.

Lorlen zmarszczył brwi.

– Co robiliście?

Sonea zawahała się. Nadszedł czas, kiedy musi się ujawnić. Tyle że Akkarin może mieć swoje powody, żeby tego nie chcieć.

Chce, żeby ktoś, kto zna prawdę, pozostał w Gildii.

Na co się jednak przydam, jeśli on zginie? Lepiej, żebyśmy uciekli razem. Jeśli Gildia będzie potrzebowała naszej pomocy, mogą się z nami porozumieć poprzez krwawy pierścień Lorlena.

– Soneo?

Jednego jestem pewna. Nie mogę im pozwolić zabić Akkarina.

Wzięła głęboki oddech i podniosła wzrok, spoglądając Lorlenowi prosto w oczy.

– Wielki Mistrz uczył mnie czarnej magii.

W całej sali rozległy się westchnienia i okrzyki. Kątem oka widziała, że Akkarin zwraca się ku niej, ale trzymała wzrok utkwiony w Lorlena. Serce waliło jej jak młotem i musiała zmusić się do wydobycia z gardła następnych słów.

– Poprosiłam go o to. Na początku odmówił. Dopiero kiedy został zraniony przez tę kobietę... szpiega Ichani...

– Z *własnej woli* uczyłaś się czarnej magii? – wykrzyknęła Vinara.

Sonea potaknęła.

– Tak, pani. Kiedy Wielki Mistrz został ranny, zrozumiałam, że nie ma nikogo, kto byłby zdolny podjąć walkę, gdyby on zginął.

Lorlen wpatrywał się w Akkarina.

– I nie będzie.

Poczuła przebiegający jej po plecach dreszcz. Lorlen najwyraźniej też zrozumiał, do czego zmierzał Akkarin. Świadomość, że się nie pomyliła, przyniosła jej jedynie gorzką satysfakcję.

Zerknęła na Wielkiego Mistrza i ku swemu zdumieniu dostrzegła na jego twarzy gniew. Szybko odwróciła wzrok. *Obiecałam, że będę postępować zgodnie z jego poleceniami.* W jej myśli zaczęły wkradać się wątpliwości. *Czy zrobiłam coś źle? Czy właśnie zniszczyłam jakiś misterny plan, którego w swojej głupocie nie dostrzegłam?*

Akkarin z pewnością zakładał, że ona zrozumie, iż chce poświęcić siebie, byle ona pozostała w Gildii. Musiał więc liczyć się też z tym, że ona może odmówić opuszczenia go.

– Soneo.

Z bijącym wciąż mocno sercem zmusiła się do podniesienia wzroku na Lorlena.

– Czy Akkarin zabił Mistrza Jolena?

– Nie.

– Czy zabił świadka?

Zawahała się przy tym pytaniu.

– Nie wiem. Nie widziałam świadka, nie mogę więc nic na ten temat powiedzieć. Ale mogę powiedzieć, że nigdy nie widziałam, że zabił kobietę.

Lorlen skinął głową i zwrócił się do starszyzny.

– Jakieś pytania?

– Owszem – odparł Balkan. – Kiedy przybyliśmy do rezydencji Wielkiego Mistrza, nie zastaliśmy ani ciebie, ani Akkarina. Wróciliście później razem. Dokąd chodziliście?

– Poszliśmy do miasta.

– Po co?

– Żeby pozbyć się kolejnego szpiega.

– Czy Akkarin zabił tego szpiega?

– Nie.

Balkan zmarszczył czoło, ale zachował milczenie. Lorlen przyjrzał się starszyźnie, po czym przebiegł wzrokiem po sali.

– Czy ktoś ze zgromadzonych ma jakieś pytania?

Panowało milczenie. Sonea odetchnęła z ulgą.

– Przedyskutujemy teraz to, co…

– Zaczekaj!

Lorlen odwrócił się.

– Słucham, Mistrzu Balkanie.

– Mam jeszcze jedno pytanie. Do Sonei.

Z trudem podniosła na niego wzrok.

– Czy to *ty* zabiłaś tę kobietę?

Poczuła, że uginają się pod nią nogi. Rzuciła spojrzenie Akkarinowi. Stał z wzrokiem utkwionym w podłogę, wyglądał na zagniewanego i zrezygnowanego.

Co za różnica, że im powiem? – pomyślała. *Pokażę tylko, że wierzę we wszystko, co on mówi.* Uniosła podbródek i spojrzała Balkanowi prosto w oczy.

– Tak.

Rozległy się krzyki. Balkan westchnął i złapał się za głowę.

– Mówiłem, że nie można im pozwolić stać blisko siebie.

ROZDZIAŁ 18

WYROK GILDII

Kiedy tylko Lorlen zarządził kolejną przerwę na dyskusję, Dannyl podbiegł do Rothena. Widział, że jego przyjaciel zareagował na przyznanie się Sonei tak, jakby został rażony gromem. Teraz stał z wzrokiem wbitym w podłogę.

Dannyl położył mu rękę na ramieniu.

– Wy dwoje nigdy nie przestaniecie mnie zadziwiać – powiedział łagodnie. – Czemu nie powiedziałeś mi, z jakiego powodu straciłeś opiekę nad Soneą?

Rothen potrząsnął głową.

– Nie mogłem. On wtedy... no cóż, myślę, że właśnie... – Spojrzał na Soneę i westchnął. – To wszystko moja wina. To ja przekonałem ją do wstąpienia do Gildii.

– Nie, nie twoja. Nie mogłeś wiedzieć, że zdarzy się coś takiego.

– Nie, ale kiedy tu przybyła, sprawiłem, że zmieniła swoje przekonania. Pokazałem jej szerszą perspektywę, by mogła się tutaj odnaleźć. Ona zapewne zrobiła to samo dla... dla...

– A co jeśli to wszystko prawda? Usprawiedliwiałoby to wszystko, co uczyniła.

Rothen podniósł na niego puste spojrzenie.

– A jakie to ma znaczenie. Właśnie podpisała na siebie wyrok śmierci.

Dannyl rozejrzał się po sali, obserwując przede wszystkim miny starszyzny oraz Króla. Wyglądali na czujnych i niespokojnych. Przeniósł wzrok na Soneę i Akkarina. Dziewczyna stała prosto, jej spojrzenie pełne było determinacji. Ile z tego było wymuszone, nie potrafił ocenić. Wielki Mistrz był... opanowany. Ale przyjrzawszy się bliżej, Dannyl dostrzegł oznaki gniewu w sposobie, w jaki Akkarin zaciskał usta.

Nie chciał, żeby Sonea tyle wyjawiła, pomyślał.

Mimo to stali teraz bliżej siebie. Jeszcze kilka drobnych kroków i staną ramię w ramię. Dannyl pokiwał głową.

– Wcale nie jestem tego pewny, Rothenie.

Kiedy członkowie starszyzny zasiedli z powrotem na swoich miejscach, zaczęli uzmysławiać sobie opinie, które zasłyszeli wśród przedstawicieli swoich dyscyplin. Lorlen przysłuchiwał się z uwagą.

– Wielu jest zdania, że trudno uwierzyć w przedstawioną przez Akkarina opowieść – oznajmiła Vinara – niektórzy jednak wskazują, że gdyby szukał jedynie usprawiedliwienia dla swoich czynów za pomocą zmyślonej historii, z pewnością byłaby ona bardziej przekonująca.

– Moich Wojowników również to niepokoi – dodał Balkan. – Mówią, że nie możemy zlekceważyć ewentualności, że Akkarin mówi prawdę i że stoimy w obliczu zagrożenia najazdem Sachakan. Musimy zbadać to dokładniej.

Sarrin przytaknął.

– Moi ludzie też się z tym zgadzają. Wielu pytało mnie, czy w tych księgach są zawarte informacje, jak się bronić na wypadek ataku. Obawiam się jednak, że nie. Jeśli Akkarin mówi prawdę, możemy go potrzebować.

– Ja też chciałbym dokładniej przesłuchać Akkarina – powiedział Balkan. – W zwyczajnej sytuacji wnosiłbym o areszt, dopóki nie zostanie potwierdzona któraś z wersji.

– Nie jesteśmy w stanie odizolować go – przypomniała mu Vinara.

– Nie. – Balkan zacisnął usta i zwrócił się do Lorlena: – Myślisz, że będzie z nami współpracował?

Lorlen wzruszył ramionami.

– Dotychczas współpracował.

– To nie znaczy, że tak będzie nadal – wtrąciła Vinara. – Z tego, co wiemy, mogliśmy dotąd postępować zgodnie z jego planem. Jeśli obierzemy inną drogę, może stać się mniej skłonny do współpracy.

Sarrin zmarszczył brwi.

– Gdyby chciał siłą przejąć nad nami kontrolę, już by spróbował.

– Najwyraźniej tego nie pragnie – zgodził się Balkan. – Aczkolwiek cała ta opowieść o sachakańskich magach mogła mieć na celu wprowadzenie zamieszania i opóźnienie procedur.

– Opóźnienie? A po co? – spytał Sarrin.

Balkan uniósł bezradnie ramiona.

– Nie mam pojęcia.

– Nie możemy puścić go wolno – powiedziała Vinara z naciskiem. – Akkarin dobrowolnie przyznał się do praktykowania czarnej magii. Niezależnie od tego, czy popełnił to morderstwo, czy nie, nie możemy tolerować faktu, że ktoś z jego pozycją łamie jedno z naszych najważniejszych praw. Musi zostać ukarany.

– Przewidzianą karą za jego przewinienie jest śmierć – przypomniał jej Sarrin. – Kontynuowałabyś współpracę, gdybyś wiedziała, że i tak zginiesz?

– Nie wątpię, że nie spodoba mu się również próba zablokowania jego mocy – westchnęła Vinara. – Jak bardzo jest potężny, Balkanie?

Wojownik zastanowił się przez chwilę.

– To zależy. Przede wszystkim od tego, czy mówi nam prawdę. Powiedział, że czarny mag posiadający dziesięciu niewolników może w kilka tygodni zyskać moc równą setce magów Gildii. Wrócił tu osiem lat temu, ale twierdzi, że wznowił praktykę czarnej magii dopiero przed pięcioma laty. Pięć lat to bardzo dużo, nawet jeśli moc miałaby pochodzić – w każdym razie do niedawna – tylko od jednego sługi.

– W tym czasie walczył z dziewięcioma niewolnikami – zauważył Sarrin. – To musiało go osłabić.

Balkan przytaknął.

– Może nie jest aż tak potężny, jak się obawiamy. Jeśli jednak nie mówi nam prawdy, możemy być w bardzo złej sytuacji. Mógł wzmacniać się od dawna. Mógł zabijać ludzi w mieście. Włącznie z Mistrzem Jolenem i jego domownikami. – Balkan westchnął. – Nawet gdybym był pewny jego uczciwości i mocy, jest jeszcze coś, co sprawia, że nie sposób przewidzieć, co się stanie, jeśli użyjemy siły.

– Co takiego? – spytała Vinara.

Balkan zwrócił się w lewą stronę.

– Przyjrzyjcie się uważnie Sonei. Czujecie to?

Wszyscy odwrócili się i przyjrzeli nowicjuszce.

– Moc – powiedział Sarrin.

– Owszem – odrzekł Balkan. – Ogromna moc. Sonea nie nauczyła się jeszcze tego ukrywać, tak jak on – urwał. –

Powiedziała, że dwie noce temu on uczył ją czarnej magii. Nie wiem, ile zajmuje nauka, ale Akkarin twierdzi, że opanował podstawy w czasie jednej lekcji. Wokół Sonei nie było takiej aury mocy, kiedy ćwiczyła na arenie jeszcze tydzień temu. Jestem pewny, że wyczułbym. Sądzę, że źródłem tego nagłego wzrostu mocy była kobieta, do której zabicia się przyznała. Nie stałaby się tak potężna w ciągu jednej nocy, gdyby zabiła zwykłą kobietę.

Przyglądali się nowicjuszce w milczeniu.

– Dlaczego Akkarin starał się ukryć zaangażowanie Sonei? – spytał z namysłem Sarrin.

– I dlaczego ona postanowiła je wyjawić? – dodała Vinara.

– Może on chciał zadbać o to, by ktoś, kto umie walczyć z Sachakanami, pozostał przy życiu – podsunął Sarrin, marszcząc czoło. – To oznacza, że same księgi nie wystarczą.

– A może zwyczajnie chciał ją chronić? – zastanawiała się Vinara.

– Mistrzu Balkanie. – To był nowy głos.

Wojownik spojrzał w górę ze zdumieniem.

– Tak, Wasza Królewska Mość?

Wszystkie głowy zwróciły się w stronę Króla. Władca położył dłoń na oparciu pustego krzesła Wielkiego Mistrza, wpatrując się w salę świdrującym spojrzeniem zielonych oczu.

– Czy uważasz, że Gildia jest zdolna wypędzić Akkarina poza granice Krain Sprzymierzonych?

Balkan zawahał się.

– Szczerze mówiąc, nie wiem, Wasza Królewska Mość. Nawet gdyby nam się to udało, wyczerpałoby to większość naszych magów. A jeśli ci sachakańscy magowie istnieją, mogliby wykorzystać tak doskonałą okazję do najazdu.

Młody Król zastanowił się przez chwilę.

– Administratorze, czy uważasz, że Akkarin usłucha rozkazu opuszczenia Krain Sprzymierzonych?

Lorlen zamrugał ze zdumienia.

– Masz na myśli... wygnanie?

– Tak.

Członkowie starszyzny spoglądali po sobie z namysłem.

– Najbliższym niesprzymierzonym krajem jest Sachaka – zauważył Balkan. – Jeśli jego opowieść jest prawdziwa...

Lorlen zmarszczył brwi i wsunął ręce do kieszeni. Palcami wymacał pierścień.

~ *Akkarin?*

~ *Tak?*

~ *Pogodzisz się z wygnaniem?*

~ *Zamiast walki, żeby się stąd wyrwać?* ~ Lorlen wychwycił w jego myślach cień rozbawienia. ~ *Miałem nadzieję na lepsze potraktowanie.*

Zapanowało milczenie.

~ *Akkarin? Wiesz, dokąd cię poślą.*

~ *Wiem.*

~ *Czy mam postarać się ich przekonać, żeby cię wywieźli gdzieś indziej?*

~ *Nie. Musieliby mnie zabrać daleko od Kyralii. Gildia potrzebuje magów, by zostali i bronili kraju na wypadek ataku Ichanich, a musieliby ich wysłać jako moją eskortę.*

Znowu zapadło milczenie. Lorlen zerkał na pozostałych magów, wpatrzonych w niego z wyczekiwaniem.

~ *Akkarin? Król czeka na odpowiedź.*

~ *Niech będzie. Spróbuj przekonać ich do zatrzymania tu Sonei.*

~ *Zobaczę, co się da zrobić.*

– Sądzę, że możemy spróbować przekonać go do odejścia – powiedział Lorlen. – Alternatywą, jeśli chcemy uniknąć konfrontacji, jest pozostawienie go tu jako więźnia.

Król potaknął.

– Uwięzienie człowieka, którego nie jesteście w stanie kontrolować, byłoby głupotą, a jak powiedziała Mistrzyni Vinara, Akkarin powinien zostać ukarany. Musimy natomiast zbadać i potwierdzić zagrożenie ze strony Sachaki. Jeśli słowa Akkarina się potwierdzą i uznamy go za godnego zaufania, możemy go odnaleźć i porozumieć się z nim.

Balkan zmarszczył brwi.

– Chciałbym kontynuować przesłuchanie Akkarina.

– Możesz to zrobić w drodze do granicy. – Ton Króla był nieustępliwy.

Pozostali wymienili zaniepokojone spojrzenia, ale nikt nie zaprotestował.

– Czy mogę coś powiedzieć, Wasza Królewska Mość?

Wszyscy obrócili się, by spojrzeć na Rothena stojącego na środku sali.

– Zezwalam – odpowiedział Król.

– Dziękuję. – Rothen przykląkł, po czym wstał i popatrzył po twarzach starszyzny.

– Chciałbym prosić, żebyście wzięli pod uwagę młody wiek Sonei i jej podatność na wpływy, kiedy będziecie ją sądzić. Była przez pewien czas więziona przez Akkarina. Nie wiem, jak zdołał ją przekonać, żeby do niego dołączyła. Jest uparta i ma dobre serce, ale kiedy skłoniłem ją do wstąpienia do Gildii, zachęciłem ją do zaufania magom. Teraz zapewne doprowadziło ją to do odrzucenia nieufności wobec Akkarina. – Uśmiechnął się blado. – Sądzę, że kiedy Sonea uzmysłowi sobie, że została oszukana, ukarze samą siebie dotkliwiej, niż zdołałby to uczynić ktokolwiek z nas.

Lorlen podniósł wzrok na Króla, który kiwał głową.

– Wezmę pod uwagę twoje słowa, Mistrzu…

– Rothenie.

– Dziękuję, Mistrzu Rothenie.

Rothen przyklęknął ponownie, po czym podniósł się i wrócił na miejsce. Władca patrzył za nim, bębniąc palcami w oparcie krzesła Wielkiego Mistrza.

– Jak sądzisz, jak zareaguje nowicjuszka Akkarina na wygnanie jej mentora?

Wokół zapanowała martwa cisza.

Wojownicy otaczający Soneę i Akkarina zamknęli ich wewnątrz bariery wygłuszającej wszelkie dźwięki. Mogła tylko przyglądać się debatującym magom. Po dłuższej przerwie starszyzna wróciła na swoje miejsca i zaczęła się burzliwa dyskusja.

Nie odwracając się, Akkarin przesunął się o krok ku niej.

– Wybrałaś zły czas na nieposłuszeństwo, Soneo.

Skrzywiła się nieznacznie, wyczuwając w jego głosie gniew.

– Naprawdę myślałeś, że pozwolę im cię zabić?

Nastąpiła chwila milczenia, zanim odezwał się ponownie.

– Chciałem, żebyś tu została i kontynuowała walkę.

– Jak miałabym to robić, skoro Gildia będzie śledzić każdy mój krok?

– Niewielkie możliwości są lepsze niż żadne. W najgorszym wypadku mogliby cię wezwać na pomoc.

– Gdyby mnie zatrzymali, na pewno nie zastanawialiby się nad zachowaniem cię przy życiu – odparowała. – Nie pozwolę, żeby wykorzystali mnie jako wymówkę dla zabicia ciebie.

Zaczął obracać w jej kierunku głowę, ale zatrzymał się, ponieważ dźwięk niespodziewanie powrócił. Lorlen podniósł się i uderzył w gong.

– Nadszedł czas, by osądzić, czy Akkarin z rodu Delvon, Domu Velan, Wielki Mistrz Gildii Magów, a także Sonea, jego nowicjuszka, są winni zbrodni, o które ich oskarżono.

Wyciągnął rękę przed siebie. Nad jego dłonią pojawiła się kula świetlna, która natychmiast uniosła się pod sklepienie. Pozostali członkowie starszyzny uczynili tak samo i wkrótce pod sufitem zawisły setki światełek odtworzonych przez pozostałych magów, a salę wypełnił blask.

– Czy uważacie, że Akkarin z rodu Delvon, Domu Velan jest winny poszukiwania wiedzy o czarnej magii, studiowania tej sztuki, praktykowania jej i, na dodatek do poprzednich oskarżeń, zabijania za jej pomocą?

Wszystkie światełka natychmiast zapłonęły na czerwono. Lorlen nie czekał, aż Starszyzna policzy głosy.

– Większość zagłosowała „tak" – oznajmił. – Czy uważacie, że Sonea, nowicjuszka Wielkiego Mistrza, jest winna poszukiwania wiedzy o czarnej magii i, na dodatek do poprzedniego oskarżenia, studiowania tej sztuki, praktykowania jej i zabijania za jej pomocą?

Światełka zachowały czerwoną barwę. Lorlen skinął powoli głową.

– Większość zagłosowała „tak". Określoną prawem karą za te zbrodnie jest śmierć. My, starszyzna Gildii, rozważaliśmy słuszność tej kary w świetle przedstawionych wyjaśnień, jeśli są one prawdziwe. Wolelibyśmy odłożyć wydanie wyroku do czasu, kiedy będziemy mogli potwierdzić lub odrzucić prawdziwość tych zeznań, niemniej z powodu charakteru zbrodni, musimy podjąć natychmiastowe działania. – Zamilkł na moment. – Postanowiliśmy skazać Akkarina na karę wygnania.

Szmer głosów wypełnił salę. Sonea słyszała słabe okrzyki protestu, ale żaden z magów nie podniósł głosu, żeby się sprzeciwić.

– Akkarinie z rodu Delvon, Domu Velan, od tej chwili nie masz prawa przebywać w obrębie terytorium Krain Sprzymierzonych. Eskorta odwiezie cię do granicy najbliższego kraju nienależącego do Przymierza. Czy przyjmujesz ten wyrok?

Akkarin podniósł wzrok na Króla, po czym przyklęknął na jedno kolano.

– Jeśli taka jest wola Króla.

Władca uniósł brwi.

– Taka jest moja wola – powiedział.

– W takim razie odejdę.

Kiedy Akkarin powstał, w sali zapanowała cisza. Chwilę później dało się słyszeć westchnienie ulgi Lorlena. Administrator zwrócił się do Sonei.

– Soneo. My, starszyzna Gildii Magów, postanowiliśmy dać ci drugą szansę. Możesz tu zostać pod kilkoma warunkami: nigdy więcej nie posłużysz się czarną magią, od dziś nie będzie ci wolno opuszczać terenu Gildii, nigdy nie będzie ci wolno nikogo uczyć. Czy przyjmujesz ten wyrok?

Sonea wpatrywała się w Lorlena z niedowierzaniem. Gildia wygnała Akkarina, a ją ułaskawiła, mimo że oboje popełnili te same zbrodnie.

Niezupełnie te same. Akkarin był ich przywódcą, więc jego przewinienia były postrzegane jako znacznie większe, powinien bowiem stać na straży wartości wyznawanych przez Gildię. Ona zaś była tylko młodą, naiwną dziewczyną. Dziewczyną ze slumsów. Łatwo ulegającą wpływom. Uznali, że została zwiedziona na złą drogę, podczas gdy Akkarin z własnej woli nauczył się czarnej magii. Prawda była taka, że to ona podjęła dobrowolną decyzję, a *on* został do tego zmuszony.

Pozwolą jej zatem pozostać w nietrwałym poczuciu bezpieczeństwa i wygód Gildii, podczas gdy Akkarina odeślą z Krain Sprzymierzonych do najbliższego niezwiązanego Przymierzem kraju, czyli do... Zamarła.

Do Sachaki.

Poczuła nagle, że nie może oddychać. Zamierzają go wysłać prosto w łapy wrogów. Muszą przecież wiedzieć, że jeśli powiedział im prawdę, to czeka go tam śmierć.

W ten sposób nie ryzykują walki, którą mogliby przegrać.

– Soneo – powtórzył Lorlen. – Czy przyjmujesz ten wyrok?

– Nie.

Sama była zaskoczona poziomem gniewu w swoim głosie. Lorlen wpatrywał się w nią z zaskoczeniem, po czym przeniósł wzrok na Akkarina.

– Zostań – powiedział do niej Akkarin. – Nie ma sensu, żebyśmy oboje odeszli.

Nie, skoro droga wiedzie do Sachaki, pomyślała. *Może razem zdołamy przeżyć.* Mogłaby mu pomóc się wzmacniać. Samotnie będzie jedynie słabł. Uczepiła się tej iskierki nadziei i spojrzała mu prosto w oczy.

– Obiecałam Takanowi, że będę się tobą opiekować, i zamierzam dotrzymać tej obietnicy.

Zmrużył oczy.

– Soneo...

– Nie mów mi, że będę ci przeszkadzać – szepnęła, świadoma zgromadzonego wokół tłumu świadków. – Nie powstrzymało mnie to wcześniej i nie powstrzyma teraz. Wiem, dokąd cię wysyłają. Pójdę z tobą, czy ci się to podoba, czy nie. – Odwróciła się ku sali i podniosła głos, żeby wszyscy ją słyszeli.

– Jeśli skazujecie Wielkiego Mistrza Akkarina na wygnanie, musicie tak samo postąpić wobec mnie. Dzięki temu, kiedy już odzyskacie rozum, być może on będzie jeszcze żył, żeby wam pomóc.

Zapadło milczenie. Lorlen patrzył na nią przez chwilę, a następnie skierował wzrok na starszyznę Magów. Sonea dostrzegła w ich oczach poczucie porażki i frustracji.

– Nie, Soneo! Zostań!

Na dźwięk tego głosu poczuła, że coś ściska ją za serce. Zmusiła się do podniesienia wzroku na Rothena.

– Wybacz mi, Rothenie – odpowiedziała – ale nie mogę tego uczynić.

Lorlen wziął głęboki oddech.

– Soneo, daję ci jeszcze jedną szansę. Czy przyjmujesz wyrok?

– Nie.

– Czynię zatem wiadomym we wszystkich Krainach Sprzymierzonych, że Akkarin z rodu Delvon, Domu Velan, były Wielki Mistrz Gildii Magów, oraz Sonea, była nowicjuszka Wielkiego Mistrza, zostają skazani na wygnanie za zbrodnię nauki i praktykowania czarnej magii oraz zabijania za jej pomocą.

Zwrócił się do Mistrza Balkana i powiedział coś cicho. Następnie zszedł z mównicy, podszedł do kręgu Wojowników i zatrzymał się krok przed Akkarinem. Wyciągnął ręce i chwycił połę czarnej szaty. Sonea usłyszała dźwięk rozdzieranego materiału.

– Wypędzam cię, Akkarinie. Nie wolno ci więcej postawić nogi na mojej ziemi.

Akkarin wpatrywał się w Lorlena bez słowa. Administrator podszedł do Sonei. Przez chwilę patrzył jej prosto w oczy, po czym spuścił wzrok i rozdarł rękaw jej szaty.

– Wypędzam cię, Soneo. Nie wolno ci więcej postawić nogi na mojej ziemi.

Odwrócił się i odszedł. Sonea patrzyła na swój podarty rękaw. Rozdarcie było niewielkie, na długość palca. Niewielki gest, ale ostateczny.

Członkowie starszyzny wstawali ze swoich miejsc i schodzili na dół sali. Sonea poczuła, że serce w niej zamiera, kiedy Mistrz Balkan wszedł do kręgu i zbliżył się do Akkarina. Kiedy przedarł czarną szatę i wypowiedział rytualne słowa, pozostali członkowie starszyzny ustawili się za nim – i zrozumiała, że czekają na swoją kolej.

Kiedy Balkan podszedł do niej, przyglądała się Wojownikowi rozdzierającemu jej szatę i wypowiadającemu formułę. Kosztowało ją to wiele, ale zdołała spojrzeć mu prosto w oczy, podobnie jak pozostałym magom.

Kiedy starszyzna zakończyła rytuał, Sonea odetchnęła z ulgą. Reszta magów wstawała z krzeseł. Zamiast jednak opuścić salę, zaczęli jeden po drugim podchodzić do Akkarina.

Wyglądało na to, że będzie musiała przejść przez ceremonię wyrzucenia jeszcze wiele razy.

Ta świadomość zaniepokoiła ją. Potrzebowała wiele siły woli, żeby spoglądać im w twarz. Ani drgnęła, kiedy jej byli nauczyciele przystawali, żeby rozedrzeć jej szatę, a w ich oczach malowała się nagana i rozczarowanie. Mistrzyni Tya wypowiedziała formułę ledwie słyszalnym głosem i uciekła. Mistrz Yikmo długo przyglądał się jej badawczo, po czym pokiwał smętnie głową. W końcu zostało zaledwie kilku magów. Podniosła wzrok, kiedy weszli do kręgu, i poczuła ucisk w żołądku.

Rothen i Dannyl.

Jej były mentor podszedł do Akkarina powoli. Wbił w niego gniewne spojrzenie – a usta Akkarina poruszyły się. Nie dosłyszała, co powiedział, ale błyski w oczach Rothena przygasły. Jej były mentor wymamrotał coś w odpowiedzi, a Akkarin skinął raz głową. Rothen zmarszczył brwi i zbliżył się, by rozedrzeć szatę Akkarina. Wypowiedział rytualną formułę i wbił wzrok w ziemię, podchodząc do niej.

Czuła, że całkiem zaschło jej w gardle. Na udręczonej twarzy Rothena rysowały się głębokie zmarszczki. Popatrzył na nią, a jego niebieskie oczy zalśniły od łez.

– *Dlaczego*, Soneo? – szepnął chrapliwie.

Poczuła, że zbiera jej się na płacz. Zamknęła oczy i przełknęła ślinę.

– Ponieważ zesłali go na śmierć.

– A co z tobą?

– Dwoje ma szansę przeżyć tam, gdzie jedno by padło. Gildia musi się przekonać, że to, co powiedzieliśmy, jest prawdą. Kiedy to nastąpi, wrócimy.

Wziął głęboki oddech, podszedł bliżej i objął ją.

– Uważaj na siebie, Soneo.

– Obiecuję, Rothenie.

Omal nie udławiła się, wymawiając jego imię. Odszedł. Kiedy oddalił się od niej na kilka kroków, uświadomiła sobie, że nie rozdarł jej szat. Poczuła, że po policzku spływa jej łza, którą szybko otarła, kiedy stanął przed nią Dannyl.

– Soneo.

Zmusiła się do spojrzenia na niego. Dannyl patrzył na nią przenikliwie.

– Sachakanie, co?

Potaknęła, bała się bowiem, jak zabrzmi jej głos.

Zacisnął usta.

– Trzeba będzie się temu przyjrzeć.

Poklepał ją po ramieniu i oddalił się. Patrzyła, jak podchodzi do Rothena.

Jej uwagę odwrócili Wojownicy z otaczającego ich kręgu, którzy jeden po drugim podchodzili, by odprawić rytuał. Kiedy skończyli, zauważyła, że magowie ustawili się w dwóch szeregach, tworząc przejście wiodące ku drzwiom sali. Za nimi stali nowicjusze. Westchnęła z ulgą, gdy uzmysłowiła sobie, że nie zostali dopuszczeni do rytuału. Spotkanie z Reginem w takiej sytuacji mogłoby być... interesujące.

Starszyzna uformowała drugi krąg wokół Wojowników, Lorlen stanął z przodu. Kiedy Administrator skierował się ku wyjściu, podwójny pierścień eskorty ruszył za nim i przemaszerował przed szeregami magów przez całą Radę Gildii ku bramie Uniwersytetu.

Na zewnątrz gmachu stały w kręgu konie, trzymane za uzdy przez stajennych. Dwa wierzchowce czekały w środku. Akkarin podszedł do tej pary, Sonea zrobiła więc to samo. Dosiadł jednego z koni, ale ona zawahała się i spojrzała z powątpiewaniem na drugie zwierzę.

– Czyżbyś żałowała swojej decyzji?

Sonea odwróciła się i zobaczyła stojącego tuż obok Mistrza Osena, trzymającego swojego wierzchowca za wodze.

Pokręciła głową.

– Nie. Tylko... tylko że ja nigdy wcześniej nie jeździłam konno.

Rzucił wzrokiem na tłum magów wylewający się z bramy Uniwersytetu za jej plecami i ustawił swojego konia tak, żeby zasłonić ją przed nimi.

– Połóż dłoń na przednim łęku siodła i postaw czubek buta tutaj. – Ustawił i przytrzymał dla niej strzemię. Zrobiła, jak kazał, i postępując nadal wedle wskazówek, zdołała jakoś usadowić się w siodle.

– Nie musisz zanadto przejmować się prowadzeniem go – dodał. – Pójdzie za innymi.

– Dziękuję, Mistrzu Osenie.

Spojrzał na nią i skinął głową, po czym wskoczył na siodło.

Z wyżyn, na których się znalazła, widziała tłum magów zebranych na dziedzińcu. Starszyzna ustawiła się rzędem na dole schodów wiodących do gmachu Uniwersytetu, jedynie Mistrz Balkan dołączył do eskorty konnych Wojowników. Sonea rozglądała się w poszukiwaniu Króla, ale nie było go nigdzie widać.

Lorlen wystąpił i podszedł powoli do Akkarina, potrząsając głową.

– Można rzec, że dostałeś drugą szansę, Akkarinie. Wykorzystaj ją.

Akkarin spoglądał na niego przez chwilę.

– Ty też, przyjacielu. Choć obawiam się, że możesz stanąć w obliczu większych kłopotów niż ja. Porozmawiamy jeszcze.

Lorlen uśmiechnął się krzywo.

– W to nie wątpię.

Oddalił się i stanął na swoim miejscu w szeregu starszyzny, po czym skinął na Balkana. Wojownik spiął konia, prowadząc za sobą całą eskortę.

Kiedy koń Sonei ruszył, chwyciła mocno za łęk siodła. Patrzyła na Akkarina, ale jego wzrok był utkwiony w bramie Gildii. Kiedy ją minęli, ostrożnie odwróciła się, by rzucić raz jeszcze okiem na gmach Uniwersytetu, górujący wysoką, wdzięczną bryłą nad pozostałymi budynkami Gildii.

Ukłucie żalu i smutku zaskoczyło ją.

Nie zdawałam sobie sprawy z tego, jak bardzo to miejsce stało się dla mnie domem, pomyślała. *Czy uda mi się przeżyć i wrócić tu jeszcze?*

Czy też, dodał w jej myślach jakiś posępny głos, wrócę po to tylko, by zastać tu ruiny?

CZĘŚĆ DRUGA

ROZDZIAŁ 19

PROŚBA

Sonea wierciła się w siodle i usiłowała rozluźnić naciągnięte mięśnie uda. Mimo że co noc korzystała z uzdrawiania, by pozbyć się bólu, nie potrzebowała długich godzin jazdy, żeby znów go poczuć we wszystkich częściach ciała. Mistrz Osen powiedział jej, że szybciej przyzwyczai się do siodła, jeśli przestanie się leczyć, ale nie widziała sensu w uzyskiwaniu umiejętności jeździeckich, skoro i tak niedługo mieli odebrać jej konia.

Westchnęła i spojrzała ku wyłaniającym się przed nią górom. Poprzedniego dnia po raz pierwszy dostrzegła je na horyzoncie. Ciemna linia powoli przybliżała się, a tego ranka Sonea ujrzała postrzępione turnie i las rozciągający się u stóp wysokich szczytów. Góry wyglądały dziko i niegościnnie, ale kiedy już dotarli do niskich wzgórz u ich podnóża, Sonea zobaczyła białą ścieżkę wijącą się wśród drzew ku przełęczy między dwoma szczytami. Gdzieś u jej krańca znajdował się Fort i granica z Sachaką.

Powolne zmiany krajobrazu fascynowały ją. Nigdy nie wyjeżdżała poza granice Imardinu. Podróż była dla niej nowym doświadczeniem i w każdej innej sytuacji Sonea zapewne by się z niej cieszyła.

Na początku droga prowadziła wśród pól z rzędami najróżniejszych upraw. Chłopi pracowali na roli, zbierali plony lub sadzili nowe rośliny. Byli wśród nich mężczyźni i kobiety, młodzi i starzy. Zarówno dzieci, jak i dorośli pędzili drogą domowe zwierzęta rozmaitych rozmiarów. Na wielkich połaciach ziemi stały pojedyncze domostwa. Sonea zastanawiała się, czy ich mieszkańcy lubią życie w takim oddaleniu od innych.

Od czasu do czasu przejeżdżali wśród skupisk domów. W kilku wioskach Mistrz Balkan wysyłał przodem swoich Wojowników, żeby kupili żywność. W południe spotykali maga wraz z grupką kilku miejscowych chłopów, trzymających świeże konie. Zmieniali wierzchowce, by móc podróżować również nocą, orszak nie zatrzymywał się bowiem ani na chwilę, Sonea założyła więc, że strażnicy odganiają od siebie zmęczenie mocą uzdrowicielską. Kiedy spytała Mistrza Osena, dlaczego nie wspomagają w taki sam sposób koni, odpowiedział, że zwierzęta nie odczuwają w równym stopniu jak ludzie zmęczenia umysłowego związanego z brakiem odpoczynku.

Jak dotychczas radziła sobie nieźle z brakiem snu. Pierwsza noc była jasna, a drogę oświetlał im księżyc i gwiazdy. Sonea przysypiała w siodle, jak tylko pozwalał jej na to krok konia. Następnej nocy jednak chmury zakryły niebo, podróżowali więc przy świetle magicznych kul.

Spoglądając ku wznoszącym się tak blisko górom, Sonea zastanawiała się, czy trzecią noc spędzą jeszcze w Kyralii.

– Stop!

Stukot kopyt na drodze przeszedł w szuranie, kiedy eskorta zwolniła i zatrzymała konie. Wierzchowiec Sonei zrobił jeszcze parę kroków i zatrzymał się koło Akkarina. Sonea poczuła przypływ nadziei, kiedy Akkarin spojrzał na nią. Nie odezwał się do niej ani do nikogo innego, odkąd opuścili Imardin.

Nic jednak nie powiedział, tylko odwrócił się, by obserwować Mistrza Balkana.

Arcymistrz Wojowników podał coś jednemu z magów. Pieniądze na zakup żywności w następnej wiosce, domyśliła się Sonea. Rozejrzała się dookoła i stwierdziła, że przystanęli na rozstaju dróg. Jedna z nich biegła dalej ku górom, węższa zaś schodziła do niewielkiej, porośniętej rzadkim lasem doliny, gdzie nad wąską rzeczką rozłożyło się kilka domostw.

– Mistrzu Balkanie – odezwał się Akkarin.

Wszystkie twarze zwróciły się natychmiast w jego kierunku. Sonea powstrzymała uśmiech na widok przerażenia i zaskoczenia malujących się na twarzy ich strażników. *Wreszcie postanowił się odezwać.*

Balkan spoglądał ostrożnie na Akkarina.

– Słucham?

– Jeśli wejdziemy na terytorium Sachaki w tych szatach, zostaniemy natychmiast rozpoznani. Czy pozwolisz nam przebrać się w zwykłe ubranie?

Balkan wodził wzrokiem od Akkarina do Sonei. Skinął głową i zwrócił się do czekającego na rozkazy Wojownika.

– Ubranie też. Ale nic rzucającego się w oczy.

Mag przytaknął i obrzucił Akkarina i Soneę oceniającym spojrzeniem, zanim odjechał.

Sonea poczuła, że uścisk w jej żołądku wzmaga się. Czy to oznacza, że są blisko przełęczy? Czy już dziś dojadą do granicy? Spojrzała na szczyty górskie i wzdrygnęła się.

Miała nadzieję, że usłyszy mentalne wołanie Lorlena, wzywającego ich do powrotu, choć tak naprawdę nie wierzyła, że tak się stanie. Sposób, w jaki opuścili Imardin, dał wszystkim wyraźnie do zrozumienia, że ani ona, ani Akkarin nie są mile widziani w Kyralii.

Skrzywiła się na to wspomnienie. Balkan wybrał krętą drogę przez miasto, tak że przejechali właściwie przez wszystkie dzielnice. Na każdym skrzyżowaniu ulic zatrzymywali się, a wszelkie prace wokół ustawały, kiedy Balkan ogłaszał zbrodnie jej i Akkarina oraz karę wymierzoną przez Gildię. Akkarin sposępniał, w jego oczach pojawiła się złość, nazwał magów głupcami i zamilkł na resztę podróży.

Procesja przyciągała spore tłumy, a kiedy dotarli do Bramy Północnej, zebrała się tam spora gromada ciekawskich bylców. Sonea musiała szybko wznieść tarczę, by się osłonić przed lecącymi ku niej kamieniami.

Kiedy bylcy wykrzykiwali obraźliwe słowa i ciskali w nią i Akkarina czym popadnie, zalała ją fala straszliwego poczucia winy, która jednak szybko minęła. Bylcy zapewne widzieli w nich dwójkę złych magów z Gildii, którymi i tak pogardzali, toteż skorzystali z okazji, żeby bezkarnie obrzucić ich kamieniami i wyzwiskami.

Obracając się w siodle, Sonea spojrzała za siebie. Miasto już dawno znikło za horyzontem. Wojownicy jadący z tyłu bacznie ją obserwowali.

Był wśród nich Mistrz Osen, który zasępił się jeszcze bardziej, gdy spotkał spojrzenie Sonei. Odezwał się do niej kilkakrotnie w ciągu podróży, głównie po to, żeby podpowiedzieć jej, jak ma sobie radzić z koniem, na którym jechała. Kilka razy napomknął również, że Gildia mogłaby pozwolić jej wrócić do Imardinu, gdyby tylko zmieniła zdanie. Postanowiła nie odpowiadać na żadne tego rodzaju uwagi.

Ale strach, niewygoda i milczenie Akkarina przeszkadzały jej wytrwać w tym postanowieniu. Odwróciła się od Osena i zerknęła znów na Akkarina. Wszelkie próby nawiązania z nim rozmowy, jakie podejmowała, napotykały na mur milczenia. Wyglądało na to, że jej mentor postanowił ją ignorować.

A jednak co jakiś czas przyłapywała go na tym, że ją obserwuje. Jeśli nie dawała po sobie poznać, że to zauważyła, na dłuższą chwilę zatrzymywał na niej wzrok, ale kiedy tylko odwracała się ku niemu, natychmiast udawał zainteresowanie zupełnie czym innym.

Równocześnie denerwowało to Soneę i intrygowało. To nie jego spojrzenia ją zastanawiały, ale fakt, że je ukrywał. Sonea uśmiechnęła się pod nosem. Czyżby właśnie zaczynało jej brakować tego świdrującego, trudnego do wytrzymania wzroku, którego tak długo unikała?

Otrzeźwiała. Niewątpliwie po prostu chciał, żeby czuła się niepotrzebna, a może nawet żeby podkuliła ogon i wycofała się w zacisze Gildii. A może chodziło o coś jeszcze prostszego? Może naprawdę nie chciał, żeby mu towarzyszyła? Zastanawiała się wiele razy, czy winił ją za wydanie się ich sekretu. Czy Balkan odkryłby podziemne pomieszczenie w rezydencji, gdyby nie książki o czarnej magii w jej pokoju? Akkarin kazał jej trzymać je w ukryciu. Schowała je więc, ale najwyraźniej nie dość dobrze.

Może uważa, że byłoby mu lepiej bez niej.

Jeśli tak, to jest w błędzie, powiedziała sobie. Bez towarzysza, od którego mógłby czerpać moc, stawałby się tylko coraz słabszy po każdym użyciu magii. Z nią u boku może zdoła się obronić przed atakiem Ichanich. *Nieważne, czy jemu się podoba, że tu jestem, czy nie.*

Choć oczywiście wolałabym, żeby mu się podobało.

Czy stanie się choć trochę bardziej uprzejmy, kiedy dotrą do Sachaki? Wtedy usiłowanie skłonienia jej do powrotu nie będzie już miało sensu. Czy pogodzi się z jej decyzją, czy też zamknie się w swoim gniewie z powodu jej nieposłuszeństwa? Zmarszczyła brwi. Czyżby nie rozumiał, że poświęciła wszystko, by go ratować?

Potrząsnęła głową. To bez znaczenia. Nie chce jego wdzięczności. Akkarin może sobie milczeć i się boczyć, jeśli mu z tym dobrze. Ona potrzebuje tylko pewności, że on przeżyje, i to nie tylko dlatego, że w ten sposób będzie mógł wrócić i obronić Gildię przed Ichanimi. Gdyby jej na nim zupełnie nie zależało, pozostałaby w Imardinie, choćby za cenę bycia więźniem Gildii. Nie, pojechała z nim, ponieważ nie potrafiła znieść myśli, że zostałby sam po tym wszystkim, przez co przeszedł.

Zastąpiłam Takana, pomyślała nagle. Były niewolnik przybył z Akkarinem z Sachaki i został jego wiernym sługą. A teraz ona zmierza z Akkarinem *do* Sachaki. Co ma w sobie ten człowiek, że ludzie służą mu z takim oddaniem?

Ja i oddanie Akkarinowi? Omal nie roześmiała się w głos. *Tyle się pozmieniało. Myślę, że teraz potrafiłabym go nawet polubić.*

Poczuła, że serce jej podskakuje.

A może to coś więcej?

Zastanowiła się dokładnie nad tym pytaniem. Oczywiście, gdyby chodziło o coś więcej, zorientowałaby się wcześniej. Niespodziewanie stanęła jej przed oczami ta noc, kiedy zabiła Ichani. Po walce Akkarin wyjął coś z jej włosów. Jego dotyk sprawił, że poczuła się dziwacznie. Lekko. Radośnie.

Ale to przecież tylko efekt zwycięstwa w walce. To przeżycie musiało wywołać uczucie jakby podniecenia, przecież niemal otarła się o śmierć. To chyba nie znaczy, że jest... że czuje...

Muszę tylko popatrzeć na niego, żeby się przekonać.

Nagle poczuła lęk. A co, jeśli to prawda? Co, jeśli on napotka jej spojrzenie i wyczyta z niego jakieś głupie uczucia? Będzie jeszcze bardziej upierał się przy tym, by została w Kyralii.

Ocaliła ją szeptana wymiana zdań między dwoma strażnikami. Podniosła wzrok i zobaczyła, że wrócił Wojownik posłany do wioski. Wiózł ze sobą torbę i tobołek. Kiedy tylko dołączył do pozostałych, podał zawiniątko Balkanowi.

Balkan rozsupłał je i uniósł w górę koszulę z grubego płótna, dwie pary spodni o wąskich nogawkach oraz długą wełnianą koszulę, taką jak te, które Sonea widziała na wieśniaczkach. Spojrzał na Akkarina.

– Może być?

Akkarin potaknął.

– Nada się.

Balkan zwinął ponownie ubrania i rzucił je Akkarinowi. Sonea nie wiedziała, co zrobić, kiedy Akkarin zaczął zsiadać z konia, ale w końcu zmusiła obolałe nogi do ruchu. Kiedy dotknęła stopami ziemi, Akkarin wręczył jej długą koszulę i spodnie.

– Odwróćcie się – rozkazał Balkan.

Sonea rozejrzała się: pozostali magowie stanęli plecami do nich. Usłyszała odgłos drącego się jedwabiu – to Akkarin oderwał górną część swojej szaty i pozwolił jej upaść na ziemię. Materiał lśnił w słońcu, a wstążki podartej tkaniny powiewały na wietrze. Akkarin zatrzymał na nich na chwilę spojrzenie, ale wyraz jego twarzy był nieodgadniony. Następnie wyprostował się i sięgnął do paska spodni.

Sonea szybko odwróciła wzrok, czując, że się rumieni. Spojrzała na swoją szatę i westchnęła głęboko.

Lepiej szybko z tym skończyć.

Wzięła głęboki wdech, rozwiązała pas i szybkim ruchem zsunęła górną część. Jej koń odsunął się nerwowo, kiedy rzuciła mu szatę pod kopyta i jeszcze szybciej narzuciła na siebie koszulę. Po tym jak włożyła spodnie, doceniła jej długość – sięgała prawie do kolan. Odwróciła się i zobaczyła, że Akkarin przygląda się wodzom swojego konia. Rzucił jej pobieżne spojrzenie i wskoczył z powrotem na siodło.

Zorientowała się również, że Balkan przez cały czas na nich patrzył. *Cóż, ktoś musiał mieć na nas oko*, pomyślała gorzko. Podeszła do konia, postawiła nogę w strzemię i podciągnęła się na siodło.

Akkarin wyglądał dziwacznie w tym prostym ubraniu. Koszula nieco zwisała na jego szczupłym ciele. Na policzkach pojawił się cień zarostu. Nie przypominał tego imponującego Wielkiego Mistrza, który tak długo siał postrach w całej Gildii.

Spojrzała po sobie i prychnęła cicho. Jej wygląd też odbiegał daleko od powszechnych wyobrażeń o elegancji. Koszula była pewnie znoszona przez jakąś wieśniaczkę. Gruba tkanina ocierała jej skórę, ale nie była gorsza od tego, co zdarzało jej się nosić, zanim wstąpiła do Gildii.

– Głodna?

Z zaskoczeniem stwierdziła, że Mistrz Osen wyrównał swojego konia z jej wierzchowcem. W ręce trzymał pajdę gruboziarnistego chleba i kubek. Przyjęła ten poczęstunek z wdzięcznością i wkrótce popijała kęsy chleba rozcieńczonym winem. Było tanie i kwaśne, ale spowodowało, że ból mięśni przestał być tak bardzo dokuczliwy. Podała mu z powrotem kubek.

Kiedy członkowie eskorty skończyli posiłek, ruszyli dalej, a jej koń znów spieszył przed siebie nierównym kłusem. Stłumiła jęk i z rezygnacją pomyślała o czekających ją godzinach jazdy i obolałych mięśniach.

Gol wszedł do pokoju i zerknął w stronę Savary. Ukłonił się uprzejmie i skierował wzrok na Cery'ego.

– Takan mówi, że są blisko granicy – zameldował. – Następnej nocy dotrą do Fortu.

Cery potaknął. Oddał Takanowi na mieszkanie kilka wygodnych podziemnych pomieszczeń i posłał mu takich służących, którzy nie słyszeli o tajemniczej cudzoziemce, z którą zadaje się Ceryni. Savara prosiła, żeby Takan nie dowiedział się o niej. Domyślała się, że Akkarin może się porozumiewać ze swoim sługą, i wyjaśniła, że w wypadku złapania przez Ichanich, mógłby im w ten sposób wyjawić informację o jej obecności w Kyralii.

– Moi ludzie i Ichani nienawidzą się nawzajem – powiedziała. Nie wyjaśniła dlaczego, a Cery nie łudził się, że dociekanie tego ma jakiś sens.

Gol usiadł z westchnieniem.

– Co teraz zrobimy?

– Nic – odpowiedział Cery.

Gol zmarszczył czoło.

– A jeśli w mieście pojawi się następny morderca?

Cery zerknął na Savarę z uśmiechem.

– Myślę, że damy sobie radę. I tak obiecałem następnego Savarze.

Ku jego zaskoczeniu pokręciła głową.

– Teraz nie mogę ci pomóc. Nie po odejściu Akkarina. Jeśli szpiedzy nie przestaną ginąć, Ichani zaczną podejrzewać, że ktoś się w to wmieszał.

Cery spojrzał na nią poważnie.

– Może to zniechęci ich do wysyłania kolejnych?

– Być może. Ale ja mam rozkazy nie zwracać na siebie uwagi.

– A zatem teraz wszystko w naszych rękach. Jak radzisz rozprawiać się z nimi?

– Nie sądzę, żeby istniała taka potrzeba. Dostali to, czego chcieli.

– Chodziło im o Akkarina? – spytał Gol.

– I tak, i nie – odparła. – Zabiją go, jeśli zdołają. Teraz jednak, kiedy poznali słabość Gildii, to ona stanie się ich celem.

Gol wybałuszył oczy.

– Zaatakują Gildię?

– Tak.

– Kiedy?

– Wkrótce. Gildia miałaby zapewne nieco czasu na przygotowania, gdyby pozbyli się Akkarina po cichu. Ale oni ogłosili to wszem i wobec.

Cery westchnął, pocierając skronie.

– Procesja.

– Nie – odpowiedziała. – Jakkolwiek publiczne ogłaszanie zbrodni popełnionej przez Akkarina i nałożonej na niego kary było głupotą, Ichani potrzebują raptem kilku dni, najwyżej tygodnia lub dwóch, żeby się o tym dowiedzieć. – Pokręciła głową. – Przez ostatnie dni magowie Gildii omawiali mentalnie sprawę Akkarina. Ichani wszystko słyszeli.

– Czy Gildia ma jakieś szanse? – spytał Gol.

Savara spojrzała na niego smętnie.
– Nie.
Gol wybałuszył znów oczy.
– *Gildia* nie jest w stanie ich powstrzymać?
– Nie bez pomocy wyższej magii.
Cery wstał i zaczął krążyć po pokoju.
– Ilu jest tych Ichanich?
– Dwudziestu ośmiu, ale ci, którymi powinniście się przejmować, mogą skrzyknąć grupę najwyżej dziesięciu.
– Eja! Tylko *dziesięciu*?
– A każdy z nich wiele razy potężniejszy od każdego z magów Gildii. Razem bez problemu pokonają Gildię.
– Och. – Cery okrążył pokój jeszcze kilka razy. – Powiedziałaś, że ty poradziłabyś sobie w pojedynkę z tamtą Ichani. A zatem musisz być potężniejsza od maga Gildii.
Uśmiechnęła się.
– Dużo potężniejsza.
Uwadze Cery'ego nie umknęło, że Gol pobladł nieco.
– A reszta twoich ludzi?
– Wielu z nich dorównuje mi mocą, niektórzy są silniejsi.
Zagryzł w zamyśleniu wargę.
– Czego chcą twoi ludzie w zamian za pomoc Kyralii?
Uśmiechnęła się znowu.
– Twoim ziomkom nie podobałaby się nasza pomoc w równym stopniu co władza Ichanich. My też posługujemy się tym, co Gildia nazywa czarną magią.
Cery machnął lekceważąco ręką.
– Jeśli przyjdą Ichani, mogą zmienić zdanie w tym względzie.
– Mogą. Ale moi ludzie się nie ujawnią.
– Mówiłaś, że nie chcesz Ichanich w Kyralii.

– Owszem, to prawda. Ale moi ludzie nie będą się wtrącać, jeśli miałoby to dla nich stanowić ryzyko. Jesteśmy tylko jedną z wielu frakcji w Sachace, w dodatku taką, której wielu potężnych ludzi się boi i chętnie widziałoby ją w gruzach. Niewiele możemy zrobić.

– A *ty* nam pomożesz? – spytał Gol.

Westchnęła ciężko.

– Bardzo bym chciała. Ale mam rozkaz trzymać się z dala od tego konfliktu. Mam rozkaz… – spojrzała na Cery'ego – wracać do domu.

Cery pokiwał powoli głową. A zatem ona odejdzie. Domyślił się tego owej nocy na dachu. Nie będzie łatwo się pożegnać, ale on też nie mógł sobie pozwolić na to, żeby serce wzięło górę nad rozumem.

– Kiedy?

Spuściła wzrok.

– Natychmiast. To długa droga. Ichani będą pilnować granicy z Kyralią, muszę więc udać się przez Elyne. Ale… – uśmiechnęła się łobuzersko – nie sądzę, żeby to, czy wyjadę dziś wieczór, czy jutro rano, robiło wielką różnicę.

Gol zasłonił twarz ręką i zaniósł się kaszlem.

– Nie wiem – odparł Cery. – To może zrobić wielką różnicę. Ze względu na los Kyralii powinienem spróbować przekonać cię do zmiany zdania. Porcja pieczonego rasooka i butelka ciemnego anureńskiego…

Uniosła brwi.

– Ciemne anureńskie? Złodziejom powodzi się lepiej, niż sądziłam.

– Owszem. Mam dobre układy z paroma przemytnikami wina.

Uśmiechnęła się szeroko.

– Oczywiście.

*

Słysząc pukanie do drzwi swojego apartamentu, Rothen westchnął i wysilił wolę. Nie obrócił się nawet, żeby się przekonać kto to.

– Znów tu jesteś, Dannylu? Odkąd wróciłeś, spędzasz więcej czasu w moim mieszkaniu niż we własnym. Nie ma żadnych buntowników czy tajnych misji, którymi mógłbyś sobie zająć czas?

Dannyl zaśmiał się.

– Przez najbliższy tydzień nie. Tymczasem nie miałbym nic przeciwko dowiedzeniu się czegoś o moim starym druhu, zanim odeślą mnie z powrotem. – Podszedł do foteli ustawionych w półokrąg w salonie i usiadł naprzeciwko Rothena. – Nie sądzę, żebyś wybierał się dziś do sali wieczornej?

Rothen podniósł wzrok i przekonał się, że na twarzy Dannyla maluje się zrozumienie.

– Nie.

Dannyl westchnął.

– A ja naprawdę powinienem tam pójść. Posłuchać plotek i takie tam. Ale…

Nie jest to proste, dokończył w myślach Rothen. Dannyl opowiedział mu o tym, co zakładał plan schwytania buntowników opracowany przez Akkarina. Oskarżenia wysuwane przez Dema Marane pod adresem Dannyla dotarły już do wszystkich zakamarków w Gildii. Mimo że większość magów była skłonna je odrzucić, Rothen wiedział, że zawsze znajdą się tacy, którzy uwierzą w każdą plotkę.

Rothen doświadczył tych samych niechętnych spojrzeń dwa lata temu, kiedy kwestionowano decyzję o umieszczeniu Sonei w jego apartamencie. Stawianie czoła pogłoskom było trudne, ale ważne – a wsparcie, którego udzielili mu Yaldin i Ezrille było bezcenne.

Powinienem teraz uczynić to samo dla Dannyla.

Wziął głęboki oddech i wstał.

– No dobrze, chodźmy już, jeśli nie chcemy, by nas ominęła cała zabawa.

Dannyl zamrugał oczami ze zdumienia.

– Myślałem, że się nie wybierasz…

– Czy mi się to podoba, czy nie, mam dwoje byłych nowicjuszy, o których powinienem się troszczyć. – Rothen wzruszył ramionami. – Nie pomogę żadnemu z was, smęcąc się w swoim mieszkaniu.

Dannyl podniósł się.

– Jesteś pewny?

– Tak.

– Dziękuję.

Rothen uśmiechnął się, słysząc wdzięczność w głosie Dannyla. Czuł ulgę, że jego przyjaciel nadal jest taki sam jak kiedyś. Dannyl najwyraźniej nie zdawał sobie sprawy z tego, że jego zachowanie w sytuacjach publicznych ostatnio się zmieniło. Miał w sobie więcej pewności siebie i wyniosłości, co w połączeniu z jego wzrostem czyniło go naprawdę imponującą figurą.

Zadziwiające, jakie cuda potrafi sprawić odrobina odpowiedzialności, pomyślał Rothen.

Dannyl wyszedł za nim na korytarz, a następnie skierowali się schodami w dół ku bramie Domu Magów. Słońce właśnie zachodziło, zalewając dziedziniec czerwonozłotym blaskiem. Ruszyli w stronę sali wieczornej.

Wewnątrz było ciepło i głośno. Rothen zauważył, że gdy weszli, wielu magów zwróciło się ku nim i nie spuszczało z nich wzroku. Nie musiało upłynąć wiele czasu, żeby kilku z nich podeszło bliżej i zaczęło ich przepytywać.

Przez ponad godzinę podchodzili do niego i Dannyla magowie, którzy chcieli się dowiedzieć czegoś więcej o buntownikach. Rothen dostrzegał szacunek, ciekawość i nieznaczny cień podejrzliwości, malujące się na ich twarzach. Dannyl z początku odpowiadał na pytania z wahaniem, ale wkrótce nabrał pewności siebie. Kiedy oddaliła się grupka Uzdrowicieli, pragnących przedyskutować rady, których udzieliła mu Vinara, kiedy ratował dzikiego przed działaniem trucizny, Dannyl zwrócił się do Rothena z żałosnym uśmiechem.

– Obawiam się, że odbieram ci całe zainteresowanie, przyjacielu.

Rothen wzruszył ramionami.

– Jakie zainteresowanie? Jakoś nie słyszę pytań o Soneę.

– Nie. Może wreszcie postanowili dać ci spokój.

– Nie sądzę. Myślę, że to po prostu...

– Ambasadorze Dannylu.

Odwrócili się i zobaczyli przed sobą Mistrza Garrela. Rothen spochmurniał, kiedy Wojownik skłonił uprzejmie głowę. Nigdy nie lubił Garrela i wciąż uważał, że swego czasu mógł on bardziej zdecydowanie ukrócić Regina, by przestał dokuczać Sonei.

– Mistrzu Garrelu – odpowiedział Dannyl.

– Witaj – powiedział Wojownik. – Dobrze znów być w domu?

Dannyl wzruszył ramionami.

– Tak. Miło jest znów spotkać przyjaciół.

Garrel rzucił Rothenowi spojrzenie.

– Ponoć wyświadczyłeś nam wielką przysługę. I to, jak słyszałem, kosztem wielkiego osobistego poświęcenia. – Nachylił się nieco bliżej. – Podziwiam twoją odwagę. Ja sam nie podjąłbym takiego ryzyka. Ale w ogóle bardziej odpowiada mi bezpośrednia konfrontacja niż intrygi.

– I z tego, co słyszałem, znacznie lepiej sobie w niej radzisz – odparł Dannyl.

Rothen zamrugał oczami ze zdumienia, po czym odwrócił głowę, żeby ukryć uśmiech. W miarę rozwoju tej rozmowy zaczął przekonywać się, że dobrze zrobił, przychodząc do sali wieczornej. Najwyraźniej dwór elyński nauczył Dannyla więcej, niż tylko jak dobrze wyglądać i brzmieć przekonująco.

– Mistrzu Garrelu – odezwał się nowy głos. Zza ramienia Wojownika wyłonił się młody Alchemik. Mistrz Larkin, wykładowca architektury i budownictwa.

– Słucham? – odparł Garrel.

– Mistrz Harsin chciałby porozmawiać z tobą o postępach, jakie poczynił twój nowicjusz w nauce o chorobach. Zapewne cię to zainteresuje.

Wojownik zmarszczył brwi.

– A zatem poszukam go. Dobranoc, Mistrzu Rothenie. Dobranoc, Ambasadorze Dannylu.

Kiedy Garrel się oddalił, Larkin skrzywił się.

– Uznałem, że potrzebujecie pomocy – powiedział. – Nie chodzi mi o to, że nie dajesz sobie rady, Ambasadorze. Ale kilku z nas zauważyło, że ci, których Garrel zaszczyca konwersacją, zaczynają prędzej czy później marzyć o jakiejś odmianie. Zazwyczaj prędzej.

– Dziękuję, Mistrzu Larkinie – odrzekł Dannyl. Spojrzał na Rothena i uśmiechnął się krzywo. – Myślałem, że tylko my to zauważyliśmy.

– Och, nabranie takiej wprawy w irytowaniu ludzi wymaga lat praktyki. Garrel zapewne uznał, że stanowicie niezły cel, zważywszy ostatni wielki hałas o nic.

Dannyl uniósł brwi, wyraźnie zdziwiony.

– Tak uważasz?

– Cóż, to naprawdę nic w porównaniu z... z czarną magią – odpowiedział młody mag. Zerknął na Rothena i zarumienił się. – Oczywiście nie wierzę w to, co mówi ten buntownik, ale... – Rozejrzał się po sali, po czym zrobił krok do tyłu. – Wybaczcie mi, ale Mistrz Sarrin właśnie dał mi znak, że chciałby porozmawiać.

Larkin skinął im obu głową i oddalił się pospiesznie. Dannyl rozejrzał się po sali.

– Interesujące, zważywszy, że Sarrina tu nie ma.

– Owszem – potaknął Rothen. – Bardzo interesujące. Zwłaszcza ten kawałek o tym, że potrzebujesz pomocy. Zdecydowanie nie jest ci ona potrzebna, Dannylu. Prawdę mówiąc, mam wrażenie, że nawet ja nie jestem ci potrzebny. – Westchnął teatralnie. – To naprawdę przygnębiające.

Dannyl uśmiechnął się i poklepał Rothena po ramieniu.

– To musi być strasznie frustrujące, tak obserwować, jak twoi nowicjusze pną się coraz wyżej.

Rothen wzruszył ramionami, ale po chwili jego uśmiech przeszedł w ponury grymas.

– Żeby tylko nie pięli się drogą wiodącą do Sachaki.

ROZDZIAŁ 20

KARA WYMIERZONA PRZEZ GILDIĘ

Dannyl przystanął na chwilę przed drzwiami gabinetu Administratora Lorlena, by zaczerpnąć powietrza i wyprostować ramiona. Wezwanie na spotkanie ze starszyzną nadeszło wcześniej, niż się tego spodziewał, a nie dawało mu spokoju przekonanie, że powinien być lepiej przygotowany. Zerknął na teczkę, w której trzymał swój raport, i wzruszył ramionami. Nawet jeśli coś przyszłoby mu do głowy, za późno na dokonywanie zmian.

Zapukał. Drzwi się otwarły i Dannyl wkroczył do środka. Skłonił się lekko siedzącym w fotelach magom. Obecni byli Mistrzyni Vinara i Mistrz Sarrin, a także Administrator Zagraniczny Kito. Lorlen, jak zwykle, siedział za biurkiem. Wskazał Dannylowi wolne krzesło.

– Usiądź, proszę, Ambasadorze – powiedział i odczekał, aż Dannyl zajął wskazane mu miejsce. – Zamierzałem zaczekać do powrotu Mistrza Balkana, zanim poproszę cię o złożenie pełnego raportu o twoich spotkaniach z buntownikami, ale konieczność jak najszybszego zbadania zeznań Akkarina przekonała nas, że lepiej z tym nie zwlekać, a twoja relacja może rzucić pewne światło na jego poczynania. Powiedz nam zatem, jak wyglądały rozkazy Akkarina.

– Nieco ponad sześć tygodni temu otrzymałem od niego list – Dannyl otworzył teczkę, wyjął list i posłał go w stronę Lorlena.

Administrator złapał kartkę i odczytał pismo na głos:

„Od kilku lat obserwuję wysiłki niewielkiej grupy dworzan w Elyne, mające na celu opanowanie magii bez pomocy i kierownictwa Gildii. Niedawno udało im się odnieść pewien sukces. Teraz, skoro jeden z nich zdołał rozwinąć moc, Gildia ma prawo i obowiązek rozprawić się z nimi. Do listu dołączam informacje o tej grupie. Twoja zażyłość z uczonym imieniem Tayend z Tremmelin może być ci przydatna, by przekonać ich, że jesteś godny zaufania. Niewykluczone, że buntownicy będą usiłowali wykorzystać informacje dotyczące kwestii intymnych przeciwko tobie, kiedy już ich aresztujesz. Zapewniam cię, że przekonam wszystkich, że to ja rozkazałem ci podsunąć im takie pogłoski, byś mógł zaskarbić sobie ich zaufanie".

Zgodnie z oczekiwaniami Dannyla pozostali magowie wymienili zdumione spojrzenia.

– Rozumiem, że chodziło o zażyłość zawodową z tym uczonym? – spytał Sarrin.

Dannyl rozłożył ręce.

– Tak i nie. Zrozumiałem, że miał również na myśli pogłoski o naszej osobistej przyjaźni. Tayend ma pewne, jak to mówią w Elyne, preferencje. – Sarrin uniósł brwi, ale ani on, ani pozostała dwójka nie sprawiali wrażenia zaskoczonych tym określeniem. – Elynowie zastanawiali się, czy w naszej przyjaźni kryje się coś więcej niż tylko zawodowa relacja, która się narodziła, kiedy Tayend zaczął mi pomagać w poszukiwaniach.

– A ty pozwoliłeś, by buntownicy uwierzyli w tę plotkę, bo w ten sposób byli przekonani, że zdołają cię szantażować, w razie gdybyś zaczął sprawiać kłopoty? – indagował Sarrin.

– Tak.

– Akkarin nie sprecyzował, o co mu chodzi. Mógł mieć na myśli, że powinieneś był dać im do zrozumienia, że tobie i twojemu asystentowi grozi wygnanie lub śmierć, gdyby odkryto, że uczysz go magii.

Dannyl potaknął.

– Wziąłem to oczywiście pod uwagę, ale uznałem, że to nie wystarczy do przekonania rebeliantów, by obdarzyli mnie zaufaniem. – Ku uldze Dannyla Kito potaknął.

– A zatem Akkarin zamierzał powiedzieć Gildii, że zażądał od ciebie udawania romantycznego związku z twoim asystentem – odezwała się Vinara – ale kiedy tu przybyłeś, on był już aresztowany. Administrator Lorlen zasugerował zaś, żebyś twierdził, że to oszustwo było twoim pomysłem.

– Zgadza się.

Uzdrowicielka uniosła brwi.

– Zadziałało?

Dannyl wzruszył ramionami.

– Zasadniczo tak, tak mi się wydaje. A jakie jest wasze zdanie?

Potaknęła.

– Większość chyba uwierzyła w tę opowieść.

– A pozostali?

– To znani plotkarze.

Dannyl pokiwał głową. Przypominając sobie przepytywanie Mistrza Garrela w sali wieczornej, zastanawiał się, czy Vinara zaliczyłaby go do grona „znanych plotkarzy".

Lorlen oparł łokcie o blat biurka.

– Opowiedz nam zatem o spotkaniu z buntownikami.

Dannyl opowiedział o tym, jak zorganizował spotkanie z Demem Marane i o swej wizycie w jego domu. Opisał, jak uczył Faranda kontroli i jak odnaleziona przez Tayenda księga przekonała go o konieczności aresztowania buntowników.

– Zastanawiałem się, czy nie zaczekać, by się przekonać, czy będą nadal potrzebowali mojej pomocy, kiedy już Farand opanował kontrolę – powiedział. – Miałem nadzieję, że uda mi się poznać imiona pozostałych. Kiedy jednak odkryłem, co zawiera ta księga, uznałem, że ryzyko jest zbyt wielkie. Nawet jeśli Dem pozwoliłby mi ją zachować, istniałoby nadal niebezpieczeństwo, że buntownicy posiadają inne. Gdyby zniknęli zaraz po tym, jak Farand opanował kontrolę, mogliby się nauczyć czarnej magii i mielibyśmy na głowie coś dużo gorszego niż dzicy magowie. – Dannyl urwał, krzywiąc się. – Nie sądziłem, że i tak mieliśmy.

Sarrin wiercił się w swoim fotelu, marszcząc brwi.

– Myślisz, że Akkarin wiedział o istnieniu tej księgi?

– Nie mam pojęcia – odparł Dannyl. – Przede wszystkim nie wiem, jak dowiedział się o buntownikach.

– Może wyczuł zdolności Faranda w taki sam sposób, jak Sonei, zanim nauczyła się kontroli – podpowiedziała Vinara.

– Na taką odległość jak Elyne? – spytał z niedowierzaniem Sarrin.

Vinara wzruszyła ramionami.

– On ma wiele niezwykłych umiejętności, które bez wątpienia zdobył, praktykując czarną magię. Czemuż więc miałoby to być niemożliwe?

Sarrin zasępił się.

– Mówiłeś o prowadzonych przez siebie badaniach, Ambasadorze. Czego one dotyczyły?

– Starożytnej magii – odpowiedział Dannyl, rozglądając się po pokoju. Kiedy jego wzrok napotkał spojrzenie Lorlena, Administrator uśmiechnął się blado.

– Powiedziałem im, że zacząłeś na moje polecenie – powiedział.

Dannyl potaknął.

– Owszem, aczkolwiek nie wiem dlaczego.

– Chciałem odzyskać choćby część tej wiedzy, którą utracił Akkarin – odrzekł Lorlen. – Ale on dowiedział się o moich poszukiwaniach i dał mi do zrozumienia, że nie popiera tych wysiłków. Przekazałem więc Mistrzowi Dannylowi, że jego pomoc nie jest mi już potrzebna.

– A ty nie posłuchałeś rozkazu? – zwrócił się Sarrin do Dannyla.

– To nie był rozkaz – wtrącił się Lorlen. – Poinformowałem jedynie Ambasadora, że nie potrzebuję już tych poszukiwań. Sądzę, że Dannyl kontynuował badania wiedziony własną ciekawością.

– Owszem – zgodził się Dannyl. – A później Akkarin dowiedział się o moich zainteresowaniach i wezwał mnie do Gildii. Wyglądał na zadowolonego z poczynionych przeze mnie odkryć i zachęcił mnie do kontynuowania poszukiwań. Niestety nie udało mi się odnieść większych sukcesów. Jedyne źródła, do których nie dotarłem, znajdują się w Sachace, a Akkarin dał mi jasno do zrozumienia, że nie wolno mi się tam udawać.

Sarrin rozparł się wygodnie w fotelu.

– Interesujące. Nie popierał poszukiwań, a następnie do nich zachęcał. Może już zdążyłeś odkryć coś, czego zdaniem Akkarina nie powinieneś znaleźć, ale nie zrozumiałeś, jakie miało znaczenie. To mogło go uspokoić na tyle, żeby pozwolił ci kontynuować twoje poszukiwania.

– Też brałem to pod uwagę – przytaknął mu Dannyl. – Ale dopiero kiedy ujrzałem księgę buntowników, zrozumiałem, że starożytna magia, której poszukiwałem, to w rzeczywistości czarna magia. Nie sądzę, by zamierzał mnie o tym informować.

Sarrin pokręcił przecząco głową.

– Nie. Zapewne nie chciałby, żebyś czytał tę księgę. Najwyraźniej nie wiedział, że Dem Marane jest w jej posiadaniu, zaś aresztowanie buntowników nie miało służyć sprowadzeniu jej do Gildii. – Zamyślił się. – Zatem ta księga może zawierać nieznane mu informacje. Niezwykle interesujące.

Dannyl przenosił wzrok z twarzy na twarz, przyglądając się zadumanym magom.

– Mogę zadać pytanie?

Lorlen uśmiechnął się.

– Oczywiście, Ambasadorze.

– Czy wpadliście na ślad czegokolwiek, co mogłoby potwierdzić opowieść Akkarina?

Administrator spoważniał.

– Jeszcze nie. – Zawahał się. – Pomimo ostrzeżenia, którego udzielił nam Akkarin, nie widzimy innego sposobu, żeby przekonać się o prawdziwości jego słów, niż wysłanie szpiegów do Sachaki.

Dannyl potaknął.

– Podejrzewam, że ich imiona pozostaną tajemnicą nawet w obrębie Gildii?

– Owszem – odparł Lorlen. – Ale niektórzy, między innymi ty, będą je znali, ponieważ domyślą się zapewne prawdziwych powodów nieobecności niektórych magów.

– Naprawdę? – Dannyl wyprostował się na te słowa.

– Jednym ze szpiegów będzie twój były mentor, Mistrz Rothen.

*

Wspinaczka zdawała się nie mieć końca.

Wschodzące słońce ukazało oczom Sonei strome, porośnięte gęstym lasem zbocza po obu stronach doliny. Mimo że droga była dobrze utrzymana i wyglądała na niedawno naprawianą, wszystko wokół sprawiało wrażenie całkowitej dziczy. Jeśli orszak mijał nocą jakiekolwiek osady, musiały one być doskonale ukryte w ciemnościach.

Droga wiła się w górę po skalistych zboczach i stromych piargach. Co jakiś czas Sonea dostrzegała wysoko w górze skalne występy. Robiło się coraz chłodniej; w końcu żeby się nie trząść Sonea była zmuszona wytworzyć wokół siebie tarczę chroniącą przed zimnem i utrzymywać ją przez cały czas.

Marzyła o tym, żeby ta podróż wreszcie dobiegła końca, a równocześnie bała się tej chwili. Nieustanna wspinaczka pod górę zmusiła ją do zmiany pozycji w siodle, co spowodowało ból kolejnych partii mięśni. Na dodatek szorstki materiał spodni ocierał jej skórę do krwi, musiała więc co kilka godzin się leczyć, żeby złagodzić ból.

– Stop!

Słysząc rozkaz Balkana, Sonea westchnęła z ulgą. Nie robili postojów od rana, a wcześniej zatrzymywali się jedynie na bardzo krótko. Poczuła, jak jej koń wciąga głęboko powietrze, a następnie wydycha je z wysiłkiem.

Kilku eskortujących ich Wojowników zeskoczyło z siodeł, żeby zająć się wierzchowcami. Akkarin wpatrywał się w dal. Powędrowała wzrokiem za jego spojrzeniem i zobaczyła, że między drzewami prześwituje krajobraz roztaczający się u podnóża gór. Łagodne wzgórza przechodzące stopniowo w równinę, na której migotały wąskie rzeki i strumienie. Wszystko lśniło w ciepłym świetle popołudniowego słońca. Horyzont tonął w lekkiej mgiełce. Gdzieś tam leżał Imardin. Jej dom.

Z każdym krokiem oddalała się od wszystkiego, co dotychczas znała: od rodziny, dawnych przyjaciół, Cery'ego, Rothena, Dorriena. W myślach powtarzała imiona osób, które zdążyła polubić w ciągu tych ostatnich lat: Tania, Dannyl, Tya i Yikmo – a nawet kilku nowicjuszy. Być może już nigdy ich nie zobaczy. Nie miała nawet okazji pożegnać się z większością z nich. Poczuła skurcz w gardle i pieczenie w oczach.

Zacisnęła powieki i zmusiła się do powolnego, spokojnego oddechu. *To nie miejsce i czas na łzy. Nie teraz, kiedy patrzy Balkan i inni magowie… nie mówiąc już o Akkarinie.* Przełknęła ślinę i odwróciła się tyłem do tego widoku.

Kiedy znów otworzyła oczy, zauważyła, że twarz Akkarina zmieniła się. Przez chwilę, zanim z powrotem przybrał dobrze znaną maskę obojętności, dostrzegła cień niezmierzonej goryczy i żalu. Odwróciła wzrok, zawstydzona tym odkryciem.

Osen zaczął rozdawać wszystkim chleb, zimne gotowane jarzyny i kawałki solonego mięsa. Akkarin przyjął swoją porcję w milczeniu, nie porzucając ani na chwilę ponurej miny. Sonea przeżuwała jedzenie powoli, zdecydowana przestać myśleć o Gildii, i skupić się zamiast tego na czekających ich dniach. Gdzie będą znajdować pożywienie w Sachace? Teren tuż za przełęczą to całkowite pustkowie. Może będzie się dało coś kupić. Ale czy Balkan zostawi im jakieś pieniądze?

Osen jeszcze raz podszedł do niej i podał jej kubek rozcieńczonego wina. Wypiła je szybko i oddała mu naczynie. Zatrzymał się, jakby chciał coś jeszcze powiedzieć, ale ona wyprostowała się i odwróciła wzrok. Usłyszała westchnienie, a następnie oddalające się kroki. Osen wrócił do swojego konia.

– Ruszamy! – zawołał Balkan.

Im dalej jechali, tym las stawał się rzadszy. Pomiędzy drzewami pojawiały się wielkie połacie nagiej skały. Zimny wiatr rozwiewał końskie grzywy. Słońce powoli chyliło się ku zachodowi i wtedy droga nagle wyprostowała się, przechodząc między dwie gładkie skalne ściany. Dalej wznosiła się ogromna, przysadzista kamienna kolumna, której ściany – zalane teraz złotawoczerwonym światłem zachodzącego słońca – usiane były rzędami niewielkich prostokątnych otworów.

Fort.

Sonea, gdy podjechała bliżej, przyjrzała się uważnie tej budowli. Z lekcji historii pamiętała, że Fort został wzniesiony niedługo po zakończeniu wojny sachakańskiej. Był wyższy, niż się spodziewała – może nawet dwa albo trzy razy wyższy od głównego gmachu Uniwersytetu. Ogromny kamienny walec blokował przejście między dwiema wysokimi skalnymi ścianami. Nie dało się przejść przez przełęcz, nie wchodząc do Fortu.

Na jego ścianach nie było widać szczelin ani śladów zaprawy, mimo że został wzniesiony na długo przed tym, jak Mistrz Coren wymyślił, jak można magicznie kształtować kamień. Pokiwała głową z zachwytu. Ci dawno zmarli budowniczowie musieli wykuć Fort w litej skale.

Wielkie metalowe drzwi osadzone u podstawy budowli zaczęły się otwierać, gdy tylko się zbliżyli. Pojawiły się w nich dwie postacie, jedna w mundurze Gwardii, druga w czerwonej szacie Wojownika. Sonea zamrugała ze zdumienia, wpatrując się z niedowierzaniem w maga.

– Mistrzu Balkanie – odezwał się Fergun, podczas gdy kapitan ukłonił się z szacunkiem – przedstawiam ci kapitana Larwena.

Oczywiście, pomyślała. *Fergun został zesłany na odległą placówkę w ramach kary za szantażowanie mnie. Nie przypuszczałam, że to będzie ten Fort.*

Kiedy kapitan rozmawiał z Balkanem, Sonea patrzyła na swoje ręce, przeklinając swego pecha. Nie wątpiła, że Fergun czekał na tę chwilę. Zaryzykował wiele, usiłując przekonać Gildię, że nie powinna przyjmować do swego grona nikogo spoza Domów. *I teraz jego opinia, że bylcom nie wolno ufać, potwierdziła się*, pomyślała.

Nieprawda. Ona tylko uczyła się czarnej magii i użyła jej, żeby ratować Gildię i Kyralię.

On też wierzył, że ratuje Gildię. Poczuła dziwaczny rodzaj bliskości z nim. Czy naprawdę tak niewiele różni ją od jej byłego nieprzyjaciela?

Owszem, powiedziała sobie. *Ja usiłuję ocalić całą Kyralię, a on tylko chciał zapobiec temu, żeby ludzie pochodzący z niższych klas uczyli się magii.*

Kątem oka dostrzegła, że Fergun przygląda się jej.

Nie zwracaj na niego uwagi, pomyślała. *Nie jest tego wart.*

Ale dlaczego miałaby go ignorować? Nie jest wcale od niej lepszy. Zebrała się w sobie, uniosła głowę i odwzajemniła jego spojrzenie. Jego usta wykrzywiły się pogardliwie, a w oczach zabłysło zadowolenie.

Wydaje ci się, że jesteś lepszy, powiedziała do niego w myślach, *ale pamiętaj, że ja jestem silniejsza. Nawet bez zakazanej sztuki, mogłabym cię w każdej chwili pokonać na arenie, Wojowniku.*

Zmrużył oczy i zacisnął usta; na jego twarzy widoczna była nienawiść. Sonea patrzyła na niego zimno. *Zabiłam maga, który podobnie jak ty, pastwił się nad bezbronnymi. I będę dalej zabijać, jeśli tylko w ten sposób mogę ochronić Kyralię. Nie przestraszysz mnie, magu. Jesteś niczym, nędznym głupcem...*

Fergun zwrócił się niespodziewanie do kapitana, jakby tamten powiedział coś ważnego. Sonea czekała, aż znów zwróci na nią wzrok, ale nie doczekała się. Formalności zakończyły się. Kapitan odszedł na bok i dmuchnął w gwizdek. Ruszyli do Fortu.

Szeroki korytarz, który otwierał się za bramą, rozbrzmiał stukotem kopyt. Orszak posuwał się do przodu, dopóki nie napotkał na swojej drodze kamiennej ściany, blokującej połowę korytarza. Ustawili się w pojedynczy szereg, a następnie zatrzymali znów, tym razem przed zamkniętą metalową bramą jakieś sto kroków dalej. Brama otworzyła się powoli. Minęli ją i wjechali na drewnianą podłogę, która odbiła stukot kopyt głuchym echem, a potem stanęli szeregiem przed kolejną kamienną ścianą.

Sonea czuła na twarzy chłodne powietrze. Spojrzała w górę i dostrzegła otwartą bramę wiodącą do kolejnej skalnej doliny. Po drugiej stronie Fortu zapadła już noc. Ściany oświetlały dwa rzędy lamp. Dalej droga tonęła w ciemności.

Wyjeżdżając wraz z orszakiem na otwartą przestrzeń, Sonea poczuła, że jej serce przyspiesza. Skoro przejechali przez Fort, to znaczy, że jej koń stąpa już po sachakańskiej ziemi. Spojrzała pod nogi.

Raczej po sachakańskiej skale, poprawiła się.

Odwróciła się w siodle i spojrzała na Fort. Światła w niektórych oknach uwydatniały sylwetki pełniących straż.

Ucichł stukot kopyt. Jej koń zatrzymał się.

– Zsiadać.

Akkarin zeskoczył z siodła, a Sonea zorientowała się, że rozkaz Balkana dotyczył tylko ich dwójki. Zsunęła się na ziemię, krzywiąc się z powodu ścierpniętych nóg. Mistrz Osen nachylił się, żeby odebrać od nich wodze i odprowadził konie.

Kiedy Osen oddalił się z wierzchowcami, wewnątrz kręgu Wojowników pozostała jedynie ona i Akkarin. Nad głową Balkana rozbłysła magiczna kula, zalewając okolicę światłem.

– Zapamiętajcie twarze tej dwójki magów – zawołał Balkan. – To Akkarin, były Wielki Mistrz Gildii Magów, i Sonea, była nowicjuszka Wielkiego Mistrza. Zostali wyrzuceni z Gildii i wygnani z Krain Sprzymierzonych za zbrodnię praktykowania czarnej magii.

Sonea poczuła przenikający ją dreszcz. Przynajmniej po raz ostatni słyszy tę formułę. Spojrzała w kierunku tonącej w mroku drogi poza zasięgiem lamp.

– Zaczekajcie!

Serce jej podskoczyło. Na środek wystąpił Osen.

– Tak, Mistrzu Osenie?

– Chciałbym porozmawiać jeszcze raz z Soneą, zanim odejdzie.

Balkan skinął powoli głową.

– Niech będzie.

Sonea westchnęła, gdy Osen zeskakiwał z konia. Podszedł do niej powoli, na jego twarzy widoczne było napięcie.

– Soneo, to twoja ostatnia szansa. – Mówił cicho, zapewne nie chciał, żeby pozostali go słyszeli. – Wróć ze mną.

Potrząsnęła głową.

– Nie.

Odwrócił się w kierunku Akkarina.

– Czy pozwoliłbyś jej odrzucić tę szansę?

Akkarin uniósł brwi.

– Nie, ale ona się najwyraźniej uparła. Nie sądzę, żebym potrafił ją przekonać do zmiany decyzji.

Osen spochmurniał i zwrócił się z powrotem do Sonei. Otworzył usta, ale rozmyślił się i tylko pokręcił głową. Podniósł znów wzrok na Akkarina.

– Opiekuj się nią dobrze – mruknął.

Akkarin spoglądał na niego obojętnym wzrokiem. Osen rzucił mu spojrzenie spode łba i obrócił się na pięcie. Podszedł do swojego konia i wspiął się na siodło.

Na znak Balkana orszak blokujący drogę wiodącą do Sachaki wycofał się.

– Odejdźcie z Krain Sprzymierzonych – powiedział Balkan. W jego głosie nie było słychać ani żalu, ani gniewu.

– Chodź, Soneo – powiedział cicho Akkarin. – Przed nami długa droga.

Spojrzała na niego. Miał nieobecny wzrok i nieodgadniony wyraz twarzy. Odwrócił się i ruszył drogą, a ona podążyła kilka kroków za nim.

Za sobą słyszała czyjeś pomruki. Wsłuchała się uważnie. To był Osen.

– ...mojej ziemi. Wyganiam cię, Soneo. Nie wolno ci więcej postawić nogi na mojej ziemi.

Wzdrygnęła się i utkwiła wzrok w tonącej w mroku drodze, która otwierała się przed nią.

Kiedy zgasły ostatnie promienie słońca w ogrodzie, Lorlen odwrócił się od okna swojego gabinetu i zaczął krążyć po pokoju. Obszedł cały gabinet, chodził od krzesła do krzesła, w końcu wrócił do biurka. Zatrzymał się, spojrzał na leżącą na nim stertę papierów i westchnął.

Dlaczego ze wszystkich miejsc musieli wysłać Akkarina do Sachaki?

Wiedział dlaczego. Wiedział z bezlitosną pewnością, iż Król liczy na to, że Akkarin zginie w Sachace. Akkarin złamał jedno z podstawowych praw Gildii. Nieważne, jak bardzo Król lubił Wielkiego Mistrza, wiedział, że nie ma nic bardziej niebezpiecznego niż mag, który łamie prawo i jest zbyt potężny, by go powstrzymać. Skoro Gildia nie mogła skazać Akkarina na śmierć, to trzeba było go wysłać do jedynych magów, którzy mogą go zabić: Ichanich.

Oczywiście, Ichani mogą *nie* istnieć. Jeśli tak jest, to Gildia właśnie uwolniła maga, który z własnej woli nauczył się czarnej magii. I który może powrócić, potężniejszy niż dawniej.

Temu jednak nie można było zapobiec.

Jeśli natomiast Ichani istnieją, głupotą jest wysyłać do nich na śmierć jedynego maga, który coś o nich wie. Tyle że Akkarin nie jest jedyny. Jest jeszcze Sonea.

Tu właśnie Król popełnił fatalny błąd w ocenie sytuacji. Założył, że dziewczyna pochodząca ze slumsów, którą sterował i manipulował niejeden mag, jest podatna na wpływy. Lorlen uśmiechnął się na wspomnienie jej gniewnej odmowy.

„Jeśli skazujecie Wielkiego Mistrza Akkarina na wygnanie, musicie tak samo postąpić wobec mnie. Dzięki temu, kiedy już odzyskacie rozum, być może on będzie jeszcze żył, żeby wam pomóc".

Jej odmowa rozgniewała Króla. *A czego się spodziewałeś?* – miał ochotę powiedzieć Lorlen. – *Lojalności? Od kogoś, kto żył wśród tych, których co roku wyganiasz z miasta podczas Czystki?* Król w końcu doszedł do wniosku, że skoro ona nie zamierza przyjąć wyroku Gildii ani władcy, może wygnanie będzie najlepszym wyjściem.

Lorlen westchnął i zaczął znów krążyć po pokoju. Prawdę mówiąc, Gildia nie potrzebuje Sonei, żeby poznać prawdę o Ichanich, dopóki on ma pierścień Akkarina... a Akkarin żyje. Gdyby jednak Lorlen zaczął przekazywać Gildii informacje od Akkarina, musiałby w końcu wyznać, w jaki sposób je otrzymuje. Pierścień zaś jest artefaktem czarnej magii. Jak Gildia zareaguje na wiadomość, że jej Administrator posiada taki przedmiot i nie zrezygnował z używania go?

Powinienem go wyrzucić, pomyślał. Wiedział jednak, że tego nie uczyni. Wyjął pierścień, przyjrzał mu się uważnie i wsunął go na palec.

~ *Akkarin? Jesteś tam?*

Milczenie.

Lorlen kilkakrotnie już usiłował skontaktować się z Akkarinem przez klejnot. Czasami miał wrażenie, że wyczuwa słaby ślad gniewu lub strachu, ale uznał, że to tylko jego wyobraźnia. Milczenie dręczyło go. Gdyby nie mentalne sprawozdania Osena z podróży, Lorlen byłby gotów uznać, że Akkarin nie żyje.

Zakończył kolejne okrążenie pokoju, zatrzymał się przy biurku i opadł na krzesło. Zdjął pierścień i włożył go z powrotem do kieszeni. Chwilę później rozległo się głośne pukanie do drzwi.

– Wejdź.

– List od Króla, mój panie.

Wszedł służący, ukłonił się i położył na biurku Lorlena drewnianą tubę. Na pieczęci widniał królewski inkal, a wosk był posypany złotym pyłem.

– Dziękuję. Możesz odejść.

Służący ukłonił się ponownie i wyszedł z gabinetu. Lorlen złamał pieczęć i wyciągnął kartę papieru.

A więc Król chce porozmawiać o Sachace, pomyślał, czytając oficjalne pismo. Zwinął list z powrotem, wsunął go do tuby i ułożył w skrzynce, w której trzymał królewską korespondencję.

Spotkanie z Królem było mu niespodziewanie bardzo na rękę. Najbardziej pod słońcem marzył, żeby mieć *cokolwiek* do roboty. Zbyt długo czuł się osaczony i niezdolny do działania. Wstał i zamarł, słysząc swoje imię gdzieś na peryferiach myśli.

~ *Lorlen!*

Osen. Administrator czuł, jak umysły innych magów obudzone przez to zawołanie, usuwają się.

~ *Słucham, Osenie.*

~ *Stało się. Sonea i Akkarin są w Sachace.*

Lorlen poczuł, że uginają się pod nim kolana.

~ *Mógłbyś zapytać Ferguna i kapitana gwardii, czy ktokolwiek w Forcie lub okolicy zauważył jakieś niepokojące ruchy w Sachace?*

~ *Zapytam i przekażę ci jutro ich odpowiedź. Kapitan zażądał, żebym zostawił tu kilku magów na wypadek, gdyby Akkarin i Sonea usiłowali powrócić.*

~ *Wyjaśniłeś mu, że to bez znaczenia?*

~ *Nie. Nie chciałem ich jeszcze bardziej niepokoić.*

Lorlen zastanawiał się nad prośbą kapitana.

~ *Pozostawiam tę decyzję Balkanowi.*

~ *Przekażę mu.* ~ Nastąpiła chwila ciszy. ~ *Muszę już iść.*

Przed oczami Lorlena pojawił się obraz sali z wielkim paleniskiem i magów zasiadających wokół wielkiego stołu. Uśmiechnął się.

~ *Smacznego, Osenie. Dziękuję za wiadomości.*

~ *Ja też dziękuję* ~ rozległ się inny głos.

Lorlen zamrugał ze zdziwienia.

~ *Kto to był?* ~ spytał Osen.

~ *Nie mam pojęcia* ~ odpowiedział Lorlen. Zastanowił się nad ich rozmową i wzdrygnął się. Jeśli ktoś czekał na granicy, żeby napaść z zaskoczenia na przybyszów, to teraz wie, że Akkarin i Sonea zbliżają się do niego.

Następnie pomyślał o tym wszystkim, co magowie omawiali przez ostatnie kilka dni i serce w nim zamarło. *Byliśmy głupcami*, pomyślał. *Żadnemu z nas nie przyszło do głowy, co to może oznaczać, jeśli Akkarin mówił prawdę.*

~ *Balkan!* ~ zawołał.

~ *Słucham?*

~ *Przekaż swoim ludziom, że od tej chwili zaprzestajemy całkowicie komunikacji mentalnej. Ja powiadomię resztę Gildii.*

Kiedy obecność Osena i Balkana znikła z jego umysłu, Lorlen wyciągnął z kieszeni pierścień Akkarina. Drżącą ręką wsunął go na palec.

~ *Akkarin?*

Odpowiedziało mu milczenie.

ROZDZIAŁ 21

NIEBEZPIECZNA DROGA

„Dziewiąty dzień piątego miesiąca.

Zostaliśmy zmuszeni do przerwania podróży, ponieważ napotkaliśmy osuwisko blokujące drogę. Służący spędzili cały dzień na przekopywaniu się przez nie, ale obawiam się, że nie ruszymy dziś dalej. Wspiąłem się na szczyt. Góry wyglądają teraz jak czarna kreska na horyzoncie. Patrząc przed siebie, widziałem nagie pagórki ciągnące się dalej na północ. Te pustkowia zdają się nie mieć końca. Zrozumiałem teraz, dlaczego kyraliańscy kupcy niechętnie zapuszczają się do Sachaki. To ciężka podróż, a Riko mówi, że Sachakanom łatwiej handluje się z ludami mieszkającymi na północny wschód od nich. No i oczywiście nie ufają Gildii...".

Pukanie do drzwi przerwało Rothenowi lekturę. Westchnął, położył książkę na kolanach i rozkazał drzwiom otworzyć się. Do pokoju wszedł Dannyl, którego czoło przecinała głęboka zmarszczka.

– Dannyl – powitał go Rothen. – Chcesz trochę sumi?

Dannyl zamknął drzwi, podszedł do fotela, w którym siedział Rothen, i spojrzał na przyjaciela z góry.

– *Zgłosiłeś się na ochotnika* na tę wyprawę do Sachaki?

– Ach. – Rothen zatrzasnął książkę i odłożył ją na stół. – Więc wiesz.

– Owszem. – Dannyl najwyraźniej miał kłopoty z wysłowieniem się. – Chciałbym zapytać dlaczego, ale chyba nie muszę. Jedziesz szukać Sonei, prawda?

Rothen wzruszył ramionami.

– W pewnym sensie. – Wskazał Dannylowi fotel. – Usiądź. Nawet ja czuję się nieszczególnie, kiedy tak patrzysz na mnie z góry.

Dannyl usiadł i spojrzał ponad stołem na Rothena.

– Dziwi mnie, że starszyzna się zgodziła. Muszą mieć świadomość, że dla ciebie odnalezienie Sonei może okazać się ważniejsze niż stwierdzenie, czy Ichani istnieją.

Rothen uśmiechnął się.

– Owszem, mają. Powiedziałem im, że gdybym miał wybór między ocaleniem Sonei a wypełnieniem zadania, wybrałbym ratowanie jej. Zgodzili się, ponieważ ja mam największe szanse na namówienie jej do powrotu, a poza tym szpiegów będzie więcej.

– Czemu mi o tym nie powiedziałeś?

– Zgłosiłem się dzisiaj rano.

– Ale musiałeś myśleć o tym wcześniej.

– Dopiero od ostatniej nocy. Przyglądałem się, jak odpierasz ciosy Garrela i uznałem, że tak naprawdę już mnie nie potrzebujesz. – Rothen uśmiechnął się. – Mojego wsparcia jeszcze tak, ale nie pomocy. Sonea natomiast może mnie potrzebować. Od tak dawna nie mogłem nic dla niej zrobić. Teraz wreszcie mam taką możliwość.

Dannyl potaknął, ale wyglądał na dość nieszczęśliwego.

– A co jeśli Akkarin powiedział *prawdę*? Co jeśli znajdziesz się w kraju rządzonym przez czarnych magów? On mówił, że każdy mag Gildii wkraczający na ich tereny zostanie zabity.

Rothen spoważniał. To *będzie* niebezpieczna misja. Tak naprawdę był dosyć przerażony możliwością napotkania magów, o których opowiadał Akkarin.

Jeśli natomiast Ichani nie istnieją, Akkarin musiał mieć dobry powód, żeby ich wymyślić. Może zrobił to po to, żeby Gildia go nie zabiła. Może to element jakiegoś większego oszustwa. Ale gdyby tak było, to raczej starałby się ukryć prawdę. To on może być tym czarnym magiem, który zabije każdego maga z Gildii, który przekroczy granicę Sachaki.

Z pewnością spodziewał się, że Gildia zbada prawdziwość jego słów. Opowiadając tę historię, zagwarantował sobie, że wyślą szpiegów do Sachaki. Rothen zmarszczył brwi. Co jeśli Akkarin tak uknuł tę opowieść, żeby móc polować na magów udających się do Sachaki i pozabijać jednego po drugim, żeby wzmocnić się ich energią?

– Rothen?

Podniósł wzrok i zdobył się na cierpki uśmiech.

– Wiem, że to niebezpieczne, Dannylu. Ale nie zamierzamy wkroczyć do Sachaki w szatach i popisując się na lewo i prawo magicznymi umiejętnościami. Zrobimy wszystko, żeby pozostać niezauważeni. – Wskazał na książkę, którą czytał. – Dostaliśmy kopie wszystkich zapisków dotyczących tego kraju. Zamierzamy wypytać kupców i ich służbę. Przeszkoli nas zawodowy szpieg z dworu Króla. Nauczy nas zachowywać się i mówić jak prości ludzie.

Na usta Dannyla wypełzł niechętny uśmiech.

– Sonea uzna to za zabawne.

Rothen poczuł znajome ukłucie żalu.

– Owszem. Kiedyś by uznała. – Westchnął. – Dobra, opowiedz mi o swoim spotkaniu ze starszyzną. Zadawali jakieś niewygodne pytania?

Dannyl zrobił zaskoczoną minę na tę nagłą zmianę tematu.

– Kilka. Nie wydaje mi się, żeby pochwalali moją znajomość z Tayendem, ale to mnie akurat nie dziwi.

– Nie – zgodził się Rothen, przyglądając się bacznie Dannylowi. – Ale tobie on się podoba.

– Jest dobrym przyjacielem – odparł Dannyl, patrząc Rothenowi prosto w oczy. W jego wzroku czaił się cień wyzwania. – Spodziewacie się, że zacznę go teraz unikać?

Rothen wzruszył ramionami.

– Wiesz, co powiedzą plotkarze, jeśli nie przestaniesz się z nim zadawać. Ale nie możesz im pozwolić, żeby zatruli ci życie, a Elyne to Elyne. Wszyscy wiedzą, że obowiązują tam inne zasady.

Dannyl uniósł nieznacznie brwi.

– Owszem. To, co tu uchodzi za rozsądne, tam może być uznane za nieuprzejme.

– Masz ochotę na filiżankę sumi?

Dannyl uśmiechnął się i potaknął.

– Tak, dziękuję.

Rothen podniósł się i podszedł do szafki, w której trzymał filiżanki i liście sumi, ale zamarł w pół kroku.

~ *Wszyscy magowie, słuchajcie!*

Zamrugał ze zdumienia, rozpoznając myślowy głos Lorlena.

~ *Od tej chwili zaprzestajemy wszelkiej komunikacji mentalnej, chyba że w nagłych przypadkach. Jeśli nie możemy zapobiec tego rodzaju rozmowom, uważajmy na to, co przekazujemy. Jeśli usłyszycie innych magów porozumiewających się myślowo, przekażcie im to zarządzenie.*

– Cóż – odezwał się po chwili Dannyl. – Trudno mi to wyznać, zwłaszcza w kontekście twoich planów, ale z każdym dniem martwię się coraz bardziej.
– Czym?
– Tym, że Akkarin mógł nam powiedzieć prawdę.

Cery napełnił ponownie kieliszek Savary, ale ona nagle zesztywniała i utkwiła wzrok gdzieś w przestrzeni.
– Co się stało? – spytał.
Zamrugała.
– Wasza Gildia podjęła pierwszą rozsądną decyzję.
– Ach, tak?
Uśmiechnęła się.
– Zakazali rozmów myślowych.
Cery nalał sobie wina.
– To im pomoże?
– Pomogłoby, gdyby wpadli na to tydzień wcześniej. – Wzruszyła ramionami i uniosła kieliszek. – Ale przynajmniej teraz Ichani nie będą mieli wiadomości o planach Gildii.
– Ty też.
Wzruszyła ramionami.
– Owszem. Ale to już bez znaczenia.
Cery przyglądał się jej uważnie. Znalazła gdzieś wspaniale opinającą jej sylwetkę suknię, uszytą z pięknego, miękkiego materiału w kolorze bogatej purpury. Odcień doskonale pasował do jej cery. Jej oczy, kiedy patrzyła na niego, zdawały się płonąć złotym ogniem.
Teraz jednak trzymała wzrok spuszczony, a usta miała zaciśnięte w wąską linię.
– Savaro...

– Nie proś, żebym została. – Podniosła oczy i wbiła spojrzenie w Cery'ego. – Muszę odejść. Muszę być posłuszna moim ludziom.

– Ja tylko…

– Nie mogę zostać. – Wstała i przeszła przez pokój. – Chciałabym… Ale czy ty porzuciłbyś wszystko i udał się ze mną, wiedząc, co czeka twój kraj? Nie. Ty też masz ludzi, których musisz chronić. Ja mam…

– Eja! Daj mi wtrącić choć słowo!

Zatrzymała się i uśmiechnęła do niego żałośnie.

– Przepraszam. Mów.

– Chciałem ci tylko powiedzieć, że nie będę ci przeszkadzał. Wolałbym, żebyś została, ale nie będę cię zatrzymywał. – Uśmiechnął się gorzko. – Obawiam się, że i tak nie miałbym szans.

Uniosła brwi i wskazała na stół.

– Zaprosiłeś mnie na kolację, żeby spróbować mnie przekonać.

Pokręcił przecząco głową.

– Chciałem ci tylko podziękować za pomoc… poza tym musiałem ci jakoś wynagrodzić to, że nie miałaś okazji rozprawienia się z którymś z tych niewolników.

Wydęła lekko usta.

– To musiałoby być coś więcej niż tylko posiłek.

Zaśmiał się.

– Doprawdy? Hmmm, my, Złodzieje, bardzo nie lubimy łamać obietnic, wiesz. Wybaczysz mi, jeśli wyrównam straty w inny sposób?

Jej oczy rozbłysły, a uśmiech nabrał łobuzerskiego odcienia.

– Och, pomyślę o tym. – Podeszła do niego, nachyliła się i pocałowała go. – Hmmm, miałabym kilka propozycji.

Uśmiechnął się, objął ją w talii i przyciągnął do siebie, aż usiadła mu na kolanach.

– Jesteś pewna, że nie dasz się przekonać do zostania? – spytał cicho.

Przechyliła lekko głowę na bok, zastanawiając się.

– Może na jeszcze jedną noc.

Droga do Sachaki była ciemna i cicha. Akkarin odezwał się tylko raz, by ostrzec Soneę przed przywołaniem światła i mówieniem głośniej niż szeptem. Od tego momentu jedynymi dźwiękami było echo ich kroków i dalekie wycie wiatru gdzieś w górze.

Spojrzała w dół na swoje buty – jedyne, co jej pozostało z odzienia nowicjuszki. Czy Ichani je rozpoznają? Chciała zapytać Akkarina, czy nie powinna ich wyrzucić, ale myśl o wędrówce bez butów po tej zimnej, skalistej ziemi, nie była zachęcająca.

Kiedy jej oczy przyzwyczaiły się do ciemności, zaczęła dostrzegać więcej. Po obu stronach drogi wznosiły się pionowe ściany skalne, pofałdowane niczym ciężkie zasłony. Spoglądając w górę, dostrzegała, że ciągną się na kilkaset kroków wzwyż, ale w miarę jak posuwali się do przodu, stawały się coraz niższe.

Po kilku zakrętach drogi ściana po lewej urwała się nagle, a przed ich oczami rozpostarła się ciemna przestrzeń. Zatrzymali się, patrząc na krajobraz roztaczający się przed nimi.

U stóp gór rozłożyła się czarna, nieprzenikniona ciemność – aż po poświatę na horyzoncie. Poświata ta zaczęła jaśnieć; srebrny rąbek wychynął z mroku i zaczął rosnąć, wspinając się do góry. Blask zalał krajobraz, kiedy księżyc – już nie całkiem pełny – powoli wzniósł się nad horyzont.

Sonea nabrała powietrza w płuca. Góry błyszczały teraz jak postrzępione srebrne garby. Granie wbijały się w położoną niżej równinę niczym grube korzenie drzew. Tam, gdzie kończyły się skały, zaczynała się pozbawiona roślinności, spustoszona ziemia. Gdzieniegdzie spływająca z gór woda przeorała ziemię, tworząc rozgałęzione, pokręcone rozpadliny, ciągnące się aż po horyzont. Dalej Sonea dostrzegała dziwaczne wzgórza w kształcie półksiężyców, niczym fale na zamarłym w czasie stawie.

Oglądała pustkowie Sachaki.

Poczuła na ramieniu dotyk. Zaskoczona, pozwoliła Akkarinowi pociągnąć się w cień ściany skalnej.

– Ktoś może nas dostrzec – mruknął. – Musimy opuścić ścieżkę.

Rozglądając się dookoła, zastanawiała się, jak to możliwe. Droga skręcała w prawo i wcinała się w skalne zbocze. Strome, niemal pionowe skały wznosiły się po obu stronach.

Akkarin nie zdejmował dłoni z jej ramienia. Uświadomiła sobie, że serce bije jej szybko, i to nie tylko ze strachu. Jego wzrok spoczywał jednak na wznoszącym się nad nimi zboczu.

– Miejmy nadzieję, że nie ma tam obserwatorów – powiedział.

Puścił ją i cofnął się drogą o kilka kroków. Sonea ruszyła za nim. Kiedy dotarli do miejsca, gdzie ściana po lewej zasłaniała większość zbocza po prawej, Akkarin obrócił się szybkim ruchem i chwycił ją za ramiona.

Zgadując, co chce zrobić, oparła się mocno na nogach. I rzeczywiście, zaczęli się wznosić w górę, podtrzymywani przez magiczny dysk pod stopami. Sonea odwróciła wzrok, nagle onieśmielająco świadoma bliskości Akkarina.

Zatrzymał się w pobliżu szczytu, żeby wyjrzeć sponad skały. Najwyraźniej uznał, że okolica jest bezpieczna, przefrunął bowiem jeszcze ponad grzbietem i posadził ich na skalnej grani.

Sonea rozejrzała się z niechęcią dookoła. Zbocze nie było aż tak pionowe jak skalna ściana poniżej, ale mimo to pozostawało przerażająco strome. Tu i ówdzie płaszczyznę skały przerywały szczeliny oraz postrzępione występy, ale w innych miejscach była ona tak gładka, że trudno było sobie wyobrazić chodzenie po niej tak, żeby nie ześlizgnąć się na dół. Jak mają odnaleźć tu drogę, zwłaszcza że całym ich oświetleniem będzie poświata księżyca?

Akkarin ruszył, ostrożnie stawiając kolejne kroki. Sonea wzięła głęboki wdech i poszła za nim. Od tej chwili jej myśli pochłonęło całkowicie wspinanie się po występach skalnych i omijanie ich, przeskakiwanie nad szczelinami i utrzymywanie równowagi. Zupełnie straciła poczucie czasu. Łatwiej było ograniczyć się do obserwowania Akkarina i myśleć wyłącznie o następnej przeszkodzie.

Księżyc stał już dość wysoko na niebie, a Sonea zdążyła kilkakrotnie wyleczyć zmęczone mięśnie nóg, kiedy Akkarin wreszcie zatrzymał się na grani. Z początku myślała, że napotkał szczególnie szeroką szczelinę, bądź też dostrzegł inną przeszkodę po drugiej stronie, ale kiedy na niego spojrzała, zorientowała się, że patrzy za siebie, przez ramię.

Niespodziewanie chwycił ją za ramiona i zmusił do przykucnięcia. Serce podskoczyło jej do gardła.

– Nie podnoś się – szepnął z niepokojem w głosie, rozglądając się dookoła. – Możemy być widoczni na tle nieba.

Przylgnęła do skały obok niego, czując, jak wali jej serce. Akkarin wpatrywał się w stronę, z której przyszli, a następnie wskazał na nierówny kawałek zbocza, który właśnie minęli. Sonea potrząsnęła przecząco głową: nic tam nie dostrzegała.

– Gdzie?

– Za tą skałą, która wygląda jak mullook – mruknął w odpowiedzi. – Zaczekaj… o tam.

Zobaczyła jakiś ruch około pięciuset lub sześciuset kroków od miejsca, w którym stali: był to przemieszczający się cień. Przeskakiwał ze skały na skałę i poruszał się po trudnym terenie z widoczną wprawą.

– Kto to?

– Zapewne jakiś sprzymierzeniec Kariko – mruknął Akkarin.

Ichani, pomyślała Sonea. *Tak szybko. Nie możemy jeszcze pozwolić sobie na spotkanie z nim. Akkarin nie jest dość mocny.* Serce waliło jej jak szalone, czuła, że robi się jej słabo ze strachu.

– Powinniśmy teraz poruszać się szybko – powiedział Akkarin. – Jest jakąś godzinę za nami. Musimy zwiększyć dzielący nas dystans.

Nie podnosząc się z kolan, przeczołgał się do miejsca na grani, gdzie skały nachodziły na siebie, tworząc wąskie przejście. Przecisnął się przez nie, wyprostował i pobiegł w dół zbocza po drugiej stronie. Sonea popędziła za nim, starając się utrzymywać równowagę na turlających się pod jej stopami kamykach.

Teraz musiała się bardzo skoncentrować, żeby mu dotrzymać kroku. Akkarin zręcznie wymijał głazy, biegł po piargach, ledwie się zatrzymywał przed skokiem przez szczelinę na drodze. Każdy krok był wyzwaniem dla jej refleksu i wyczucia równowagi.

Kiedy Akkarin zatrzymał się ponownie w cieniu ogromnego okrągłego głazu, omal na niego nie wpadła. Widząc, że spogląda znów za siebie, odwróciła się, by poszukać ich prześladowcy. Chwilę później znalazła go. Człowiek ten wcale nie był dalej niż przedtem, zauważyła z niechęcią.

Ale przynajmniej nie jest bliżej, powiedziała sobie.

– Czas go zgubić – mruknął Akkarin, obchodząc głaz dookoła. Sonea wstrzymała oddech na widok szczeliny pod ich stopami. W miejscu, gdzie stali, miała szerokość jakichś dwudziestu kroków, dalej zaś zmieniała się w potężną przepaść, której pionowe ściany nikły w ciemności.

– Będę szedł przez kwadrans w lewo, a potem ku krawędzi. On założy, że zeszliśmy w dolinę. Ty przelewituj na drugą stronę i dalej idź równolegle do grzbietu górskiego. Staraj się trzymać cały czas w cieniu, nawet jeśli miałoby cię to spowolnić.

Potaknęła. Odwrócił się i ruszył w noc. Przez moment poczuła straszliwy lęk na myśl o tym, że została całkiem sama, ale wzięła głęboki oddech i odsunęła od siebie strach.

Wyprostowała się, wytworzyła magiczny dysk i uniosła się w powietrze. Przepływając nad przepaścią zerknęła w dół. Była bardzo głęboka. Sonea popatrzyła na drugie zbocze i popchnęła w jego kierunku tarczę. Kiedy poczuła pod nogami stały grunt, westchnęła z ulgą. Nigdy nie miała lęku wysokości, ale w porównaniu z głębią tej szczeliny najwyższe budynki Imardinu miały rozmiar schodów wiodących na Uniwersytet.

Od tej chwili skupiła się na poruszaniu po postrzępionej grani. Trzymanie się w cieniu okazało się nadspodziewanie łatwe. Księżyc był teraz nad jej głową, ale zbocze góry popękało, czy też erozja ukształtowała je tak, że tworzyło jakby ogromne stopnie. Najbliższy z nich wydał jej się zbyt oczywistym wyborem, dlatego zeszła na półkę biegnącą poniżej.

Pozostawanie w cieniu oznaczało jednak, że gorzej widziała. Omal nie upadła, potykając się na kilku dziurach i szczelinach. Po dłuższej chwili skakania i biegu spojrzała w górę: księżyc dotarł niemal do wznoszących się nad nią szczytów.

Poczuła znów strach na myśl o tym, ile czasu upłynęło, odkąd rozstała się z Akkarinem. Zastanawiała się, co on zamierza zrobić. Kwadrans w lewo od kamienia, następny kwadrans z powrotem – to oznacza, że jest godzinę za nią. Co jeśli się przeliczył? Co jeśli człowiek, który ich śledził, był pół godziny, a nie godzinę za nimi? Akkarin mógł wrócić do głazu w tej samej chwili, gdy dotarł do niego Ichani.

Zorientowała się, że zwalnia, zmusiła się więc, by znów popędzić przed siebie. Akkarin żyje. Gdyby został schwytany, ostrzegłby ją, by uciekała.

A co jeśli to sztuczka? Co jeśli w ten sposób ją porzucił?

Nie bądź śmieszna, powiedziała sobie. *Nie zostawi mnie na pastwę Ichanich.*

Chyba że… chyba że specjalnie poprowadził za sobą prześladowcę, wiedząc, że zostanie złapany i zginie, ale w ten sposób uratuje ją.

Zatrzymała się i spojrzała za siebie. Nie była w stanie zobaczyć zbyt wiele, bo występ skalny otaczał górę, a ona zasłaniała resztę widoku. Westchnęła i ruszyła niechętnie dalej. *Przestań wymyślać*, przywołała się do porządku. *Skup się.*

Powtarzała te słowa w myślach niczym zaśpiew. Po chwili zorientowała się, że nawet porusza bezgłośnie ustami. Rytm niósł ją do przodu krok za krokiem. Chwilę później obiegła występ skalny i zrobiła krok w przepaść.

Wyciągnęła ręce i zdołała chwycić się skały, zawisnąć na niej i powstrzymać upadek.

Serce waliło jej jak oszalałe, kiedy podciągnęła się z powrotem na półkę skalną. Przed nią otwierała się ogromna przepaść. Dysząc ze strachu i wysiłku, patrzyła na przeciwległą skałę, zastanawiając się, co powinna teraz zrobić. Mogłaby przelewitować na drugą stronę, ale oznaczałoby to wystawienie się na widok.

Jedynym ostrzeżeniem były pospieszne kroki, których dźwięk rozległ się tuż za nią. Odwracała się właśnie, kiedy coś uderzyło ją w plecy, a na ustach poczuła czyjąś rękę, tłumiącą jej krzyk. Upadła prosto w przepaść.

W tej samej chwili poczuła, że otacza ją magia, spowalniając upadek. I natychmiast rozpoznała znajomy zapach.

Akkarin.

Trzymał ją w mocnym uścisku. Obrócili się w powietrzu i zaczęli wznosić. Poszarpana i popękana ściana przepaści przemykała przed jej oczami, a chwilę później otwarła się przed nimi szersza czarna szczelina. Poszybowali w jej kierunku.

Poczuła pod nogami nierówną powierzchnię, a kiedy Akkarin puścił ją, rozłożyła szeroko ręce. Natrafiła na ścianę po jednej stronie i zdołała utrzymać równowagę. Czuła lekkie zawroty głowy, dziwaczny rodzaj radości oraz niepohamowaną potrzebę, żeby się roześmiać.

– *Daj mi swojej mocy.*

Akkarin był tylko cieniem w ciemności, a w jego głosie brzmiało ponaglenie i rozkaz. Spróbowała odzyskać kontrolę nad oddechem.

– Ja…

– Już! – pospieszył ją. – Ichani może to wyczuć. Szybko!

Wyciągnęła przed siebie ręce. Jego palce musnęły jej dłonie, po czym zacisnęły się na nich mocno. Zamknęła oczy i wysłała ku niemu potężny strumień energii. Pamiętając, co powiedział Akkarin, przyspieszyła przepływ tak, że zdawał się pędzącą falą.

– Dosyć, Soneo.

Otworzyła oczy i poczuła zalewającą ją falę znużenia.

– Oddałaś za dużo – powiedział. – Zmęczyłaś się.

Ziewnęła.

– Mnie to i tak na nic.

– Nie? A jak masz zamiar iść dalej? – westchnął. – Mógłbym cię zapewne uleczyć, ale... może lepiej będzie, jeśli tu zostaniemy. Gdyby widział, w którą stronę polecieliśmy, zapewne już byłby na tropie. A my nie spaliśmy od kilku dni.

Wzdrygnęła się i uniosła wzrok.

– Był *tak* blisko mnie.

– Owszem. Szedłem inną ścieżką niż ty i on, więc mogłem go obserwować. Widziałem, że podąża bezbłędnie za tobą, natomiast nie decyduje się na śledzenie mnie, mimo że kilka razy przeciąłem jego szlak. Potem zbliżyłem się dostatecznie, żeby się zorientować, że on cię wyczuwa. Przyjrzałem się więc lepiej i stwierdziłem, że ja też. Nie nauczyłaś się ukrywać dodatkowej mocy, w związku z czym jej cząstka wymyka ci się spod kontroli.

– Och.

– Na szczęście dogoniłem cię tuż nad przepaścią. Jeszcze chwila i byłby cię znalazł.

– Och!

– Prześpij się teraz, a ja będę trzymał wartę.

Westchnęła z ulgą. Była śmiertelnie zmęczona, zanim jeszcze oddała mu swoją moc. Pojawiła się maleńka kula świetlna i zobaczyli, że szczelina ciągnie się nieco dalej w głąb skały. Na ziemi leżały spore kamienie. Mimo że Sonea marzyła o tym, żeby się położyć i spać, przyglądała się im z niechęcią.

W końcu znalazła stosunkowo płaski kawałek podłoża, przesunęła kilka kamieni, wypełniła luki między nimi drobniejszymi kamyczkami i położyła się. Nie było jej zbyt wygodnie. Uśmiechnęła się żałośnie na wspomnienie tej nocy tak dawno temu, którą przespała na podłodze w mieszkaniu Rothena, ponieważ nie była przyzwyczajona do miękkich łóżek.

Akkarin usiadł przy wejściu do groty. Jego kula świetlna znikła, a Sonea zastanawiała się, jak ma zasnąć, wiedząc, że gdzieś w górze nie ustaje w poszukiwaniach Ichani.

Zmęczenie wzięło jednak górę nad strachem i wkrótce jej myśli odpłynęły daleko od wszelkich problemów.

ROZDZIAŁ 22

WYMIANA ZDAŃ

Z zewnątrz, zza wysokiego muru otaczającego Pałac, widać było jedynie jego wieże. Kiedy powóz Gildii okrążał mur, Lorlen poczuł ukłucie niepokoju. Ostatni raz był w Pałacu przed wieloma laty. Pośrednikiem między Królem a Gildią był zawsze Wielki Mistrz. I jakkolwiek na co dzień u boku Króla znajdowali się dwaj magowie, Doradcy Królewscy, ich rolą była ochrona i rada, a nie przyjmowanie i wykonywanie rozkazów dotyczących Gildii. A teraz, kiedy zabrakło Akkarina, obowiązki Wielkiego Mistrza spadły na barki Administratora.

Jakbym i bez tego nie miał nadmiaru zajęć, pomyślał Lorlen. Dziś jednak Król wezwał do siebie całą starszyznę Gildii. Lorlen przyglądał się więc towarzyszącym mu magom.

Na twarzy Mistrzyni Vinary malował się spokój, ale Mistrz Sarrin miał zatroskaną minę. Zagraniczny Administrator Kito bębnił palcami jednej ręki w wierzch drugiej, a Lorlen nie był pewny, czy to oznaka niecierpliwości, czy zdenerwowania. Nie po raz pierwszy żałował, że obowiązki trzymały Administratora Kito daleko od Gildii przez większość czasu. Gdyby znał go lepiej, mógłby teraz odgadnąć jego nastrój na podstawie tego drobiazgu.

Powóz zwolnił i skierował się w kierunku pałacowej bramy. Jej ogromne, pomalowane na czarno skrzydła uchyliły się do środka, każde ciągnięte przez dwóch gwardzistów. Kilku następnych strażników stało po obu stronach wejścia. Wszyscy ukłonili się, gdy Lorlen wjechał na zamknięty dziedziniec, na którym dumnie prężyły się posągi dawnych królów.

Powóz zatrzymał się przed wielkimi drzwiami wiodącymi do wnętrza. Gwardzista podszedł i ukłonił się na widok wysiadającego z pojazdu Administratora Gildii.

Lorlen zerknął na drugi powóz zajeżdżający właśnie za pierwszym i ruszył w kierunku człowieka czekającego u wejścia do Pałacu. Zadaniem odźwiernych było powitanie każdego gościa Pałacu stosowną formułą, a następnie sporządzenie raportu. Lorlen pamiętał swoją dziecięcą fascynację, kiedy dowiedział się, że odźwierni pałacowi opracowali własny skrótowy rodzaj pisma, żeby przyspieszyć to zadanie.

Mężczyzna ukłonił się z gracją.

– Administratorze Lorlenie, to dla nas zaszczyt. – Jego czujny wzrok przeskakiwał od jednego maga do drugiego, kiedy witał wszystkich po kolei. – Witajcie w Pałacu.

– Dziękuję – odparł Lorlen. – Przybyliśmy na wezwanie Króla.

– Tak zostałem poinformowany. – Odźwierny trzymał w jednej ręce niewielką tabliczkę. Wyciągnął ze szczeliny znajdującej się z jej boku skrawek papieru i szybkim ruchem zapisał coś na nim atramentowym rysikiem. Natychmiast podbiegł stojący w pobliżu chłopiec, ukłonił się i odebrał kartkę.

– To jest wasz przewodnik – oznajmił odźwierny. – Zaprowadzi was do Króla Merina.

Chłopak pospieszył ku jednym z wielkich drzwi, otworzył je i stanął z boku. Lorlen poprowadził pozostałych magów do pałacowego holu.

Architektura tego pomieszczenia przypominała hol Uniwersytetu: podobnie jak tam, znajdowało się w nim mnóstwo delikatnych, spiralnych schodów. Było ich jednak więcej, zdobionych złotem i oświetlanych kilkoma zwieszającymi się z sufitu lampami. Pośrodku tykał i szumiał skomplikowany mechanizm zegarowy. Magowie udali się za swoim młodym przewodnikiem po schodach na drugie piętro.

Dalsza droga nie była prosta. Przewodnik przeprowadził ich przez ogromne wejście, a potem przemierzali długie korytarze i przedsionki. Później długo wspinali się po wąskich schodach, aż wreszcie dotarli do zupełnie zwyczajnych drzwi, przed którymi trzymali straż dwaj gwardziści. Chłopiec poprosił ich, by zaczekali, i przeszedł między strażnikami. Chwilę później pojawił się z powrotem i oznajmił, że Król przyjmie gości.

Wchodząc do środka, Lorlen natychmiast zwrócił uwagę na wysokie, wąskie okna. Roztaczał się z nich widok na całe miasto i spory teren poza nim. Uzmysłowił sobie, że znajdują się w jednej z pałacowych wież. Kiedy spojrzał na północ, zdawało mu się, że dostrzega czarną linię gór, choć oczywiście granica znajdowała się znacznie dalej, za horyzontem.

Król siedział w wielkim wygodnym fotelu po drugiej stronie pomieszczenia. Doradcy Królewscy stali przy jego boku, a na ich twarzach malowała się powaga i czujność. Mistrz Mirken był starszy z tej dwójki, Mistrz Rolden zaś był mniej więcej w wieku Króla i z tego, co wiedział Lorlen, był nie tylko obrońcą monarchy, ale i jego przyjacielem.

– Wasza Królewska Mość – powiedział Lorlen. Przyklęknął na jedno kolano, a słysząc szelest szat, wywnioskował, że wchodzący za nim magowie uczynili to samo.

– Witaj, Administratorze Lorlenie – odparł Król. – Witajcie, Arcymistrzowie Gildii. Rozgośćcie się.

Magowie powstali.

– Chciałbym omówić z wami zeznania byłego Wielkiego Mistrza – ciągnął Król. Spoglądał kolejno na magów, po czym spochmurniał. – A gdzie jest Mistrz Balkan?

– Arcymistrz Wojowników znajduje się w Północnym Forcie, Wasza Królewska Mość – wyjaśnił Lorlen. – Przewodzi magom, którzy odprowadzili Akkarina do granicy.

– Kiedy powróci?

– Zamierza zostać jeszcze przez jakiś czas w Forcie na wypadek, gdyby Akkarin usiłował powrócić tą samą drogą, albo też gdyby jego zeznania okazały się prawdziwe, a Ichani, o których opowiadał, podjęli próbę wtargnięcia do Kyralii.

Zmarszczka na czole Króla pogłębiła się.

– Potrzebuję go tutaj, żeby móc zasięgnąć jego rady. – Zawahał się. – Moi Doradcy poinformowali mnie, że rozkazałeś zaprzestać wszelkiej komunikacji myślowej. Dlaczego?

– Ostatniej nocy usłyszałem cichy mentalny głos nieznanego mi maga. – Lorlen poczuł dreszcz na samo wspomnienie. – Wyglądało to tak, jakby ktoś podsłuchiwał rozmowę, którą prowadziłem z moim asystentem.

Król zmrużył oczy.

– Co powiedział ten obcy?

– Podziękowałem Mistrzowi Osenowi za poinformowanie mnie o tym, że Akkarin i Sonea znaleźli się w Sachace. Obcy powtórzył podziękowanie.

– To wszystko, co powiedział?

– Tak.

– A zatem nie masz pewności, że to Ichani. – Król bębnił palcami w oparcie fotela. – Ale jeśli Ichani istnieją i podsłuchiwali wasze rozmowy, to musieli się wiele dowiedzieć w ciągu ostatnich kilku dni.

– Niestety.

– Jeśli więc rozkażę Mistrzowi Balkanowi wrócić do stolicy, też to usłyszą. Czy jego Wojownicy zdołają utrzymać Fort w razie ataku, jeśli on ich opuści i powróci tutaj?

– Nie wiem. Mógłbym go zapytać, ale jeśli powie, że nie i odjedzie, to każdy podsłuchujący będzie wiedział, że Fort jest słaby.

Król potaknął.

– Rozumiem. Porozmawiaj z nim. Jeśli uzna, że nie powinien odjeżdżać, niech zostanie.

Lorlen wysłał mentalne zawołanie do Balkana. Odpowiedź była natychmiastowa.

~ *Lorlen?*

~ *Czy jeśli wrócisz do Imardinu, twoi ludzie dadzą radę obronić Fort?*

~ *Tak. Powiedziałem Mistrzowi Makinowi, jak rozkładać siły przeciwko czarnemu magowi.*

~ *Doskonale. W takim razie wracaj pospiesznie do miasta. Król potrzebuje twojej rady.*

~ *Wyruszę za godzinę.*

Lorlen skinął głową i podniósł wzrok na Króla.

– Mistrz Balkan jest przekonany, że Wojownicy utrzymają Fort. Powinien tu być za dwa, trzy dni.

Król przytaknął, wyraźnie zadowolony.

– W takim razie opowiedz mi o waszym śledztwie.

Lorlen złożył ręce na plecach.

– W ciągu ostatnich dni udało nam się znaleźć kilku kupców, którzy odwiedzali niedawno Sachakę i jeden z nich przyznał, że słyszał słowo „Ichani". Powiedział, że oznacza ono „rozbójników", „bandytów". Słyszano też, że zarówno kupcy, jak i ich towary znikają czasem na pustkowiu. Zakładano, że po prostu zgubili drogę. Na razie wiemy tylko tyle. Wysyłamy do Sachaki trzech magów, żeby to lepiej zbadali. Wyjeżdżają za kilka dni.

– A jakie podejmiecie przygotowania do obrony na wypadek, gdyby opowieść Akkarina okazała się prawdziwa?

Lorlen rozejrzał się po towarzyszących mu magach.

– Jeśli to, co on mówi, jest prawdą, i ci Ichani są setki razy potężniejsi od każdego z magów Gildii, to nie sądzę, byśmy mogli wiele zrobić. Jest nas ponad trzystu, jeśli liczyć magów mieszkających poza Kyralią. Akkarin szacuje, że Ichanich może być dziesięciu do dwudziestu. Nawet jeśli byłoby ich tylko dziesięciu, musielibyśmy zwiększyć nasze siły co najmniej trzykrotnie, żeby stawić im czoła. Mimo że w niższych warstwach jest potencjał magiczny, wątpię, czy zdołalibyśmy znaleźć siedmiuset nowych magów, a już na pewno nie jesteśmy w stanie wyszkolić ich odpowiednio szybko.

Król pobladł nieco.

– Nie ma innego sposobu?

Lorlen zawahał się.

– Jest, ale również niesie ze sobą niebezpieczeństwo.

Król gestem dał mu znak, żeby kontynuował.

Lorlen zwrócił się do Mistrza Sarrina.

– Arcymistrz Alchemików studiował księgi Akkarina. To, czego się z nich dowiedział, jest zarazem niepokojące i pocieszające.

– Proszę o szczegóły, Mistrzu Sarrinie.

Starszy mag wystąpił na środek pokoju.

– Z ksiąg tych wynika, że jeszcze pięćset lat temu czarna magia nie była zakazana przez Gildię. Wcześniej zaś była powszechnie uprawiana i nazywana „wyższą magią". Po tym, jak została zabroniona, kroniki przepisano albo zniszczono, by wymazać wszelkie wzmianki na jej temat. Księgi, które zdobył Akkarin, były zakopane pod gmachem Uniwersytetu jako środek ostrożności na wypadek, gdyby Kyralia znalazła się znów w obliczu poważnego zagrożenia.

– A zatem wasi poprzednicy zakładali, że Gildia może odzyskać wiedzę na temat czarnej magii, gdyby pojawiło się niebezpieczeństwo?

– Najwyraźniej.

Król zastanowił się nad tym. Lorlen z zadowoleniem obserwował ostrożność i lęk widoczne na jego twarzy. Żadnemu władcy nie podobałoby się oddanie magom potencjalnie nieskończonej władzy.

– Ile by to potrwało?

Sarrin rozłożył ręce.

– Nie wiem. Więcej niż jeden dzień. O ile wiem, Sonea potrzebowała tygodnia, ale miała wskazówki Akkarina. Nauka z ksiąg może być trudniejsza. – Urwał. – Ale nie doradzałbym uciekania się do tak ostatecznych środków, dopóki nie będzie innego wyjścia.

– Dlaczego? – spytał Król, choć nie sprawiał wrażenia zaskoczonego.

– Bo moglibyśmy się uratować po to tylko, żeby następnie znaleźć się w obliczu zgubnych efektów, jakie czarna magia mogłaby wywrzeć na naszych ludziach.

Król pokiwał głową.

– Nie wygląda na to, by czarna magia zaszkodziła Akkarinowi. Gdyby on zamierzał przejąć kontrolę nad Gildią i zająć moje miejsce, mógł to uczynić w dowolnym momencie w ciągu ostatnich ośmiu lat.

– To prawda – zgodził się Lorlen. – Akkarin był moim najbliższym przyjacielem od dnia, kiedy spotkaliśmy się jako nowicjusze, i nigdy nie przyłapałem go na niehonorowym zachowaniu. Był zawsze ambitny, ale nigdy niemoralny, czy też pozbawiony skrupułów. – Potrząsnął głową. – Gildia składa się jednak z wielu ludzi i nie wszyscy potrafią zachować taką kontrolę w obliczu nieskończonej mocy.

Król przytaknął.

– Może zatem powinni się tego nauczyć tylko nieliczni, ci, których uznacie za godnych zaufania... a i to tylko w przypadku, gdyby nie było innego wyjścia, jak powiadacie. Na razie jednak potrzebujemy przede wszystkim dowodów. Musicie przekonać się, czy Akkarin mówił prawdę, czy nie. – Spojrzał na Lorlena. – Czy jest coś jeszcze, o czym powinienem wiedzieć?

Administrator rozejrzał się po pozostałych i pokręcił przecząco głową.

– Bardzo chciałbym przekazać jakieś ważniejsze albo bardziej pocieszające wieści, Wasza Królewska Mość, ale niestety nie mogę.

– W takim razie możecie odejść... Administratorze, zostań jeszcze chwilkę. Chciałbym dowiedzieć się czegoś więcej o Akkarinie i tej jego nowicjuszce.

Lorlen kiwnął głową pozostałym. Przyklękli na moment i oddalili się. Na znak dany przez Króla Doradcy bez słowa usiedli na krzesłach stojących obok drzwi. Król wstał i podszedł do wychodzącego na północ okna.

Lorlen podszedł na tyle, na ile pozwalała etykieta. Monarcha oparł się o parapet i westchnął.

– Zawsze uważałem Akkarina za bardzo honorowego człowieka – mruknął pod nosem. – Po raz pierwszy w życiu mam nadzieję, że myliłem się co do niego i byłem głupcem.

– Wasza Królewska Mość – odparł Lorlen. – Jeśli on mówił prawdę, to znaczy, że właśnie wysłaliśmy naszego najlepszego człowieka prosto w sidła wroga.

Król potaknął.

– A jednak musieliśmy to zrobić. Mam nadzieję, że on przeżyje, Administratorze, i to nie tylko dlatego, że możemy go potrzebować. Był on także moim dobrym przyjacielem.

Kiedy Sonea się przebudziła, zdała sobie sprawę, że czuje przede wszystkim niemiłosierny ból. Najgorzej było z nogami i plecami, ale ramiona i ręce też miała posiniaczone i obolałe. Skupiając się na tym, uświadomiła sobie, że jest to ból członków nienawykłych do wysiłku fizycznego oraz efekty prób przystosowania się do twardego podłoża, na którym leżała.

Zaczerpnęła mocy i uleczyła niemiłe objawy. W miarę jak ból ustępował, zaczęła sobie uświadamiać, że jest coraz bardziej głodna. Zastanawiała się, kiedy ostatnio miała coś w ustach, i zalały ją wspomnienia z poprzedniej nocy.

Ostatnie, co pamiętam, to że jestem w jakiejś jaskini z Akkarinem.

Otworzyła nieznacznie oczy. Nad nią wznosiły się dwie kamienne ściany, stykające się wysoko w górze. Grota. Trzymając przymknięte powieki, popatrzyła ku wejściu. Akkarin siedział kilka kroków od niej. Gdy mu się tak przypatrywała, odwrócił ku niej głowę i jego usta ułożyły się w ten gorzki półuśmiech, który tak dobrze znała.

Uśmiecha się do mnie.

Nie miała pojęcia, czy on zdaje sobie sprawę z tego, że się obudziła, ale nie chciała, żeby przestał się uśmiechać, trwała tak więc bez ruchu. Ciągle się jej przyglądał, w końcu jednak odwrócił wzrok z westchnieniem, a jego uśmiech zastąpiło zatroskanie.

Zamknęła ponownie oczy. Powinna wstać, ale nie chciało jej się ruszać. Kiedy się poruszy, zacznie się dzień, który przyniesie z sobą jedynie dalszą wspinaczkę, wędrówkę i ucieczkę przed Ichanimi. A Akkarin znów będzie taki chłodny i odległy.

Otworzyła szeroko oczy i przyjrzała mu się ponownie. Na jego twarzy malowało się napięcie, oczy miał podkrążone, a ledwie widoczny zarost uwydatniał szczękę i kości policzkowe. Był chudy i zmęczony. Czy on w ogóle spał, czy też siedział przez całą noc na warcie, pilnując, by nic się jej nie stało?

Dostrzegł, że nie śpi, i natychmiast w jego spojrzeniu pojawił się cień niezadowolenia.

– No. Obudziłaś się wreszcie. – Podniósł się z miejsca. – Wstawaj. Musimy dziś pokonać spory kawał drogi, żeby oddalić się od Przełęczy.

I wzajemnie: dzień dobry, pomyślała Sonea. Przewróciła się na bok i wstała niepewnie.

– Która godzina?

– Prawie zmierzch.

Przespała cały dzień. Przyjrzała się uważniej cieniom pod jego oczami.

– Spałeś w ogóle?
– Trzymałem wartę.
– Powinniśmy się zmieniać.
Nie odpowiedział. Podeszła do wejścia do jaskini. Widok rozciągającej się poniżej przepaści przyprawił ją o zawrót głowy. Akkarin położył jej dłoń na ramieniu i poczuła pod nogami drganie magii.
– Może ja to zrobię – zaproponowała.
Zignorował to. Magia uniosła ich oboje nad ziemię. Kiedy szybowali coraz wyżej, Sonea wpatrywała się w jego pełną napięcia twarz. Postanowiła, że jutro wieczorem uprze się, żeby wziąć pierwszą wartę. Najwyraźniej nie może liczyć na to, że on ją obudzi, by sam się przespał.
Kiedy postawił ich na grani, zdjął rękę z jej ramienia. Ruszyła za nim, patrząc, jak szuka na ziemi śladów Ichaniego, zwolniła więc odrobinę, żeby trzymać się trochę bardziej z tyłu. Przez kilkaset kroków posuwali się w górę grzbietu. W pewnym momencie Akkarin zatrzymał się jednak, zawrócił, minął ją – i ruszył w przeciwnym kierunku.
Obróciła się, żeby podążyć za nim, i wstrzymała oddech. Przed nią rozciągało się pustkowie. Nawet w przyćmionym wieczornym świetle kolory były intensywne.
U podnóża gór zaczynała się ciemna równina o barwie rdzy, poprzecinana wstęgami czerni i jasnej żółci w miejscach, gdzie rzeki wyrzeźbiły niegdyś teren. Przyglądając się dokładniej, dostrzegała tu i ówdzie kępki suchej trawy, a nawet niewielkie grupki poskręcanych przez wiatr drzew.
Był to posępny krajobraz, ale miał w sobie jakieś piękno. Jego dziwaczne barwy były niezwykle nasycone. Nawet błękit nieba miał szczególny odcień.

– Jest tak, jak się obawiałem. Poszedł na południe zamiast zejść na pustkowie.

Zamrugała ze zdziwienia, widząc, że Akkarin kieruje się znów w jej stronę. Minął ją i ruszył z powrotem w górę zbocza. Westchnęła i pospieszyła za nim.

Znów zaczęła się dla nich męcząca wędrówka. Akkarin najwyraźniej nie chciał posługiwać się lewitacją i wybierał żmudną wspinaczkę po stromych skałach. Nie zatrzymywał się też na odpoczynek, więc do czasu, kiedy ostatnie promienie słońca znikły z górujących nad nimi szczytów, Sonea była znów obolała i znużona.

Marzyła jedynie o tym, żeby przystanąć na chwilę. Albo przynajmniej dotrzymywać mu kroku. Może jeśli wciągnie go w rozmowę, to on trochę zwolni.

– Dokąd idziemy?

Akkarin zawahał się, ale nie przystanął ani nie odwrócił się do niej.

– Byle dalej od Przełęczy.

– A potem?

– Gdzieś, gdzie będzie bezpiecznie.

– Masz na myśli jakieś konkretne miejsce?

– Byle odległe od Sachaki i Krain Sprzymierzonych.

Sonea zamarła, wpatrując się w jego plecy. Daleko od Sachaki i Kyralii? Nie zamierzał trzymać się blisko, żeby pomóc Gildii w razie ataku Ichanich? Nie zamierza chyba *opuścić* Kyralii?

Niemniej miało to sens. Co innego mogli zrobić? Nie mają dość siły, żeby walczyć z Ichanimi. Nie ma jej także Gildia. A na dodatek Gildia nie zamierza przyjąć ich pomocy. Po co zatem zostawać?

Nie mogła jednak uwierzyć, że on poddał się tak łatwo. *Ona* nie zamierza. Będzie walczyć, nawet w przegranej sprawie.

Nawet gdyby miało to oznaczać porzucenie Akkarina...?

Akkarin rzucił jej spojrzenie przez ramię.

– Prawdę mówiąc, zamierzam znaleźć grupkę Kariko i poszpiegować co nieco – powiedział. – Kiedy ich znajdę, wyślę obrazy tego, co zobaczę, do Gildii.

Sonea zamrugała, po czym potrząsnęła głową. To był tylko test. Uświadomienie sobie tego wywołało w niej jednocześnie ulgę i gniew. Potem zastanowiła się nad tym, co właśnie usłyszała i przeszedł ją dreszcz.

– Ichani cię usłyszą. Będą wiedzieli, że ich obserwujesz – powiedziała. – Oni...

Akkarin zatrzymał się i odwrócił, żeby na nią spojrzeć.

– Po co ze mną wędrujesz, Soneo?

Wbiła w niego wzrok. W jego oczach tańczyły niebezpieczne ogniki. Te słowa zabolały, ale równocześnie podsyciły gniew.

– Bo ty mnie potrzebujesz bardziej niż Gildia – odpowiedziała.

Zmrużył oczy.

– Potrzebuję cię? Dam sobie radę bez niedokształconej, nieposłusznej nowicjuszki, którą trzeba się opiekować.

Nieposłusznej. A więc o to jest taki zły. Wyprostowała się.

– Jeśli rzeczywiście zamierzasz się trzymać tego nieprzemyślanego planu, o którym mi właśnie powiedziałeś, to z całą pewnością *będziesz* mnie potrzebował – odparowała.

Jego oczy rozbłysły, ale wyraz twarzy nie złagodniał ani trochę.

– Przemyślany czy nie, dlaczego miałbym cię uwzględniać w moich planach, skoro nie zamierzasz w nich brać udziału?

Wytrzymała jego spojrzenie.

– Nie zamierzam jedynie uczestniczyć w planach, które cię zabiją.

Zamrugał i utkwił w niej wzrok. Nie speszyło jej to. Nagle odwrócił się i ruszył znów do góry.

– Twoja obecność wszystko komplikuje. Nie mogę zrobić tego, co zamierzałem. Będę musiał się zastanowić, co teraz... *zrobimy*.

Pospieszyła za nim.

– Nie zamierzałeś naprawdę szpiegować Ichanich i przekazywać tego, co zobaczysz, do Gildii?

– I tak, i nie.

– Jeśli cię podsłuchają, to wyśledzą twoją kryjówkę.

– Oczywiście.

A jeśli go złapią, to już nie zrobią z niego niewolnika. Zabiją go. Sonea nagle zdała sobie sprawę z tego, co zamierzał pokazać Gildii, i poczuła przebiegający ją dreszcz.

– No cóż, *taki* obraz niewątpliwie przekonałby Gildię o istnieniu Ichanich.

Zatrzymał się i wyprostował.

– Ani przez chwilę nie sugerowałem, że zamierzam dać się zabić – powiedział twardo. – Ichani niczego nie usłyszą, jeśli będę komunikował się z Gildią przez Lorlena.

Pierścień Lorlena. Poczuła, że rumieniec oblewa jej twarz.

– Rozumiem – odpowiedziała.

Ależ ja jestem głupia, pomyślała. *A w każdym razie udało mi się wygłupić. Może lepiej będzie jak przestanę gadać.*

Kiedy jednak wrócili do wspinaczki, nie potrafiła nie rozmyślać o jego planie. Nie znalazła powodów, dla których mieliby tego nie zrobić. Wbiła wzrok w jego plecy, zastanawiając się, czy nie zacząć znowu rozmowy na ten temat, ale postanowiła zaczekać. Jak znów się zatrzymają, zapyta go, czy ten plan ma wciąż szanse.

Mniej więcej w tym czasie, gdy zapadająca ciemność zaczęła uniemożliwiać obserwację drogi, dotarli do podnóża stromej ściany skalnej. Akkarin zatrzymał się i rozejrzał po okolicy. Przysiadł na ziemi, opierając plecy o skałę. Sonea usiadła obok i wyczuła lekki zapach potu. Nagle w pełni uświadomiła sobie jego obecność i panujące między nimi milczenie. Teraz była odpowiednia chwila, by zapytać o szpiegowanie Ichanich, ale ona nie była w stanie wydusić z siebie ani jednego słowa.

Co się ze mną dzieje? – pytała samą siebie.

Miłość, szepnął jakiś głos w jej głowie.

Nie. Nie bądź śmieszna, odpowiedziała. *Nie zakochałam się. A tym bardziej on. Jestem niedokształconą, nieposłuszną nowicjuszką. Im szybciej pozbędę się tych głupich myśli, tym lepiej.*

– Mamy towarzystwo.

Akkarin uniósł rękę i wskazał w dal. Sonea wpatrzyła się w przestrzeń pokonaną poprzedniej nocy, w kierunku, który wskazywał palcem.

Od cienia głazu daleko pod nimi oderwał się jakiś kształt. Trudno było ocenić, jak był daleko. W mieście nie było potrzeby oceniać takich odległości.

To coś poruszało się dziwacznie – zdecydowanie nie był to człowiek.

– To jakieś zwierzę – powiedziała.

– Owszem – odparł Akkarin. – Yeel. To mniejsi, udomowieni pobratymcy limków. Ichani uczą je tropić i polować. Zobacz, za nim idzie jego pan.

Za zwierzęciem, w świetle księżyca pojawiła się ludzka postać.

– Kolejny Ichani?

– Zapewne.

Uświadomiła sobie, że serce bije jej mocno, ale nie z powodu jakichś głupich myśli o miłości. Jeden Ichani przed nimi, drugi z tyłu.

– Będzie w stanie nas wytropić?

– Jeśli jej yeel wyczuje nasz zapach.

Jej? Sonea przyglądała się postaci. Rzeczywiście, w sposobie, w jaki się poruszała, było coś kobiecego. Spojrzała na Akkarina. Siedział zachmurzony.

– Co teraz?

Spojrzał na wznoszącą się nad nimi ścianę skalną.

– Wolałbym nie tracić mocy na lewitację, ale tam na górze będziemy bezpieczniejsi. Musimy znaleźć jakąś szczelinę albo załom, za którym się schowamy podczas wspinaczki.

– A co potem?

– Musimy znaleźć wodę i pożywienie.

– Tam? – spytała z niedowierzaniem.

– Pustkowie wydaje się całkiem jałowe, ale wszędzie da się znaleźć odrobinę życia, jeśli się wie, jak szukać. Dalej na południu będzie łatwiej.

– Idziemy na południe?

– Tak. Na południe.

Wstał i wyciągnął rękę. Przyjęła ją i pozwoliła mu podciągnąć się na nogi. Kiedy się odwrócił, jego palce ześlizgnęły się po jej dłoni. W miejscach, gdzie jej dotknęły, Sonea czuła leciutkie łaskotanie. Spojrzała na swoją dłoń i westchnęła.

Pozbycie się tych głupich myśli wcale nie będzie łatwe.

*

Dannyl zamknął drzwi do swojego mieszkania i westchnął. Usiadł w jednym ze stojących w salonie foteli i zmniejszył kulę świetlną tak, że dawała teraz tylko słabą poświatę.

Wreszcie był sam. Tylko że wcale nie poprawiło mu to humoru. Krążył niespokojnie po pokoju, przyglądając się meblom, oprawionym mapom i planom miast, które kolekcjonował i wieszał na ścianach przed laty.

Tęsknię za Tayendem, pomyślał. *Brakuje mi wspólnego picia wina i tych niekończących się rozmów. Brakuje mi wspólnej pracy, brakuje mi... wszystkiego.*

Bardzo chciałby opowiedzieć Tayendowi to, co usłyszeli od Akkarina. Uczony rozłożyłby tę opowieść na czynniki pierwsze, poszukując niekonsekwencji i ukrytych znaczeń. Dostrzegłby szczegóły, które innym umknęły.

Ale też jednocześnie Dannyl cieszył się, że młodzieńca tu nie ma. Gdyby się okazało, że opowieść byłego Wielkiego Mistrza jest prawdziwa, wolałby, żeby Tayend był tak daleko od Gildii, jak to tylko możliwe.

Rozważał teraz wszystko, czego dowiedział się o czarnej magii, kiedy przygotowywał się do objęcia posady Ambasadora, a także to, co wyczytał w książce Dema. Posługując się tą sztuką, mag może czerpać moc od innych. Człowiek obdarzony talentem magicznym ma więcej mocy niż inni – ale to nie znaczy, że magowie są lepszymi ofiarami. Pokonany mag nie ma w sobie wiele energii, którą można by przejąć. Najatrakcyjniejszym łupem jest ktoś, kto ma talent magiczny, ale go nie szkolił.

Czyli dokładnie ktoś taki jak Tayend.

Dannyl westchnął. Czuł się rozdarty między dwoma sprzecznymi pragnieniami. Bardzo chciał wrócić do Elyne i upewnić się, że Tayendowi nic nie grozi, ale jednocześnie nie miał ochoty opuszczać Kyralii i Gildii.

Pomyślał o Rothenie i uśmiechnął się ponuro. *Kiedyś moim marzeniem byłoby przyłączenie się do takiej wyprawy szpiegowskiej. A teraz waham się, ponieważ wiem, jak bym się czuł, gdyby to Tayend wyruszył na taką niebezpieczną misję. Nie zrobię mu tego, chyba że nie będę miał wyboru.*

Usiadł za biurkiem i wyciągnął kartkę papieru, pióro oraz atrament. Zawahał się przez chwilę, niepewny, co może powierzyć papierowi.

„Do Tayenda z Tremmelin

Jak zapewne już słyszałeś, w Gildii zawrzało. Gdy tylko przybyłem, dowiedziałem się, że Wielki Mistrz został aresztowany za posługiwanie się czarną magią. Niewątpliwie domyślasz się, jak nieszczęśliwy był to zbieg okoliczności dla naszych poczynań, ale mimo że pojawiły się pewne problemy, żaden z nich jak na razie nie okazał się naprawdę poważny".

Streścił opowieść Akkarina, a następnie wyjaśnił, że nie może powrócić do Elyne, zanim nie upewni się, że Gildia jest bezpieczna.

„Nie zdziwiłbym się – ale też nie ucieszyłoby mnie to – jeślibym powrócił dopiero za kilka miesięcy. Dobrze jest porozmawiać znów z Rothenem, ale mam wrażenie, że to już nie jest moje miejsce. Czuję się raczej jak gość, który tylko wypatruje okazji, żeby wrócić do domu. Kiedy sytuacja się tutaj uspokoi, poproszę Administratora Lorlena, żeby przyznał mi na stałe funkcję Ambasadora w Elyne.

Twój przyjaciel, Ambasador Dannyl".

Odchylił się w fotelu i przejrzał list. Brzmiał bardziej formalnie, niżby chciał, ale nie zamierzał przelewać na papier niczego bardziej osobistego. Jeśli w Krainach

Sprzymierzonych istnieją tacy ludzie jak Farand, zatrudniani do podsłuchiwania rozmów magów, to z pewnością są też tacy, których zadaniem jest przechwytywanie i czytanie korespondencji.

Wstał i przeciągnął się. Mogą minąć miesiące, zanim uda mu się wyjechać z Kyralii. Jeśli zaś opowieść Akkarina okaże się prawdziwa, Gildia będzie chciała zatrzymać na miejscu jak największą liczbę magów. Dannyl może tu utknąć na długo.

Jeśli on mówił prawdę, pomyślał wzdrygając się, *mogę już nigdy nie wrócić do Elyne.*

ROZDZIAŁ 23

SZPIEDZY

Nadchodziła pora szczytu letnich upałów, w pomieszczeniach Uniwersytetu wciąż jednak panował przyjemny chłód. Rothen rozsiadł się wygodnie w jednym z wielkich foteli w gabinecie Administratora i przyglądał się swoim towarzyszom. Mistrz Solend, historyk, był dziwacznym kandydatem na szpiega, ale z drugiej strony kto będzie podejrzewał wiecznie zaspanego starszego człowieka o zbieranie informacji dla Gildii? Drugim wysłannikiem został Mistrz Yikmo, Wojownik, który niegdyś uczył Soneę sztuk walki.

Solend pochodził z Elyne, Yikmo zaś był Vindonem, co czyniło Rothena jedynym wyznaczonym do tego zadania Kyralianinem. Rothen podejrzewał, że to będzie dla niego utrudnieniem w wydobywaniu informacji z Sachakan – jeśli wierzyć słowom Akkarina, nienawidzą oni Kyralian.

Lorlen bębnił palcami w oparcie fotela. Czekali na zawodowego szpiega, którego miał przysłać Król, by wyłożył im zasady ukrywania tożsamości i zbierania informacji, nim za kilka dni wyruszą do Sachaki. Na dźwięk pukania wszystkie głowy odwróciły się w stronę drzwi. Do pokoju wszedł posłaniec z wiadomością, że Raven z Domu Tellen przesyła przeprosiny z powodu swego spóźnienia.

Administrator skinął głową.

– Dziękuję. Możesz odejść.

Posłaniec ukłonił się, zawahał przez moment i obrzucił gabinet spojrzeniem.

– Czy w tym pomieszczeniu często zdarzają się niewyjaśnione przeciągi, mój panie?

Lorlen rzucił mu ostre spojrzenie. Już otwierał usta, żeby coś powiedzieć, ale uśmiechnął się i odchylił na krześle.

– Raven.

Mężczyzna ukłonił się ponownie.

– Skąd masz liberię?

– Zbieram je.

A więc tak wygląda zawodowy szpieg, pomyślał Rothen. Spodziewał się kogoś o wyglądzie chytrego łotrzyka, tymczasem aparycja Ravena okazała się zaskakująco zwyczajna.

– Zwyczaj przydatny w twoim zawodzie – zauważył Lorlen.

– Owszem. – Mężczyzna wzdrygnął się. – Czy chciałbyś, żebym znalazł źródło tych przeciągów?

Administrator potaknął. Szpieg przeszedł przez pokój i zaczął obmacywać ściany. Zatrzymał się, wyciągnął chusteczkę do nosa i przetarł ramę jednego z obrazów, po czym uśmiechnął się i wsunął rękę za malowidło.

Fragment ściany odsunął się, ukazując przejście.

– Oto źródło przeciągów – oznajmił Raven. Odwrócił się do Lorlena, a na jego twarzy zagościł wyraz rozczarowania. – Wyglądasz tak, jakbyś już o tym wiedział. – Poruszył ponownie ręką i ściana wróciła na swoje miejsce.

– Każdy z nas tu obecnych wie o przejściach ukrytych w murach Uniwersytetu – odparł Lorlen. – Nie każdy natomiast wie, gdzie znajdują się wejścia do nich. Korzystanie z nich jest zabronione, choć podejrzewam, że były Wielki Mistrz niewiele sobie z tego zakazu robił.

Rothen stłumił w sobie chęć uśmiechnięcia się. Zachowanie Administratora sugerowało beztroskę, ale na jego czole pojawiła się zmarszczka, zerkał co chwila na obraz. Rothen podejrzewał, że Lorlen zastanawia się teraz, czy Akkarinowi zdarzało się go szpiegować.

Raven podszedł do biurka Administratora.

– Dlaczego nie wolno z nich korzystać?

– Są w niektórych miejscach niebezpieczne. Gdyby nowicjusze widzieli, że magowie przechodzą nimi, mogliby nie oprzeć się pokusie... zanim nauczą się bronić przed osunięciem się ściany.

Raven uśmiechnął się.

– To oczywiście powód oficjalny. Tak naprawdę nie chcecie, żeby magowie czy nowicjusze szpiegowali się nawzajem.

Lorlen wzruszył ramionami.

– Jestem pewny, że mój poprzednik rozważał również i tę kwestię, kiedy ustanawiał ten zakaz.

– Może się okazać, że będziesz musiał go odwołać, jeśli sprawdzą się przepowiednie waszego byłego Wielkiego Mistrza. – Raven zerknął na Solenda i Yikmo. Kiedy to samo lustrujące spojrzenie spoczęło na Rothenie, mag zastanowił się, co szpieg mógł sobie o nim pomyśleć. Twarz tego mężczyzny zupełnie nie zdradzała jego myśli. – Mogą się stać cennymi drogami ucieczki – dodał szpieg, po czym zwrócił się znów do Lorlena: – Obejrzałem wszystkie te księgi, raporty i mapy, które mi przysłałeś. Stwierdzenie, czy ci Ichani istnieją, nie powinno być trudne, zwłaszcza jeśli wiodą oni takie życie, jak to opisał były Wielki Mistrz. Nie musicie wysyłać do Sachaki trzech magów.

– A zatem ilu mamy wysłać? – spytał Lorlen.

– Żadnego – odparł Raven. – Powinniście posłać osoby bez talentu magicznego. Jeśli Ichani istnieją i schwytają któregoś z waszych magów, dowiedzą się zbyt wiele o waszych zamiarach.

– Nie więcej, niż dowiedzą się, jeśli Akkarin wpadnie w ich ręce – zauważył Lorlen.

– Wygląda na to, że on zna Sachakę dostatecznie, żeby dać sobie radę – odparował Raven. – A ci magowie nie.

– Dlatego właśnie postanowiliśmy zatrudnić ciebie. Żebyś ich przeszkolił – odpowiedział ze spokojem Administrator. – Poza tym posłanie magów ma jedną zaletę: mogą natychmiast przekazać nam informacje o swoich odkryciach.

– I tym samym zdradzić swoją obecność.

– Mają polecenie, żeby używać komunikacji mentalnej tylko w ostateczności.

Szpieg pokiwał powoli głową.

– Pozwolę sobie udzielić wam jednej rady, przy której będę obstawał.

– Słucham.

Zerknął na Rothena.

– Wyślijcie tylko jednego z tych tutaj i wybierzcie dwóch innych. Wasi szpiedzy nie powinni nic wiedzieć o sobie nawzajem. W przeciwnym razie jeden schwytany wyjawi tożsamość pozostałych.

Lorlen pokiwał powoli głową.

– Którego zatem wybrałbyś?

Raven zwrócił się do Yikmo.

– Jesteś Wojownikiem, mój panie. Jeśli cię złapią i odczytają twoje myśli, dowiedzą się z nich za dużo o sztukach walki praktykowanych w Gildii. – Odwrócił się do Solenda. – Wybacz mi, panie, to, co powiem. Jesteś już stary. Żaden kupiec nie zabrałby człowieka w twoim wieku w męczącą podróż przez pustkowia. – Spojrzał na Rothena i zmarszczył brwi: – Ty jesteś Mistrz Rothen, dobrze mi się wydaje?

Rothen potaknął.

– Jeśli twoja była nowicjuszka zostanie złapana, a jej myśli odczytane, Ichani mogą cię rozpoznać. Ona jednak nie wie, że wybierasz się do Sachaki, zapewne więc dopóki nie natknąłbyś się na Ichanich, którzy ją schwytali, nie będzie miało to większego znaczenia. – Urwał i pokiwał głową. – Poza tym twój wygląd wzbudza zaufanie. Wybrałbym ciebie.

Raven popatrzył z powrotem na Lorlena, Rothen powędrował wrokiem za jego spojrzeniem. Administrator przyglądał się trzem magom i szpiegowi, po czym skinął głową.

– Posłucham twojej rady. – Spojrzał na Solenda i Yikmo. – Dziękuję wam za dobre chęci. Porozmawiam z wami później. Na razie jednak muszę zatroszczyć się o to, żeby wizyta Ravena mogła przynieść Rothenowi jak największą korzyść.

Dwaj magowie powstali. Rothen szukał na ich twarzach śladów poirytowania, ale wyczytał jedynie rozczarowanie. Odprowadzał ich wzrokiem do drzwi, po czym zwrócił się z powrotem do szpiega, który wpatrywał się w niego uważnie.

– No – zaczął Raven – co wolisz? Koniec ze szpakowatymi skroniami, czy też całkowitą siwiznę?

Sonea przystanęła, żeby zaczerpnąć powietrza, i rozejrzała się dookoła. Na niebie pojawiły się pasma pomarańczowych chmur, a powietrze stało się zdecydowanie chłodniejsze. Podejrzewała, że Akkarin zechce wkrótce odpocząć.

Przez trzy noce, odkąd uciekli Ichaniemu, wędrowali po górach. Zaczynali o zmierzchu, szli, dopóki nie robiło się za ciemno, by cokolwiek widzieć, i odpoczywali do wschodu księżyca. Wówczas zaczynali iść najszybciej jak się dało, dopóki księżyc nie skrył się na powrót za górami.

Kiedy drugiej nocy zatrzymali się, by przeczekać najciemniejsze godziny, Sonea poprosiła Akkarina, żeby zaczerpnął od niej mocy, którą zdążyła odzyskać. Choć z wahaniem, ale w końcu się zgodził. Nieco później oznajmiła mu, że będzie czuwać przez pierwszą połowę dnia. Ponieważ zaczął protestować, powiedziała mu szczerze, że wątpi, czyby ją obudził, by pełniła wartę w drugiej połowie. Uzdrowiciele powtarzali wielokrotnie, że zbyt długie posługiwanie się magią, by zdusić potrzebę snu, jest niebezpieczne, a Akkarin z każdym dniem wyglądał gorzej.

Z początku, kiedy nie ułożył się do snu, uznała, że w ten sposób demonstruje swój sprzeciw. Czekała do południa, ale w końcu zmogło ją zmęczenie. Następnego ranka, kiedy znów objęła pierwszą wartę, Akkarin zapadł w sen, oparty plecami o skałę, ale obudził się nagle chwilę przed południem i już nie zasnął aż do zmierzchu.

Trzeciego dnia poznała przyczynę owego unikania snu.

Oboje usiedli oparci o skalną ścianę, nagrzaną przez promienie słoneczne. Sonea zauważyła po chwili, że Akkarin zdrzemnął się, co ją ucieszyło – wreszcie odpoczywał. Wkrótce jednak zaczął kręcić głową, a oczy błądziły pod powiekami. Na jego twarzy zobaczyła takie napięcie, ból i przerażenie, że poczuła przebiegający po plecach dreszcz. Chwilę później Akkarin obudził się nagle, wbił wzrok w rozciągający się przed nimi skalisty krajobraz i wzdrygnął się.

Koszmary, domyśliła się. Bardzo chciała móc go jakoś pocieszyć, ale z jego wyrazu twarzy wnosiła, że współczucie byłoby ostatnią rzeczą, na jaką miał ochotę.

No i, pomyślała, *on wcale teraz ładnie nie pachnie*. Zapach potu, który kiedyś wydał jej się przyjemny, zmienił się w przykry odór niemytego ciała. Sonea zdawała sobie sprawę z tego, że jej zapach nie jest lepszy. Zdarzało im się trafić na niewielką kałużę, ale nigdy na większy zbiornik, w którym dałoby się umyć. Sonea wspominała z żalem gorącą wodę, czyste szaty, owoce i jarzyny – i rakę.

Jakiś pisk zwrócił jej uwagę z powrotem na chwilę obecną i poczuła, że zamiera jej serce. Akkarin przystanął i wpatrywał się w kilka ptaków krążących nad ich głowami. Kiedy przyjrzała im się bliżej, niewielki kształt spadł z nieba.

Akkarin złapał ptaka bez problemu, po czym w ten sam sposób upolował drugiego. Gdy Sonea podeszła do niego, zdążył już je oskubać i zabrał się do znacznie mniej przyjemnego zajęcia – patroszenia. Pracował szybko i sprawnie, najwyraźniej wprawił się kiedyś w takich zajęciach. Używanie magii do tak przyziemnych czynności wydawało się dziwaczne, ale przecież widywała magów, którzy bez wahania posługiwali się mocą, otwierając lub zamykając drzwi, czy też poruszając przedmioty, których nie chciało im się podnieść z ziemi.

Za każdym razem, kiedy Akkarin chwytał zwierzęta i piekł mięso, a ona oczyszczała stojącą wodę, by nadawała się do picia, zastanawiała się, jak zdołaliby przeżyć na tym pustkowiu bez magii. Przede wszystkim nie mogliby przemieszczać się tak szybko. Zwyczajni ludzie musieliby obchodzić dookoła głębokie szczeliny, jakie napotykali na swojej drodze, albo też wspinać się na strome skały. Jakkolwiek Akkarin starał się w miarę możności ograniczać używanie magii, bez lewitacji nie daliby rady utrzymywać dystansu między sobą a Ichani, która ich tropiła.

Kiedy Akkarin wziął się do pieczenia ptaków w kuli żaru, Sonea uświadomiła sobie, że słyszy w pobliżu coś jakby cichy szmer. Oddaliła się nieco, obeszła załom skalny, kierując się w stronę źródła tego dźwięku. Na widok błyszczącego kamienia, aż zaparło jej dech w piersiach. Szczeliną skalną płynął wąski strumyczek, a wokół niego zgromadziły się ptaki.

Pospieszyła ku ścianie, odganiając je, aż poderwały się z trzepotem skrzydeł, i wsunęła dłonie pod kapiącą wodę. Słysząc za sobą kroki, odwróciła się i uśmiechnęła do Akkarina.

– Czysta.

Uniósł w ręce dwa złapane wcześniej ptaki, które teraz były już jedynie niewielkimi parującymi kawałkami brązowego mięsa.

– Gotowe.

Skinęła głową.

– Chwileczkę.

Rozglądała się uważnie dookoła, aż wreszcie znalazła odpowiedni kamień i zabrała się do pracy. Przypominając sobie wykłady o kształtowaniu kamienia, uformowała ze skały sporą misę i podstawiła ją pod strumień wody. Akkarin nie skomentował faktu, że użyła magii.

Usiedli do posiłku. Na niewielkich górskich ptakach nie było dużo mięsa, ale było za to smaczne. Sonea ssała małe kostki, starając się nie myśleć o wciąż niezaspokojonym głodzie. Akkarin wstał i oddalił się. Nie widziała go, bo niebo szybko ciemniało, przybierając granatową barwę. Usłyszała jednak lekki plusk wody i odgłos przełykania, uznała zatem, że pije z misy.

– Dziś w nocy zamierzam podejść naszych prześladowców – oznajmił.

Sonea zerknęła w stronę cienia jego postaci, czując, że puls jej przyspiesza.

– Myślisz, że ciągle za nami idą?

– Nie wiem. Podejdź tutaj.

Wstała i przybliżyła się do niego.

– Spójrz w dół i lekko na prawo. Widzisz?

Poniżej miejsca, w którym się znajdowali, góra opadała stromym zboczem. Tam, gdzie grań rozgałęziała się na mniejsze grzbiety i doliny, Sonea dostrzegała niewielki punkcik światła. I coś, co się w tym świetle poruszało. Coś na czterech łapach…

Niewielki limek, uznała. Kolejny ruch zwrócił jej uwagę na drugą postać.

– Są teraz dużo dalej – zauważyła.

– Owszem – zgodził się z nią Akkarin. – Chyba zgubili nasz trop. Na razie jesteśmy bezpieczni.

Sonea zamarła na widok kolejnego cienia zbliżającego się do odległego światła.

– Teraz jest ich dwoje.

– Wygląda na to, że ten, który cię omal nie złapał, spotkał się z tą kobietą.

– Czemu mają światło? – zastanowiła się głośno. – Przecież w ten sposób są wszędzie widoczni. Myślisz, że chcą nas zwabić w pobliże?

Zamyślił się.

– Wątpię. Prawdopodobnie nie przypuszczają nawet, że możemy być tak wysoko ponad nimi. Zatrzymali się wewnątrz skupiska głazów. Gdybyśmy byli niżej na zboczu, nie widzielibyśmy tego światła.

– Podchodzenie do nich tylko po to, żeby pokazać prawdę Lorlenowi, byłoby wielkim ryzykiem.

– Owszem – przyznał. – Ale nie tylko dlatego chcę ich podejść. Może uda mi się też dowiedzieć czegoś o tym, jak Ichani planują wtargnąć do Kyralii. Przełęcz Północną zamyka Fort, ale Południowa stoi otworem. Jeśli nadejdą z południa, nikt nie ostrzeże Gildii.

– Południowa Przełęcz? – Sonea spochmurniała. – Syn Rothena mieszka niedaleko. – Uświadomiła sobie, że oznacza to wielkie niebezpieczeństwo dla Dorriena.

– Niedaleko, ale nie przy samej drodze ani nie na przełęczy. Ichani pojawią się zapewne jako niewielka grupka zagranicznych wędrowców. Nawet gdyby ich zauważono, Dorrien może nie usłyszeć o nich od miejscowych przez kilka dni.

– Chyba że Lorlen każe mu pilnować drogi i przesłuchiwać podróżnych.

Akkarin nic na to nie odpowiedział. Milczał, obserwując Ichanich. Niebo na horyzoncie pojaśniało, zapowiadając wschód księżyca. Kiedy pojawił się rąbek jego tarczy, Akkarin odezwał się ponownie.

– Musimy podejść pod wiatr, żeby nie wyczuł nas limek.

Sonea zerknęła za siebie, na misę skalną. Woda przelewała się przez jej krawędzie.

– W takim razie, jeśli mamy czas, powinniśmy coś najpierw zrobić – oznajmiła.

Patrzył, jak podchodziła do misy. Ogrzała wodę odrobiną magii i podniosła na niego wzrok.

– Odwróć się... i nie podglądaj.

Na jego ustach pojawił się cień uśmiechu. Odwrócił się do niej plecami i założył ręce. Nie spuszczając go z oczu, Sonea zdjęła kolejno wszystkie części swojego ubrania, umyła się, uprała rzeczy i wysuszyła je za pomocą magii. Musiała zaczekać kilka razy aż misa zapełni się z powrotem, kiedy moczyła w niej swoje ubrania. W końcu wylała resztę wody na głowę i westchnęła z ulgą.

Wyprostowała się i odgarnęła włosy z czoła.

– Teraz ty.

Akkarin odwrócił się i podszedł do misy. Sonea oddaliła się i usiadła tyłem do niego. Niemal natychmiast zaczęła ją zżerać ciekawość. Odepchnęła ją od siebie i skupiła się na suszeniu włosów i przeczesywaniu ich palcami.

– Od razu lepiej – odezwał się w końcu.

Zerknęła za siebie i zamarła, widząc, że jego koszula leży nadal na ziemi. Na widok nagiej piersi zarumieniła się i odwróciła wzrok.

Nie bądź śmieszna, upomniała sama siebie. *Widziałaś w życiu mnóstwo nagich męskich torsów*. Tragarze na targu w letnie upały rzadko wkładali na siebie cokolwiek więcej niż przykrótkie portki. Nigdy dotąd jej to nie zawstydzało.

Nie, odezwał się głos z głębi jej myśli, *ale też inaczej patrzyłabyś na tych tragarzy, gdyby którykolwiek ci się naprawdę spodobał.*

Westchnęła. Nie miała ochoty tak się czuć. To tylko jeszcze bardziej komplikowało sytuację. Wzięła głęboki wdech i powoli wypuściła powietrze z płuc. Po raz pierwszy chciała jak najszybciej wyruszyć dalej, żeby móc skupić całą uwagę na wędrówce po trudnym górskim terenie.

Usłyszała za sobą kroki. Podniosła wzrok i przekonała się z ulgą, że Akkarin zdążył się już ubrać.

– No to ruszamy – powiedział.

Wstała i udała się za nim w dół zbocza. Wędrówka zdecydowanie rozjaśniła jej myśli. Schodzili szybko, kierując się wprost ku Ichanim i ich światłu. Po nieco więcej niż godzinie Akkarin zwolnił i zatrzymał się, utkwiwszy wzrok w jakimś odległym punkcie.

– Co się stało? – spytała.

– Lorlen założył pierścień – odparł po dłuższej chwili.

– On go nie nosi przez cały czas?

– Nie. Aż do teraz pierścień stanowił tajemnicę. Ale Sarrin czyta moje księgi i mógłby się domyślić, co to takiego. Lorlen zazwyczaj zakłada go co wieczór. – Ruszył dalej. – Szkoda że nie mam kawałka szkła – mruknął. – Zrobiłbym ci pierścień.

Sonea przytaknęła, ale w głębi serca cieszyła się, że to niemożliwe. Krwawy pierścień mógłby ujawnić zbyt wiele z jej myśli. Dopóki nie poradzi sobie z tą głupią fascynacją, nie będzie miała ochoty, żeby Akkarin zyskał jakiekolwiek pojęcie o tym, co dzieje się w jej umyśle.

Dalej posuwali się ostrożnie. Po kilkuset krokach Akkarin położył palec na ustach. Podkradali się wolniutko, zatrzymując się wielokrotnie, żeby sprawdzać kierunek wiatru. Sonea dostrzegła błyski światła między dwiema znajdującymi się przed nimi skałami i zorientowała się, że są na miejscu.

Niewyraźne głosy stały się lepiej słyszalne, kiedy podczołgali się w pobliże skał. Zatrzymali się i przykucnęli za głazami. Pierwszy z głosów, który dotarł do uszu Sonei, miał ciężki akcent.

– ...z yeelem większe szanse niż ja.

– To bystra dziewczyna – odparła kobieta. – Czemu nie weźmiesz sobie jakiejś, Parika?

– Raz to zrobiłem. W zeszłym roku wziąłem sobie nową niewolnicę. Wiesz, jacy bywają ci nowi. Uciekła, a kiedy yeel ją znalazł, zabiła go. Ale zdążył rozszarpać jej nogi, więc daleko nie uciekła.

– Zabiłeś ją?

– Nie. – W głosie Pariki pobrzmiewała rezygnacja. – Aczkolwiek było to kuszące. Trudno znaleźć dobrych niewolników. Teraz nie może już uciec, więc kłopoty się skończyły.

Kobieta wydała z siebie gardłowe prychnięcie.

– Oni zawsze są kłopotem, nawet jeśli są lojalni. Albo sprawiają kłopoty, albo są głupi.

– Ale potrzebni.

– Aha. Nie znoszę podróżować samotnie, bez służby – przytaknęła kobieta.

– Tak jest szybciej.

– Ci Kyralianie mnie spowalniają. Niemal się cieszę, że ich nie znalazłam. Nie lubię więzić magów.

– Są słabi, Avalo. Nie sprawią dużo kłopotów.

– Jeszcze mniej by sprawili, gdyby byli martwi.

Dreszcz przebiegł po plecach i całej skórze Sonei. Nagle zapragnęła znaleźć się jak najdalej od tego miejsca – i to jak najszybciej. Nie czuła się dobrze ze świadomością, że dwoje potężnych magów pragnących jej śmierci siedzi kilka kroków od niej.

– On chce ich żywych.

– Czemu więc sam nie zapoluje?

Mężczyzna zaśmiał się.

– Pewnie ledwie usiedzi na miejscu, ale nie ufa pozostałym.

– A ja nie ufam *jemu*, Parika. Mógł nas wysłać w pogoń za tymi Kyralianami, żeby usunąć nas z drogi.

Mężczyzna nie odpowiedział. Sonea usłyszała szelest materiału, a następnie odgłos kroków.

– Zrobiłam wszystko, co mogłam, żeby ich znaleźć – oznajmiła Avala. – Nie będę wykluczona. Wracam, żeby dołączyć do pozostałych. Jeśli on chce tej dwójki, musi sam zapolować. – Urwała. – A ty co zamierzasz?

– Wracam na Przełęcz Południową – odparł Parika. – Coś mi mówi, że jeszcze się zobaczymy.

Avala parsknęła cicho.

– W takim razie pomyślnych łowów.

– Pomyślnych łowów.

Kroki oddaliły się powoli. Akkarin spojrzał na Soneę i skinął głową w kierunku, z którego przybyli. Podążyła za nim powoli i cicho, oddalając się od głazów. Kiedy odeszli na odległość kilkuset kroków, Akkarin przyspieszył. Ale zamiast skierować się ku wyższym partiom gór, ruszył na południe.

– Dokąd idziemy? – spytała szeptem Sonea.

– Na południe – odparł Akkarin. – Avala chce jak najszybciej wrócić do pozostałych, tak jakby się bała, że coś ją ominie. Jeśli zamierza wybrać się na spotkanie z Kariko bez Pariki, który zmierza ku Przełęczy Południowej, to znaczy, że Kariko zamierza dostać się do Kyralii przez Przełęcz Północną.

– Ale on powiedział, że jeszcze się spotkają.

– Zapewne w Kyralii. Dotarcie tutaj zajęło nam cztery dni, więc Avala będzie potrzebowała tyle samo, żeby wrócić. Jeśli się pospieszymy, dotrzemy do Przełęczy Południowej przed Pariką. Pozostaje mieć nadzieję, że nie pilnują jej inni Ichani.

– Wracamy do Kyralii?

– Tak.

– Bez zezwolenia Gildii?

– Tak. Pojawimy się w Imardinie w tajemnicy. Jeśli poproszą mnie o pomoc, będę dość blisko, żeby móc szybko działać. Ale przed nami długa droga. Daruj sobie pytania. Musimy dziś w nocy porządnie wyprzedzić Parikę.

– Obawiam się, że to wszystko, co dostaniemy – powiedział Lorlen. Puścił dłonie Balkana i Vinary i odchylił się na krześle. Tamci zaś puścili ręce Sarrina, w tym momencie troje magów wpatrywało się w Lorlena.

– Dlaczego nie powiedziałeś nam wcześniej o tym klejnocie? – spytał Sarrin.

Lorlen zdjął pierścień i położył go przed sobą na biurku. Przyglądał mu się przez chwilę, po czym westchnął.

– Nie potrafiłem się zdecydować, co mam z nim zrobić – odpowiedział. – To jest artefakt czarnej magii, a mimo to nie czyni żadnej szkody i jest w tej chwili naszym jedynym bezpiecznym środkiem do porozumiewania się z Akkarinem.

Sarrin wziął pierścień do ręki i obejrzał go dokładnie, starając się dotykać jedynie oprawy.

– Krwawy klejnot. Dziwaczna magia. Pozwala twórcy zaglądać do umysłu tego, kto go nosi. Widzieć to, co noszący widzi, słyszeć, co on słyszy, odbierać jego myśli.

Balkan zmarszczył brwi.

– Jak dla mnie, wcale nie wygląda to na nieszkodliwy przedmiot. Akkarin może się dowiedzieć o wszystkim, co ty wiesz.

– Nie może przeszukiwać moich myśli – odparł Lorlen. – Tylko czytać te powierzchowne.

– To może się okazać zgubne, gdybyś pomyślał o czymś, czego on nie powinien wiedzieć. – Wojownik nie wyglądał na przekonanego. – Nie sądzę, byś powinien jeszcze kiedyś zakładać ten pierścień, Lorlenie.

Pozostali potaknęli, więc Administrator też niechętnie skinął głową.

– Niech tak będzie, skoro wszyscy tak uważacie.

– Ja tak – powiedziała Vinara.

– Tak, ja również – dodał Sarrin, odkładając pierścień. – Co z tym zrobimy?

– Schowamy w miejscu, o którym będzie wiedzieć tylko nasza czwórka – zaproponował Balkan.

– Gdzie?

Lorlen poczuł niepokój. Jeśli mają zamknąć pierścień w ukryciu, to lepiej, żeby było to miejsce, do którego będą mieli szybki dostęp na wypadek, gdyby potrzebowali kontaktu z Akkarinem.

– W bibliotece?

Balkan skinął głową.

– Dobry pomysł. Jest w niej szafa ze starymi księgami i mapami. Odłożę tam pierścień, wracając do domu. Na razie jednak – spojrzał kolejno na pozostałą trójkę – zastanówmy się nad rozmową, którą przekazał nam Akkarin. Czego się dowiedzieliśmy?

– Że Sonea żyje – odparła Vinara. – I że oboje podsłuchali kobietę imieniem Avala rozmawiającą z mężczyzną imieniem Parika o kimś trzecim.

– Kariko? – podsunął Lorlen.

– Być może – odparł Balkan. – Ale nie padło żadne imię.

– Cóż za bezmyślność z ich strony – mruknął Sarrin.

– Ta para rozmawiała o niewolnikach, a więc przynajmniej to jest prawda – dodała Vinara.

– Wspomnieli także o polowaniu na Kyralian.

– Mając na myśli Soneę i Akkarina?

– Zapewne. Chyba że to wszystko zostało ukartowane przez Akkarina – powiedział Balkan. – Mógł wynająć tę dwójkę, żeby przeprowadziła taką rozmowę tylko po to, by z kolei on mógł nam ją przekazać.

– Po cóż więc mu tak niejednoznaczne informacje? – spytał Sarrin. – Dlaczego nie kazał im wspomnieć o Kariko, albo też o zamiarach najazdu na Kyralię?

– Jestem pewny, że ma swoje powody. – Balkan ziewnął i natychmiast przeprosił.

Vinara obrzuciła go badawczym spojrzeniem.

– Spałeś cokolwiek po powrocie?

Wojownik wzruszył ramionami.

– Troszkę. – Zerknął na Lorlena. – Nasze spotkanie z Królem trwało do późnej nocy.

– Czy Król nadal rozważa naukę czarnej magii przez jednego z nas? – spytał Sarrin.

Balkan westchnął w odpowiedzi.

– Tak. Woli to, niż wezwać Akkarina. Wielki Mistrz okazał się niegodny zaufania, ponieważ złamał prawo Gildii i swoje śluby.

– Ale jeśli ktokolwiek z nas nauczy się czarnej magii, to również złamie prawo i przysięgę magów.

– Nie, jeśli uznamy sytuację za nadzwyczajną.

Sarrin spojrzał na nich spode łba.

– W kwestii czarnej magii nie powinno być nadzwyczajnych okoliczności.

– Możemy nie mieć wyboru. To może być dla nas jedyny sposób obrony przed tymi Ichanimi. Gdyby jeden z nas dostawał codziennie moc od setki magów, powinien stać się dostatecznie silny, żeby pokonać dziesiątkę Ichanich w ciągu dwóch tygodni.

Sarrin wzdrygnął się.

– Nikomu nie powinno się powierzać tyle mocy.

– Król zdaje sobie sprawę, że takie są twoje poglądy – powiedział Balkan. – Dlatego też uważam, że byłbyś najlepszym kandydatem.

Sarrin spojrzał na Wojownika z przerażeniem.

– Ja?

– Tak.

– Nie mógłbym. Musiałbym… odmówić.
– Odmówić Królowi? – spytał Lorlen. – I patrzeć, jak Gildia i cały Imardin upadają pod ciosami kilku nieokrzesanych, cudzoziemskich magów?
Sarrin wpatrywał się w pierścień z pobladłą twarzą.
– To nie będzie łatwe zadanie – powiedział łagodnie Lorlen – i nie musisz się go podejmować, dopóki nie będziemy absolutnie przekonani, że nie ma innego wyjścia. Szpiedzy wyruszają za kilka dni. Miejmy nadzieję, że uda im się ustalić, raz na zawsze i wiarygodnie, czy Akkarin mówił prawdę.
Balkan przytaknął.
– Powinniśmy też rozważyć wysłanie posiłków do Fortu. Jeśli podsłuchana rozmowa jest prawdziwa, ta kobieta zamierza spotkać się z grupą Ichanich na północy.
– A co z Przełęczą Południową? – spytała Vinara. – Parika wybierał się w tamtym kierunku.
Balkan spochmurniał.
– Muszę się nad tym zastanowić. Nie jest tak dobrze broniona jak Fort, ale z rozmowy można przypuszczać, że większość Ichanich gromadzi się na północy. Powinniśmy jednak przynajmniej obserwować drogę przez Przełęcz Południową.
Wojownik ponownie ziewnął. Najwyraźniej z trudem powstrzymywał senność spowodowaną zmęczeniem. Lorlen pochwycił znaczące spojrzenie Vinary.
– Już późno – powiedział. – Może spotkamy się tu jutro rano, żeby przedyskutować szczegóły. – Pozostali szybko przytaknęli. – Dziękuję wam za przybycie. Do zobaczenia rano.
Kiedy pozostała trójka podniosła się i życzyła mu dobrej nocy, Lorlen nie potrafił otrząsnąć się z rozczarowa-

nia. Miał nadzieję, że Akkarin pokaże im coś, co przekona ich o prawdziwości jego słów. Wydawało się, że rozmowa Sachakan dostarczała sporo informacji, ale też wskazywała na pewne słabości obrony Kyralii.

Na dodatek Lorlen utracił pierścień, a wraz z nim jedyną możliwość porozumiewania z Akkarinem.

ROZDZIAŁ 24

UJAWNIONE SEKRETY

Szelest szat i szuranie butów nie milkły w Radzie Gildii ani na chwilę, nawet podczas krótkiej przemowy Lorlena. *Wszyscy jesteśmy niespokojni*, myślał Dannyl. *Za mało odpowiedzi uzyskaliśmy podczas tego Posiedzenia.*

Kiedy Lorlen oznajmił, że Posiedzenie się zakończyło, rozległo się zbiorowe westchnienie.

– Ogłaszam krótką przerwę przed Przesłuchaniem, na którym zajmiemy się buntownikami z Elyne – powiedział Administrator.

Słysząc te słowa, Dannyl poczuł, że robi mu się słabo. Zerknął na Rothena.

– Czas stanąć twarzą w twarz z plotkarzami.

Rothen uśmiechnął się w odpowiedzi.

– Wszystko będzie dobrze, Dannylu. Odkąd wyjechałeś do Elyne, zyskałeś wiarę w siebie.

Dannyl spojrzał ze zdumieniem na swojego dawnego mentora. Wiara w siebie?

– Uważasz, że wcześniej mi jej brakowało?

Rothen zaśmiał się.

– Ależ nie, nie wybraliby cię na to stanowisko, gdyby tak było. Teraz po prostu jest lepiej widoczna. A może przywiozłeś z sobą te okropne elyńskie perfumy?

Dannyl roześmiał się.

– Jeśli myślisz, że perfumy mogą dodać człowiekowi pewności siebie, powinieneś był zasugerować to wcześniej. Nie żebym zamierzał posłuchać tej rady. Pewne obyczaje lepiej zostawić Elynom.

Starszy mag pokiwał głową na znak zgody.

– A zatem do dzieła. Wyjdź na środek, bo inaczej zaczną bez ciebie.

Dannyl wstał i ruszył do przodu sali. Kiedy zbliżył się do mównicy, zauważył, że Zagraniczny Administrator Kito schodzi na dół, żeby przewodniczyć obradom. Mag zerknął w bok, w kierunku, z którego zbliżał się szereg mężczyzn i kobiet pod eskortą gwardii. Dannyl rozpoznał grupkę przyjaciół i współspiskowców Dema Marane. Royend szedł razem z żoną. Podniósł wzrok na Dannyla i zmrużył oczy.

Dannyl ani mrugnął. Nienawiść w oczach Royenda była czymś nowym. Dem był zły tej nocy, kiedy został aresztowany, ale w czasie podróży do Kyralii i oczekiwania na Przesłuchanie gniew musiał rozwinąć się w silniejsze uczucia.

Rozumiem jego nienawiść, pomyślał Dannyl. *Oszukałem go. Nie obchodzi go to, że ja działałem z polecenia Akkarina, ani to, że on sam złamał prawo. Widzi we mnie jedynie człowieka, który zrujnował jego marzenia.*

Farand stał po drugiej stronie sali, między dwoma Alchemikami. Młodzieniec był podenerwowany, ale nie było znać po nim przerażenia. Głośny łomot skierował uwagę wszystkich ku końcowi sali, gdzie właśnie otwarły się ciężkie drzwi i do wnętrza wmaszerowała szóstka Elynów. Dwaj z nich byli to ci magowie ze statku, którzy eskortowali buntowników do Kyralii: Mistrzowie Barene i Hemend. Pozostali reprezentowali króla Elyne.

Kito skierował nowo przybyłych na krzesła ustawione z przodu sali, a Dannyl zastanawiał się, gdzie powinien się ustawić. Postanowił stanąć blisko Faranda, wiedząc, że zostanie to odebrane jako gest wsparcia dla młodzieńca. Lorlen uderzył w niewielki gong i w sali natychmiast zapanowała cisza. Kito rozejrzał się dookoła i skinął głową.

– Zwołaliśmy dzisiejsze Przesłuchanie, aby osądzić Faranda z Darellas, Royenda i Kaslie z Marane oraz ich współspiskowców...

Do uszu Dannyla dobiegł jakiś hałas z niespodziewanego kierunku, spojrzał więc ku najwyższym rzędom i ze zdumieniem zauważył, że pojawił się jeden z Królewskich Doradców.

Ależ oczywiście, pomyślał, *nasz Król musi mieć pewność, że każdego cudzoziemca, który został przyłapany na planach stworzenia własnej gildii magicznej, spotka należyta kara.*

– ...Farand z Darellas jest oskarżony o naukę magii poza Gildią – ciągnął Kito – ci zaś ludzie o usiłowanie nauczenia się magii. Dem Marane jest również oskarżony o posiadanie wiedzy o czarnej magii.

Kito urwał i rozejrzał się po sali.

– Dowody na poparcie tych oskarżeń zostaną nam zaprezentowane i poddane osądowi. Wzywam teraz pierwszego mówcę, Mistrza Dannyla, Drugiego Ambasadora Gildii w Elyne.

Dannyl wziął głęboki oddech i podszedł do Kito.

– Przysięgam, że wszystko co powiem podczas tego Przesłuchania, będzie prawdą. – Urwał na chwilę. – Siedem tygodni temu otrzymałem od byłego Wielkiego Mistrza rozkaz odnalezienia i aresztowania grupy rebeliantów, którzy usiłowali uczyć się magii bez kierownictwa i nadzoru Gildii.

Na sali panowała cisza, kiedy opowiadał o swoich działaniach. Od dwóch tygodni zastanawiał się, ile powinien ujawnić informacji o tym, jak przekonał buntowników, by mu zaufali. Zapewne wszyscy w Gildii już słyszeli o oskarżeniach wysuwanych przez Dema, toteż nie musiał zagłębiać się w szczegóły. Nie mógł jednak całkowicie pominąć tej części swojej historii.

Opowiedział zatem, jak postarał się, by Dem usłyszał o „fałszywym sekrecie" i uznał, że będzie mógł szantażować Dannyla. Następnie opisał spotkanie z Farandem. Na twarzach elyńskich dworzan pojawiło się napięcie, gdy wyjawił, że Farandowi odmówiono prawa wstąpienia do Gildii, kiedy dowiedział się czegoś, co król Elyne pragnął zachować w sekrecie. Dannyl wyjaśnił również, iż Farand był o krok od utraty kontroli nad swoją mocą, i opisał możliwe konsekwencje takiego wypadku.

Następnie opowiedział o księdze, którą Tayend pożyczył od Dema, o tym, jak jej zawartość przekonała go o konieczności natychmiastowego aresztowania buntowników, zamiast czekania na kolejną wizytę u Dema i możliwość poznania większej ich liczby. Zakończył ostrzeżeniem, że zapewne nie wszyscy członkowie grupy zostali odnalezieni.

Kito zwrócił się teraz do Mistrza Sarrina z prośbą o potwierdzenie słów Dannyla odnoszących się do zawartości księgi, a następnie poprosił, by na środek wystąpił Farand. Młodzieniec został przyprowadzony do mównicy.

– Farandzie z Darellas, czy przysięgasz, że będziesz mówił prawdę podczas tego Przesłuchania? – spytał Kito.

– Przysięgam.

– Czy opowieść Ambasadora Dannyla jest prawdziwa w tej części, która dotyczy ciebie?

Młodzieniec potaknął.

– Tak.

– W jaki sposób zostałeś członkiem rebelianckiej grupy Dema Marane?

– Jestem bratem jego żony. On uznał, że szkoda by było zmarnować mój talent magiczny i zachęcił mnie do wznowienia podsłuchiwania rozmów myślowych.

– I, jak rozumiem, w ten właśnie sposób doprowadziłeś do odblokowania swojej mocy?

– Tak. Podsłuchałem rozmowę o tym, jak się to robi.

– Czy wahałeś się, zanim postanowiłeś to uczynić?

– Tak. Moja siostra nie chciała, żebym nauczył się magii. To znaczy z początku chciała, ale potem zaczęła się martwić, że za mało wiemy i że to może być niebezpieczne.

– Co zatem przekonało cię do porzucenia obaw?

– Royend powiedział, że kiedy uda mi się zacząć, to potem będzie łatwiej.

– Od jak dawna Dem i jego towarzysze spotykali się w celu uczenia się magii?

– Nie wiem. Chyba jeszcze zanim ich poznałem.

– A od jak dawna ich znasz?

– Od pięciu lat. Odkąd Dem zaręczył się z moją siostrą.

– Czy istnieją jeszcze inni członkowie grupy, których nie ma tu dziś na sali?

– Jest ich więcej, ale ja ich nie znam.

– Czy uważasz, że Dem Marane pragnął sam nauczyć się magii?

Farand zawahał się przez chwilę, potem opuścił ramiona.

– Tak.

Dannyl poczuł współczucie dla tego młodzieńca. Postanowił pomóc w śledztwie, wiedząc, że Dema i jego przyjaciół i tak czeka kara, ale musiało być mu trudno.

– A pozostali członkowie grupy?

– Nie jestem pewny. Niektórzy zapewne tak. A inni brali w tym udział dla rozrywki, jak sądzę. Moja siostra była w tym ze względu na Royenda i mnie.

– Czy jest jeszcze coś, co chciałbyś dodać?

Farand potrząsnął przecząco głową.

Kito potaknął i rozejrzał się po sali.

– Muszę oznajmić, że poddałem Faranda badaniu prawdomówności, i to, co tu usłyszeliśmy, jest prawdą.

Rozległ się pomruk wielu głosów. Dannyl spojrzał na Faranda ze zdziwieniem. Pozwolenie na badanie prawdomówności znaczyło, że młodzieniec bardzo chce współpracować.

Kito zwrócił się teraz ku starszyźnie.

– Czy ktoś chciałby dodać jakiś komentarz albo zadać pytanie? – Odpowiedziało mu przeczące kiwanie głowami. – Wracaj zatem na swoje miejsce, Farandzie z Darellas. Wzywam teraz na przesłuchanie Royenda z Marane.

Dem wyszedł na środek.

– Royendzie z Marane, czy przysięgasz mówić jedynie prawdę podczas tego Przesłuchania?

– Przysięgam.

– Czy opowieść Ambasadora Dannyla jest prawdziwa w tej części, która dotyczy ciebie?

– Nie.

Dannyl powstrzymał westchnienie i przygotował się na nieuniknione.

– Co jest w niej nieprawdziwego?

– Ambasador twierdzi, że wymyślił tę historię o romansie ze swoim asystentem. A ja uważam, że to jest prawda, nie zmyślenie. Każdy, kto patrzy na tych dwóch razem, natychmiast dostrzega, że jest to coś więcej niż tylko... oszustwo. Nikt nie umie aż tak dobrze udawać.

– Czy tylko tę część relacji uważasz za nieprawdziwą?

Dem wbił spojrzenie w Dannyla.

– Nawet Dem Tremmelin, ojciec Tayenda z Tremmelin, uważa, że to prawda.

– Demie Marane, odpowiedz, proszę, na postawione ci pytanie.

Dem nie zwracał na niego uwagi.

– Czemu nie zapytacie go o jego upodobania? Przysiągł, że będzie mówił prawdę. Chciałbym usłyszeć, jak zaprzecza.

Kito zmrużył oczy.

– To Przesłuchanie zostało zwołane w celu ustalenia, czy zostało złamane prawo zabraniające nauki magii poza Gildią, a nie czy Ambasador Dannyl jest zaangażowany w haniebne i zboczone praktyki. Odpowiedz na moje pytanie, Demie Marane.

Dannyl ledwie powstrzymał się od mrugania ze zdziwienia oczami. Haniebne i zboczone. Nie miał wątpliwości, że opinia Gildii o nim samym – nie mówiąc już o jego opowieści – zmieniłaby się diametralnie, gdyby poznali prawdę. A Dem doskonale o tym wiedział.

– Jeśli on skłamał w tej sprawie, to mógł was okłamać we wszystkim innym – wyrzucił ze siebie Dem. – Pamiętajcie o tym, kiedy już złożycie mnie w grobie. Nie będę odpowiadał na więcej pytań.

– Dobrze – powiedział Kito. – Wracaj zatem na swoje miejsce. Wzywam na przesłuchanie Kaslie z Marane.

Żona Dema była zdenerwowana, ale pomocna. Wyjawiła, że buntownicy spotykali się od dziesięciu lat, ale zapewniła Gildię, że ich zainteresowania były natury czysto akademickiej. Kiedy odpytywano innych członków grupy, ujawnili oni już tylko drobne szczegóły. Wszyscy twierdzili, że nie zamierzali nauczyć się posługiwania magią, ale jedynie zbierać wiedzę o niej.

Następnie przedyskutowano pokrótce kwestię próby otrucia Faranda. Dannyl wcale nie był zaskoczony tym, że śledztwo przeprowadzone przez elyńskich magów nie wskazało winnego. Z wyrazu twarzy Mistrzyni Vinary Dannyl zgadywał jednak, że sprawa się na tym nie skończy.

Kito poprosił, aby oskarżeni zostali otoczeni barierą ciszy, kiedy Gildia będzie obradować nad ich ukaraniem. Sala wypełniła się głosami. Po dłuższej chwili Kito wezwał wszystkich do zajęcia miejsc i zdjął barierę ciszy.

– Czas ogłosić werdykt – oznajmił. Wyciągnął rękę, nad którą pojawiła się kula świetlna, by natychmiast unieść się w górę.

Dannyl stworzył własną i posłał ją pod sufit, gdzie zbierały się już światełka pozostałych magów.

– Czy uważacie, że Farand z Darellas jest bez żadnych wątpliwości winny uczenia się magii poza Gildią?

Wszystkie kule zapłonęły na czerwono. Kito skinął głową.

– Tradycyjną karą za to przewinienie jest śmierć – powiedział – ale starszyzna Magów uważa, że w tych szczególnych okolicznościach powinniśmy się zastanowić nad innym wyjściem. Farand z Darellas jest ofiarą okoliczności i manipulacji. Przez cały czas chętnie służył pomocą i poddał się badaniu na prawdomówność. Proponuję, żebyśmy zaproponowali mu naukę w Gildii, pod warunkiem że przez resztę życia nie opuści jej terenu. Wszystkich, którzy popierają tę propozycję, proszę o zmianę koloru kul świetlnych na biały.

Powoli światełka rozbłysły bielą, jedynie kilka pozostało czerwonych. Dannyl odetchnął z ulgą.

– Farand z Darellas otrzyma zatem propozycję nauki w Gildii – oznajmił Kito.

Dannyl spojrzał na Faranda i dostrzegł na jego twarzy uśmiech ulgi i podniecenia, który jednak przygasł, gdy Kito kontynuował.

– Czy uważacie, że Royend z Marane jest bez żadnych wątpliwości winny próby nauczenia się magii poza Gildią, a także posiadania wiedzy na temat czarnej magii? – Niesamowite światło wypełniło Radę, kiedy wszystkie kule na powrót zabłysły czerwienią. – Starszyzna Gildii również w tym przypadku uznała, że konieczne jest rozważenie innej opcji niż egzekucja – powiedział Kito. – Ta zbrodnia jest jednak ciężka i uważamy, że kara za nią nie może być łagodniejsza niż dożywotnie więzienie. Wszystkich, którzy są zdania, że Dem Marane powinien zostać skazany na karę dożywocia, proszę o zmianę koloru kul świetlnych na biały.

Dannyl zmienił kolor swojej kuli na biel, ale poczuł dreszcz na widok tego, że kule ponad połowy magów pozostały czerwone. *Ile to już lat, odkąd Gildia po raz ostatni wykonała na kimś wyrok?* – zastanowił się.

– A zatem Royend z Marane został skazany na śmierć – oznajmił ciężkim głosem Kito.

Wśród buntowników rozległy się jęki. Dannyl poczuł ukłucie winy i zmusił się do podniesienia wzroku na grupę. Twarz Dema była biała jak płótno. Żona chwyciła go rozpaczliwie za ramię. Pozostali rebelianci pobledli i wyglądali na zaniepokojonych.

Kito rzucił spojrzenie w stronę starszyzny, po czym zwrócił się na powrót ku sali i wyczytał imię kolejnego buntownika. Pozostałych skazano jedynie na dożywocie. Najwyraźniej Gildia uznała Dema Marane za przywódcę grupy i postanowiła ukarać go przykładnie. *Jego odmowa zeznań nie pomogła mu, jak sądzę*, pomyślał Dannyl.

Kiedy nadeszła kolej Kaslie, Kito zaskoczył Dannyla przemową w jej obronie. Zachęcił Gildię do wzięcia pod uwagę losu dwójki jej dzieci. Jego słowa najwyraźniej poruszyły magów, ponieważ ułaskawili żonę Dema, pozwalając jej wrócić do domu.

Magowie elyńscy zapytali następnie, czy mogą skomunikować się mentalnie z królem Elyne, by przekazać mu postanowienia Gildii. Lorlen zgodził się, ale pod warunkiem, że nie podadzą żadnych innych informacji. Posiedzenie zakończyło się.

Dannyl czuł ogromną ulgę na myśl o tym, że jego rola w tym wszystkim wreszcie się zakończyła. Odszukał Rothena w tłumie magów opuszczających swoje miejsca, ale zanim zdołał dotrzeć do swojego przyjaciela, usłyszał czyjś głos wołający go po imieniu. Odwrócił się i zobaczył Administratora Kito.

– Słucham, Administratorze – odpowiedział.

– Czy jesteś zadowolony z wyroków? – spytał Kito.

Dannyl wzruszył ramionami.

– Mniej więcej. Muszę przyznać, że nie uważam, by Dem zasłużył na śmierć. To człowiek ambitny, ale wątpię, czy zdołałby się nauczyć magii w więzieniu.

– Nie – odparł Kito – ale obawiam się, że Gildii nie spodobał się jego atak na twój honor.

Dannyl wbił w niego wzrok. To przecież nie mogła być jedyna przyczyna wyroku wydanego przez Gildię?

– Niepokoi cię to? – spytał Kito.

– Oczywiście.

Wzrok Kito był niewzruszony.

– Byłoby zaiste wysoce niepokojące, gdyby się okazało, że w tych oskarżeniach jest ziarno prawdy.

– Owszem – odparł Dannyl, mrużąc oczy. Czy Kito zarzucał przynętę?

Administrator skrzywił się przepraszająco.

– Wybacz mi. Nie miałem zamiaru sugerować, że to mogłaby być prawda. Czy zamierzasz wkrótce wrócić do Elyne?

– Jeśli Lorlen mnie nie odeśle, wolałbym pozostać tutaj do czasu, kiedy przekonam się, że nie ma zagrożenia ze strony Sachaki.

Kito przytaknął, po czym odwrócił wzrok, ponieważ ktoś go zawołał.

– Porozmawiamy znów wkrótce, Ambasadorze.

– Oczywiście, Administratorze.

Dannyl patrzył za nim. Czy to, co powiedział Kito, może być prawdą? Czyżby Gildia skazała Dema Marane na śmierć zagniewana tym oskarżeniem?

Nie, pomyślał. *To opór Dema zdecydował o wyroku. Ośmielił się poszukiwać czegoś, do czego Gildia ma wyłączne prawo. No i nie okazał żadnego szacunku dla prawa i władzy.*

A mimo to Dannyl nie potrafił pogodzić się z werdyktem Gildii. Dem nie zasłużył na śmierć. Chwilowo Ambasador nie mógł jednak nic na to poradzić.

Wracając podziemnymi korytarzami Złodziejskiej Ścieżki, Cery rozmyślał nad swoją ostatnią rozmową z Takanem. Były służący Akkarina był człowiekiem trudnym do rozgryzienia, ale jego zachowanie zdradzało równocześnie znudzenie i niepokój. Niestety Cery nie mógł wiele poradzić na to pierwsze, a zupełnie nic na drugie.

Cery wiedział, że przebywanie w podziemnej kryjówce, choćby była nie wiadomo jak luksusowa, musi nudzić i nużyć. Sonea mieszkała w takim miejscu wtedy, kiedy Faren zgodził się ukrywać ją przed Gildią. Po tygodniu miała dość. A dla Takana to musi być jeszcze gorsze, gdyż wie, że jego mistrz jest gdzieś daleko, wystawiony na niebezpieczeństwo, a on nie może nic na to poradzić.

Cery pamiętał również, jak osamotnienie i niemożność uczynienia czegokolwiek dla osoby, na której mu zależało, doprowadzały go do szaleństwa. Wciąż zdarzały mu się sny, aczkolwiek teraz już coraz rzadziej, w których był na powrót uwięziony przez Ferguna pod gmachem Uniwersytetu. A kiedy przypominał sobie, jak Akkarin odnalazł go i uwolnił, czuł coraz większą potrzebę zrobienia czegoś dla Takana.

Zaproponował Takanowi, że zapewni mu każdą rozrywkę, jakiej by zapragnął – od książek po dziwki – on jednak uprzejmie odmówił. Cery poprosił więc strażników, żeby czasem zabawiali gościa rozmową, sam zaś starał się odwiedzać go codziennie, tak jak niegdyś Faren Soneę. Takan jednak okazał się mało rozmowny. Unikał jakichkolwiek wzmianek na temat swojego życia, zanim został sługą Akkarina, a o latach późniejszych mówił niewiele. Cery w końcu zdołał wyciągnąć go na niezobowiązujące rozmowy o komicznych historyjkach, które służba opowiada o magach. Wyglądało na to, że odrobina plotek nie przeszkadzała Takanowi.

Akkarin porozumiał się z nim zaledwie kilka razy w ciągu ostatnich ośmiu dni. Za każdym razem Takan zapewniał Cery'ego, że Sonea jest cała i zdrowa. Cery'ego bawiły te informacje o losie Sonei, ale też był za nie wdzięczny.

Najwyraźniej służący wiedział od Akkarina o dawnym romantycznym zainteresowaniu Cery'ego dziewczyną.

To już przeszłość, pomyślał gorzko Cery. *Teraz mogę sobie powzdychać do Savary.* Mogłem *powzdychać do Savary*, poprawił się. Postanowił, że tym razem nie będzie rozpaczał. *Jesteśmy oboje dorośli i rozsądni*, powtarzał sobie, *i oboje mamy obowiązki, których nie wolno nam zaniedbać.*

Doszli do wejścia do labiryntu przejść otaczających jego własną kwaterę. Cegły zazgrzytały, kiedy Gol otworzył pierwsze ukryte drzwi. Cery, wchodząc, skinął głową strażnikom.

Powiedziała, że może kiedyś wróci, przypomniał sobie. *I wpadnie wtedy „z wizytą"*. Uśmiechnął się. *Tego rodzaju związek ma swoje dobre strony. Żadnych oczekiwań. Żadnych kompromisów...*

A on ma ważniejsze sprawy na głowie. Imardin może znajdować się w przededniu inwazji cudzoziemskich magów. Cery musi się zastanowić, co z nimi począć... jeśli *może* cokolwiek w tej sprawie zrobić. Skoro bowiem Gildia jest zbyt słaba, by zmierzyć się z Ichanimi, co mogą zdziałać zwykli ludzie?

Niewiele, pomyślał. *Ale to lepsze niż nic. Musi istnieć jakaś możliwość zgładzenia maga przez zwykłego człowieka.*

Wrócił myślami do rozmowy, którą odbył z Soneą ponad półtora roku temu. W żartach rozważali, jak by się można pozbyć dokuczającego jej nowicjusza. Cery wciąż rozmyślał nad tym problemem, kiedy jeden z jego posłańców oznajmił, że ktoś na niego czeka.

Cery przeszedł do gabinetu, usiadł, sprawdził, że yerimy leżą nadal w szufladzie, po czym wysłał Gola, żeby przyprowadził gościa. Kiedy drzwi otworzyły się znowu, serce mu podskoczyło. Wstał z krzesła.

– Savara!

Uśmiechnęła się i wolnym krokiem podeszła do jego biurka.

– Wreszcie udało mi się ciebie zaskoczyć, Ceryni.

Opadł z powrotem na siedzenie.

– Myślałem, że wyjechałaś.

Wzruszyła ramionami.

– I słusznie. Ale w połowie drogi do granicy odezwali się do mnie moi ludzie. Udało mi się ich przekonać, że ktoś powinien tu zostać i być świadkiem inwazji.

– Nie potrzebujesz mojej pomocy.

– Nie. – Przysiadła na krawędzi biurka i przechyliła lekko głowę. – Ale przecież obiecałam, że wpadnę z wizytą, kiedy tu wrócę. Może minąć jeszcze trochę czasu, zanim przybędą Ichani, a ja mogę się w tym czasie zdążyć znudzić.

Uśmiechnął się.

– Na to nie możemy pozwolić.

– Miałam nadzieję, że to powiesz.

– Co zatem proponujesz w zamian?

Uniósł brwi.

– Jest pewna cena za składanie ci wizyt, prawda?

– Być może. Potrzebuję głównie rady.

– Och. Jakiej rady?

– Jak zwykły człowiek może zabić maga?

Zaśmiała się krótko.

– Nie może. W każdym razie nie wyszkolonego i czujnego maga.

– A po czym poznać, że mag nie jest czujny?

– Ty nie żartujesz… powiedz, że żartujesz.

Potrząsnął głową.

Zacisnęła usta, namyślając się.

– Dopóki nie zdradzę zaangażowania moich ludzi, nie widzę powodów, dla których nie miałabym ci pomóc. – Uśmiechnęła się krzywo. – A poza tym jestem pewna, że i tak znajdziesz sposób, nawet jeśli ci nie pomogę. Ale wiesz, że może cię to kosztować życie.

– Wolałbym tego uniknąć – przyznał Cery.

Tym razem jej uśmiech był szeroki.

– Ja też. A zatem jeśli będziesz mnie informował o tym, co dzieje się w mieście, dam ci parę rad w kwestii zabijania magów. Czy to brzmi jak umowa?

– Owszem.

Założyła ręce i zamyśliła się.

– Nie potrafię jednak podać ci pewnego sposobu na zabicie Ichaniego. Nie różnią się od innych ludzi w tym tylko, że zdarza im się popełniać błędy. Można ich oszukać, jeśli się wie jak. Potrzeba do tego odwagi, umiejętności blefowania i gotowości do podjęcia ryzyka.

Cery uśmiechnął się.

– To taki rodzaj roboty, jaki lubię najbardziej.

– Słyszę szum wody.

Akkarin zwrócił wzrok na Soneę, ale jego twarz tonęła w cieniu, toteż nie mogła odgadnąć jego uczuć.

– Idź więc tam – odpowiedział.

Nasłuchiwała uważnie, po czym ruszyła w kierunku dźwięku. Po tylu dniach spędzonych w górach potrafiła rozpoznawać najcichszy odgłos wody kapiącej po skale. Weszła między cienie w załomie ściany skalnej, wzdłuż której się posuwali, wpatrzyła się uważnie w ciemność i zaczęła wymacywać drogę.

Zobaczyła cieniutką strużkę wody w tej samej chwili, w której jej oczom ukazała się szczelina w skale. Wąskie przejście prowadziło na otwartą przestrzeń. Skała otarła się jej o plecy, kiedy przeciskała się przez nie. Kiedy już znalazła się po drugiej stronie szczeliny, wydała cichy okrzyk zaskoczenia.

– Akkarin – zawołała.

Stała na brzegu niewielkiej doliny. Jej zbocza wznosiły się łagodnie ku stromym turniom. Karłowate drzewa, krzewy i trawa rosły wzdłuż wąskiego strumyka, który płynął, szemrząc wesoło, aż do miejsca, w którym znikał w rozpadlinie odległej o kilka kroków.

Usłyszała za sobą jęk – Akkarin z trudem przeciskał się przez szczelinę skalną. W końcu uwolnił się, wyprostował i spojrzał badawczo na dolinę.

– Wygląda na dobre miejsce, żeby tu spędzić noc... czy też dzień – powiedziała.

Akkarin zmarszczył brwi. Przez ostatnie trzy dni kontynuowali marsz ku Przełęczy Południowej, nie zatrzymując się, dopóki świt dawno nie nadszedł, świadomi bliskości postępujących za nimi Ichanich. Sonea nie przestawała się martwić, że Parika w końcu się z nimi zrówna, ale z drugiej strony wątpiła, by podróżował w tak męczącym tempie bez ważnych powodów.

– To może być ślepy zaułek – zauważył. Nie zawrócił jednak do szczeliny, ale ruszył w kierunku drzew.

Nagle rozległ się przenikliwy pisk, niosąc się echem po dolinie. Sonea podskoczyła, kiedy z pobliskiego drzewa zerwał się spory biały ptak, który nagle skręcił się w powietrzu. Usłyszała ciche trzaśnięcie i zobaczyła, jak ptak spada na ziemię.

Akkarin zaśmiał się cicho.

– Chyba się tu zatrzymamy.

Podszedł do ptaka i podniósł go z ziemi. Kiedy Sonea zobaczyła jego wielkie oczy, zaniemówiła z zaskoczenia.

– To mullook!

– Owszem – uśmiechnął się krzywo Akkarin. – Cóż za ironia. Ciekawe, jak Królowi spodobałoby się to, że zjemy żywy inkal jego Domu.

Ruszył dalej wzdłuż strumyka. Po kilkuset krokach dotarli do końca dolinki. Woda spływała tu z odsłoniętego klifu, tworząc płynący jej dnem strumień.

– Prześpimy się tutaj – powiedział Akkarin, wskazując na zagłębienie pod nawisem skalnym. Usiadł nad strumykiem i zaczął skubać ptaka.

Sonea przyjrzała się sprężystej trawie pod swoimi stopami i twardemu kamieniowi pod półką, po czym przyklękła i zaczęła rwać garściami trawę. Nosząc naręcza pod skałę, poczuła nagle, jak cieknie jej ślinka na zapach pieczonego mięsa.

Akkarin zostawił mullooka piekącego się w kuli ciepła i podszedł do jednego z drzew. Popatrzył na jego koronę i gałęzie zaczęły się trząść. Sonea usłyszała głuchy stukot i zobaczyła, że mag nachyla się nad ziemią. Podeszła do niego.

– Te orzechy ciężko rozbić, ale są bardzo smaczne – powiedział, podając jej jednego. – Pozbieraj je. Ja zobaczę, czy to, co rośnie tam niżej, to jagody.

Księżyc stał nisko nad horyzontem. W ciemności niełatwo było znaleźć orzechy, Sonea macała więc wokół rękami, dopóki nie natrafiła na gładkie, okrągłe kształty. Zebrała orzechy w połę koszuli i zaniosła je do piekącego się mullooka, a chwilę później udało jej się odkryć sposób na rozbicie ich twardych skorup bez uszkadzania miękkiego orzecha w środku.

Akkarin wrócił chwilę później, niosąc kamienną misę pełną jagód i bulw. Jagody były ukryte pod paskudnie wyglądającymi kolcami.

Rozbijając orzechy Sonea, obserwowała, jak Akkarin za pomocą magii unosi jagody i delikatnie zdejmuje z nich kolczastą skórkę. Wkrótce misa była w połowie wypełniona ciemnym miąższem. Następnie zabrał się do obierania bulw, z których trzeba było zdjąć włóknistą zewnętrzną warstwę.

– Uczta gotowa – oznajmił. Podał jej dwie z bulw. – To jest *shem*. Nieszczególnie smaczny, ale jadalny. Nie jest dobrze żywić się wyłącznie mięsem.

Bulwy okazały się zaskakująco soczyste, jakkolwiek brakowało im smaku. Akkarin podzielił mullooka, na którym było znacznie więcej mięsa niż na wszystkich innych ptakach, które udało im się dotąd upolować. Orzechy zaś były tak smaczne, jak wyglądały. Jagody natomiast zostały zgniecione i Akkarin dodał do nich wody, przygotowując w ten sposób cierpki napój. Kiedy skończyli, Sonea poczuła, że po raz pierwszy odkąd weszli do Sachaki, ma pełny żołądek.

– To niewiarygodne, jak coś tak zwyczajnego jak posiłek może być tak dobre. – Westchnęła z zadowoleniem. Dolina tonęła teraz niemal całkowicie w mroku. – Ciekawe, jak tu jest za dnia.

– Przekonasz się za godzinę lub dwie – odparł Akkarin.

Sprawiał wrażenie zmęczonego, ale Sonea nie widziała jego skrytej w cieniu twarzy.

– Czas spać – oznajmiła. Zaczerpnęła trochę mocy uzdrowicielskiej, żeby odgonić zmęczenie, i wyciągnęła przed siebie ręce. Z początku ich nie chwycił, zastanawiała się więc, czy widzi w ciemności. Chwilę później poczuła jego ciepłe palce otaczające jej dłonie.

Wzięła głęboki oddech i wysłała mu moc, starając nie wyczerpać się całkowicie. Nie po raz pierwszy zastanawiała się, czy godził się, żeby to ona trzymała pierwsza wartę po to, żeby zapobiegać oddawaniu przez nią całej mocy. Gdyby się wyczerpała, nie zdołałaby czuwać.

Kiedy poczuła, że jej moc słabnie, zatrzymała przepływ i zabrała dłonie. Akkarin stał bez ruchu i bez słowa, nie ruszając w stronę legowisk z trawy, które przygotowała.

– Soneo – odezwał się nagle.

– Słucham?

– Dziękuję, że ze mną tu przyszłaś.

Wstrzymała oddech i poczuła, że serce rośnie w niej z radości. Milczał przez chwilę, po czym złapał szybki oddech.

– Żałuję, że rozdzieliłem cię z Rothenem. Wiem, że był dla ciebie bardziej jak ojciec niż nauczyciel.

Sonea wpatrywała się w skrytą w cieniu twarz, usiłując dostrzec jego oczy.

– Ale to było konieczne – dodał cicho.

– Wiem – szepnęła. – Rozumiem.

– Wtedy nie rozumiałaś – powiedział z goryczą. – Nienawidziłaś mnie.

Zaśmiała się krótko.

– To prawda. Ale to minęło.

Nic więcej nie powiedział, ale po krótkiej chwili podniósł się, przeszedł pod nawis i ułożył się na posłaniu z trawy. Przez dłuższą chwilę Sonea siedziała w ciemności. W końcu niebo zaczęło jaśnieć, gwiazdy bladły i znikały. Nie czuła senności i wiedziała, że zawdzięcza to tylko po części swojej uzdrowicielskiej mocy. Niespodziewane przeprosiny Akkarina poruszyły w niej nadzieje i pragnienia, które od kilku dni usiłowała stłumić.

Głupia gąsko, napomniała sama siebie. *On tylko stara się być miły. To, że w końcu przyznał, że cieszy się z twojej pomocy i żałuje tego, co ci zrobił, nie oznacza, że widzi w tobie cokolwiek więcej niż przydatną, ale niechcianą towarzyszkę. Nie interesujesz go w żaden inny sposób, przestań się więc zadręczać.*

Nieważne jednak, jak bardzo starała się powstrzymać takie myśli, nie potrafiła nic poradzić na to, że odczuwała dreszcz za każdym razem, kiedy jej dotykał albo tylko na nią patrzył. A to, że przyłapywała go na spojrzeniach, nie pomagało.

Otoczyła kolana ramionami i bębniła palcami w łydki. Kiedy mieszkała w slumsach, zakładała, że wie o mężczyznach i kobietach wszystko, czego potrzebuje. Później lekcje uzdrawiania pokazały jej, jak mało naprawdę rozumiała. Teraz zaś przekonywała się, że nawet Uzdrowiciele nie nauczyli jej niczego przydatnego.

A może nie powiedzieli jej, jak powstrzymać coś takiego po prostu dlatego, że się nie da. Może...

Niski dźwięk, coś jakby warkot, przetoczył się przez dolinę. Sonea zamarła, jej myśli nagle stanęły w miejscu, i wbiła wzrok w ciemność. Dźwięk powtórzył się, tym razem z tyłu, więc jednym szybkim ruchem wstała i obróciła się. Kiedy uświadomiła sobie, że dźwięk dobiega mniej więcej z miejsca, gdzie odpoczywał Akkarin, poczuła zalewającą ją falę strachu. Czyżby napadł go jakiś nocny stwór? Pobiegła w jego stronę.

Wbiegając pod półkę skalną, nie dostrzegła żadnego czającego się zwierzęcia. Głowa Akkarina kręciła się na posłaniu. Kiedy Sonea podeszła bliżej, usłyszała jęk.

Przystanęła i przyglądała mu się z niepokojem. Znowu śnią mu się koszmary. Poczuła ulgę i niepokój. Zastanawiała się, czy powinna go obudzić, ale nauczyła się już, znając wyraz jego twarzy, że nie chciał być przyłapywany na chwilach słabości.

Szczerze mówiąc, pomyślała, *ja też bym nie chciała.*

Wydał z siebie kolejny jęk. Sonea skrzywiła się, słysząc, jak dźwięk niesie się echem po dolince, i wolała nie wyobrażać sobie, kto mógłby podsłuchiwać. Kiedy krzyknął cicho, podjęła decyzję. Nieważne, czy mu się to podoba, czy nie, musi go obudzić, zanim ściągnie na nich niepożądaną uwagę.

– Akkarin – szepnęła chrapliwie.

Zamarł bez ruchu i już myślała, że go obudziła, ale on zesztywniał nagle.

– *Nie!*

Zaniepokojona, Sonea nachyliła się bliżej. Jego oczy błądziły pod powiekami. Twarz miał ściągniętą bólem. Wyciągnęła ku niemu rękę, zamierzając obudzić go potrząsaniem.

Jej palce zapiekły od zetknięcia z tarczą. Zobaczyła, że otwiera oczy i poczuła uderzenie mocy, które wyrzuciło ją w powietrze. Uderzyła plecami w coś twardego i upadła na ziemię. W rękach i nogach czuła przejmujący ból.

– *Aj!*

– Sonea!

Poczuła chwytające ją za ramiona ręce. Akkarin wpatrywał się w nią w napięciu.

– Złamałaś coś?

Sprawdziła swoje kończyny.

– Nie, chyba tylko się potłukłam.

– Czemu mnie obudziłaś?

Spojrzała na jego dłonie. Nawet w ciemności widziała, że drżą.

– Śniło ci się coś. Koszmar…

– Przywykłem do tego, Soneo – odpowiedział cicho, spokojnym głosem. – Nie było powodu, żeby mnie budzić.

– Robiłeś straszny hałas.

Zamarł i wyprostował się.

– Prześpij się, Soneo – powiedział cicho. – Ja będę trzymał wartę.

– Nie – odpowiedziała z poirytowaniem. – Ledwie się zdrzemnąłeś… a ja wiem, że mnie nie obudzisz, jak przyjdzie twoja kolej na sen.

– Obudzę. Daję ci słowo.

Nachylił się i wyciągnął do niej rękę. Przyjęła ją i pozwoliła mu podnieść się na nogi. Oślepiło ją jasne światło – to wschodzące słońce pokazało się właśnie nad turniami wznoszącymi się u wejścia do doliny.

Akkarin stał bez ruchu. Czując, że coś zwróciło jego uwagę, Sonea rzuciła mu spojrzenie z ukosa, ale był tylko ciemnym kształtem na tle jasności. Instynktownie poszukała go swoim umysłem. I natychmiast dostrzegła.

Twarz, otoczona włosami lśniącymi w porannym słońcu. *Oczy… tak ciemne… i blada, gładka cera…*

Była to jej własna twarz, ale niepodobna do jakiegokolwiek odbicia widzianego w lustrze. Jej oczy lśniły tajemniczo, włosy falowały jakby poruszane lekką bryzą… jej usta na pewno nie układają się tak powabnie…

Wyrwał jej rękę i cofnął się o krok.

On tak mnie widzi, pomyślała nagle. Nie mogła się oszukiwać co do pragnienia, które wyczuła. Poczuła, że serce jej wali jak szalone. *Przez cały ten czas powstrzymywałam się, bo myślałam, że to tylko ja*, pomyślała, *a tymczasem on też.*

Zrobiła krok w jego kierunku. I następny. Przyglądał się jej badawczo, marszcząc brwi. Usiłowała zmusić go do spojrzenia poza jej oczy, wyczucia jej własnych myśli, zrozumienia, że ona poznała jego pragnienia. Otworzył szeroko oczy ze zdumienia, gdy podeszła bardzo blisko. Poczuła, że jego ramiona obejmują jej plecy i zaciskają się, gdy stanęła na palcach, żeby go pocałować.

Zesztywniał. Przytulając się do niego, czuła, że jego serce też bije jak szalone. Zamknął oczy i odepchnął ją od siebie.

– Przestań... Przestań – szepnął. Otworzył oczy i wbił w nią wzrok.

Jego ciało przeczyło jednak słowom: trzyma ją wciąż w uścisku, jakby nie chciał wypuścić. Sonea przyglądała się jego twarzy. Czyżby coś źle odczytała? Nie, była przecież pewna tego, co wyczuła.

– Dlaczego?

Zmarszczył czoło.

– To nie tak.

– Nie tak? – słyszała jak zadaje to pytanie. – Dlaczego? Przecież oboje... oboje...

– Owszem – odpowiedział cicho, odwracając wzrok. – Ale są inne sprawy.

– Na przykład?

Akkarin puścił ją i cofnął się o krok.

– To nie w porządku... wobec ciebie.

Przyglądała mu się uważnie.

– Mnie? Ależ...

– Jesteś młoda. Ja jestem dwanaście... nie, trzynaście lat od ciebie starszy.

Nagle zrozumiała jego opory.

– To prawda – powiedziała ostrożnie. – Ale kobiety z Domów bardzo często wychodzą za starszych mężczyzn. *Dużo* starszych mężczyzn. A one czasami mają tylko szesnaście lat. Ja mam prawie dwadzieścia.

Akkarin sprawiał wrażenie, jakby toczył walkę sam z sobą.

– Jestem twoim opiekunem – przypomniał jej z powagą.

Nie potrafiła powstrzymać się od uśmiechu.

– Już nie.

– Ale jeśli wrócimy do Gildii…

– To będzie skandal? – Zachichotała. – Mam wrażenie, że powinni się już zacząć do tego przyzwyczajać. – Miała nadzieję, że on roześmieje się z tego, ale zmarszczki na jego czole tylko się pogłębiły. Otrzeźwiała. – Mówisz tak, jakbyśmy wracali i wszystko miało być po dawnemu. Nawet jeśli wrócimy, nic nie będzie dla nas takie samo. Jestem czarnym magiem. Ty też.

Skrzywił się.

– Przepraszam. Nie powinienem był…

– Nie przepraszaj za *to!* – krzyknęła. – To ja *postanowiłam* nauczyć się czarnej magii. I nie zrobiłam tego dla ciebie.

Akkarin przyglądał się jej w milczeniu.

Westchnęła i odwróciła się.

– No tak, to skomplikuje sprawy.

– Soneo.

Odwróciła się i przystanęła w miejscu, widząc, że się do niej zbliża. Odgarnął z jej twarzy zabłąkany kosmyk włosów. Poczuła, że puls jej przyspiesza.

– Każde z nas może zginąć w ciągu najbliższych kilku tygodni – powiedział cicho.

Potaknęła.

– Wiem.

– Będę szczęśliwszy, wiedząc, że jesteś bezpieczna.

Zmrużyła oczy. Odpowiedział uśmiechem.

– Nie. Nie zamierzam zaczynać tej dyskusji od nowa, ale… wystawiasz moją lojalność na próbę, Soneo.

Zmarszczyła brwi, nic nie rozumiejąc.

– W jaki sposób?

Wyciągnął rękę i przebiegł palcem po jej czole.

– Nieważne. – Kącik jego ust uniósł się lekko w górę. – I tak już za późno. Zacząłem przegrywać tamtej nocy, kiedy zabiłaś tę Ichani.

Zamrugała oczami ze zdziwienia. *Czy to znaczy…? Od tak dawna…?*

Uśmiechnął się. Poczuła jego dłonie na swoich biodrach. Kiedy przyciągnął ją bliżej, uznała, że pytania mogą zaczekać. Uniosła rękę i przejechała koniuszkiem palca po jego wargach. A potem on się nachylił i ich usta spotkały się, i nie było już więcej pytań.

ROZDZIAŁ 25

PRZYPADKOWE SPOTKANIE

Rothen uznał, że goriny są rozpaczliwie powolne. Ogromne zwierzęta były jednak ulubionym przez kupców środkiem transportu. Były silne, łagodne, łatwe w hodowli i niekłopotliwe, no i znacznie wytrzymalsze od koni.

Nie można było jednak zmusić ich do pośpiechu. Rothen zerknął na Ravena, wzdychając przy tym, ale szpieg z twarzą zakrytą kapeluszem o szerokim rondzie drzemał na wozie między belami płótna. Mag uśmiechnął się mimo woli i skierował wzrok z powrotem na drogę. Poprzedniej nocy wynajęli pokoje nad spylunką w miasteczku zwanym Coldbridge. Szpieg, udający kuzyna Rothena, wypił taką ilość spylu, że trudno było uwierzyć, by w ogóle jakaś osoba mogła tego dokonać, po czym spędził noc na wędrówkach z łóżka do wychodka i z powrotem.

To zapewne oznaczało, że Raven radził sobie z udawaniem nieustraszonego kupca znacznie lepiej niż Rothen. *A może mam grać rolę tego rozsądnego starszego kuzyna?*

Poprawił swoją koszulę. Dopasowane ubranie było znacznie mniej wygodne niż szata, natomiast podróżny kapelusz okazał się błogosławieństwem. Mimo że było jeszcze dość wcześnie, dzień zapowiadał się upalnie.

W powietrzu unosiła się mgiełka kurzu, zamazując horyzont. W dali nie było widać jeszcze gór, mimo że podróżowali od dwóch dni. Rothen wiedział, że droga biegnie niemal prosto aż do Calii, gdzie rozdziela się na dwie odnogi: lewą, prowadzącą do Fortu, i prawą, prowadzącą w kierunku północno-wschodnim, ku Przełęczy Południowej. Tam właśnie kierował się Raven.

To dziwaczne, że jedziemy na północny wschód, żeby dotrzeć do Przełęczy *Południowej*, pomyślał Rothen. Droga została tak jednak nazwana zapewne ze względu na swoje położenie w obrębie pasma górskiego, a nie w Kyralii. Raz zapędził się w jej pobliże, kiedy odwiedzał swojego syna podczas przerwy letniej pięć lat temu.

Spochmurniał na myśl o Dorrienie. Jego syn obserwował drogę wiodącą na Przełęcz, toteż spotkanie było nieuniknione. Rothen będzie musiał wytłumaczyć, dokąd się udaje i dlaczego, a Dorrienowi się to nie spodoba.

Zapewne będzie usiłował do nas dołączyć. Rothen prychnął cicho. *A ja wcale nie mam ochoty na kłótnię o to.*

Upłynie zapewne jeszcze sporo czasu, zanim się spotkają. Raven mówił, że wozem jedzie się do Południowej Przełęczy jakieś sześć do siedmiu dni. *Sonea będzie wtedy w Sachace od piętnastu dni*, pomyślał Rothen. *Jeśli w ogóle tyle przeżyje.*

Z ulgą przyjął informację Lorlena, że Akkarin skontaktował się ze starszyzną – licząc od teraz pięć dni temu. Sonea wtedy była cała i zdrowa. Administrator opowiedział mu również o podsłuchanej rozmowie dwojga Sachakan, która wielce go zaniepokoiła. Niezależnie od tego, czy ci ludzie byli Ichanimi, czy nie, bez wątpienia pragnęli śmierci Akkarina i Sonei.

Nazwali ich „tymi Kyralianami", powiedział Lorlen. *Mam nadzieję, że nie oznacza to, że zamierzają tak samo traktować wszystkich Kyralian przekraczających granicę. Kyraliańscy kupcy od lat podróżują bez przeszkód do Arvice i z powrotem i żaden z nich nie widzi powodów, dla których miałoby się to ostatnio zmienić. Ale lepiej bądź ostrożny.*

– Ktoś się zbliża – odezwał się Raven. – Za nami.

Rothen zerknął na szpiega. Mężczyzna zmienił nieznacznie pozycję, tak że pod brzeżkiem kapelusza ukazało się jedno oko. Patrząc za siebie na drogę, Rothen istotnie dostrzegł jakiś ruch poza tumanem kurzu podnoszonym przez ich wóz. Z chmury wynurzyli się konie i jeźdźcy, a Rothen poczuł, że puls mu przyspiesza.

– Magowie – powiedział. – Posiłki wysłane przez Balkana do Fortu.

– Lepiej zatem zjedźmy na bok – poradził Raven. – I nie podnoś głowy. Nie chcesz, żeby cię rozpoznali.

Rothen pociągnął delikatnie za wodze. Goriny uniosły niemrawo głowy i zwolniły, schodząc na bok drogi. Tętent przybliżył się.

– Gap się na nich bez skrępowania – dodał Raven. – Spodziewają się tego.

Szpieg usiadł teraz wyprostowany. Rothen odwrócił się i wyjrzał spod brzegu kapelusza na nadjeżdżających magów. Pierwszym, który minął wóz, był Mistrz Yikmo, Wojownik, który przez ostatni rok był osobistym nauczycielem Sonei. Mag nie zaszczycił Ravena i Rothena nawet spojrzeniem.

Pozostali minęli ich pędem, wzbijając za sobą gęstą chmurę kurzu. Raven zakaszlał i pomachał ręką.

– Dwudziestu dwóch – powiedział, wspinając się na siedzenie obok Rothena. – Fort będzie miał podwojoną obsadę. Czy Gildia wysyła magów również na Przełęcz Południową?

– Nie wiem.

– To dobrze.

Rothen rzucił szpiegowi rozbawione spojrzenie.

– Im mniej wiesz, tym mniej Ichani się od ciebie dowiedzą – wyjaśnił Raven.

Rothen potaknął.

– Wiem, że Południowa Przełęcz znajduje się pod obserwacją. Jeśli Ichani wejdą tamtędy, Gildia otrzyma ostrzeżenie. Ci z Fortu powinni mieć dość czasu, by dojechać do Imardinu i dołączyć do obrony Gildii. Odległość od obu przejść jest podobna.

– Hmmm – Raven cmoknął, jak miał w zwyczaju, gdy nad czymś rozmyślał. – Na miejscu Ichanich wybrałbym Przełęcz Południową. Nie ma tam magów ani Fortu, a więc mogą wejść, nie używając siły. Obawiam się, że to nie wróży nam dobrze. Chociaż... – zmarszczył brwi. – Ci Ichani nie umieją ponoć walczyć razem. Jeśli przeciwstawi się im cała Gildia, powinna dać radę zabić jednego czy dwóch. Jeśli jednak siły Gildii będą podzielone, nie ma takiego niebezpieczeństwa. Fort może zatem okazać się dla nich lepszą opcją.

Rothen wzruszył ramionami i skupił się na skierowaniu gorinów z powrotem na środek drogi. Raven przez chwilę milczał, zamyślony.

– Oczywiście Ichani mogą równie dobrze być wymysłem byłego Wielkiego Mistrza – powiedział w końcu – stworzonym po to tylko, żeby Gildia darowała mu życie. A twoja była nowicjuszka uwierzyła mu.

Rothen poczuł rzucone mu z ukosa spojrzenie i skrzywił się.

– Musisz mi o tym przypominać?

– Jeśli nasza współpraca mą być owocna, muszę wiedzieć, co jest między tobą a Soneą oraz jej towarzyszem – odrzekł Raven. W jego głosie brzmiał szacunek, ale również zdecydowanie. – Wiem przecież, że do podjęcia tej misji nie skłoniła cię wyłącznie lojalność wobec Gildii.

– Nie. – Rothen westchnął. Raven nie da mu spokoju, dopóki nie uzyska wszystkich informacji, jakie mu są potrzebne. – Ona znaczy dla mnie więcej niż po prostu kolejna nowicjuszka. Wyciągnąłem ją ze slumsów i usiłowałem pomóc jej przystosować się do życia w Gildii.

– Ale nie wyszło.

– Nie.

– Wtedy Akkarin wziął ją jako zakładniczkę, a ty nie mogłeś nic na to poradzić. Teraz masz pewną szansę.

– Może. Byłoby pięknie, gdybym mógł po prostu zakraść się do Sachaki i ją stamtąd zabrać. – Rothen zerknął na szpiega. – Obawiam się jednak, że nie będzie to takie proste.

Raven zaśmiał się.

– Nigdy nie jest. Myślisz, że Sonea mogła się zakochać w Akkarinie?

Rothen poczuł gniew.

– Nie. Przecież go nienawidziła.

– Do tego stopnia, że nauczyła się zakazanej magii i poszła za nim na wygnanie po to, by mógł przeżyć do czasu, kiedy... Jak to ona się wyraziła? Kiedy Gildia odzyska rozum?

Rothen wziął głęboki oddech, usiłując odegnać uczucie strachu.

– Jeśli ona wierzy, że ci Ichani istnieją, nie miał zapewne kłopotów z przekonaniem jej, że robi to dla dobra Gildii.

– A po co miałby to robić, gdyby oni nie istnieli?

– Po to, żeby za nim poszła. On jej potrzebuje.

– Do czego?
– Jako źródła mocy.
– W takim razie po co miałby ją uczyć czarnej magii? To nic mu nie dało.
– Nie wiem. Powiedziała, że sama go o to poprosiła. Może nie mógł odmówić tak, żeby nie stracić jej wsparcia.
– W takim razie teraz ona jest potencjalnie równie potężna jak on. Jeśli odkryje, że on kłamał, czemu miałaby nie wrócić do Imardinu albo przynajmniej powiedzieć o tym Gildii?
Rothen zamknął oczy.
– Ponieważ... po prostu dlatego że...
– Wiem, że to niełatwe – powiedział cichym głosem Raven – ale musimy zastanowić się nad wszelkimi możliwymi motywacjami i konsekwencjami, zanim spotkamy Akkarina i Soneę.
– Wiem. – Rothen zastanawiał się nad tym pytaniem, krzywiąc się. – Samo to, że nauczyła się czarnej magii, nie oznacza jeszcze, że jest potężna. Czarni magowie zwiększają swoją moc, czerpiąc ją od innych. Jeśli ona nie miała okazji, żeby to zrobić, Akkarin może nadal być znacznie od niej silniejszy. Może też utrzymywać ją na niewielkim poziomie mocy, czerpiąc od niej codziennie... no i mógł jej zagrozić śmiercią, gdyby wyjawiła cokolwiek Gildii.
– Rozumiem. – Raven zmarszczył brwi. – To nie wróżyłoby nam dobrze.
– Nie.
– Przykro mi to powiedzieć, ale wolałbym zastać ją w takiej sytuacji. Alternatywa jest znacznie groźniejsza dla Kyralii. – Cmoknął. – A teraz opowiedz mi o twoim synu.

*

Sonea odetchnęła z ulgą, kiedy Akkarin wreszcie przystanął. Mimo że przyzwyczaiła się do całodniowych wędrówek, z radością witała każdą chwilę odpoczynku. Poranne słońce było ciepłe i działało na nią usypiająco.

Akkarin stał na grani nad krótkim zboczem, czekając, aż Sonea dowlecze się w to samo miejsce. Na górze zobaczyła, że ich drogę przecina kolejna szczelina, tym razem szeroka i płytka. Spoglądając w dół, wstrzymała oddech.

Jej środkiem wiła się błękitna wstążka. Woda pędziła po kamieniach i spadała krótkimi wodospadami na dno doliny, poza nią zaś rozlewała się ku pustkowiu. Na brzegach tego niewielkiego strumienia rosły drzewa i inne rośliny, ciągnąc się niekiedy aż po skaliste ściany po obu stronach.

– Rzeka Krikara – mruknął Akkarin. – Idąc wzdłuż niej, dotrzemy do Przełęczy Południowej.

Spojrzał w stronę gór. Sonea popatrzyła w tym samym kierunku i zauważyła, że po jednej stronie doliny przerwa między turniami była znacznie szersza niż gdzie indziej. Poczuła ukłucie podniecenia i tęsknoty. Za tą wyrwą leżała Kyralia.

– Jak daleko jest do Przełęczy?

– Jeden dzień solidnego marszu. – Zmarszczył brwi. – Powinniśmy jak najbardziej zbliżyć się do drogi i zaczekać na zapadnięcie ciemności. – Przeniósł wzrok na dno doliny. – Parika jest zapewne co najmniej dzień drogi za nami, ale na Przełęczy będą czekać jego niewolnicy, obserwując ją dla niego.

Wstał i obrócił się do niej. Zgadując, co zamierza zrobić, chwyciła go za ręce.

– Ja to zrobię – powiedziała z uśmiechem.

Przywołała moc magiczną i utworzyła pod ich stopami dysk, a następnie uniosła ich oboje nad dolinę. Opuściła tarczę między drzewa, na miękką trawę.

Podniosła oczy i napotkała utkwiony w niej uważny wzrok Akkarina.

– Czemu tak na mnie patrzysz?

Uśmiechnął się.

– Bez powodu.

Odwrócił się i ruszył wzdłuż strumienia. Sonea pokręciła głową i podążyła za nim.

Po długiej wędrówce suchymi zboczami górskimi widok takiej ilości czystej wody i roślinności podniósł ją na duchu. Wyobraziła sobie deszcz padający gdzieś w górze, zbierający się w strumyczki, a potem w strumienie, które połączyły się, by utworzyć potok płynący tą doliną. Zerknęła za siebie, zastanawiając się, gdzie może być jego koniec. Czy płynie dalej po tym suchym pustkowiu?

Drzewa i poszycie utrudniały nieco marsz. Akkarin przeszedł w cień jednej ze skalnych ścian, żeby trzymać się jak najdalej od gęstej roślinności. Mniej więcej po godzinie dotarli do gęstego lasu, który zdawał się porastać całą dolinę, zasłaniając rzekę. Jedno za drugim przedzierali się przez gęstwinę, a w miarę jak posuwali się naprzód, odgłos płynącej wody stawał się coraz głośniejszy. Kiedy wydostali się znów na światło słoneczne, przed sobą ujrzeli spore jeziorko.

Sonea wstrzymała oddech. Nad nimi wznosiła się skalna ściana, z której szerokimi kaskadami spadała woda, zasilając znajdujący się poniżej staw. Łoskot był ogłuszający, zwłaszcza w porównaniu z ciszą panującą na stokach gór. Sonea odwróciła się do Akkarina.

– Możemy się tu zatrzymać? – spytała z nadzieją. – Powiedz, że możemy. Nie umyłam się porządnie od *tygodni*.

Akkarin uśmiechnął się.

– Krótki przystanek nie powinien nam zaszkodzić.

Uśmiechnęła się szeroko, usiadła na pobliskim głazie i ściągnęła buty. Pisnęła, jak tylko wsunęła stopę do wody.

– Lodowata!

Skupiła myśli i wysłała w stronę wody gorącą falę. Wokół kostek poczuła natychmiast ciepło. Poruszając się bardzo powoli, weszła głębiej. Odkryła, że może utrzymywać wokół siebie ciepło wody, jeśli nie wykonuje zbyt nagłych ruchów i jeśli jej nie mąci.

Nasiąkające wodą spodnie stawały się cięższe. Widziała teraz, że jeziorko w środku jest znacznie głębsze. Gdy doszła do miejsca, gdzie woda sięgała jej nad kolana, usiadła i zanurzyła się po szyję.

Skalne dno było dość śliskie, ale nie przejmowała się tym. Podparła się na łokciach i zanurzyła głowę. Kiedy uniosła ją, usłyszała plusk: Akkarin wchodził do jeziora. Przez chwilę spoglądał uważnie na powierzchnię, po czym szybkim ruchem zanurkował. Fala lodowatej wody opryskała Soneę, aż ta zaklęła.

Patrzyła, jak on mknie pod wodą. Gdy się wynurzył, długie włosy przykleiły mu się do twarzy. Odgarnął je i odwrócił się do Sonei.

– Chodź tutaj.

Widziała, że nie sięga stopami dna. Jeziorko było głębokie. Pokręciła przecząco głową.

– Nie umiem pływać.

Podpłynął nieco bliżej i przewrócił się na plecy.

– Moja rodzina spędza każde lato nad morzem – powiedział. – Pływaliśmy niemal codziennie.

Sonea usiłowała wyobrazić go sobie jako małego chłopca baraszkującego w morzu, ale jej się to nie udało.

– Ja kilka razy mieszkałam w pobliżu rzeki, ale *w niej* nikt nie pływał.

Akkarin zaśmiał się.

– W każdym razie nie z własnej woli.

Obrócił się ponownie i popłynął w stronę wodospadu. Uniósł ręce nad powierzchnię i przypatrywał się kurtynie wody. Przebiegł przez nią dłonią, po czym wszedł w strumień.

Przez chwilę widziała jego cień, a potem znikł. Sonea czekała, aż on wróci, ale wkrótce zaczęła ją zżerać ciekawość. Co on tam znalazł?

Wstała i zaczęła obchodzić stawek. Z początku nie było głęboko, woda ledwie do wysokości kostek, ale w pobliżu wodospadu stawała się zdecydowanie głębsza. Kiedy dotarła do kaskady, sięgała już powyżej pasa Sonei, dziewczyna czuła jednak, że skała podnosi się znowu pod jej stopami, jakby wyrasta w kierunku wodospadu.

Wsunęła dłoń pod spadającą wodę. Była ciężka i zimna. Zebrała się w sobie, weszła w strumień i poczuła, że kolanami dotyka skały.

Za wodną kurtyną była półka na wysokości mniej więcej jej ramion. Akkarin siedział na niej ze skrzyżowanymi nogami, oparty plecami o ścianę. Uśmiechnął się.

– Tu jest bardziej przytulnie, mimo że ciasno.

– I głośno – dodała.

Podciągnęła się na półkę i oparła plecami o ścianę. Zieleń i błękit zewnętrznego świata zabarwiały wodę na te kolory.

– Piękne – powiedziała.

– Prawda?

Poczuła palce obejmujące jej dłoń i spojrzała w dół.

– Zmarzłaś – zauważył.

Uniósł jej dłoń i zamknął ją w swoich. Pod tym dotykiem zalała ją fala ciepła. Spojrzała na niego i zauważyła, że zarost na policzkach i podbródku zmienił się w prawdziwą brodę. *Całkiem nieźle wygląda*, pomyślała. *A jego ubranie, kiedy jest mokre, pozostawia znacznie mniej dla wyobraźni.*

Uniósł jedną brew.

– Czemu tak na mnie patrzysz?

Wzruszyła ramionami.

– Bez powodu.

Roześmiał się i odwrócił wzrok. Spojrzała w dół i poczuła, że się rumieni, kiedy uświadomiła sobie, że i jej ubranie przywarło do ciała. Poruszyła się, chcąc się jakoś zasłonić, ale on tylko ścisnął mocniej jej dłoń. Podniosła wzrok i dostrzegła w jego oczach łobuzerskie iskierki. Uśmiechnęła się do niego.

Akkarin roześmiał się znowu i przyciągnął ją do siebie.

Myśli o czasie, Ichanich oraz przyzwoicie suchych ubraniach uleciały natychmiast z jej głowy, zastąpione przez znacznie pilniejsze problemy: ciepło jego nagiej skóry, szmer oddechu, przyjemność ogarniająca jej ciało niczym ogień, wreszcie to, że na tej półce jest całkiem wygodnie, kiedy są tak przytuleni do siebie.

Magia się przydaje, pomyślała. *Zimne, ciasne miejsce można przemienić w ciepłe i przytulne. Można też ożywić znużone długim marszem mięśnie. I pomyśleć, że kiedyś chciałam to odrzucić, tylko dlatego że nienawidziłam magów.*

Gdyby tak się stało, nie byłoby mnie tu teraz z Akkarinem.

Nie, pomyślała, uzmysławiając sobie to z bólem, *byłabym radośnie nic niewiedzącym bylcem, kompletnie nieświadomym tego, że potężni magowie szykują inwazję na mój kraj. Magowie, przy których Gildia jest słaba i nazbyt łaskawa.*

Wyciągnęła rękę w stronę wodnej kurtyny. Strumień rozstąpił się pod jej dotykiem. W przesmyku ujrzała drzewa i staw… i jakąś postać.

Zamarła i wyrwała rękę z jego uścisku.

Akkarin poruszył się.

– Co się stało?

Serce waliło jej jak oszalałe.

– Ktoś stoi nad jeziorem.

Uniósł się na łokcie i zmarszczył czoło.

– Bądź przez chwilę cicho – mruknął.

Dobiegły ich przytłumione głosy. Sonea poczuła, że serce w niej zamiera. Akkarin przebiegł oczami ścianę wody, zatrzymując wzrok na naturalnej przerwie między strugami nieco dalej od miejsca, w którym siedzieli. Bardzo powoli uniósł się na rękach i kolanach i podczołgał się do tego prześwitu.

Zatrzymał się, a jego twarz wykrzywił grymas. Odwrócił się i wyszeptał jedno słowo: Parika.

Sonea sięgnęła po swoje spodnie i koszulę i wciągnęła je na siebie. Akkarin najwyraźniej nasłuchiwał. Podpełzła do jego boku.

– …szkody. Chciałam tylko być gotowa na twój powrót – mówiła przymilnie kobieta. – Zobacz, nazbierałam jagód i orzechów tiro.

– Nie powinnaś była schodzić z Przełęczy.

– Na Przełęczy jest Riko.

– Riko śpi.

– W takim razie ukarz Riko.

Usłyszeli nieartykułowany jęk protestu i głośne uderzenie.

– Wybacz mi, panie – jęknęła kobieta.

– Wstawaj. Nie mamy na to czasu. Nie spałem od dwóch dni.

– Idziemy więc prosto do Kyralii?

– Nie. Kariko nie jest jeszcze gotowy. Ja też muszę wcześniej dobrze wypocząć.

Nastąpiła chwila ciszy. Sonea widziała przez kurtynę wody, jak się poruszają. Akkarin odsunął się od otworu i podpełzł do niej. Poczuła, że obejmuje ją w talii, więc oparła się o jego ciepły tors.

– Cała się trzęsiesz – zauważył.

Nerwowo zaczerpnęła powietrza.

– Byli tak blisko.

– Owszem – odpowiedział. – Dobrze, że schowałem nasze buty. Nadmiar ostrożności niekiedy popłaca.

Wzdrygnęła się. Ichani stał w odległości zaledwie jakichś dwudziestu kroków od niej. Gdyby nie postanowiła się wykąpać, gdyby Akkarin nie znalazł groty za wodospadem...

– Są teraz naprzeciwko nas – powiedziała.

Akkarin objął ją mocniej.

– Owszem, ale wygląda na to, że Parika jest jedynym Ichanim na Przełęczy. Wygląda również na to, że Kariko planuje inwazję w najbliższych dniach. – Westchnął. – Usiłowałem skontaktować się z Lorlenem, ale nie zakłada pierścienia. Nie nosi go już od kilku dni.

– W takim razie zaczekamy, aż Parika wkroczy do Kyralii i pójdziemy za nim?

– Albo też spróbujemy przekraść się obok niego dziś w nocy, kiedy będzie spał. – Urwał i nieco się odsunął, żeby się jej lepiej przyjrzeć. – Stąd nie jest daleko do wybrzeża. A stamtąd jest już zaledwie kilka dni jazdy do Imardinu. Gdybyś poszła tamtędy, podczas gdy ja...

– Nie. – Zaskoczyła ją moc własnego głosu. – Nie zostawię cię.

Spoważniał.

– Gildia cię potrzebuje, Soneo. Nie mają czasu, żeby się nauczyć czarnej magii z moich ksiąg. Potrzebują kogoś, kto ich przeszkoli i będzie dla nich walczył. Jeśli oboje pójdziemy przez Przełęcz, możemy zostać złapani i zabici. A jeśli ty pójdziesz na południe, jednemu z nas może się udać dotrzeć do Kyralii.

Odsunęła się od niego. To, co mówił, miało sens, ale się jej nie podobało. Akkarin wstał i zaczął się ubierać.

– Potrzebujesz mojej mocy – powiedziała.

– Jedna porcja nie zrobi wielkiej różnicy. Przez te ostatnie dni i tak nie wziąłem od ciebie tyle, by mieć szansę w starciu z Ichanim. Potrzebowałbym dziesięciu albo dwunastu takich źródeł jak ty.

– Tu nie chodzi o jeden dzień. Podróż z Przełęczy do Imardinu zajęłaby cztery albo pięć dni.

– Cztery albo pięć dni też niewiele zmieni. Jeśli Gildia pozwoli, bym jej pomógł, będę miał setki magów dysponujących mocą. A jeśli odrzucą moje wsparcie, i tak są zgubieni.

Pokręciła powoli głową.

– Ty jesteś najważniejszy. Masz wiedzę i umiejętności, masz moc, którą uzbierałeś. To ty powinieneś pójść na południe. – Podniosła na niego wzrok i zmarszczyła brwi. – Skoro tak jest bezpieczniej, to czemu oboje nie pójdziemy na południe?

Akkarin podniósł koszulę z westchnieniem.

– Ponieważ ja nie dotrę tam na czas.

Wbiła w niego wzrok.

– W takim razie ja też nie.

– Nie, ale jeśli ja zginę, ty mogłabyś pomóc ocalałej resztce Gildii odzyskać władzę nad Kyralią. Pozostałym

Krainom Sprzymierzonym nie podobałoby się raczej sąsiedztwo sachakańskich magów. Zapewne więc...

– Nie! – krzyknęła. – Nie będę stała z boku podczas tej bitwy.

Akkarin włożył koszulę przez głowę, wsunął ręce w rękawy i podszedł do niej. Wziął ją za rękę i spojrzał na nią badawczo.

– Będzie mi łatwiej walczyć z Ichanimi, jeśli nie będę się martwił tym, co mogliby ci zrobić, gdybym poległ.

Odwzajemniła się równie uważnym spojrzeniem.

– Myślisz, że mnie będzie łatwo – powiedziała cicho – myśleć o tym, co mogą zrobić tobie?

– Przynajmniej jedno z nas będzie bezpieczne, jeśli pójdziesz na południe.

– W takim razie ty idź – odparowała. – A ja zostanę i rozprawię się z tym drobnym utrapieniem, jakim są dla Gildii Ichani.

Zacisnął zęby, ale chwilę później rozchmurzył się i zaśmiał:

– Nic z tego. Musiałbym pójść z tobą, żeby się upewnić, że wszystko jest w porządku.

W odpowiedzi uśmiechnęła się szeroko, ale jednak szybko spoważniała.

– Nie zamierzam pozwolić ci na samotną walkę i ponoszenie całego ryzyka. Będziemy walczyć razem. – Urwała na moment. – Wydaje mi się natomiast, że na Przełęczy powinniśmy postarać się uniknąć spotkania z tym tutaj. I jestem pewna, że razem coś wymyślimy.

Sterta listów na biurku Lorlena przewróciła się. Osen zdołał ją złapać, a następnie ułożył papiery w dwa mniejsze stosy.

– Zakaz komunikacji mentalnej znacząco dodał pracy posłańcom – zauważył młody mag.

– Owszem – zgodził się Lorlen. – Oraz wytwórcom piór. Zużywam je teraz chyba dwa razy szybciej. Na ile jeszcze listów musimy odpowiedzieć?

– Ten jest ostatni – odparł Osen.

Lorlen złożył zamaszysty podpis i wziął się do czyszczenia pióra.

– Dobrze, że wróciłeś, Osenie – powiedział. – Nie wiem, jak bym sobie bez ciebie poradził.

Osen uśmiechnął się.

– Nie poradziłbyś sobie. Nie, mając w tej chwili na głowie obowiązki zarówno Administratora, jak i Wielkiego Mistrza – urwał. – Kiedy wybierzemy nowego Wielkiego Mistrza?

Lorlen westchnął. Był to temat, którego starannie unikał. Po prostu nie wyobrażał sobie w tej roli nikogo oprócz Akkarina. Niemniej trzeba będzie w końcu o tym pomyśleć, i to im wcześniej, tym lepiej, na wypadek gdyby przepowiednie Akkarina miały się sprawdzić.

– Skoro już rozprawiliśmy się z buntownikami z Elyne, na następnym Posiedzeniu wyłonimy zapewne kandydatów.

– Za miesiąc? – skrzywił się Osen, podnosząc wzrok znad sterty papierów. – Nie można by zacząć procedury już teraz?

– Zobaczymy. Nikt ze starszyzny nie sugerował dotąd, że należałoby zająć się tym wcześniej.

Osen pokiwał głową. Lorlen zauważył, że jego sekretarz jest tego ranka wyjątkowo roztargniony.

– Coś cię dręczy.

Młodszy mag spojrzał na niego i zmarszczył brwi.

– Czy Gildia przywróci Akkarina na stanowisko, jeśli jego opowieść okaże się prawdziwa?

Lorlen skrzywił się.

– Wątpię. Nikt nie będzie chciał czarnego maga na stanowisku Wielkiego Mistrza. Nie sądzę, żeby w ogóle został na powrót przyjęty do Gildii.

– A co z Soneą?

– Sprzeciwiła się woli Króla. Jeśli Król zgodzi się na obecność czarnego maga w Gildii, to będzie to raczej ktoś, kogo on sam albo Gildia będzie mogła kontrolować.

Osen odwrócił wzrok.

– A zatem Sonea nigdy nie ukończy studiów.

– Nie. – Lorlen nagle z bólem uświadomił sobie, że to prawda.

– Drań – syknął Osen, wstając z krzesła. Zamilkł na chwilę. – Przepraszam. Wiem, że byliście przyjaciółmi i że wciąż czujesz dla niego szacunek. Ale ona mogła zostać... kimś niezwykłym. Wiem, że była nieszczęśliwa. I było oczywiste, że w znacznej mierze jest to wina Akkarina, a mimo to nic nie zrobiłem.

– Nie mogłeś – pocieszył go Lorlen.

Osen potrząsnął głową.

– Gdybym wiedział, zabrałbym ją stąd. Co on mógł zrobić, nie mając jej jako zakładniczki?

Lorlen spojrzał na swoją dłoń, na miejsce, gdzie do niedawna nosił pierścień.

– Przejąć całą Gildię? Zabić ciebie i Rothena? Nie zadręczaj się, Osenie. Nie wiedziałeś, a nawet gdybyś wiedział, nie zdołałbyś jej pomóc.

Młody mag nie odpowiedział.

– Nie nosisz już tego pierścienia – zauważył nagle.

Lorlen podniósł na niego wzrok.

– Nie… znudził mi się. – Poczuł ukłucie niepokoju. Czyżby Osen dowiedział się dostatecznie dużo o krwawych klejnotach, by podejrzewać, co to było? Jeśli tak, no i jeśli pamiętał, że nosił ten pierścień od około półtora roku, może sobie uzmysłowić, że wiedział o sekrecie Akkarina znacznie dłużej, niż przyznał.

Osen podniósł dwie sterty listów i uśmiechnął się krzywo.

– Nie potrzebujesz mnie użalającego się nad tym, co minęło. Powinienem raczej zebrać się w sobie i zorganizować posłańców, którzy to wszystko doręczą.

– Owszem. Dziękuję.

– Wrócę, kiedy wszystko pozałatwiam.

Lorlen patrzył, jak jego asystent przechodzi przez pokój. Kiedy drzwi się zamknęły, spojrzał znów na swoją dłoń, teraz już bez pierścienia. Przez tak długi czas marzył jedynie o tym, by pozbyć się tego klejnotu. Teraz zaś rozpaczliwie pragnął go odzyskać. Pierścień spoczywał bezpiecznie zamknięty w Bibliotece Magów. Mógłby w każdej chwili po niego pójść…

Czy naprawdę? Wiedział, co miałby na ten temat do powiedzenia Balkan. To zbyt niebezpieczne. A pozostali członkowie starszyzny by mu przyklasnęli.

Ale czy Balkan albo pozostali muszą o tym wiedzieć?

Oczywiście, że muszą. I mają rację: to jest niebezpieczne. A ja po prostu chciałbym wiedzieć, co się dzieje.

Lorlen westchnął i wrócił do leżących na jego biurku podań i listów.

ROZDZIAŁ 26

PRZEŁĘCZ POŁUDNIOWA

Kiedy zbliżyli się do jednego z wyjść z pokoi Cery'ego, Gol zatrzymał się i zerknął za siebie.

– Myślisz, że powinniśmy powiadomić pozostałych Złodziei o tych magach?

Cery westchnął.

– Nie wiem. Nie jestem pewny, czy mi uwierzą.

– Może więc później, kiedy będziesz miał dowody.

– Może.

Wielki mężczyzna wspiął się po drabinie ku klapie w suficie. Odryglował ją i ostrożnie podniósł. Do uszu Cery'ego dotarł szmer głosów. Gol wydostał się przez otwór i dał znak, że jest bezpiecznie.

Znaleźli się na zapleczu niewielkiej spylunki. Przy stole siedziało dwóch mężczyzn grających w pionki. Obaj skinęli uprzejmie Golowi i Cery'emu. Wiedzieli wprawdzie, że wynajęto ich do pilnowania wejść na Złodziejską Ścieżkę, nie mieli jednak pojęcia, że tuż pod nimi znajdowała się siedziba Złodzieja.

Czekająca ich droga nie była daleka, ale Cery i tak zajrzał do piekarni i kilku innych sklepików. Ich właściciele byli równie nieświadomi pozycji swojego klienta, jak strażnicy. Cery wypytał ich delikatnie, czy są zadowoleni z układów ze Złodziejem, i wszyscy z wyjątkiem jednego oświadczyli, że tak.

– Niech ktoś się dowie, o co chodzi temu wytwórcy mat, jak już załatwimy to, co mamy do załatwienia – zwrócił się Cery do Gola, kiedy zagłębili się na powrót w podziemne korytarze. – Coś mu się nie podoba.

Gol potaknął. Kiedy dotarli na miejsce, otworzył ciężkie, metalowe drzwi. W znajdującym się poza nimi krótkim korytarzyku siedział chudy mężczyzna.

– Witaj, Ren. Jak się miewa nasz gość? – spytał Cery.

Mężczyzna podniósł się.

– Krąży po pokoju. Chyba się czymś martwi.

Cery zmarszczył brwi.

– Otwórz drzwi.

Ren pochylił się i chwycił za leżący na ziemi łańcuch. Pociągnął i pomieszczenie zadrżało. Ściana naprzeciwko nich odsunęła się, ukazując wygodnie urządzony pokój.

Stał kilka kroków dalej; zgrzyt łańcucha uprzedził go o ich przyjściu. Był napięty i zaniepokojony. Cery zaczekał, aż zamknęły się za Golem drzwi, zanim zwrócił się do Takana.

– Co się stało?

Sachakanin zrobił szybki wydech.

– Akkarin odezwał się do mnie. Poprosił, żebym wyjaśnił ci kilka rzeczy.

Złodziej zamrugał oczami ze zdumienia, po czym wskazał na krzesła.

– Usiądźmy. Przyniosłem trochę jedzenia i wina.

Takan podszedł do jednego z krzeseł i usiadł na krawędzi. Cery rozsiadł się naprzeciwko, a Gol znikł tymczasem w kuchni, żeby przynieść talerze i kieliszki.

– Wiesz zapewne, że ci mordercy, do których znajdowania zatrudnił cię Wielki Mistrz, byli sachakańskimi magami – zaczął. – Wiesz również, że Akkarin i Sonea zostali wygnani za praktykowanie czarnej magii.

Cery potaknął.

– Ci mordercy byli dawnymi niewolnikami – wyjaśnił Takan – wysłanymi do Kyralii przez swoich panów, aby szpiegować Gildię… a także by zabić Akkarina, gdyby nadarzyła się okazja. Ich panowie to potężni magowie znani jako Ichani. Posługują się czarną magią, by czerpać moc od swoich niewolników… lub ofiar. W moim kraju nazywa się to wyższą magią i nie jest zakazane.

– I ta magia czyni ich potężniejszymi? – spytał Cery. Mimo że słyszał o tym wszystkim od Savary, musiał udawać niewiedzę.

– Tak. Akkarin nauczył się czarnej magii w moim kraju. Ja wróciłem z nim do Kyralii, a on czerpał ode mnie moc, żeby walczyć ze szpiegami.

– Byłeś niewolnikiem?

Takan skinął głową.

– Mówisz, że ci mordercy, szpiedzy byli kiedyś niewolnikami. A mimo to oni również posługują się zakazaną sztuką.

– Zdradzono im tajniki czarnej magii, żeby mogli przeżyć dostatecznie długo, by przejrzeć obronę Kyralii.

Cery zmarszczył czoło.

– Skoro zostali wyzwoleni, to czemu wypełniali nadal rozkazy swoich panów?

Takan spuścił wzrok.

– Trudno jest zupełnie zrzucić jarzmo niewolnictwa, zwłaszcza jeśli się urodziło niewolnikiem – powiedział cicho. – A poza tym szpiedzy bali się Gildii w równym stopniu co Ichanich. Mieli tylko dwie możliwości do wyboru: ukryć się na ziemi wroga lub wrócić do Sachaki. Dopóki Akkarin i Sonea nie zostali wygnani z takim rozgłosem, większość Sachakan uważała, że Gildia posługuje się wyższą magią. Wszyscy szpiedzy ginęli. Sachaka wydawała się więc im bezpieczniejszym terenem. Pełnym dobrze znanych niebezpieczeństw. Wiedzieli jednak, że Ichani ich zabiją, jeśli wrócą, nie wypełniwszy zadania.

Tymczasem nadszedł Gol z winem, kieliszkami i tacą pełną bułeczek nadziewanych mięsem. Potężny mężczyzna podał Takanowi napełniony kieliszek, ale służący Akkarina pokręcił przecząco głową.

– Teraz Ichani wiedzą, że Gildia nie uprawia wyższej magii – ciągnął. – Wiedzą więc, że są silniejsi. Ich przywódca, człowiek imieniem Kariko, od lat usiłował ich zjednoczyć. Teraz mu się udało. Akkarin skontaktował się ze mną dziś rano i powiedział, że mam ci przekazać następujące wiadomości: Ichani planują wejść do Kyralii w ciągu najbliższych kilku dni. Musisz ostrzec Gildię.

– A oni mi uwierzą? – spytał z powątpiewaniem Cery.

– Wiadomość musi być anonimowa, ale jej odbiorca domyśli się z zawartości, od kogo pochodzi. Akkarin powiedział mi, co ma zawierać wiadomość.

Cery potaknął, rozparł się w fotelu i sięgnął po wino.

– Ile wie Gildia?

– Wszystko oprócz tej ostatniej informacji. Nie wierzą w to, ale Akkarin ma nadzieję, że poczynią przygotowania na wypadek, gdyby miało się to okazać prawdą. – Takan zawahał się. – Nie wydajesz się zaniepokojony tym, że twój kraj stoi na krawędzi wojny.

Cery wzruszył ramionami.

– Ależ jestem zaniepokojony. Ale nie zaskoczony. Czułem, że zbliża się coś wielkiego.

– I nie przejmujesz się tym?

– A czemu miałbym? To problem magów.

Takan otworzył szeroko oczy.

– Chciałbym, żeby tak było. Ale kiedy Ichani zniszczą Gildę i pozbędą się Króla, nie pozwolą zwykłym ludziom żyć tak, jakby się nic nie zdarzyło. Tych, których nie wezmą w niewolę, zabiją.

– Najpierw będą musieli nas znaleźć.

– Zawalą wszystkie wasze tunele i zburzą wasze domy. Twój tajemny świat nie ma szans na przeżycie.

Cery uśmiechnął się, przypominając sobie rady Savary dotyczące zabijania magów.

– Nie będzie to takie łatwe, jak im się może wydawać – powiedział ponuro. – Nie, jeśli ja będę miał coś do powiedzenia w tej sprawie.

Dannyl wyszedł z gmachu Uniwersytetu i przyglądał się zatłoczonemu dziedzińcowi. Właśnie zaczęła się przerwa południowa, w ogrodzie roiło się więc od studentów rozkoszujących się letnim ciepłem. Postanowił wziąć z nich przykład i również przejść się po ogrodach.

Wchodząc w cieniste alejki, zastanawiał się nad swoim spotkaniem z Mistrzem Sarrinem. Teraz, kiedy zadecydowano o losie buntowników, a Rothen wyjechał do Sachaki, Dannyl nie miał wiele do roboty, zgłosił się więc do pomocy przy budowie nowej Strażnicy. Przełożony Alchemików sprawiał wrażenie zaskoczonego propozycją Dannyla, jakby zupełnie zapomniał o tym projekcie.

– Strażnica. Tak. Oczywiście – mówił Sarrin w roztargnieniu. – To nam da zajęcie, chyba że… ale wtedy to nie będzie miało znaczenia. Tak – powtórzył nieco pewniejszym tonem. – Zapytaj Mistrza Davina, w jaki sposób możesz pomóc.

Opuszczając gmach, widział kątem oka Mistrza Balkana wychodzącego z gabinetu Administratora. Wojownik wyglądał na zaniepokojonego. Tego można się było spodziewać, ale coś w jego zachowaniu podpowiedziało Dannylowi, że Balkan miał jakieś nowe zmartwienie.

Chciałbym wiedzieć, co się dzieje, pomyślał Dannyl. Rozejrzał się dookoła i zauważył zaniepokojone twarze kilku zgromadzonych w pobliżu nowicjuszy. *I chyba nie jestem w tym odosobniony*.

Wyszedł za róg i zauważył samotnego nowicjusza siedzącego na ławce. Chłopak był z któregoś ze starszych roczników, może nawet z piątego roku. Był bardzo chudy i wyglądał na chorowitego. Wyglądał też znajomo.

Dannyl zatrzymał się i uświadomił sobie, że to nie jest zwykły nowicjusz. Był to Farand. Zszedł ze ścieżki i podszedł do ławki.

– Witaj, Farandzie.

Młodzieniec podniósł wzrok i uśmiechnął się niepewnie.

– Witaj, Ambasadorze.

Dannyl usiadł.

– Widzę, że otrzymałeś szatę. Zacząłeś już naukę?

Farand potaknął.

– Na razie prywatne lekcje. Mam nadzieję, że oszczędzą mi upokorzenia nauki z młodszymi nowicjuszami.

Dannyl zaśmiał się.

– Stracisz mnóstwo zabawy.

– Z tego, co słyszałem, nowicjusze nie mają na nic czasu.

– Nie – spoważniał Dannyl. – W każdym razie nie przez pierwsze lata. Ale nie pozwól, żeby moje doświadczenia cię zniechęciły. Znam magów, którzy twierdzą, że studia to był najprzyjemniejszy czas w ich życiu.

Młodzieniec zmarszczył brwi.

– Miałem nadzieję, że tu będzie mi łatwiej, ale zaczynam mieć wątpliwości. Słyszałem, że Gildia stoi w obliczu wojny. Będziemy musieli walczyć albo z Akkarinem, albo z sachakańskimi magami. W obu przypadkach nie mamy pewności zwycięstwa.

Dannyl przytaknął.

– Być może wstąpiłeś do Gildii w najgorszym możliwym momencie, Farandzie. Ale gdybyś tego nie zrobił, nie na długo uniknąłbyś zapewne walki. Jeśli Kyralia ulegnie przeciwnikowi, Elyne padnie niedługo później.

– A zatem lepiej, że jestem tutaj. Wolę pomóc, niż zyskać kilka bezpiecznych miesięcy w domu. – Farand urwał i westchnął. – Żałuję tylko jednego.

– Dema Marane.

– Tak.

– Ja też żałuję – przyznał Dannyl. – Miałem nadzieję, że Gildia okaże się bardziej wyrozumiała.

– Obawiam się, że rozgrywki z waszym Wielkim Mistrzem przyczyniły się do tej decyzji. Gildia powinna była się zorientować, że jej przywódca nauczył się czarnej magii. Przeoczyła to i nie chciała teraz powtórzyć błędu. Powinna była poza tym skazać na śmierć Akkarina, ale nie potrafiła. A zatem wydała najwyższy wyrok na pierwszą osobę, która złamała prawo, żeby pokazać sobie i światu, że nie będzie tolerować takich zbrodni. – Farand zamilkł na chwilę. – Nie twierdzę, że każdy mag zdaje sobie z tego sprawę, ale wydaje mi się, że ta sytuacja miała wpływ na decyzję.

Dannyl spojrzał na Faranda, zaskoczony przenikliwością młodzieńca.

– A zatem to Akkarin jest wszystkiemu winny.

Farand pokręcił głową przecząco.

– Nie mam zamiaru nikogo oskarżać. Jestem w miejscu, w którym powinienem był się znaleźć wiele lat temu. Oczekuje się ode mnie odrzucenia wszelkiej politycznej stronniczości i tak właśnie zamierzam postąpić. – Zawahał się. – Aczkolwiek nie wiem, czy zdołałbym tego dokonać, gdyby moja siostra nie została ułaskawiona.

Dannyl pokiwał głową.

– Widziałeś się z nią przed jej wyjazdem?

– Tak.

– Jak ona się miewa?

– Jest pogrążona w żałobie, ale dzieci są siłą, która pozwoli jej przetrwać. Będzie mi ich wszystkich brakowało. – Kiedy gong oznajmił koniec przerwy południowej, Farad rozejrzał się dookoła. – Czas na mnie. Dziękuję za rozmowę, Ambasadorze. Czy zamierzasz wkrótce wrócić do Elyne?

– Na razie nie. Administrator Lorlen chce zatrzymać tu tak wielu magów, jak to tylko możliwe, do czasu aż dowie się czegoś więcej na temat Sachaki.

– W takim razie żywię nadzieję, że będziemy mieli jeszcze okazję porozmawiać, Ambasadorze. – Farand ukłonił się i odszedł.

Dannyl patrzył przez chwilę za odchodzącym Farandem. Młodzieniec przeszedł tak wiele, trzy razy stawał w obliczu śmierci – w wyniku utraty kontroli, otrucia i możliwego wyroku. Mimo to jednak nie było w nim złości.

Przytłaczało to Dannyla. Natomiast obserwacje młodzieńca w kwestii wyroku na Dema Marane wydawały mu się interesujące.

Pewnego dnia zostanie dobrym Ambasadorem, pomyślał Dannyl. *Jeśli będzie miał taką szansę*.

Na razie jednak Gildia może jedynie trwać. Dannyl westchnął, wstał z ławki i ruszył na poszukiwanie Mistrza Davina.

Coś musnęło usta Sonei. Zamrugała, otworzyła oczy i zobaczyła nad sobą twarz. Akkarin.

Uśmiechnął się i pocałował ją jeszcze raz.

– Wstawaj – mruknął, prostując się, wziął ją za rękę i przyciągnął ku sobie. Rozejrzała się dookoła. Niesamowite światło zmierzchu zmieniło wszystkie kolory w szarość. Niebo zasłaniały chmury, domyślała się jednak, że jest jeszcze za wcześnie na to, żeby słońce już się skryło.

– Musimy znaleźć drogę, zanim zajdzie słońce – powiedział Akkarin. – Do wschodu księżyca będzie bardzo ciemno, a nie możemy sobie pozwolić na postój.

Ziewnęła i spojrzała w kierunku przerwy między turniami. Opuścili dolinę z wodospadem zaraz po odejściu Ichaniego i poszli dalej piargiem tak daleko, jak tylko się odważyli. Niewielkie zagłębienie między kilkoma głazami i skalną ścianą zapewniło im schronienie na czas snu. Mimo że nie było ukryte tak jak półka za wodospadem, Ichani, czy też jego niewolnicy nie mieli powodu, by się tam zapuszczać.

Teraz, kiedy dolina zwężała się, a światło dnia gasło, droga stawała się coraz trudniejsza. Większość dna wypełniał strumień, a brzegi usiane były sporymi głazami. Po jakiejś godzinie marszu Akkarin przystanął i wskazał na zbocze. W gasnącym świetle Sonea dostrzegała jedynie, że prawie do samego szczytu jest ono bardzo strome. Chwilę później zamrugała ze zdumienia: zobaczyła wykute w skale stopnie.

– Od tego miejsca droga biegnie wzdłuż potoku – mruknął Akkarin, ruszając w kierunku schodów.

Doszli do ich podstawy i rozpoczęli wspinaczkę. Kiedy wreszcie dotarli na szczyt, otaczała ich smolista ciemność. Akkarin wydawał się Sonei ciepłym cieniem w morzu ciemności.

– Zachowuj się najciszej, jak potrafisz – wyszeptał jej do ucha. – Połóż jedną dłoń na skale. Jeśli będziesz chciała coś powiedzieć, chwyć mnie za rękę, żebyśmy mogli porozumieć się myślowo, ale tak by Ichani nie mogli tego podsłuchać.

Odkąd znaleźli się poza osłaniającymi ich ścianami doliny, uporczywy wiatr chwycił za poły ich ubrań. Akkarin szedł przodem, narzucając ostre tempo. Sonea przesuwała prawą dłonią po skale i starała się, żeby nie było słychać jej kroków. Od czasu do czasu rozlegał się stukot potrąconego kamienia, ale wiatr unosił dźwięk z dala od nich.

Po dość długim marszu Sonea zorientowała się, że kilkaset kroków w lewo od nich znajduje się druga ściana. Zastanawiając się, jakim cudem ją dostrzega, spojrzała w górę. Szczyty gór połyskiwały lekko, skąpane w przenikającym przez chmury świetle księżyca.

Piargi skończyły się, teraz droga znów biegła dnem wąskiej doliny. Sonea wyrównała krok z Akkarinem i brnęli dalej ramię w ramię. Mijały godziny, ściana po lewej stronie przybliżała się do nich, po czym znów znikła z pola widzenia. Po chwili powróciła, prawa zaś jakby się oddaliła. Księżyc wzniósł się wyżej i wkrótce schował się za granią.

Dużo później droga zaczęła wić się wzdłuż zakręcającego skalnego zbocza. Im wyżej się wspinali, tym bardziej było stromo, i wkrótce szli między pionową ścianą po jednej stronie i przepaścią po drugiej. Nie przerywali jednak marszu.

Po chwili usłyszeli cichy dźwięk. Akkarin zatrzymał się. Dźwięk powtórzył się.

Kichnięcie.

Podkradli się do następnego zakrętu na drodze. Mag wyciągnął rękę i chwycił dłoń Sonei.

~ *To musi być Riko* ~ wysłał do niej myśl.

W słabej poświacie księżyca dostrzegła ciemną sylwetkę człowieka siedzącego na kamieniu w pobliżu drogi. Słyszała, jak trzęsie się z zimna. Kiedy zacierał ręce, coś błysnęło na jego palcu. Krwawy pierścień, domyśliła się.

~ *Parika prawdopodobnie zabrał mu wierzchnie okrycie, by nie zasypiał* ~ powiedział Akkarin.

~ *To nieco utrudnia nam zadanie* ~ odpowiedziała Sonea. ~ *W jaki sposób ominiemy tego niewolnika, nie mówiąc już o jego panu? Uda nam się oszukać obu?*

~ *I tak, i nie. Możemy posłużyć się niewolnikiem jako przynętą. Gotowa?*

~ *Tak.*

Niełatwo było zmusić się do przejścia za zakręt, wiedząc, że tamten ich dostrzeże. Ale Riko okazał się zanadto pogrążony we własnym nieszczęściu, by ich zauważyć od razu. Chwilę później podniósł wzrok, skoczył na równe nogi i uciekł.

Akkarin zatrzymał się, zaklął głośno i pociągnął Soneę w tył.

– Niewolnik! – powiedział dostatecznie głośno, by mieć pewność, że Riko to usłyszał. – Ktoś musi być na Przełęczy. Chodźmy.

Pobiegli drogą w dół. Akkarin zwolnił i rozejrzał się po otaczających ich skalnych ścianach. Chwycił Soneę za rękę i zatrzymał ją. Poczuła, że ziemia ucieka jej spod nóg, i uniesli się w powietrze.

Urwisko przemykało im przed oczami, po czym zwolnili i wpłynęli w mrok. Sonea poczuła pod stopami twardy grunt. Półka, na której postawił ich Akkarin, ledwie mieściła jej buty. Oparła się o ścianę, czując, że serce wali jej jak młotem.

Nastąpiła długa chwila ciszy, w której słychać było jedynie ich oddechy, potem na drodze pojawiła się jakaś postać, dziwacznie krążąca na zakręcie. Człowiek ten zatrzymał się. Akkarin chwycił Soneę mocno za rękę.

~ *Potrzeba mu nieco zachęty* ~ zauważył.

W oddali rozległ się odgłos spadającego kamienia. Człowiek zrobił jeszcze krok do przodu i w tej samej chwili rozbłysło światło, zalewając okolicę. Sonea wstrzymała oddech. Mężczyzna był odziany w piękny kubrak, a na jego dłoniach połyskiwały kamienie szlachetne i drogie metale.

~ *Świetnie* ~ powiedziała. ~ *Wystarczy, by teraz podniósł głowę i nas zobaczył.*

~ *Nie zobaczy.*

Za Ichanim pojawił się chudy, przygarbiony człowiek.

– Widziałem...

– Wiem, co widziałeś. Wracaj i zostań z...

Ichani nagle zerwał się do biegu. Sonea spojrzała w dół drogi i dostrzegła za następnym zakrętem, kilkaset kroków od nich, światełko, które bladło, jakby się oddalało. Zerknęła na Akkarina, zgadując, że to on stworzył to światełko. Ze skupienia czoło miał poorane zmarszczkami.

Ichani przebiegł pod nimi, zniknął za zakrętem. Kiedy Sonea znów spojrzała w dół, nie było widać także niewolnika. Akkarin odetchnął głęboko.

~ *Nie mamy wiele czasu. Miejmy nadzieję, że Riko wiernie wypełni rozkaz swojego pana.*

Zsunęli się na drogę i pospieszyli w kierunku Przełęczy.

Przy każdym kroku Sonei zdawało się, że zaraz natkną się na niewolnika, ale ujrzeli go przed sobą dopiero po kilkuset krokach.

Chwilę później dostrzegli w oddali migoczące światło. Ognisko, jak zauważyła z ulgą Sonea. Bała się, że mógłby to być kolejny Ichani. Riko dotarł właśnie do ognia i usiadł obok młodszej kobiety.

Akkarin i Sonea podeszli bliżej, kryjąc się w cieniu. Płomień oświetlał strome skały po obu stronach drogi.

~ *Nie damy rady przemknąć obok nich tak, żeby nic nie zauważyli* ~ pomyślał do niej Akkarin. ~ *Dasz radę biec?*

Potaknęła.

~ *Jak tylko zdołam.*

Akkarin jednak nie ruszał. Spojrzała na niego i zauważyła, że sposępniał.

~ *Co się stało?*

~ *Powinienem wykorzystać tę okazję, żeby pozbawić Parikę jego niewolników. Oni tylko zostaną wykorzystani przeciwko nam.*

Sonea poczuła, że zamiera w niej serce, kiedy uświadomiła sobie, co Akkarin ma na myśli.

~ *Nie mamy czasu…*

~ *W takim razie załatwimy to szybko.*

Puścił jej rękę i ruszył przed siebie.

Powstrzymała słowa protestu. Zabicie niewolników było rozsądne. Ich moc zostałaby użyta do zabijania Kyralian. Mimo to jednak uważała, że jest to okrucieństwo wobec ludzi, którzy przez całe życie byli ofiarami. Nie chcieli zostać narzędziami Ichanich.

Kobieta zauważyła Akkarina pierwsza. Podskoczyła i runęła na plecy, kiedy dosięgło ją uderzenie mocy. Upadła na ziemię i leżała bez ruchu.

Riko rzucił się do ucieczki w dół zbocza. Kiedy Akkarin ruszył w pogoń, Sonea pobiegła ich śladem. Gdzieś tam, za nimi Parika dostrzeże atak poprzez krwawe pierścienie. Zatrzymała się tylko na moment, by przyjrzeć się kobiecie. Jej oczy wpatrywały się martwo w niebo.

Przynajmniej to było szybkie, pomyślała Sonea.

Nad głową Akkarina rozbłysło światło i przyspieszył kroku. Droga zakręcała i opadała teraz w dół. Sonea nie widziała biegnącego przed nimi niewolnika. Nie potrafiła powstrzymać nadziei, że nie pojawi się w ich polu widzenia. Akkarin nie zdoła zabić kogoś, kogo nie dostrzeże.

Usłyszeli krzyk gdzieś na drodze przed nimi. Akkarin zawahał się na moment, po czym pobiegł jeszcze szybciej. Z łatwością wyprzedził Soneę i minął kolejny zakręt sporo wcześniej niż ona i wtedy spostrzegła, że droga przed nimi skręca ostro, opuszczając tunel między skałami Przełęczy i mknąc dalej wzdłuż skalnego urwiska. Akkarin stał na zakręcie, spoglądając na rozciągającą się przed nim przepaść. Sonea zatrzymała się u jego boku i wyjrzała za załom skalny, ale ujrzała jedynie ciemność.

– Spadł?

– Tak sądzę. – Akkarin dyszał. Spojrzał na ciągnącą się przed nimi drogę. Wiła się po zboczu góry przez kilkaset kroków, a dalej niknęła w mroku.

– Nie ma... gdzie się schować. Był... tak niedaleko. – Zerknął za siebie i spochmurniał. – Musimy... iść dalej. Jeśli Parika będzie nas gonił... nie zdołamy się ukryć.

Ruszył i przez chwilę brnęli naprzód. Kiedy minęli kolejny zakręt, ulga, którą poczuła Sonea, zmieniła się w niepokój, przed nimi bowiem rozciągał się długi odcinek zupełnie nieosłoniętego szlaku. Nie przerywali biegu. Czuła, że plecy ją swędzą, ale powstrzymywała się od spojrzenia za siebie.

Ich ucieczka zdawała się nie mieć końca. Droga opadała powoli. Uczucie pośpiechu i strach nieco osłabły. Wkrótce wszystkie zmysły Sonei ogarnęło zmęczenie. Odegnała je magią uzdrowicielską.

Moglibyśmy się zatrzymać, powtarzała w myślach. *Parika przecież nie będzie nas gonił do Kyralii, prawda?*

Akkarin wciąż jednak biegł przed siebie.

Ile jeszcze razy mogę się w ten sposób leczyć? Czy robiąc to zbyt często, nie uszkodzę sobie ciała?

Kiedy w końcu nieco zwolnił, głośno odetchnęła z ulgą. Zaśmiał się i objął ją ramieniem. Rozejrzała się i uświadomiła sobie, że znajdowali się między drzewami. Księżyc zniknął. Akkarin zmniejszył swoją kulę świetlną do małej iskierki. Przez kolejną ciągnącą się w nieskończoność godzinę szli przed siebie, po czym Akkarin skręcił z drogi i pociągnął Soneę za sobą.

– Myślę, że uciekliśmy dostatecznie daleko – mruknął.

– A co, jeśli on nas goni?

– Nie powinien. Nie wejdzie do Kyralii wcześniej niż Kariko.

Poczuła pod nogami miękki, nierówny grunt. Szli jeszcze przez kilka minut, po czym Akkarin zatrzymał się i usiadł, opierając się plecami o pień drzewa. Sonea opadła na ziemię obok niego.

– Co dalej? – spytała, wpatrując się w otaczające ich drzewa.

Akkarin przyciągnął ją do siebie i otoczył ramieniem.

– Śpij, Soneo – szepnął. – Ja będę trzymał straż. Jutro zastanowimy się co dalej.

ROZDZIAŁ 27

NIESPODZIEWANE SPOTKANIE

Nie. Jeszcze za wcześnie, żeby wstawać, pomyślała Sonea. *Jestem zbyt zmęczona.*

Ale wzrastające uczucie niepokoju nie pozwoliło jej z powrotem zasnąć. Opierała się plecami o coś ciepłego, niemalże siedząc. Wzięła głęboki oddech i poczuła ciężar obejmujących ją ramion. Ramion Akkarina. Uśmiechnęła się i otworzyła oczy.

Przed sobą zobaczyła cztery smukłe, włochate nogi. Końskie nogi. Serce jej podskoczyło, podniosła więc wzrok.

Wpatrywały się w nią znajome niebieskie oczy. Zielona szata, częściowo ukryta pod ciężkim czarnym płaszczem, lśniła w porannym słońcu. Poczuła, że serce napełnia jej się radością i ulgą.

– Dorrien! – wykrzyknęła. – Nie masz pojęcia, jak się cieszę, że cię widzę.

Z jego spojrzenia wyzierał jednak chłód. Koń przestąpił z nogi na nogę, potrząsając łbem. Sonea usłyszała w pobliżu parsknięcie drugiego. Spojrzała w bok i dostrzegła jeszcze czterech jeźdźców stojących kilka kroków dalej; byli odziani w zwykłe ubrania.

Akkarin poruszył się i wciągnął powietrze głęboko w płuca.

– Co tu robicie? – spytał Dorrien tonem nieznoszącym sprzeciwu.

– Ja... my... – Sonea potrząsnęła głową. – Nie wiem, od czego zacząć, Dorrienie.

– Jesteśmy tu, żeby was ostrzec – odparł Akkarin. Sonea na plecach czuła drgania jego głosu. – Ichani zamierzają najechać Kyralię w ciągu najbliższych kilku dni.

Jego ręce chwyciły ją za ramiona i popchnęły nieco do przodu. Wstała i odsunęła się na bok, żeby zrobić mu miejsce.

– Jesteście wygnańcami – Dorrien mówił cicho. – Nie możecie tutaj wrócić.

Akkarin uniósł brwi.

– Nie możemy? – zapytał, prostując się i zakładając ręce.

– Zamierzasz ze mną walczyć? – spytał Dorrien, a w jego oczach zabłysło niebezpieczeństwo.

– Nie – odparł Akkarin. – Zamierzam wam pomóc.

Dorrien zmrużył oczy.

– Nie potrzebujemy twojej pomocy – warknął. – Potrzebujemy twojej *nieobecności*.

Sonea wbiła wzrok w Dorriena. Nigdy nie znała go takiego: zimnego, pełnego nienawiści. Sprawiał wrażenie kogoś zupełnie obcego. Głupiego, pełnego złości nieznajomego.

Jednocześnie przypomniała sobie, z jaką pasją opowiadał o opiece nad ludźmi w swojej wiosce. Poniósłby każde ryzyko, by ich chronić. A jeśli wciąż myślał o niej tak jak kiedyś, to fakt, że ujrzał ją śpiącą w ramionach Akkarina, nie poprawił mu humoru...

– Dorrienie – powiedziała. – Nie wracalibyśmy, gdybyśmy nie uważali tego za absolutnie konieczne.

Dorrien spojrzał na nią spode łba.

– To do Gildii należy ocena, czy wasz powrót jest konieczny, czy też nie. Dostałem rozkaz pilnowania tej drogi i powstrzymania was, gdybyście usiłowali wracać – rzekł. – Jeśli zamierzacie tu pozostać, musicie mnie najpierw zabić.

Sonea poczuła, że zamiera w niej serce. Przed oczami mignął jej obraz zabitej niewolnicy. Akkarin przecież nie…

– Nie muszę cię zabijać – odparł Akkarin.

Oczy Dorriena przypominały dwa kryształki lodu. Otworzył usta, by coś powiedzieć.

– Odejdziemy – powiedziała szybko Sonea. – Pozwól nam tylko przekazać wiadomości.

Położyła dłoń na ramieniu Akkarina.

~ *Teraz kieruje nim serce. Dajmy mu trochę czasu, może pomyśli bardziej racjonalnie.*

Akkarin zmarszczył brwi, ale nie sprzeciwił się. Odwróciła się i zobaczyła, że Dorrien wpatruje się w nią uważnie.

– Niech będzie – powiedział niechętnie – powiedzcie mi, co macie do powiedzenia.

– Patrolujesz przełęcz, a zatem Lorlen zapewne powiadomił cię o zagrożeniu ze strony Sachaki. Wczoraj rano Sonea i ja ledwie uniknęliśmy schwytania przez Ichaniego imieniem Parika – powiedział Akkarin. – Podsłuchaliśmy, jak rozmawiał z niewolnikiem, i dowiedzieliśmy się, że Kariko i jego sprzymierzeńcy zamierzają w ciągu najbliższych kilku dni najechać Kyralię. Chcieliśmy pozostać w Sachace do czasu, kiedy Gildia wreszcie przekona się, że Ichani istnieją i stanowią zagrożenie, ale zaczyna brakować na to czasu. Jeśli Gildia zechce, byśmy powrócili i uczestniczyli w nadchodzącej bitwie, musimy znaleźć się dostatecznie blisko Imardinu, by dotrzeć tam przed Ichanimi.

Dorrien spoglądał na Akkarina obojętnym wzrokiem.

– To wszystko?

Sonea otworzyła usta, by opowiedzieć mu o Ichanim na Przełęczy Południowej, ale wyobraziła sobie Dorriena jadącego tam, żeby się przekonać o prawdziwości jej słów. Ichani by go zabił. Powstrzymała się więc.

– Pozwól nam przynajmniej dzisiaj tu odpocząć – poprosiła. – Jesteśmy wyczerpani.

Dorrien przeniósł wzrok na Akkarina, mrużąc oczy, następnie spojrzał na zgromadzonych za nim jeźdźców.

– Gadenie, Forrenie, czy Gildia może pożyczyć od was konie na jeden dzień?

Sonea zerknęła ponad zadem Dorrienowego konia na pozostałych mężczyzn. Wymienili spojrzenia, ale dwóch zaczęło zsiadać.

– Nie mam prawa darować wam dnia, ani nawet godziny w Kyralii – powiedział sztywno Dorrien, kiedy jego ludzie podprowadzili konie. – Odwiozę was zatem do Przełęczy.

Oczy Akkarina zapłonęły niebezpiecznie. Sonea poczuła wzrastające w nim napięcie. Zacisnęła mocniej palce na jego ramieniu.

~ *Daj mi porozmawiać z nim po drodze. Mnie pewnie wysłucha.* ~ Akkarin spojrzał na nią z powątpiewaniem. Sonea poczuła, że się rumieni. ~ *Kiedyś było coś między nami. On może być zły, że mu mnie odebrałeś.*

Akkarin uniósł brwi i rzucił Dorrienowi oceniające spojrzenie.

~ *Doprawdy? W takim razie zobaczmy, co zdołasz zdziałać. Tylko niech to nie trwa zbyt długo.*

Kiedy jeden z mężczyzn podszedł bliżej, Akkarin wziął od niego wodze. Mężczyzna cofnął się szybko, popatrując niepewnie na Dorriena. Kiedy Akkarin wskakiwał na siodło, młody mag nie odezwał się ani słowem. Sonea podeszła do drugiego wierzchowca i z trudem podciągnęła się na jego grzbiet. Akkarin odwrócił się do Dorriena.

– Jedź przodem – powiedział Uzdrowiciel.

Sonea ruszyła za Akkarinem. Jechali jedno za drugim, a to utrudniało rozmowę. Podczas drogi przez las, Sonea czuła na sobie spojrzenie Dorriena.

Gdy znowu dotarli do drogi, pociągnęła za uzdę, zwalniając krok konia. Zrównała się z Dorrienem i popatrzyła mu prosto w oczy, ale nagle zabrakło jej słów. Tak łatwo go jeszcze bardziej rozgniewać.

Pomyślała o tych dniach, które spędzili razem w Gildii. Wydawało jej się, że wszystko to działo się tak dawno. Czy Dorrien miał nadzieję, że ona przypomni sobie kiedyś o nim? Mimo że niczego mu nie obiecywała, poczuła ukłucie winy. Jej serce należało do Akkarina. Do Dorriena nigdy nie żywiła tak silnych uczuć.

– Nie wierzyłem Rothenowi, kiedy mi powiedział – mruknął Dorrien.

Sonea obróciła się ku niemu, zaskoczona, że przerwał milczenie.

Jego wzrok był utkwiony w Akkarinie.

– Nadal nie mogę uwierzyć. – Zacisnął usta. – Kiedy ojciec opowiedział mi o powodach, dla których Akkarin przejął opiekę nad tobą, zrozumiałem, dlaczego odsunęłaś się ode mnie. Bałaś się, że zobaczę, jak bardzo jesteś nieszczęśliwa i zacznę zadawać pytania. – Spojrzał na nią. – Tak właśnie było, prawda?

Potaknęła.

– Co się stało? Dlaczego się od nas odwróciłaś?

Poczuła kolejne ukłucie winy.

– Jakieś... dwa miesiące temu on zabrał mnie z sobą do miasta. Nie chciałam tam iść, ale pomyślałam, że może dowiem się czegoś, co potem Gildia będzie mogła wykorzystać przeciwko niemu. Pokazał mi mężczyznę, Sachakanina, i nauczył mnie, jak mogę czytać jego myśli. To, co tam zobaczyłam, musiało być prawdą.

– Jesteś pewna? Ten człowiek mógł wierzyć w coś, co nie zostało mu narzucone, a ty...

– Nie jestem głupia, Dorrienie. – Wytrzymała jego spojrzenie. – Jego wspomnienia nie mogły być kłamstwem.

Zmarszczył brwi.

– I co dalej?

– Kiedy dowiedziałam się o istnieniu Ichanich i o tym, że ich przywódca potrzebował tylko pewności, że Gildia jest słaba, żeby zebrać dostateczne wsparcie i przeprowadzić inwazję, nie mogłam dłużej stać na uboczu i zostawić Akkarina samego z tym wszystkim. Poprosiłam, nie, zażądałam, by pozwolił mi dołączyć do siebie.

– Ale... *czarna magia*, Soneo. Jak mogłaś się tego nauczyć?

– To nie była łatwa decyzja. Wiedziałam, że to straszliwa odpowiedzialność. Ale jeśli Ichani zaatakują i zdołają zniszczyć Gildię, to i tak pewnie zginę.

Dorrien zmarszczył nos, jakby poczuł jakiś obrzydliwy smród.

– Ale to jest złe.

Pokręciła przecząco głową.

– Dawniej Gildia tak nie uważała. Ja chyba też tak nie uważam. Wcale jednak nie chciałabym, żeby Gildia do tego wróciła. Kiedy wyobrażam sobie Ferguna albo Regina z taką mocą... – wzdrygnęła się. – To nie byłby dobry pomysł.

– Siebie jednak uznałaś za godną poznania tej magii?

Zmarszczyła czoło. To istotnie nie dawało jej wciąż spokoju.

– Nie wiem. Mam nadzieję, że jestem jej godna.

– Przyznałaś, że posłużyłaś się tą sztuką, żeby zabić.

– Owszem. – Westchnęła. – Ale czy uważasz, że byłabym zdolna zrobić coś takiego tylko po to, by się wzmocnić? A może uwierzysz, że miałam powód?

Odwrócił wzrok i wbił go na powrót w Akkarina.

– Nie wiem.

Podążyła za jego spojrzeniem. Koń Akkarina szedł jakieś dwadzieścia kroków przed nimi.

– Jesteś jednak pewien, że on mógłby zabijać dla uzyskania mocy?

– Tak – przyznał Dorrien. – Przyznał, że wcześniej wielokrotnie zabijał.

– Gdyby tego nie zrobił, byłby do dziś niewolnikiem w Sachace... albo by nie żył. A Gildia zostałaby zaatakowana i zniszczona przed wieloma laty.

– Jeśli to, co on mówi, jest prawdą.

– Jest.

Dorrien potrząsnął głową i wbił wzrok w las.

– Dorrienie, musisz przekazać Gildii, że Ichani nadchodzą – powiedziała niecierpliwie. – I... pozwól nam pozostać po tej stronie gór. Ichani wiedzą, że przeszliśmy zeszłej nocy przez Przełęcz. Jeśli tam wrócimy, zabiją nas.

Odwrócił się ku niej, a w jego oczach można było dostrzec niepokój walczący z niedowierzaniem.

W tej samej chwili na ich drodze stanęła jakaś postać.

Sonea zareagowała instynktownie, ale tarcza, którą osłoniła siebie i Dorriena rozpadła się pod potężnym uderzeniem mocy. Poczuła, że leci w tył, a w następnej chwili uderzenie o ziemię pozbawiło ją tchu. Usłyszała, jak Dorrien przeklina w pobliżu, po czym nad jej głową zadudniły kopyta, wzniosła więc kolejną tarczę. Przeraźliwe rżenie i tętent cichły w oddali – konie uciekły.

Wstawaj, powiedziała do siebie. *Wstawaj i znajdź Akkarina!*

Obróciła się i wstała. Kątem oka dostrzegła przykucniętego tuż obok niej Dorriena. Akkarin stał kilka kroków dalej.

Oddzielał ją od niego Parika.

Sonea poczuła, że strach ściska jej żołądek. Akkarin nie ma dość mocy, żeby walczyć z Ichanim. Nawet z jej pomocą, a i Dorrien niewiele mógłby zdziałać.

Powietrze rozbłysło, kiedy Akkarin zaatakował Ichaniego. Parika odpowiedział potężnymi uderzeniami.

– Soneo...

Spojrzała na Dorriena, który przysunął się do niej.

– To jest Ichani?

– Tak. Ma na imię Parika. Wierzysz mi teraz?

Nie odpowiedział. Chwyciła go za rękę.

~ *Akkarin nie ma dość siły, by z nim walczyć. Musimy mu pomóc.*

~ *Niech będzie. Ale nie zamierzam go zabijać, dopóki się nie przekonam, że jest rzeczywiście tym, za kogo go uważacie.*

Uderzyli razem, bombardując tarczę Ichaniego. Parika wstrzymał ogień i obejrzał się przez ramię. Jego usta wykrzywiły się w pogardliwym grymasie, kiedy zatrzymał wzrok na Dorrienie. Następnie przeniósł spojrzenie na Soneę. Pogarda zmieniła się w pełen złości uśmiech. Odwrócił się plecami do Akkarina i ruszył w jej kierunku.

Sonea cofnęła się. Wysyłała cios za ciosem, ale nie powstrzymywało go to ani odrobinę. Dorrien też ciskał kolejne uderzenia, ale nie robiły one na magu najmniejszego wrażenia. Akkarin nie przestawał bombardować tarczy Pariki, Ichani jednak nie zwracał na niego uwagi.

Dorrien zaczął się przesuwać w bok i Sonea uświadomiła sobie, że ma on nadzieję odciągnąć uwagę Pariki. Ichani jednak nie przejmował się nim. Jego ciosy stawały się coraz silniejsze, a Sonea pozwalała mu popychać się dalej drogą.

Pomyśl, powiedziała do siebie. *Musi być jakieś wyjście z takiej sytuacji. Przypomnij sobie lekcje Mistrza Yikmo.*

Zaatakowała tarczę Pariki ze wszystkich stron, ale bariera była mocna i nieprzenikniona. Rozważyła wszelkie fałszywe uderzenia i sztuczki, jakimi posługiwała się na treningach, ale większość z nich zakładała, że przeciwnik będzie usiłował oszczędzić swoją moc poprzez osłabianie tarczy. Tu mogła jedynie liczyć na to, że sprowokuje maga do zużycia całej swojej mocy.

Nagle Dorrien stanął między nią a Ichanim. Parika spochmurniał. Zatrzymał się i uderzył w Uzdrowiciela kilkoma pociskami mocy. Dorrien zachwiał się i cofnął, jego tarcza zadrżała. Sonea podbiegła i rozciągnęła wokół niego swoją barierę. Robiąc to, czuła, że jej własna moc przygasa. Dorrien chwycił ją za ramię.

~ *On jest aż tak silny?*

~ *Tak. A ja nie wytrzymam długo.*

~ *Musimy uciec.* ~ Chwycił ją za ramię i pociągnął dalej drogą.

~ *Akkarin...*

~ *Doskonale sobie radzi. Nic więcej nie możemy zrobić.*

~ *On nie ma dość siły.*

~ *W takim razie wszyscy zginiemy.*

Wstrząsnęło nią ponowne uderzenie. Pozwoliła, żeby Dorrien ją pociągnął. Następny cios przyspieszył ich bieg. Sięgnęła po moc i przekonała się, że to już wszystko, co jej pozostało.

Kolejny cios rozbił tarczę Sonei, tak że jęknęła. Obejrzała się przez ramię i zobaczyła, że Parika idzie za nimi. Rzuciła się do szaleńczej ucieczki.

Dosięgło ją uderzenie mocy. Poczuła, że powietrze ucieka z jej płuc, a ramiona uderzają w ziemię. Przez chwilę mogła jedynie leżeć na plecach, ogłuszona podwójnym ciosem. Zmusiła się do uniesienia ciała na łokciach.

Dorrien leżał kilka kroków od niej blady i nieruchomy. Zaniepokojona usiłowała wstać, ale kolejny cios uniemożliwił jej to. Poczuła szczypanie tarczy nasuwającej się na jej ciało i serce zamarło jej z przerażenia. Jakaś ręka chwyciła ją za ramię, rzucając na kolana. Parika spoglądał na nią z góry, jego usta wykrzywiał okrutny uśmiech. Patrzyła na niego wzrokiem pełnym przerażenia i niedowierzania.

To się nie może tak skończyć!

Tarcza Ichaniego wibrowała od niekończących się uderzeń. Zobaczyła, że Akkarin stoi zaledwie kilka kroków od nich, a jego twarz zdradzała przerażenie. Ichani chwycił ją teraz za nadgarstek i sięgnął między poły płaszcza.

Na widok zakrzywionego sztyletu poczuła, że traci zmysły ze strachu. Bezskutecznie usiłowała się wyrwać. Ból przecinanej skóry przyniósł wspomnienie innej rany.

„Ulecz się – pouczył ją kiedyś Akkarin. – Zawsze natychmiast się lecz. Nawet zagojone rany stanowią wyrwę w twojej barierze".

Brakowało jej mocy, ale dopóki żyła, drzemała w niej jeszcze resztka energii. A do uleczenia tak drobnej ranki wystarczy… *udało się!*

Parika zastygł w pół ruchu, wpatrując się w jej rękę. Ostrze zniżyło się ponownie i znów dotknęło jej skóry. Skupiła wolę i poczuła, że ból mija. Ichani otworzył szeroko oczy ze zdumienia. Przeciął jej skórę głębiej i wydał jęk niedowierzania, kiedy rana zasklepiła się ponownie.

Oni nie znają Uzdrawiania. Na chwilę ogarnęło ją uczucie triumfu, które jednak szybko minęło. Nie zdoła leczyć się w nieskończoność. W końcu wyczerpie nawet te ostatki mocy.

Ale może potrafi jakoś inaczej wykorzystać tę umiejętność?

Oczywiście, że może.

Parika wciąż trzymał ją za nadgarstek. Skóra przylegała do skóry. To czyniło go niemal równie wystawionym na działanie jej magii leczniczej, jak ją na jego czarną magię. Zamknęła oczy i wysłała myśli w głąb jego ręki. Omal nie straciła koncentracji, kiedy poczuła ból z powodu kolejnej rany. Przerwała tylko na moment, by się uleczyć, po czym wróciła do zagłębiania się w jego ciało. W ramię. W klatkę piersiową. Poczuła ból, kiedy znów rozciął jej skórę...

Jest, pomyślała z radością. *Jego serce.* Ostatkiem mocy chwyciła je i ścisnęła.

Ichani wydał ni to krzyk, ni to jęk, i puścił jej rękę. Upadła i szybko oddaliła się od niego, kiedy osunął się na kolana, chwytając się za pierś.

Zamarł w tej pozie. Na granicy życia i śmierci. Sonea patrzyła, nie mogąc oderwać oczu, jak jego twarz robi się sina.

– Odsuń się od niego!

Podskoczyła na dźwięk głosu Akkarina. Skoczył do przodu i podniósł nóż Ichaniego z miejsca, w którym tamten go upuścił. Szybkim ruchem przeciął skórę na karku Sachakanina i przycisnął dłoń do rany.

Uświadamiając sobie, co robi, Sonea odetchnęła z ulgą. Akkarin może zabrać pozostałą Parice moc. Ichani i tak umrze, a może mieć w sobie jeszcze sporo energii...

W tej chwili dotarło do niej, co naprawdę Akkarin miał na myśli. Gdyby Parika umarł, a w jego ciele wciąż byłaby zmagazynowana energia, moc pochłonęłaby jego ciało, niszcząc zapewne wszystko dookoła. Podniosła się na nogi i odeszła na bok.

Akkarin wyprostował się. Upuścił nóż i złożył ciało Pariki na ziemi. Chwilę później trzymał Soneę w ramionach tak mocno, że ledwie mogła oddychać.

– Myślałem, że już po tobie – wychrypiał. Wziął głęboki, nerwowy oddech. – Powinnaś była uciekać, kiedy tylko go zobaczyłaś.

Czuła się potłuczona i wyczerpana, ale uzdrowicielska magia przepływająca od Akkarina do niej przywracała jej siły.

– Powiedziałam ci. Nie opuszczę cię. Jeśli mamy umrzeć, umrzemy razem.

Odsunął ją troszkę i spojrzał na nią, rozbawiony.

– Bardzo mi to pochlebia, ale co z Dorrienem?

– *Dorrien!*

Wymamrotał jakieś przekleństwo i zwrócił się do leżącego kilka kroków dalej Dorriena. Podbiegli oboje do niego. Młody mag leżał z otwartymi oczami, w których widać było ból.

Akkarin położył dłoń na czole Uzdrowiciela.

– Jesteś ciężko ranny – powiedział. – Nie ruszaj się.

Dorrien przeniósł wzrok na Akkarina.

– Oszczędzaj swoją moc – wyszeptał.

– Nie bądź śmieszny – odparł Akkarin.

– Ale...

– Zamknij oczy i pomóż mi – oznajmił twardo Akkarin. – Znasz tę dyscyplinę lepiej niż ja.

– Ale…

– Bardziej przydasz mi się żywy niż martwy, Dorrienie – powiedział sucho Akkarin, a w jego głosie dało się słyszeć cień rozkazu. – Jeśli będziesz chciał, możesz później oddać mi tę moc, którą zużyję, by cię uleczyć.

Dorrien otworzył szeroko oczy, kiedy dotarło do niego znaczenie tych słów.

– Och. – Urwał i przeniósł wzrok na Soneę. – Co się stało z tym Sachakaninem?

Sonea poczuła, że się czerwieni. Posłużenie się mocą uzdrowicielską do zadawania śmierci zakrawało na najgorsze możliwe nadużycie tej dyscypliny.

– Nie żyje. Później ci opowiem.

Dorrien zamknął oczy. Sonea przyglądała się uważnie, jak powoli na jego twarz wracają kolory.

– Niech no zgadnę – odezwał się cicho Akkarin. – Zatrzymałaś jego serce.

Podniosła wzrok i napotkała jego badawcze spojrzenie. Akkarin wskazał głową na Dorriena.

– On zajmuje się Uzdrawianiem, ja tylko dostarczam mu siły. – Zerknął w stronę ciała Sachakanina. – Mam rację?

Sonea rzuciła okiem na Dorriena i potaknęła.

– Powiedziałeś, że Parika nie zapuści się do Kyralii.

Akkarin zmarszczył brwi.

– Może chciał się zemścić za śmierć niewolników. Mocni niewolnicy to rzadkość, Ichani nie są więc zadowoleni, gdy któryś z nich ginie lub ktoś im ich zabiera. To tak jakby stracić konia, który wygrywa na wyścigach. Nie wiem tylko, dlaczego aż tak się trudził. Odkąd tu przybyliśmy, minęło kilka godzin, a on musiał wiedzieć, że nie będzie łatwo nas znaleźć, kiedy tylko zboczymy z drogi.

Dorrien poruszył się i zamrugał oczami.

– Wystarczy – oznajmił. – Czuję się tak, jakby rozdarto mnie na małe kawałeczki, a następnie poskładano w całość, ale przeżyję.

Ostrożnie uniósł się na łokciach. Popatrzył na martwego Ichaniego. Wzdrygnął się i spojrzał na Akkarina.

– Teraz ci wierzę. Co powinienem zrobić?

– Wynieść się z Przełęczy. – Akkarin pomógł mu podnieść się na nogi. – I wysłać ostrzeżenie do Gildii. Czy masz jakiekolwiek...

~ *Lorlen!*

~ *Makin?*

~ *Zaatakowali Fort!*

Sonea wbiła wzrok w Akkarina. Odwzajemnił spojrzenie. Przed oczami Sonei mignął obraz drogi widzianej z góry. Rozpoznała w niej trakt wiodący od Fortu na sachakańską stronę. Stał na niej szereg mężczyzn i kobiet ubranych podobnie jak Parika. Powietrze migotało od ich uderzeń.

– Za późno na ostrzeżenia – mruknął Dorrien. – Już tu są.

ROZDZIAŁ 28

POCZĄTEK INWAZJI

Przyglądając się tłumom, Cery poczuł ukłucie zazdrości. Dwaj Złodzieje – Sevli i Limek – których terytorium obejmowało Targ, byli bardzo bogatymi ludźmi, a dziś nietrudno było się domyślić, czemu to zawdzięczają. Promienie słoneczne odbijały się w nieskończonym strumieniu monet przechodzących z rąk klientów do właścicieli kramów, a niewielka część tych pieniędzy pobierana jako opłata za złodziejską opiekę musiała w szybkim tempie tworzyć fortuny.

Do stołu podszedł chłopak, stawiając przed nimi dwa kufle. Savara pociągnęła ze swojego i przymknęła oczy z westchnieniem.

– Dobrą macie tutaj rakę – powiedziała. – Jest prawie tak dobra jak nasza.

Cery uśmiechnął się.

– W takim razie chyba powinienem zacząć sprowadzać ją z Sachaki.

Uniosła ostrzegawczo brew.

– To byłoby kosztowne. Niewielu kupców waży się przemierzać pustkowie.

– Nie? Dlaczego?

Zatoczyła ręką okrąg.

– Tam nie ma niczego w tym stylu. Nie ma targów. Każdy Ashaki posiada setki niewolników…

– Ashaki?

– To potężni wolni ludzie. Niewolnicy dostarczają im niemal wszystkiego, czego potrzebują. Uprawiają pola, produkują tkaniny, gotują, sprzątają, zabawiają ich, a czegóż więcej miałby pragnąć Ashaki? Jeśli niewolnik jest szczególnie utalentowany i na przykład wytwarza piękną ceramikę, albo też Ashaki jest właścicielem kopalni lub ma większe zbiory, niż są mu potrzebne, handluje z innym Ashaki.

– Po co więc kupcy w ogóle tam jeżdżą?

– Jeśli uda im się pozyskać partnerów, mogą sobie zapewnić niezłe dochody. Głównie ze sprzedaży przedmiotów luksusowych.

Cery przyjrzał się tkaninie rozłożonej na ladzie pobliskiego kramu. Pojawiła się na rynku przed rokiem, kiedy jeden z rzemieślników opracował metodę uzyskiwania połysku.

– Z tego, co mówisz, wynika, że nie można się spodziewać, że Sachakanie wpadną na pomysł, jak cokolwiek robić lepiej.

– Niewolnicy owszem, jeśli są ambitni albo pragną nagrody. Mogą starać się zwrócić na siebie uwagę, wytwarzając coś pięknego i niezwykłego.

– A zatem tylko piękne rzeczy stają się coraz doskonalsze.

Pokręciła głową.

– Sposoby wytwarzania przedmiotów codziennego użytku też się ulepszają, zwłaszcza gdy chodzi o proste zmiany. Niewolnik może wymyślić szybszą metodę zbierania raki, jeśli jego pan tego żąda, grożąc, że w przeciwnym razie wygarbuje mu skórę batem.

Cery skrzywił się.

– Nasze podejście jest lepsze. Po co bić, skoro chciwość albo konieczność wykarmienia rodziny sprawiają, że ludzie pracują lepiej i szybciej.

Savara roześmiała się cicho.

– Ciekawa opinia, zwłaszcza u kogoś takiego jak ty. – Spoważniała. – Mnie też wasz obyczaj bardziej się podoba. Nie wypijesz swojej raki?

Cery potrząsnął głową.

– Boisz się, że ktoś cię rozpozna i podsunie ci truciznę?

Wzruszył ramionami.

– I tak wystygła. – Savara podniosła się. – Chodźmy.

Szli wzdłuż szeregu kramów. Savara zatrzymała się przy stole zastawionym dzbanami i butlami.

– Do czego to służy?

Naczynie, które podniosła, zawierało dwa zakonserwowane sevli, unoszące się w zielonkawym płynie.

– Otwiera drzwi rozkoszy – odparł właściciel kramu. – Wystarczy jeden łyk, i zyskasz siłę wojownika. – Zniżył głos. – Dwa, a doznasz przyjemności trwającej cały dzień i noc. Trzy, a twoje sny…

– Zmienią się w koszmar, który cię nie opuści przez wiele dni – dokończył Cery. Odebrał flaszę Savarze i postawił ją z powrotem na ladzie. – Nie mogłabyś mi płacić za… Savaro?

Stała z wzrokiem utkwionym w przestrzeń, twarz jej pobladła.

– Zaczęło się – powiedziała tak cicho, że ledwie usłyszał jej słowa. – Ichani zaatakowali Fort.

Poczuł, że po plecach przebiega mu dreszcz. Wziął ją za rękę i odciągnął od kramu, z dala od ludzi, którzy mogliby ich podsłuchać.

– Widzisz to?

– Owszem – odrzekła. – Zebrani tam magowie Gildii wysyłają obrazy mentalne. – Umilkła i skupiła wzrok ponownie poza obszarem rynku. – Właśnie padła pierwsza brama. Możemy odejść w jakieś spokojne miejsce, gdzie nic by mnie nie rozpraszało? Gdzieś niedaleko?

Cery rozejrzał się w poszukiwaniu Gola i odnalazł go stojącego w pobliżu, z pachi w ręce. Dał mu szybki znak w języku Złodziei. Gol skinął głową i ruszył w kierunku Przystani.

– Znam doskonałe miejsce – powiedział Cery do Savary. – Myślę, że ci się spodoba. Byłaś kiedyś na łodzi?

– Masz *łódź*? Pewnie, że masz.

W umyśle Dannyla rozbłysł obraz ośmiorga bogato odzianych mężczyzn i kobiet, oglądanych z wysokości. Każde z nich uderzało w jakiś punkt znajdujący się poniżej miejsca, gdzie stał Mistrz Makin, mag, który wysyłał ten obraz.

Chwilę później ujrzał tłum ludzi stojących kilka kroków za atakującymi. Ubrani byli w zwyczajne, znoszone ubrania, a niektórzy trzymali na smyczach niewielkie, limkopodobne zwierzęta.

Czyżby to byli niewolnicy, o których wspominał Akkarin? – zastanawiał się Dannyl.

Obraz zamazał się, ale w następnym momencie napastnicy znów stali się widoczni. Przestali uderzać w Fort i podchodzili do niego ostrożnie.

~ *Kapitan mówi, że pierwsza brama upadła. Sachakanie wchodzą do Fortu. Schodzimy na dół, by stawić im czoła.*

Kiedy Makin zamilkł, obrazy ustały, a Dannyl powrócił do otaczającej go rzeczywistości. Rozejrzał się po pokoju. Przez ostatnią godzinę był zajęty sporem między

Mistrzem Peakinem, przełożonym studiów alchemicznych, a Mistrzem Davinem, magiem nadzorującym odbudowę Strażnicy. Teraz ci dwaj spoglądali na siebie z niepokojem, zapominając o niedawnej utarczce.

~ *Jesteśmy na pozycji* ~ odezwał się Makin. ~ *Atakują teraz wewnętrzną bramę.*

Pojawił się obraz mrocznego korytarza zamkniętego kamienną ścianą. Tunel drżał pod naporem ciosów. Makin i towarzyszący mu wojownicy trzymali w pogotowiu tarczę.

Mur eksplodował. W tarczę uderzył deszcz gruzu, powietrze wypełniła chmura kurzu. W tej mgle rozbłysły uderzenia, a następnie korytarzem wstrząsnął kolejny wybuch.

~ *Zaatakowaliśmy Sachakan spod iluzyjnej podłogi* ~ wyjaśnił Makin.

Nastąpiło pomieszanie obrazów. Rozbłyski światła oświetlały pył unoszący się przed tarczą, ale nic nie było widać. Potem w chmurze pojawił się jakiś cień, a atak na tarczę Wojowników został wznowiony. Dwaj magowie wycofali się, najwyraźniej wyczerpani.

~ *Powrót! Do bramy.*

Wojownicy cofali się szybko za metalowe drzwi. Makin zatrzasnął je i za pomocą magii wyciągnął ze ścian ogromne rygle i wsunął je na miejsce.

~ *Zdajcie raport* ~ rozkazał Makin.

Obrazy i głosy zmieszały się w chaosie.

~ *Większość zginęła... Widzę pięć... nie, sześć ciał i...*

~ *Są we wnętrzu Fortu!*

W umyśle Dannyla pojawił się teraz obraz drzwi zwisających na zawiasach, a następnie w korytarzu stanął Sachakanin.

~ *Uciekać!*

~ *Wracajcie! Jestem uwięziony!*

Z chmury wysunęły się jakieś ręce. Jedna z nich dzierżyła zakrzywiony nóż. Pojawiło się uczucie absolutnej paniki... i pustka.

Wywoływano imiona Wojowników: to rodziny i przyjaciele pozostali w Gildii zlekceważyli zakaz komunikacji mentalnej. Podniósł się jazgot głosów mentalnych.

~ *Bądźcie cicho!* ~ Ponad ten chaos wybił się głos Balkana. ~ *Nie pomogę im, jeśli nie będę ich słyszał! Makin?*

Spośród myśli magów wyłonił się obraz metalowych drzwi. Lśniły na czerwono, zalewając korytarz gorącem. Ich środek wkrótce się stopił.

~ *Odwrót!* ~ rozkazał Makin. ~ *Za mur! Niech zużyją moc.*

Wojownicy wycofali się za mur do połowy blokujący korytarz i zebrali się za nim. Kamienna płyta zaczęła się przesuwać, blokując otwór w ścianie. Rozległ się potężny huk, kiedy ukryty w ścianie mechanizm zamknął się.

Magowie czekali.

~ *Jeśli przedrą się przez to* ~ przekazał Makin ~ *uderzymy w nich całą siłą, która nam pozostała.*

Napięte milczenie, które zaległo w korytarzu, przerywały tylko pojedyncze mentalne wezwania magów. Dannyl skrzywił się, widząc jak jeden po drugim giną trzej pozostający w Forcie magowie.

W tej samej chwili bez żadnego ostrzeżenia mur eksplodował. Wojownicy wcześniej opuścili tarczę, żeby oszczędzać moc. Przekaz od Makina zachwiał się, kiedy jakiś pocisk uderzył go w skroń, ale obraz powrócił, kiedy mag nieco się uleczył. Dołączył do tych, którzy wznosili teraz tarczę, a w polu jego widzenia pojawili się dwaj leżący na ziemi Wojownicy.

Atak na tarczę nie osłabł ani odrobinę. Wojownicy wycofywali się niepewnie, bliscy wyczerpania. Makin poczuł straszliwe zaskoczenie, kiedy opuściła go własna moc. Tarcza zachwiała się i dwaj następni magowie padli pod ciosami.

~ *Uciekajcie!* ~ zawołał Balkan. ~ *Nic więcej nie zdołacie zrobić!*

Z chmury pyłu wynurzyły się postacie. Makin odsunął się na bok, kiedy pierwsza z nich zbliżyła się do niego. Człowiek ten obrzucił go lekceważącym spojrzeniem i poszedł dalej.

~ *Gdyby gwardia wykonała rozkazy, ostatnia brama byłaby zamknięta w chwili, gdy pierwsza padła* ~ poinformował Makin.

Pierwszy z Sachakan przystanął przy bramie. Sześciu następnych minęło Makina. Wystarczył jeden cios, żeby wyrwać bramę z zawiasów. Sachakanie wyszli na światło słoneczne.

– Witajcie w Kyralii – powiedział ich przywódca, spoglądając na towarzyszy. Następnie obrócił się i popatrzył w głąb korytarza. Jego wzrok spoczął na Makinie. – Ty. Ty wysyłasz te obrazy.

Niewidzialna siła przyciągnęła Makina. Dannyl poczuł jego strach, a następnie komunikacja nagle się urwała.

Dannyl zamrugał i znów ze zdziwieniem dostrzegł otaczające go przedmioty. Peakin, zataczając się, podszedł do krzesła i opadł na nie.

– To wszystko prawda – wyszeptał. – Akkarin mówił prawdę.

Dało się słyszeć tylko szelest papieru. Dannyl spojrzał na Davina. Mag przyglądał się zrolowanej karcie z projektem. Była przedarta w połowie, w miejscu gdzie zacisnął na niej palce. Rozłożył papier, wygładził go, po czym puścił, pozwalając mu zwinąć się z powrotem w pogięty rulon.

Dannyl odwrócił wzrok na widok łez zbierających się w oczach Alchemika. Ten człowiek przez całe lata pracował nad swoimi metodami przewidywania pogody, chcąc uzyskać ich akceptację. Po co teraz trudzić się odbudową Strażnicy?

Wyjrzał przez okno. W ogrodzie stali magowie i nowicjusze, samotnie albo w grupkach, wszyscy zastygli niczym posągi. Poruszali się tylko nieliczni służący, najwyraźniej zdziwieni i zaniepokojeni dziwacznym zachowaniem magów.

W tej chwili do tych, którzy posiadali zdolność widzenia, dotarł nowy obraz Fortu.

Kiedy przekaz od Makina ustał, Lorlen uświadomił sobie, że zaciska palce na barierce balkonu. Jego serce wciąż nie mogło się uspokoić po reakcji na ostatnie chwile trwogi Wojownika.

– Administratorze?

Lorlen odwrócił się, by spojrzeć na Króla. Władca był blady, ale z jego twarzy można było wyczytać gniew i determinację.

– Słucham, Wasza Królewska Mość.

– Wezwij Mistrza Balkana.

– Tak jest, Wasza Królewska Mość.

Balkan natychmiast odpowiedział na mentalne wezwanie.

~ *Król chce cię widzieć w Pałacu.*

~ *Spodziewałem się tego. Już jestem w drodze.*

– Już jedzie – powiedział Lorlen.

Król skinął głową. Odwrócił się i wszedł do pałacowej wieży. Administrator udał się za nim i zamarł, kiedy przed oczami ujrzał nowy obraz z Fortu. Na gardle poczuł jakiś ostry kształt. Zmusił się do skupienia uwagi z powrotem na otaczającej go rzeczywistości i dostrzegł, że Doradcy Królewscy łapią się za szyje.

Król wbił w nich kolejno wzrok.

– Co się dzieje?

– Mistrz Makin jeszcze żyje – odpowiedział Mistrz Rolden.

Król chwycił maga za rękę i przycisnął ją sobie do czoła.

– Pokaż mi – rozkazał.

Obraz wysyłany przez Makina nadal obejmował Fort, widziany jednak od wewnątrz. Niewielki tłumek zwyczajnie odzianych Sachakan wybiegał z budynku, niektórzy z tych ludzi prowadzili limkopodobne zwierzęta.

Tuż nad głową Makina rozległ się jakiś głos.

– Doskonale. Powiedz im to. Będę...

– Kariko! Zobacz, co znalazłam! – zawołał kobiecy głos.

Pochodził on z wnętrza Fortu. Mag Gildii wywlókł się z korytarza i padł na kolana. Lorlen podskoczył, rozpoznając Mistrza Ferguna. *Oczywiście*, pomyślał. *Fergun został przecież odesłany...*

Makin poczuł zaskoczenie, a następnie gniew. Atak był tak szybki, że nie zauważył nieobecności ukaranego Wojownika.

Sachakanka w lśniącym płaszczu wyszła z budynku. Przystanęła obok Ferguna i spojrzała na Makina.

– Śliczny, nieprawdaż?

– Nie możesz go zatrzymać, Avalo – powiedział głos tuż przy uchu Makina.

– Jest *słaby*. Nie wierzę, że chciało im się go uczyć. Zapewne nie potrafi nawet podgrzać wody.

– Nie, Avalo. Może i jest słaby, ale potrafi wysyłać im informacje.

Kobieta nachyliła się i przejechała palcami po włosach Ferguna, po czym szybkim ruchem odchyliła jego głowę do tyłu.

– Mogę zniszczyć jego uszy. Wtedy nie będzie nas słyszał.

– Wypalisz też jego śliczne oczy?

Wydęła usta.

– Nie. To by go popsuło.

– Zabij go, Avalo. W Imardinie znajdziesz wielu pięknych mężczyzn.

Avala prychnęła i wzruszyła ramionami. Wyciągnęła nóż i przejechała ostrzem po gardle Ferguna. Wybałuszył oczy i usiłował się wyrwać, ale najwyraźniej był zbyt słaby. Kobieta położyła mu dłoń na gardle i chwilę później jego ciało opadło bezwładnie. Puściła je na ziemię.

Przeszła nad ciałem i zbliżyła się do Makina, ale wzrok miała wbity w znajdującego się za nim Sachakanina.

– Co teraz?

– Imardin – odpowiedział Kariko, przyciskając ostrze mocniej do gardła Makina. – Posłuchaj, magu. Przekaż swojej Gildii, że wkrótce się zobaczymy. Jeśli otworzą przede mną bramy, ocalą życie. W każdym razie niektórzy. Spodziewam się uroczystego powitania. Darów. Niewolników. Złota...

Nóż poruszył się. Moment bólu...

Lorlen jęknął, gdy wróciła do niego świadomość. *Straciliśmy dwudziestu magów w niecałą godzinę! Dwudziestu najznakomitszych Wojowników...*

– Usiądź, Administratorze.

Lorlen podniósł wzrok na Króla, którego głos brzmiał niespodziewanie łagodnie. Pozwolił zaprowadzić się do krzesła. Król i jego Doradcy usiedli naprzeciwko.

Król otarł czoło i westchnął.

– Nie tak chciałem się przekonać, że słowa Akkarina były prawdziwe.

– Nie – zgodził się Lorlen, mając wciąż przed oczami wspomnienie bitwy.

– Muszę teraz podjąć decyzję – ciągnął Król. – Albo pozwolę któremuś z moich magów nauczyć się czarnej magii albo wezwę Akkarina i poproszę go o pomoc. Co ty wybrałbyś, Administratorze?

– Wezwałbym Akkarina – odparł Lorlen.

– Dlaczego?

– Ponieważ wiemy, że powiedział nam prawdę.

– Ale czy na pewno? – spytał cicho Król. – Mógł przekazać nam tylko jej część. Może być sprzymierzeńcem tych magów.

– Po co w takim razie wysyłałby ostrzeżenie o zbliżającym się ataku?

– By nas zmylić. Powiedział, że zaatakują w najbliższych dniach, nie że dzisiaj.

Lorlen przytaknął.

– Mógł się po prostu pomylić. – Wychylił się do przodu i spojrzał władcy prosto w oczy. – Osobiście wierzę w uczciwość Akkarina. Wierzę, że nam pomoże, a potem, jeśli tego zażądamy, odejdzie. Po co mielibyśmy zmuszać kogoś do nauki czarnej magii, nie mając powodów, żeby go później wygnać, jeśli znamy kogoś, kto już posiadł tę sztukę.

– Ponieważ mu nie ufam.

Lorlen opuścił bezradnie ramiona. Na ten argument nie umiał znaleźć odpowiedzi.

– Zadałem to pytanie przełożonym dyscyplin – powiedział Król. – Zgadzają się ze mną. Osobiście wybrałbym do tego zadania Mistrza Sarrina, ale nie chcę podejmować decyzji za Gildię. Głosujcie nad tym.

Wstał i podszedł do otwartych drzwi prowadzących na balkon.

– Istnieje jeszcze jeden, bardziej praktyczny powód podjęcia takiej decyzji – ciągnął władca. – Akkarin przebywa w Sachace. Może nie zdołać dotrzeć tu na czas. Mistrz Sarrin uważa, że Sonea nauczyła się posługiwać czarną magią w tydzień, mimo że miała w tym czasie lekcje i inne zajęcia. Jeśli zatem mag całkowicie poświęci się temu zadaniu, powinien opanować tę sztukę szybciej. Ja... – Przerwało mu pukanie do drzwi. – Wejść.

Do pokoju wpadł chłopiec i przyklęknął na jedno kolano.

– Przybył Mistrz Balkan, Wasza Królewska Mość.

Król skinął głową i chłopiec wybiegł. Do środka wszedł Balkan i również przyklęknął.

– Powstań. – Król uśmiechnął się posępnie. – W samą porę, Mistrzu Balkanie.

– Pomyślałem, że możesz chcieć ze mną rozmawiać, Wasza Królewska Mość – odparł Balkan, podnosząc się. Zerknął na Lorlena i skłonił uprzejmie głowę. – Słyszałem, że Fort upadł.

– Owszem – odparł Król. – Postanowiłem zatem, że jeden z magów musi uzyskać zgodę na naukę czarnej magii. Gildia zgłosi kandydatów i w głosowaniu wybierze jednego z nich. Jeśli Sachakanie podejdą pod miasto, zanim wasz mag opanuje sztukę czarnej magii, będą musiały ich zająć posiłki, które wysłaliście do Fortu.

Lorlen wpatrywał się w Króla. Posyłał tych magów na pewną śmierć.

– Potrzebujemy ich tutaj, Wasza Królewska Mość, by wybrany mag mógł jak najszybciej zwiększyć swoją moc.

– Nie dostaną rozkazu atakowania Sachakan, dopóki nie okaże się, że konieczna jest zwłoka. – Król zwrócił się do Balkana. – Czy mógłbyś podsunąć jakąś inną strategię opóźniającą lub osłabiającą nieprzyjaciela?

Wojownik potaknął.

– Możemy wykorzystać fortyfikacje miasta. Każda przeszkoda, którą napotkają Sachakanie, pozbawi ich nieco mocy.

– A co z gwardią? Możemy się nimi jakoś posłużyć?

Balkan pokręcił przecząco głową.

– Obawiam się, że nietrudno byłoby zwrócić ich przeciwko nam.

Król zmarszczył brwi.

– W jaki sposób?

– Każda osoba niemagiczna, która ma w sobie ukryty potencjał, stanowi potencjalne źródło mocy. Sugerowałbym trzymanie wszystkich niemagicznych jak najdalej od pola bitwy.

– Może zatem powinienem ich odesłać z Imardinu?

Balkan zawahał się, po czym skinął głową.

– Jeśli to możliwe.

Król zaśmiał się krótko.

– Jak tylko rozniesie się wieść, że kilku sachakańskich czarnych magów zamierza zaatakować Imardin, miasto opustoszeje bez zachęty z mojej strony. Polecę gwardii utrzymywać porządek i zadbać o to, żeby wszystkie statki wypływające z Przystani miały na pokładzie rozsądną liczbę uciekinierów, a następnie odeślę również ich. Czy jest jeszcze coś, co powinniśmy zrobić?

Balkan pokręcił przecząco głową.

– Zostań tutaj. Chciałbym, żebyś przedyskutował kwestię fortyfikacji z gwardią – Król zwrócił się ponownie do

Lorlena. – Wracaj do Gildii, Administratorze, i zorganizuj wybór czarnego maga. Im szybciej ten człowiek rozpocznie naukę, tym lepiej będziemy przygotowani.

– Tak jest, Wasza Królewska Mość.

Lorlen wstał z krzesła, przyklęknął i wyszedł.

– Co teraz zamierzasz zrobić?

Rothen odwrócił się do Ravena. Szpieg miał ponurą minę.

– Nie mam pojęcia – wyznał Rothen. – Obawiam się, że nie mam po co zapuszczać się do Sachaki.

– Przekonanie się o istnieniu Ichanich nie było twoim jedynym celem. Możesz jeszcze poszukać Sonei.

– Tak. – Rothen spojrzał ku północnemu wschodowi. – Ale Gildia... Kyralia... do walki z tymi Sachakanami będzie potrzebny każdy mag. Sonea... Sonea może potrzebować mojej pomocy, ale poszukiwanie jej nie uratuje Kyralii.

Raven milcząco i z napięciem wpatrywał się w Rothena. Rothen czuł ból w piersi, jakby dwie siły ciągnęły go za serce.

Ichani istnieją, pomyślał. *Akkarin nie kłamał. Sonea nie została oszukana.* Poczuł, że ogarnia go uczucie ulgi na myśl o tym, że miała słuszne powody, by zrobić to, co zrobiła, nawet jeśli jej uczynki nie były dobre.

Sonea jest w Sachace. Ichani są tutaj. A zatem na razie zapewne jest bezpieczna. Jeśli pomogę Gildii, może będzie miała dokąd wrócić.

– Nie jadę dalej – powiedział głośno. – Wracam do Imardinu.

Raven potaknął.

– Możemy sprzedać wóz i towar w Calii i kupić za to dwa wypoczęte konie... jeśli posiłki nie zarekwirowały wszystkich.

Posiłki. Mistrz Yikmo i pozostali nie zdążyli jeszcze dotrzeć do Fortu. Wrócą zapewne do Imardinu, żeby dołączyć do Gildii.

– Równie dobrze mogę zatrzymać się w Calii i wrócić razem z nimi – powiedział Rothen.

Szpieg potwierdził.

– W takim razie tam rozejdą się nasze drogi. Praca z tobą była dla mnie zaszczytem, Mistrzu Rothenie.

Rothen zdobył się na ledwie dostrzegalny uśmiech.

– Miło mi było w twoim towarzystwie, Ravenie, wiele skorzystałem z twoich lekcji.

Szpieg prychnął, słysząc te słowa.

– Niezły z ciebie kłamca, Mistrzu Rothenie. – Wzruszył ramionami. – Ale czegoś cię nauczyłem. Szkoda tylko, że te lekcje na nic się nie zdadzą. Teraz musisz robić to, co jest twoim zadaniem jako maga. – Spojrzał mu prosto w oczy. – Bronić Kyralii.

Kiedy między drzewami pojawiła się maleńka chatka, Sonea uznała, że musi to być kolejna chłopska zagroda, ale Dorrien zszedł ze szlaku i z dumą wskazał na budyneczek.

– Mój dom.

Zatrzymał konia przed wejściem. Pozostali jeźdźcy przyglądali się niepewnie zsiadającym Akkarinowi i Sonei. Sonea poprowadziła swojego wierzchowca ku jednemu z nich.

– Dziękuję za pożyczenie – powiedziała.

Obrzucił ją podejrzliwym spojrzeniem, ale przejął od niej wodze. Wróciła do Akkarina i patrzyła, jak Dorrien dziękuje swoim towarzyszom i odsyła ich.

– Niepokoją się – powiedział Dorrien. – Najpierw eskortuję was z powrotem na granicę, zaraz potem widzą na drodze martwego Sachakanina, a ja zmieniam decyzję co do waszej dwójki.

– Co im powiedziałeś? – spytał Akkarin.

– Że zostaliśmy napadnięci, a wy nas uratowaliście. A w związku z tym uznałem, iż zasługujecie na odpoczynek przez noc i posiłek, oraz że będę wdzięczny, jeśli zachowają to dla siebie.

– Zrobią tak?

– Nie są głupi. Czują, że dzieje się coś ważnego, nawet jeśli nie znają szczegółów. Ale zrobią, jak im kazałem.

Akkarin potaknął.

– Jesteśmy ich dłużnikami. Gdyby nie złapali koni i nie wrócili po nas, nadal byśmy szli piechotą. To wymagało odwagi.

Dorrien pokiwał głową.

– Wejdźcie do środka. Drzwi nie są zamknięte. Jeśli jesteście głodni, mam trochę świeżego chleba i kociołek wczorajszej zupy. Wrócę do was, kiedy tylko oporządzę mojego konia.

Sonea weszła za Akkarinem przez drzwi chatynki. Znaleźli się w izbie szerokiej na cały budynek. Wzdłuż jednej ściany stała ława i półki. Spoglądając na kosze z jarzynami i owocami oraz garnki i inne przedmioty na półkach, Sonea domyśliła się, że tu Dorrien przygotowuje swoje posiłki. Poza tym w pomieszczeniu stało kilka drewnianych krzeseł i spory, niski stół. Pozostałe ściany również były zabudowane półkami, zastawionymi dzbanami, butlami, pudełkami i książkami.

Dwoje drzwi prowadziło do dalszych pomieszczeń. Jedne z nich były uchylone i widać było przez nie niepościelone łóżko.

Akkarin podszedł do ławy kuchennej, Sonea zaś usiadła na jednym z krzeseł, rozglądając się uważnie po izbie. *Strasz-ny tu bałagan*, pomyślała. *Zupełnie inaczej niż w mieszkaniu Rothena.*

Ogarnął ją dziwaczny spokój. Obrazy, które Makin wysłał z Fortu były przerażające, ale teraz, kilka godzin później, czuła jedynie śmiertelne znużenie. Ale również szczególny rodzaj ulgi.

Wiedzą już, myślała. *Gildia... Rothen... wszyscy... wszyscy wiedzą, że mówiliśmy prawdę.*

Nie wydaje się, że mogłoby to teraz wiele pomóc.

– Głodna?

Podniosła wzrok na Akkarina.

– Głupie pytanie.

Wziął dwie miski, do obu nalał zupy z kociołka i odłamał po grubej pajdzie z wielkiego bochna leżącego na ławie. Z misek zaczęła unosić się para, kiedy niósł je do stołu.

– Prawdziwe jedzenie – mruknęła Sonea do Akkarina, biorąc od niego jedną z misek. – Nie żebym narzekała na twoją kuchnię – dodała. – Ale miałeś niewiele składników.

– Owszem, a poza tym nie mam talentu Takana.

– Nawet Takan nie poradziłby sobie lepiej w tamtych warunkach.

– Zdziwiłabyś się. Jak myślisz, dlaczego Dakova trzymał go tak długo przy życiu?

Jedli w milczeniu, smakując ten prosty posiłek. Dorrien wszedł do izby w chwili, gdy Sonea odstawiała pustą miskę. Spojrzał na nią z uśmiechem.

– Dobre?

Potaknęła.

Uzdrowiciel opadł na krzesło.

– Powinieneś się przespać – zauważył Akkarin.

– Wiem – odparł Dorrien – ale chyba nie dam rady. Zbyt wiele pytań. – Pokręcił głową. – Ten mag… jak udało wam się przejść przez Przełęcz, skoro on jej pilnował?

– Małe oszustwo – odrzekł Akkarin. Zaczął opowiadać, a Sonea przyglądała mu się uważnie. Miała wrażenie, że się zmienił. Przestał być wyniosły i niedostępny. – Myślałem, że Parika wszedł do Kyralii zamierzając nas odnaleźć, ale kiedy Fort został zaatakowany, domyśliłem się, że był to element inwazji.

– Był niewiarygodnie mocny – Dorrien zerknął na Soneę. – Jak go powstrzymałaś?

Poczuła, że krew napływa jej do twarzy.

– Zmiażdżyłam jego serce. Za pomocą magii leczniczej.

Dorrien wyglądał na zaskoczonego.

– Nie opierał się?

– Ichani nie znają uzdrawiania, nie wiedział więc, że mogę go w ten sposób skrzywdzić. – Wzdrygnęła się. – Nie przypuszczałam, że kiedykolwiek zrobię coś takiego innemu człowiekowi.

– Na twoim miejscu uczyniłbym to samo. On usiłował cię przecież zabić. – Przeniósł wzrok na Akkarina. – Czy Parika był jedynym Sachakaninem na Przełęczy?

– Tak. Co nie znaczy, że inni się tu nie pojawią.

– Powinienem ostrzec miejscową ludność.

Akkarin przytaknął.

– Ichani żerują na osobach niemagicznych, zwłaszcza takich, które mają ukryty potencjał.

Uzdrowiciel otworzył szeroko oczy.

– W takim razie będą polować na chłopów i mieszkańców wiosek na całej drodze z Fortu do Imardinu.

– Jeśli Gildia będzie działać rozsądnie, to ewakuują wszystkie farmy i wioski leżące po drodze. Kariko jednak nie pozwoli pozostałym Ichanim marnować zbyt wiele czasu na podróż. Będzie się bał, że Gildia może zmienić zdanie w kwestii Sonei i mnie, i pozwolić nam na powrót. Mógłbym się wtedy wzmocnić wystarczająco szybko, żeby stawić mu czoła.

Dorrien wpatrywał się w Akkarina w milczeniu. Wyglądało na to, że toczy z sobą wewnętrzną walkę. Przeniósł spojrzenie na Soneę.

– Co się stanie, jeśli Gildia nie pozwoli wam wrócić? Co będą mogli zrobić?

Akkarin potrząsnął głową.

– Nic. Nawet jeśli mnie wezwą i pozwolą mi posłużyć się czarną magią, nie mam czasu, żeby zyskać tyle mocy co ośmiu Ichanich. Gdybym był nadal Wielkim Mistrzem, rozkazałbym Gildii opuścić Imardin. Nauczyłbym kilku wybranych czarnej magii, powrócił i odbił Kyralię.

Dorrien spoglądał na niego z przerażeniem na twarzy.

– Porzuciłbyś Kyralię?

– Tak.

– *Musi* istnieć inny sposób. – Akkarin pokręcił przecząco głową. – Mimo to wróciłeś. Po co miałbyś to robić, gdybyś nie zamierzał walczyć?

Akkarin uśmiechnął się słabo.

– Nie spodziewam się zwycięstwa.

Dorrien przeniósł wzrok na Soneę. Niemal słyszała jego myśli: *Ty też tak myślisz, prawda?*

– Co zamierzasz zrobić? – spytał cicho.

Akkarin zmarszczył brwi.

– Nie zdecydowałem jeszcze. Miałem nadzieję, że uda mi się powrócić w tajemnicy do Imardinu i zaczekać, aż Gildia mnie wezwie.

– Wciąż możemy to zrobić – wtrąciła się Sonea.

– Nie mamy koni ani pieniędzy. Bez tego nie dotrzemy do Imardinu wcześniej niż Ichani.

Dorrien uśmiechnął się niepewnie.

– Mógłbym wam w tym pomóc.

– Złamałbyś rozkazy Gildii?

Uzdrowiciel kiwnął głową.

– Tak. Co zrobisz, kiedy już dotrzesz do miasta?

– Zaczekam, aż Gildia wezwie mnie do powrotu.

– A jeśli tego nie zrobi?

Akkarin westchnął.

– Wtedy nie będę mógł już nic uczynić. Zaczerpnąłem dziś nieco mocy od Pariki, ale to nie wystarczy, by zmierzyć się z Ichanimi.

Sonea pokręciła głową.

– Dziś rano też nie byliśmy gotowi do walki z Ichanim, a mimo to udało nam się go zabić. Czemu nie zrobimy tak samo z pozostałymi? Możemy udawać wyczerpanie, pozwolić się złapać, a następnie użyć naszej mocy uzdrowicielskiej, żeby ich pozabijać.

Akkarin zamyślił się.

– To bardzo ryzykowne. Nigdy nie doświadczyłaś czerpania od ciebie mocy. Kiedy to się już zacznie, nie jesteś w stanie posługiwać się nią. Nie dasz rady wykorzystać w tym samym czasie magii uzdrawiającej.

– W takim razie będziemy musieli działać szybko.

Akkarin sposępniał.

– Pozostali Ichani zorientują się, co robisz. Nawet jeśli nie zrozumieją, jak to się stało, będą ostrożni. Wtedy wystarczy cienka bariera nałożona na skórę, żebyś nie mogła posłużyć się wobec nich uzdrawianiem.

– A zatem nie możemy dopuścić do tego, żeby się zorientowali. – Sonea wychyliła się ku niemu. – Będziemy brać ich z zaskoczenia, kiedy będą sami.

– A co jeśli zawsze będą razem?

– Będziemy musieli skłonić ich do rozłączenia się.

Akkarin rozmyślał nad tym.

– Nie są przyzwyczajeni do poruszania się po mieście, a slumsy stanowią niezły labirynt.

– Moglibyśmy skorzystać z pomocy Złodziei.

Dorrien rzucił jej spojrzenie spod zmrużonych powiek.

– Rothen mówił, że zerwałaś z nimi wszelkie kontakty.

Skrzywiła się, słysząc to imię.

– Jak on się miewa?

– Nie miałem od niego wiadomości, odkąd Lorlen zakazał komunikacji mentalnej – odparł Dorrien, zerkając na Akkarina. – Będzie szczęśliwy, jeśli dowie się, że jeszcze żyjesz, Soneo. Jeśli przekażę Gildii, że was widziałem, mogę im także powiedzieć, że oferujecie pomoc.

– Nie. – Akkarin wyglądał na zamyślonego, wzrok miał utkwiony gdzieś w oddali. – Jeśli mamy zaskoczyć Ichanich w mieście, nie mogą wiedzieć, że tam jesteśmy. Jeśli się dowiedzą, zbiorą się razem, by nas wyśledzić.

Dorrien wyprostował się.

– Gildia utrzyma waszą obecność…

– A Ichani wyczytają wszystko z umysłu pierwszego maga, którego dopadną. – Akkarin rzucił Dorrienowi posępne spojrzenie. – Jak myślisz, gdzie ja się nauczyłem tej sztuczki?

Dorrien pobladł.

– Och.

– Gildia nie może wiedzieć, że jesteśmy w mieście – powtórzył Akkarin z naciskiem. – A zatem ty nie możesz im wyjawić, że nas spotkałeś, nie możesz też poinformować ich o walce z Pariką. Im mniej osób będzie wiedzieć o naszym powrocie, tym większe mamy szanse, że Ichani nie odkryją naszych planów.

– Och, czyżbyśmy wreszcie mieli jakiś plan? – spytała Sonea.

Akkarin uśmiechnął się do niej.

– W każdym razie jakiś zaczątek. Twoje pomysły mogą się sprawdzić, aczkolwiek zapewne nie w stosunku do Kariko. Dakova nauczył się ode mnie uzdrawiania, ale zachował tę umiejętność w sekrecie. Nie jestem pewny, czy nauczyłby jej nawet własnego brata, ale nawet jeśli nie, Kariko mógł słyszeć, że coś takiego jest możliwe, a w takim razie na pewno rozważał użycie tego jako broni.

– Będziemy zatem unikać Kariko – oznajmiła Sonea. – Zostaje nam siedmiu Ichanich do zabicia. To da nam zajęcie na dość długo.

Dorrien zaśmiał się.

– Wygląda na to, że macie plan. Może uda mi się też wtrącić słówko, kiedy Gildia będzie dyskutować o strategii. Czy jest coś, co chcielibyście, żebym im przekazał...?

– Nie wydaje mi się, by jakiekolwiek twoje słowa przekonały ich do ukrycia się – odparł Akkarin.

– Mogliby to zrobić po walce, kiedy będą już wyczerpani – zauważyła Sonea.

Akkarin potaknął.

– Podpowiedz im, żeby skupiali moc na jednym Ichanim. Sachakanie nie nawykli do pomagania sobie i wzajemnego wspierania się. Nie umieją nawet osłaniać się razem.

Dorrien skinął głową.

– Coś jeszcze?

– Zastanowię się po drodze. Im szybciej wyruszymy, tym lepiej.

Uzdrowiciel wstał.

– Pójdę osiodłać konia i pojadę po wierzchowce dla was.

– A możesz nam też przywieźć nowe ubranie? – spytała Sonea.

– Powinniśmy podróżować w przebraniu – dodał Akkarin. – Strój służących byłby najlepszy, ale cokolwiek zwyczajnego wystarczy.

Dorrien uniósł brwi.

– Zamierzacie udawać moich służących?

Sonea pogroziła mu palcem.

– Tak. Ale nie przyzwyczajaj się do tego.

ROZDZIAŁ 29

DZIEDZICTWO PRZESZŁOŚCI

Kiedy Lorlen powstał ze swojego miejsca, w Radzie Gildii zapanowała całkowita cisza.

– Zwołałem to Posiedzenie na życzenie Króla. Jak zapewne wiecie, Fort został wczoraj zaatakowany, a jego obrona przełamana przez ośmiu sachakańskich magów. Z dwudziestojednoosobowej załogi Wojowników przeżyli zaledwie dwaj.

Zgromadzeni zaczęli szeptać. Informacja, że dwu Wojownikom udało się uciec z Fortu była jedyną dobrą wieścią, jaką Lorlen otrzymał tego dnia.

– Wygląda na to, że przynajmniej część opowieści i przepowiedni byłego Wielkiego Mistrza jest prawdą. Zostaliśmy zaatakowani przez sachakańskich magów posiadających niezwykłą moc. Magów, którzy posługują się czarną magią.

Lorlen urwał i rozejrzał się po sali.

– Nie możemy wykluczyć, że jest nas za mało i że jesteśmy zbyt słabi, żeby obronić Krainy Sprzymierzone. W tej sytuacji Król poprosił o okresowe zawieszenie obowiązujących praw. Zażądał, byśmy wybrali spośród nas jednego maga, którego uznamy za bezwzględnie godnego zaufania, i pozwolili mu nauczyć się czarnej magii.

Salę wypełnił gwar. Lorlen widział, że reakcje są różne. Jedni głośno protestowali, inni wyglądali na pogodzonych z losem.

– Proszę o zgłaszanie teraz kandydatur – zawołał, przekrzykując wrzawę. – Rozważcie je ostrożnie. Działalność tego maga będzie ograniczona szczegółowymi regułami. Będzie on musiał pozostać na terenie Gildii przez resztę życia. Nie obejmie żadnego stanowiska. Nie będzie mu wolno nauczać. Te przepisy mogą okazać się jeszcze bardziej restrykcyjne, jeśli weźmiemy pod uwagę konsekwencje utworzenia takiej funkcji. – Lorlen z zadowoleniem stwierdził, że żaden z magów nie kwapił się do zgłoszenia własnej kandydatury. – Czy są jakieś pytania?

– Czy Gildia może odmówić wykonania tego rozkazu? – zawołał jakiś głos.

Lorlen pokręcił przecząco głową.

– To rozkaz królewski.

– Rada Starszych nigdy się na to nie zgodzi! – odezwał się lonmarski mag.

– Zgodnie z Przymierzem król Kyralii ma obowiązek podjąć wszelkie starania, aby zabezpieczyć Krainy Sprzymierzone przed zagrożeniem magicznym – odpowiedział mu Lorlen. – Starszyzna i ja dyskutowaliśmy o tym z Królem niejeden raz. Uwierzcie mi, Król nie podjąłby tej decyzji, gdyby widział lepsze rozwiązanie.

– A co z Akkarinem? – spytał ktoś inny. – Dlaczego nie każemy mu wrócić?

– Ponieważ Król uważa przedstawione wam rozwiązanie za rozsądniejsze – odparł sztywno Administrator.

Nie było więcej pytań. Lorlen skinął głową.

– Macie pół godziny na zastanowienie. Jeśli chcecie zgłosić czyjąś kandydaturę, podajcie ją Mistrzowi Osenowi.

Obserwował, jak magowie wstają z krzeseł i zbierają się w małych grupkach, żeby omówić królewskie rozkazy. Niektórzy od razu podchodzili do Osena. Starszyzna zachowywała milczenie. Zdawało się, że czas biegł wolniej niż zwykle. Kiedy minęło pół godziny, Lorlen wstał i uderzył w gong znajdujący się koło jego krzesła.

– Usiądźcie, proszę.

Kiedy magowie wrócili na swoje miejsca, Osen podszedł do Lorlena.

– Zapowiada się interesująco – mruknął Rektor Jerrik. – Ciekawe, któż ich zdaniem jest godny tego wątpliwego zaszczytu.

Osen wzruszył ramionami.

– Żadnych niespodzianek. Proponują Mistrza Sarrina, Mistrza Balkana, Mistrzynię Vinarę i… – spojrzał na Lorlena – Administratora Lorlena.

– Mnie?! – wykrzyknął Lorlen, nim się otrząsnął z zaskoczenia.

– Owszem – Osen wyglądał na rozbawionego. – Wiesz, jesteś bardzo popularny. Jeden z magów zasugerował, że powinno się tym obarczyć któregoś z Królewskich Doradców.

– Ciekawy pomysł – zaśmiał się Balkan, po czym z rozmysłem uniósł wzrok ku najwyższym rzędom. Mistrz Mirkan spoglądał na niego stamtąd; jego twarz przestała wyrażać uwagę, a zaczęła niepokój. – Niech Król zmierzy się z konsekwencjami swej decyzji.

– Bez trudu znalazłby sobie kolejnego Doradcę – wtrąciła trzeźwo Vinara. Spojrzała na Lorlena. – Możemy to wreszcie załatwić?

Lorlen przytaknął i zwrócił się do sali:

– Oto kandydatury do funkcji… czarnego maga: Mistrz Sarrin, Mistrz Balkan, Mistrzyni Vinara i ja. – *Chyba mnie*

nie wybiorą, pomyślał. *A jeśli tak, to co?* – Nominowani wstrzymają się od głosu. Proszę wysłać kule świetlne.

Setki światełek poszybowały pod sklepienie. Lorlen czuł, że serce zaczyna mu bić szybciej. Nie potrafił wyrzucić z myśli słów Osena: *Wiesz, jesteś bardzo popularny.* Perspektywa utraty stanowiska Administratora i nauczenia się tego, co nawet Akkarin uznał za złą magię, przeszywała go lękiem.

– Osoby pragnące wyboru Mistrza Sarrina proszone są o zmianę koloru kul na fioletowy. Ci, którzy głosują na Mistrza Balkana, niech zabarwią je na czerwono. Głosujący na Mistrzynię Vinarę, na zielono. – Urwał i przełknął ślinę. – Na mnie, na niebiesko.

Niektóre kule zalśniły kolorami, nim Lorlen skończył mówić – magowie domyślili się, że będą one odpowiadały barwom szat. Powoli wszystkie kule zmieniły kolor.

Dość wyrównane, pomyślał Lorlen. Zaczął liczyć…

– Sarrin – oznajmił Balkan.

– Owszem, mnie też tak wychodzi – potwierdziła Vinara. – W każdym razie ty zająłeś drugie miejsce.

Lorlen odetchnął z ulgą, widząc, że mają rację. Spojrzał na Sarrina i poczuł przypływ współczucia. Stary mag wyglądał blado i niezdrowo.

– Mistrz Sarrin został naszym obrońcą – oznajmił Lorlen. Przyglądając się zebranym dokładniej, dostrzegł na większości twarzy niechętną akceptację. – W związku z tym będzie musiał złożyć urząd przełożonego Alchemików i natychmiast rozpocząć naukę czarnej magii. Zamykam Posiedzenie.

– Obudź się, mała Soneo.

Zaskoczona Sonea zdała sobie nagle sprawę, gdzie się znajduje. Ze zdumieniem zorientowała się, że jej koń stanął. Rozejrzała się dookoła i zobaczyła, że Dorrien przygląda jej się z dziwacznym wyrazem twarzy. Zatrzymali się obok drogi wiodącej do zagrody, a Akkarina nie było nigdzie widać.

– Wybrał się po jedzenie – wyjaśnił Dorrien.

Skinęła głową i potarła twarz. Kiedy ponownie spojrzała na Dorriena, nadal obserwował ją w zamyśleniu.

– O czym myślisz? – spytała.

Odwrócił wzrok i uśmiechnął się krzywo.

– Myślałem o tym, że powinienem był cię porwać z Gildii, kiedy był jeszcze na to czas.

Poczuła znajome ukłucie winy.

– Gildia by ci nie pozwoliła. *Ja* bym ci nie pozwoliła.

Uniósł brwi.

– Nie?

– Nie. – Unikała jego wzroku. – Zajęło mi dużo czasu, by się zdecydować na pozostanie i naukę magii. Trzeba by znacznie więcej, żebym zmieniła zdanie.

Zawahał się.

– A czy... czy przynajmniej czułabyś pokusę?

Pomyślała o tym dniu, kiedy wybrali się do źródła i on ją pocałował – i nie potrafiła powstrzymać się od uśmiechu.

– Troszkę. Ale ledwie cię znałam, Dorrienie. Kilka tygodni to za mało, żeby być czegokolwiek pewnym.

Uniósł wzrok ponad jej ramię. Odwróciła się – Akkarin właśnie do nich podjeżdżał. Niewielkie były szanse, by Akkarina w prostym odzieniu i z krótką brodą ktoś rozpoznał. Niemniej każdy, kto by się lepiej przyjrzał, zorientowałby się, że jest doskonałym jeźdźcem. Musi mu to powiedzieć.

– A teraz jesteś pewna?

Spojrzała znowu na Dorriena.

– Tak.

Wypuścił powoli powietrze z płuc i pokiwał głową. Sonea jeszcze raz spojrzała na Akkarina. Miał ponury i zacięty wyraz twarzy.

– *Jego* trzeba było długo przekonywać – dodała.

Dorrien omal się nie zakrztusił. Odwróciła się, przeklinając samą siebie za tak bezmyślną uwagę, która tylko go rozbawiła.

– Biedny Akkarin! – powiedział Dorrien, potrząsając głową. Uczynił to ponownie, po tym jak zerknął na nią ukradkiem. – Będzie z ciebie kiedyś przerażająca kobieta.

Sonea wpatrywała się w niego, czując, że zalewa ją rumieniec. Rozpaczliwie usiłowała odpowiedzieć jakąś ciętą uwagą, ale nic nie przychodziło jej do głowy. Tymczasem Akkarin dojechał do miejsca, gdzie się zatrzymali, i zrezygnowała.

Podając jej bułkę, Akkarin spojrzał na nią uważnie. Po raz kolejny poczuła, że się rumieni. Uniósł brwi i zamyślonym wzrokiem popatrzył na Dorriena. Uzdrowiciel uśmiechnął się, spiął konia piętami i ruszył przed siebie.

Zjedli po drodze. Po godzinie przybyli do niewielkiej wioski. Sonea i Akkarin zsiedli z koni, podali wodze Dorrienowi, który oddalił się w poszukiwaniu nowych wierzchowców.

– Cóż tak omawialiście z Dorrienem? – spytał Akkarin.

Odwróciła się do niego.

– Omawialiśmy?

– Pod tą zagrodą, kiedy pojechałem kupować jedzenie.

– Och, wtedy. Nic takiego.

Uśmiechnął się i pokiwał głową.

– Nic takiego. Cóż za fascynujące zagadnienie. Wyzwala w ludziach zastanawiające reakcje.

Rzuciła mu chłodne spojrzenie.

– Może to uprzejmy sposób poinformowania cię, że to nie twoja sprawa?

– Skoro tak twierdzisz.

Lekko ją zirytowała jego mina, która sugerowała wszechwiedzę. Czyżby tak łatwe było odczytanie jej uczuć? *No, ale skoro ja potrafię teraz odgadywać jego nastroje, to on zapewne nie ma problemu z moimi.*

Akkarin ziewnął i przymknął oczy. Kiedy znów je otworzył, zaczął bacznie wszystko obserwować. *Kiedy ostatnio spaliśmy?* – pomyślała. *Chyba tego poranka, kiedy przemknęliśmy się przez Przełęcz. A może jeszcze dawniej? Kilka godzin snu każdego dnia. I to głównie w pierwszej połowie naszej podróży. Akkarin wtedy nie spał w ogóle...*

– Nie miewałeś ostatnio koszmarów – powiedziała nagle.

Zmarszczył brwi.

– Nie.

– O czym śniłeś?

Rzucił jej groźne spojrzenie i natychmiast pożałowała tego pytania.

– Przepraszam – powiedziała. – Nie powinnam była pytać.

Akkarin wziął głęboki oddech.

– Nie, to ja powinienem ci opowiedzieć. Często śnię o czasie, kiedy byłem niewolnikiem. Zwłaszcza o wydarzeniach związanych z jedną osobą – urwał. – O pewnej niewolnicy Dakovy.

– Tej, która pomogła ci na samym początku?

– Tak – odpowiedział cicho. Zamilkł i odwrócił wzrok. – Kochałem ją.

Sonea zamrugała ze zdziwienia. Akkarin i niewolnica? *Kochał* ją? *Kochał inną?* Czuła rosnący niepokój, irytację, a później ukłucie winy. Czyżby była zazdrosna o dziewczynę, która nie żyła od wielu lat? To przecież śmieszne.

– Dakova dowiedział się o tym – Akkarin podjął opowieść. – Nie mieliśmy odwagi, by zbliżyć się do siebie. Zabiłby nas, gdybyśmy to zrobili. I tak starał się nam uprzykrzać życie, jak tylko mógł. Ona była... wykorzystywał ją do swoich przyjemności.

Sonea wzdrygnęła się, kiedy zaczęła sobie uzmysławiać, jak to musiało wyglądać. Widzieć kogoś codziennie i nie móc go nawet dotknąć. Patrzeć, jak ukochana osoba jest poddawana torturom. Nie potrafiła sobie wyobrazić, co czuł, patrząc na cierpienia tej dziewczyny.

Akkarin westchnął.

– Zdarzało się, że co noc śniła mi się jej śmierć. W moich snach mówię jej, że odwrócę uwagę Dakovy, żeby mogła uciec. Powtarzam, że nie pozwolę, by ją znalazł. Ale ona mnie nie słucha. Ona zawsze do niego idzie.

Sonea wyciągnęła rękę i dotknęła jego dłoni. Zacisnął ją wokół jej palców.

– Powiedziała mi, że niewolnicy uważają służbę magowi za zaszczyt. Mówiła, że poczucie honoru czyni życie niewolnika łatwiejszym do zniesienia. Potrafiłem zrozumieć, że mogą tak myśleć, kiedy nie mają wyboru, ale nie kiedy mogą wybierać... albo kiedy wiedzą, że pan zamierza ich zabić.

Sonea przypomniała sobie Takana, który nazywał Akkarina „panem" i który obchodził się ceremonialnie ze sztyletem Ichanich, podając go Akkarinowi na wyciągniętych nadgarstkach, tak jakby oddawał coś więcej niż tylko ostrze. Może tak właśnie było.

– Takan nigdy nie wyzbył się tego sposobu myślenia, prawda? – zapytała cicho.

Akkarin spojrzał na nią.

– Nie – odpowiedział. – Nie potrafił odrzucić zwyczajów, którym był wierny przez całe życie. – Umilkł i zaśmiał się cicho. – Choć wydaje mi się, że przez ostatnie kilka lat trwał przy tych rytuałach tylko po to, by mnie irytować. Wiem, że za nic nie wróciłby z własnej woli do tamtego życia.

– A mimo to pozostał z tobą i nie pozwolił, byś nauczył go magii.

– Nie, ale istniały też praktyczne powody. Takan nie mógł wstąpić do Gildii. Zadawano by zbyt wiele pytań. Nawet gdybyśmy wymyślili dla niego jakąś historyjkę z przeszłości, byłoby mu trudno uniknąć wszystkich lekcji, które wymagają wymiany myśli. A uczenie go magii w sekrecie byłoby zbyt ryzykowne. Gdyby wrócił do Sachaki, nie miałby szans na przeżycie bez znajomości czarnej magii. A nie sądzę, by zdecydował się na posiadanie tej wiedzy w tamtym miejscu. W Sachace istnieją jedynie panowie i niewolnicy. By przeżyć jako pan, potrzebowałby własnych niewolników.

Sonea wzdrygnęła się.

– Sachaka to chyba dość okropne miejsce.

Akkarin wzruszył ramionami.

– Nie każdy pan jest okrutnikiem. Ichani to wyrzutkowie. Magowie, których Król wygnał z miasta, i to nie tylko z powodu wygórowanych ambicji.

– W jaki sposób królowi udało się zmusić ich do odejścia?

– Jego własna moc jest spora, a poza tym ma zwolenników.

– Król Sachaki jest magiem?!

– Owszem – odparł Akkarin z uśmiechem. – Tylko w Krainach Sprzymierzonych prawo zabrania magom być władcami, a nawet wywierać znaczący wpływ na politykę.

– Nasz Król wie o tym?

– Owszem, choć nie zdawał sobie sprawy, jak bardzo potężni są sachakańscy magowie. No a teraz już wie.

– Co król Sachaki sądzi o najeździe Ichanich na Kyralię?

Akkarin zamyślił się.

– Nie wiem. Gdyby był świadom planów Kariko, pewnie by ich nie pochwalał, ale też chyba zakładał, że nic nigdy z tego nie wyjdzie. Ichani zawsze byli zanadto uwikłani w walki między sobą, by udało im się zawiązać jakikolwiek sojusz. Ciekawie będzie obserwować, co zrobi Król Sachaki na wieść o tym, że ościenny kraj jest rządzony przez Ichanich.

– Pomoże nam?

– Och, nie. – Akkarin zaśmiał się ponuro. – Zapominasz, jak bardzo Sachakanie nienawidzą Gildii.

– Z powodu wojny? Przecież to było bardzo dawno temu.

Akkarin odwrócił głowę i spojrzał ku górom. Sonea podążyła wzrokiem w tym samym kierunku. Zaledwie kilka dni temu znajdowali się po drugiej stronie tego poszarpanego grzbietu.

– To była wojna magów – mruknął Akkarin. – Wysyłanie niemagicznych armii przeciwko magom, a zwłaszcza czarnym magom, jest zawsze bezsensowne. Sachaka została pokonana przez kyraliańskich magów, którzy następnie szybko wrócili do swoich bogatych rezydencji. Wiedzieli, że imperium sachakańskie w końcu podniesie się z gruzów i znowu będzie zagrożeniem, spustoszyli więc wielki pas ziemi, żeby zubożyć kraj nieprzyjaciela. Gdyby część magów Gildii zamieszkała w Sachace, wyzwoliła niewolników i pokazała, że można wykorzystywać swoją moc, żeby pomagać ludziom, Sachakanie może staliby się państwem bardziej pokojowo nastawionym, ceniącym sobie wolność, a my dziś nie znaleźlibyśmy się w sytuacji zagrożenia.

– Rozumiem – powiedziała powoli Sonea – ale rozumiem też, dlaczego się tak nie stało. Z jakiego powodu Gildia miałaby chcieć pomagać zwykłym Sachakanom, skoro nie pomaga zwykłym Kyralianom?

Akkarin wpatrzył się w nią badawczo.

– Niektórzy pomagają. Na przykład Dorrien.

Sonea wytrzymała jego spojrzenie.

– Dorrien to wyjątek. Gildia mogłaby robić znacznie więcej.

– Nie możemy nic zrobić, jeśli nie ma chętnych do takiej pracy.

– Ależ możecie.

– Zmusiłabyś magów, by robili coś wbrew swojej woli?

– Tak.

Uniósł brwi.

– Wątpię, czy udałoby ci się przekonać ich do współpracy.

– Może powinno się dla zachęty obciąć im dochody.

Akkarin uśmiechnął się.

– Poczuliby, że są traktowani jak służący. Nikt nie posłałby swoich dzieci do Gildii, gdyby oznaczało to taką pracę jak w niższych warstwach.

– Nikt z Domów – poprawiła go Sonea.

Akkarin zamrugał i roześmiał się.

– Wiedziałem, że będziesz wywierać zgubny wpływ na Gildię, kiedy tylko postanowiła cię uczyć. Powinni być mi wdzięczni za to, że cię im zabrałem.

Otworzyła usta, żeby coś powiedzieć, ale zrezygnowała, widząc zbliżającego się Dorriena. Dosiadał nowego konia i prowadził dwa inne.

– Nie są najlepsze – powiedział, podając im wodze – ale musimy się nimi zadowolić. Magowie z całego kraju zmierzają do Imardinu, i w zajazdach zaczyna brakować wypoczętych koni.

Akkarin skinął głową z ponurym wyrazem twarzy.

– W takim razie musimy się pospieszyć, nim w ogóle ich braknie. – Podszedł do jednego z wierzchowców i wskoczył na siodło. Sonea podciągnęła się na grzbiet drugiego. Wsuwając nogi w strzemiona, przyglądała się uważnie Akkarinowi. Nazwał jej wpływ zgubnym, ale nie wyglądało na to, że nie pochwala jej poglądów. Być może nawet zgadzał się z nią.

Ale czy ma to jakiekolwiek znaczenie? Za kilka dni może nie być Gildii, a biedacy przekonają się, że może ich spotkać coś gorszego niż Czystka.

Sonea wzdrygnęła się i odepchnęła od siebie tę myśl.

Dannyl uznał, że korytarz w Domu Magów jest niemal tak zatłoczony jak gmach Uniwersytetu podczas przerwy południowej. Idąc z Yaldinem, mijał grupki magów, ich żon, mężów i dzieci. Wszyscy dyskutowali o Posiedzeniu.

Kiedy dotarli do drzwi mieszkania Yaldina, starszy mag spojrzał na Dannyla i westchnął.

– Może wpadniesz na filiżankę sumi? – spytał.

Dannyl skinął głową.

– Jeśli Ezrille nie będzie miała nic przeciwko.

Yaldin zaśmiał się.

– Ona lubi powtarzać ludziom, że to ja rządzę w domu, ale ja, Rothen i ty wiemy, jak jest naprawdę.

Otworzył drzwi i wpuścił Dannyla do salonu. Ezrille siedziała w jednym z foteli, ubrana w suknię z lśniącego błękitnego materiału.

– Krótkie było to Posiedzenie – zauważyła, marszcząc brwi.

– Owszem – odparł Dannyl. – Pięknie wyglądasz, Ezrille.

Uśmiechnęła się, a wokół jej oczu pojawiły się zmarszczki.

– Powinieneś częściej nas odwiedzać, Dannylu. – Potrząsnęła głową. – Nie mogę uwierzyć, że z takimi manierami jeszcze nie znalazłeś żony. Sumi?

– Poproszę.

Wstała i zajęła się filiżankami i wodą. Dannyl i Yaldin usiedli. Na czole starego maga zarysowała się głęboka bruzda.

– To niewiarygodne, że zgodzili się na użycie czarnej magii.

Dannyl potaknął.

– Lorlen twierdzi, że *część* opowieści Akkarina okazała się prawdą.

– Ta najgorsza.

– Owszem, ale zastanawiam się, czy to oznacza, że część jego historii okazała się *nieprawdziwa*?

– Która?

– Zdecydowanie nie ta o inwazji czarnych magów z Sachaki – powiedziała Ezrille, stawiając na stoliku tacę z filiżankami. – Co teraz zrobi Rothen? Nie musi już jechać do Sachaki.

– Zapewne wróci do miasta. – Dannyl wziął podaną mu filiżankę i pociągnął łyk parującego naparu.

– Chyba że postanowi jednak się tam zapuścić w poszukiwaniu Sonei.

Dannyl się zasępił. *Rothen byłby skłonny to właśnie uczynić...*

Wszyscy podnieśli oczy, słysząc pukanie do drzwi. Yaldin machnął ręką i drzwi się uchyliły. Stanął w nich posłaniec, ukłonił się i obrzucił pokój spojrzeniem, a gdy zobaczył Dannyla wszedł do środka.

– Ambasadorze, przybył jakiś człowiek, który pragnie się z tobą widzieć. Wszystkie pokoje gościnne są zajęte, więc zaprowadziłem go do twojego mieszkania.

Ktoś z wizytą? Dannyl odstawił filiżankę i podniósł się z fotela.

– Dziękuję – powiedział do posłańca. Tamten ukłonił się i opuścił pokój.

Dannyl posłał przepraszający uśmiech do Yaldina i Ezrille.

– Dziękuję za sumi. Może lepiej pójdę sprawdzić, któż to jest moim gościem.

– Oczywiście – odparła Ezrille. – Przyjdź później i wszystko nam opowiedz.

W korytarzu panował teraz nieco większy spokój, bo większość magów wróciła już po Posiedzeniu do swoich mieszkań lub obowiązków. Dannyl podszedł do drzwi swojego apartamentu i otworzył je. Młody człowiek o jasnych włosach podniósł się z jednego ze stojących w salonie foteli i ukłonił. Przybysz miał na sobie skromny przyodziewek popularny w Kyralii, dlatego w pierwszej chwili Dannyl go nie rozpoznał.

Jednak już w następnej sekundzie szybko przekroczył próg i zamknął za sobą drzwi.

– Witaj, Ambasadorze Dannylu – odezwał się Tayend z szerokim uśmiechem. – Tęskniłeś za mną?

ROZDZIAŁ 30

POWSTRZYMYWANIE NIEPRZYJACIELA

Imardin widziany z oddali sprawiał wrażenie ogromnego cienia rzuconego pośród żółto-zielonych pól. Następnie, kiedy nieco się przybliżyli, miasto rozkładało się po obu stronach drogi niczym wyciągnięte ramiona zapraszające ich z powrotem. Teraz, kilka godzin później, płonęły przed nimi tysiące latarni, oświetlając im w deszczu i mroku drogę do Bramy Północnej.

Kiedy znaleźli się tak blisko, że słyszeli krople deszczu uderzające w szkło pierwszej latarni, Dorrien zatrzymał swego konia, zerknął na Akkarina i Soneę, po czym popatrzył na innych ludzi na drodze. Muszą pożegnać się szybko i ostrożnie dobierać słowa. Ludziom może wydać się dziwne, jeśli będzie zwracał się do swoich „podlejszych" towarzyszy ze zbyt wielką wylewnością.

– Życzę szczęścia – powiedział. – Uważajcie na siebie.

– Ty będziesz w trudniejszej sytuacji niż my, panie – odrzekła Sonea, przedłużając sylaby w typowo bylczy sposób. – Dziękujemy za pomoc. Nie daj się dorwać tym cudzoziemskim magom.

– Wy też – odpowiedział, uśmiechając się na dźwięk jej akcentu. Skinął głową Akkarinowi, po czym odwrócił się, spiął konia i pokłusował dalej.

Patrząc, jak oddala się ku bramie, Sonea czuła, że niepokój ściska jej żołądek. Kiedy zniknął, spojrzała na Akkarina. Wyglądał jak wysoki cień, z twarzą ukrytą w kapturze.

– Prowadź – powiedział.

Skierowała konia w bok od głównej ulicy w niewielki zaułek. Bylcy obrzucali podejrzliwymi spojrzeniami ich oraz wymizerowane konie. *Niczego nie próbujcie*, pomyślała w ich kierunku. *Możemy wyglądać jak zwykli wieśniacy nieświadomi niebezpieczeństw czających się w mieście, ale nimi nie jesteśmy. I nie możemy sobie pozwolić na zwrócenie na siebie uwagi.*

Po półgodzinnej wędrówce labiryntem slumsów dotarli do handlarza koni na skraju Rynku. Zatrzymali się przed szyldem z wymalowaną podkową. Z deszczu wynurzył się, utykając, krępy, mocno zbudowany mężczyzna.

– Witajcie – powiedział ponurym tonem. – Chcecie sprzedać swoje konie?

– Być może – odparła Sonea. – Zależy od ceny.

– Niech no je zobaczę. – Skinął ręką. – Podejdźcie tu, gdzie nie pada.

Podjechali za nim do obszernej stajni. W niektórych z boksów po obu stronach stały konie. Zsiedli i przyglądali się, jak handlarz ocenia ich wierzchowce.

– Jak ten tu się nazywa, hę?

Zawahała się. Zmieniali konie trzy razy, przestała więc przejmować się ich imionami.

– Ceryni – powiedziała. – Po pewnym moim przyjacielu.

Mężczyzna wyprostował się i wbił w nią przenikliwy wzrok.

– Ceryni?

– Owszem. Może go znasz?

Nagle w jednym z boksów rozległ się śmiech.

– Nazwałaś konia po *mnie*?

Drzwi otworzyły się i do stajni wszedł niewysoki mężczyzna w towarzystwie Takana i potężnie umięśnionego wielkoluda. Sonea przyjrzała się lepiej mówiącemu i jęknęła, gdy go rozpoznała.

– Cery!

Uśmiechnął się szeroko.

– Eja! Witaj z powrotem. – Zwrócił się do handlarza koni, a z jego twarzy zniknął uśmiech. – Nic nie widziałeś.

– Nnie – przyznał tamten z pobladłą twarzą.

– Zabieraj konie i zmykaj – rozkazał Cery.

Handlarz chwycił konie za uzdy; Sonea obserwowała z rozbawieniem, jak pospiesznie wycofywał się ze stajni. Akkarin powiedział jej, że Takan ukrywa się u jednego ze Złodziei. Skoro zaś Cery również pracuje dla tego Złodzieja, to zapewne jest to Faren – chyba że Cery przeniósł się do kogoś innego. W każdym razie wyglądało to tak, jakby zyskał w ostatnich latach spore wpływy, zważywszy na reakcję handlarza koni. Sonea odwróciła się i zobaczyła, że Takan pada przed Akkarinem na kolana.

– Panie.

Jego głos drżał od emocji. Akkarin, wzdychając, odsunął kaptur.

– Wstawaj, Takanie – powiedział cicho. Mimo że mówił władczo i wyrozumiale zarazem, Sonea wyczuła również ton zakłopotania. Powstrzymała się od uśmiechu.

Sługa podniósł się.

– Dobrze znowu cię widzieć, panie, ale obawiam się, że zastaniesz tu trudną i niebezpieczną sytuację.

– Tym niemniej musimy zrobić, co w naszej mocy – odparł Akkarin, po czym zwrócił się do Cery'ego: – Czy Takan wyjaśnił ci, co zamierzam uczynić?

Cery potaknął.

– Jutro odbędzie się zebranie Złodziei. Wygląda na to, że większość z nich domyśla się, że na coś się zanosi, chociażby dlatego że Domy pakują dobytek i wynoszą się z miasta. Musisz mi tylko powiedzieć, ile mogę im wyjawić.

– Wszystko – odpowiedział Akkarin – jeśli tylko nie zaszkodzi to twojej pozycji.

Cery wzruszył ramionami.

– Nie zaszkodzi, przynajmniej na dłuższą metę... a mam wrażenie, że jeśli ci Sachakanie wygrają, to nie będzie już miasta, w którym można by robić interesy. Zanim jednak zajmiemy się szczegółami, pozwólcie, że zaprowadzę was w nieco wygodniejsze miejsce niż stajnie. Podejrzewam również, że nie pogardzicie posiłkiem.

Kiedy ruszył z powrotem do boksu, z którego wyszedł, Sonea obserwowała go dokładnie. W jego ruchach była pewność siebie, której nigdy wcześniej u niego nie zauważyła. Poza tym nie okazywał wobec Akkarina lęku ani szczególnej atencji. Rozmawiali tak, jakby znali się nie od dziś.

Niewątpliwie należał do ludzi, którzy pomagali Akkarinowi wynajdywać szpiegów. Ale dlaczego Akkarin nie zdradził jej, że Cery jest w to zaangażowany?

Złodziej odblokował klapę znajdującą się na końcu boksu i przytrzymał ją otwartą.

– Prowadź, Gol.

Wielki, milczący mężczyzna schylił się, zanurzył w otwór i zaczął schodzić po drabinie. Najpierw podążył za nim

Takan, a po nim Akkarin. Sonea zatrzymała się na moment i spojrzała na Cery'ego. Uśmiechnął się.

– Idź. Porozmawiamy na miejscu.

Drabina schodziła do sporego tunelu. Znajome zapachy przywodziły na myśl stare wspomnienia ze Złodziejskiej Ścieżki. Kiedy Cery znalazł się na dole, dał znak Golowi i wszyscy ruszyli korytarzem.

Wędrowali przez kilka minut i w końcu minęli wielkie metalowe drzwi wiodące do elegancko umeblowanego pokoju. Na niskim stoliczku pośrodku pomieszczenia stały talerze z jedzeniem, kieliszki i butelki wina.

Sonea opadła na jedno z krzeseł i sięgnęła po jedzenie. Akkarin usiadł koło niej i wziął do ręki butelkę. Uniósł brwi.

– Powodzi ci się lepiej niż wielu magom, Ceryni.

– Och, to nie jest moje mieszkanie – odpowiedział Cery, zajmując kolejne krzesło. – To jedno z pomieszczeń dla gości. Umieściłem tu Takana.

– Złodziej był dla mnie niezwykle hojny – powiedział cicho Takan, wskazując głową na Cery'ego.

Złodziej? Sonea omal się nie udławiła, odchrząknęła i wbiła wzrok w Cery'ego. Uśmiechnął się szeroko, czując jej spojrzenie.

– Dotarło, co?

– Ale... – Potrząsnęła głową. – Jak to możliwe?

Rozłożył ręce.

– Ciężka praca, sprytne zagrania, odpowiednie znajomości... i pomocna dłoń twojego Wielkiego Mistrza.

– To ty jesteś tym Złodziejem, który pomagał Akkarinowi łapać szpiegów?

– Oczywiście. Zacząłem z nim współpracować po tym, jak pomógł nam w tej sprawie z Fergunem – wyjaśnił Cery. –

Szukał kogoś, kto będzie dla niego znajdował morderców. Kogoś, kto ma odpowiednie znajomości i wpływy.

– Rozumiem. – *A zatem Akkarin wiedział o tym od czasu Przesłuchania w sprawie opieki nade mną*. Rzuciła mu oskarżycielskie spojrzenie. – Dlaczego nic mi nie powiedziałeś?

Na ustach Akkarina zagościł cień uśmiechu.

– Z początku nie mogłem. Uznałabyś, że albo zmusiłem Cery'ego do współpracy, albo skusiłem go jakimś oszustwem.

– Mogłeś mi to powiedzieć, kiedy już dowiedziałam się prawdy o Ichanich.

Pokręcił przecząco głową.

– Staram się nigdy nie ujawniać więcej, niż muszę. Gdybyś wpadła w ręce Ichanich, mogliby wyczytać z twoich myśli informacje o moich układach z Cerym. Wygląda na to, że teraz też muszę utrzymać tę znajomość w sekrecie – zwrócił się do Cery'ego. – Jest niezwykle istotne, by nasza obecność w Imardinie pozostała tajemnicą. Jeśli Ichani wyczytaliby to z czyichkolwiek myśli, stracilibyśmy szanse na wygranie bitwy. Im mniej osób o tym wie, tym lepiej.

Cery pokiwał głową.

– Tylko Gol i ja wiemy, że tu jesteście. Inni Złodzieje myślą, że będziemy rozmawiać o niepokoju w mieście. – Uśmiechnął się. – Trochę się zdziwią na wasz widok.

– Myślisz, że zgodzą się utrzymać naszą obecność w tajemnicy?

Cery wzruszył ramionami.

– Kiedy dowiedzą się, co się dzieje, i zrozumieją, że stracą wszystko, jeśli pozwolimy Sachakanom wygrać, będą się o was troszczyć jak o własne dzieci.

– Powiedziałeś Takanowi, że rozważasz sposoby zabijania magów – powiedział Akkarin. – Co dokładnie…

~ *Balkan?*

Sonea wyprostowała się na krześle. Mentalny głos należał do…

~ *Yikmo?* ~ nadeszła odpowiedź Balkana.

~ *Sachakanie zbliżają się do Calii.*

~ *Zaraz się z tobą porozumiem.*

– Co się stało, panie? – spytał Takan.

– Rozmowa – odparł Akkarin. – Mistrz Yikmo zawiadomił innych, że Ichani są w pobliżu Calii. To znaczy, że on też tam jest.

Sonea poczuła przebiegający po jej plecach dreszcz.

– Chyba Gildia nie wysłała ich tam na spotkanie Ichanich? – Zerknęła na Cery'ego. – Wiedziałbyś, że opuścili miasto.

Cery pokręcił głową.

– Nie słyszałem o niczym takim.

Akkarin zmarszczył brwi.

– Dlaczego Lorlen nie wkłada pierścienia?

– Cztery dni temu około dwudziestu magów opuściło miasto – wtrącił się Gol. – Rankiem.

~ *Yikmo?*

~ *Balkan.*

~ *Nie spieszcie się.*

~ *Dobrze.*

Sonea spojrzała pytająco na Akkarina.

– Co to może znaczyć?

Sposępniał.

– To bez wątpienia ustalony wcześniej kod, Balkan wydaje rozkazy. Nie mogą powiedzieć nic wprost, ponieważ usłyszeliby to również Ichani.

– Ale co to znaczyło?

Akkarin stukał palcami o palce.

– Powinniśmy byli minąć ich po drodze. W takim razie są zapewne na północ od Calii, powyżej rozgałęzienia dróg. Z jakiegokolwiek powodu się tam udali, nie zajechali przed atakiem dostatecznie daleko, by nie móc wrócić do Imardinu na czas. Z tego wynika, że nie bez przyczyny zostali w Calii.

– Żeby informować o ruchach Ichanich? – podsunął Cery.

– Aż dwudziestu? – Zmarszczka na czole Akkarina pogłębiła się. – Mam nadzieję, że Gildia nie wymyśliła czegoś głupiego.

– Byłaby to zaiste niespodzianka – powiedział z ironią Takan.

Cery spuścił wzrok.

– Może lepiej zjedzmy coś, zanim wszystko wystygnie. Czy ktoś chce wina?

Sonea otworzyła usta, by odpowiedzieć, ale zamarła, ponieważ w jej myślach pojawił się obraz. Trzy wozy na drodze wijącej się między domami. W każdym z wozów po kilkoro wspaniale ubranych mężczyzn i kobiet.

Konie ciągnące pierwszy zatrzymały się, a woźnica powoli odwrócił głowę w kierunku patrzącego. Sonea z dreszczem przerażenia rozpoznała twarz Kariko. Ichani podał lejce siedzącemu obok niego człowiekowi i zeskoczył na ziemię.

– Wychodź, wychodź, Gildianinie! – zawołał.

Z okna domu po przeciwnej stronie drogi błysnęło uderzenie, a po nim grad kolejnych ze wszystkich stron. Wszystkie odbiły się od niewidzialnej tarczy osłaniającej każdy z trzech wozów.

– Zasadzka – mruknął Akkarin.

Kariko zatoczył krąg, lustrując spojrzeniem wszystkie domy dookoła, po czym rozejrzał się po twarzach swoich towarzyszy.

– Kto ma ochotę na polowanie?

Czwórka Ichanich zeszła z wozów. Rozdzielili się i ruszyli ku zabudowaniom po obu stronach drogi. Dwoje miało z sobą poszczekujące z podniecenia yeele.

Perspektywa zmieniła się. Sonea miała przed oczami framugę okna, pomieszczenie we wnętrzu i maga Gildii.

– Rothen! – jęknęła. Obrazy zatrzymały się, a ona patrzyła z przerażeniem na Akkarina. – Tam jest Rothen!

Zdecydowanie zbyt dawno brałem lekcje sztuk wojennych i walczyłem na arenie, myślał Rothen, biegnąc przez podwórko na tył domu.

Strategia Yikmo była prosta. Jeśli Sachakanie nie będą widzieć napastników, nie zdołają oddać ciosów. Magowie Gildii będą więc uderzać z ukrycia, zmieniać pozycje i uderzać znowu. A kiedy wyczerpią moc, schowają się, by odpocząć.

Rothen przebiegł przez dom ku drzwiom frontowym. Mieszkańcy miasteczka zostali odesłani przed kilkoma godzinami, a drzwi i okna pootwierano w przygotowaniu do zasadzki. Wyglądając na zewnątrz, zobaczył Sachakanina sięgającego do klamki drzwi sąsiedniego domu. Puścił więc potężny cios i z ulgą przekonał się, że mężczyzna się zatrzymał.

W następnej chwili serce w nim zamarło: Ichani odwrócił się i skierował prosto na niego. Rothen potknął się o krzesło i wypadł z pokoju.

Miasteczko było całkiem duże i miało ciasną zabudowę. Rothen przeciskał się po sąsiadujących ze sobą budynkach, obserwując Sachakan i uderzając, kiedy byli dostatecznie daleko, tak by mieć czas na ucieczkę. Dwa razy musiał wstrzymywać oddech, kiedy mijali jego kryjówkę zaledwie o kilka kroków. Inni magowie Gildii nie mieli tyle szczęścia. Jeden z yeeli doprowadził ich do stajni, gdzie ukrywał się młody Wojownik. Mimo że Rothen i towarzyszący mu Alchemik wyskoczyli, by uderzyć w Sachakanina, Ichani nie zwracał na nich uwagi. Wojownik walczył, dopóki nie osłabł tak, że nie mógł już się bronić. A kiedy Sachakanin sięgnął po swój sztylet, Rothen usłyszał kroki zbliżające się z przeciwnej strony, co zmusiło go do ucieczki.

Chwilę później zdał sobie sprawę, że wysiłek włożony w próbę ocalenia młodego Wojownika znacznie go osłabił. Nie wyczerpał jednak całkowicie. Kiedy pół godziny później natknął się na dwa kolejne ciała, uznał, że uderzy jeszcze raz i wycofa się do dobrej kryjówki.

Minęła ponad godzina, odkąd nadjechały wozy, a on znalazł się daleko od głównej ulicy. Rozkaz Balkana był wyraźny: opóźnić Sachakan, ile się będzie dało. Nie miał jednak pojęcia, jak długo i jak daleko nieprzyjaciele zamierzają gonić magów Gildii.

Chyba nie przez całą noc, pomyślał. *W końcu muszą się wycofać. I nie będą się spodziewali, że ktoś może ich wtedy zaatakować.*

Rothen uśmiechnął się do siebie. Powoli i ostrożnie wycofał się w kierunku głównej ulicy. Wchodząc do jednego z domów nasłuchiwał uważnie, czy z wnętrza nie dochodzą jakieś dźwięki, ale powitała go głucha cisza.

Podszedł do jednego z frontowych okien i przekonał się, że wozy stoją tam, gdzie stały. Koło nich kręciło się kilku Sachakan rozprostowujących nogi.

Niewolnik oglądał jedno z kół.

Połamane koła nieco ich spowolnią, pomyślał Rothen i uśmiechnął się pod nosem. *A jeszcze bardziej zniszczone wozy.*

Wziął głęboki oddech i sięgnął po resztki mocy.

W tej samej chwili usłyszał za sobą trzaśnięcie deski podłogowej i przeszył go dreszcz.

– Rothen – szepnął czyjś głos.

Obrócił się i wzdychając, wypuścił powietrze.

– Yikmo.

Wojownik podszedł do okna.

– Słyszałem, jak któryś z nich przechwalał się, że zabił pięciu naszych – powiedział ponurym tonem. – Drugi twierdzi, że pozbył się trzech.

– Zamierzałem właśnie uderzyć w ich wozy – mruknął Rothen. – Będą musieli znaleźć nowe, a podejrzewam, że mieszkańcy zabrali większość pojazdów.

Yikmo potaknął.

– Wcześniej je osłaniali, ale może nie...

Zamilkł nagle, gdy z domów znajdujących się naprzeciwko wyszło dwóch Sachakan. Jedna z kobiet zwróciła się do nich.

– Ilu, Kariko?

– Siedmiu – odparł mężczyzna.

– Ja pięciu – dodał jego towarzysz.

Yikmo wstrzymał oddech.

– Niemożliwe. Jeśli ci, których podsłuchałem po tej stronie, mówili prawdę, to znaczy, że zostaliśmy tylko my dwaj.

Rothen wzdrygnął się.

– Może wyolbrzymiają swoje osiągnięcia.

– Pozbyliście się wszystkich? – spytała kobieta.

– Większości – odparł Kariko. – Było ich dwudziestu dwóch.

– Mogę wysłać za nimi tropiciela.

– Nie. I tak zmarnowaliśmy już dość czasu. – Wyprostował się, a Rothen zesztywniał, słysząc mentalny głos tego człowieka.

~ *Wracajcie.*

Yikmo zwrócił się do Rothena.

– To nasza ostatnia szansa, żeby uszkodzić te wozy.

– Owszem.

– Uderzę w pierwszy z nich. Ty bierz drugi. Gotów?

Rothen skinął głową, zbierając pozostałe mu resztki mocy.

– No to już.

Ich ciosy uderzyły w wozy. Trzasnęło drewno, rozległy się krzyki ludzi i rżenie koni. Kilku zwyczajnie ubranych Sachakan upadło na ziemię, byli poranieni drzazgami z roztrzaskanych desek. Jeden z koni wyrwał się z jarzma i odbiegł galopem.

Sachakańscy magowie obrócili się w stronę, gdzie stał Rothen.

– Uciekamy! – wyszeptał Yikmo.

Rothen dobiegł do połowy pokoju, kiedy ściana za nim eksplodowała. Moc uderzyła go w plecy i rzuciła nim w przód. Zderzył się ze ścianą, czując ból w piersi i ręce.

Upadł na ziemię i leżał bez ruchu, zbyt ogłuszony, żeby móc się poruszyć.

Wstawaj! – powiedział do siebie. *Musisz uciekać!*

Kiedy jednak się poruszył, ból szarpnął go za rękę i bark. *Coś złamałem*, pomyślał. *I nie mam już siły na leczenie.* Jęknął i ostatnim wysiłkiem uniósł się na łokciu, a następnie na kolanach. Mrugał oczami, usiłując pozbyć się wypełniającego je pyłu. Poczuł na ramieniu czyjąś rękę. *Yikmo,* pomyślał. Poczuł zalewającą go falę wdzięczności. *Został, żeby mi pomóc.*

Ręka podniosła go na nogi, powodując straszliwy ból w górnej części ciała. Rothen podniósł oczy na swego wybawcę i wdzięczność zamieniła się w śmiertelny lęk.

Spoglądał na niego Kariko, którego twarz wykrzywiała wściekłość.

– Dołożę wszelkich starań, żebyś pożałował tego, co zrobiłeś, magu.

Moc popchnęła Rothena na przeciwległą ścianę i przygwoździła go do niej. Nacisk wzmógł tylko nieznośny ból ramienia. Kariko chwycił jego głowę w obie ręce.

Odczyta moje myśli! – pomyślał Rothen, czując wzbierającą panikę. Instynktownie zareagował blokadą umysłu przeciw wdzierającej się woli, ale niczego nie poczuł. Przez chwilę zastanawiał się, czy Kariko rzeczywiście planował czytanie myśli, po czym usłyszał grzmiący głos w głowie.

~ *Czego się boisz najbardziej?*

Przed oczami Rothena mignęła twarz Sonei. Odepchnął ją, ale Kariko uchwycił ten obraz i przyciągnął go z powrotem.

~ *A któż to taki? Ach, ktoś, kogo uczyłeś magii. Ktoś, na kim ci zależy. Ale ona odeszła. Została wygnana przez Gildię. Dokąd? Do Sachaki! Ach! A więc to ona. Towarzyszka Akkarina. Cóż za niegrzeczna dziewczynka, żeby tak złamać prawa Gildii.*

Rothen starał się uspokoić, nie myśleć o niczym, ale Kariko zaczął wysyłać w kierunku jego umysłu obrazy Akkarina. Zobaczył młodszego Akkarina w ubraniu podobnym do tego, które mieli na sobie niewolnicy z wozów, kulącego się przed innym Sachakaninem.

~ *On był niewolnikiem* ~ powiedział Kariko. ~ *Twój szlachetny Wielki Mistrz był kiedyś żałosnym, czołgającym się w prochu niewolnikiem, który służył mojemu bratu.*

Rothen poczuł nagły przypływ współczucia i żalu, uświadomił sobie bowiem, że Akkarin mówił prawdę. Resztka złości, jaką czuł wobec „demoralizatora" Sonei, uleciała. Rothen poczuł rodzaj rozpaczliwej dumy. Sonea podjęła dobrą decyzję. Trudną, ale właściwą. Bardzo pragnął móc jej to powiedzieć, ale wiedział, że nigdy nie będzie miał okazji. *Przynajmniej zrobiłem wszystko, co mogłem*, pomyślał. *A ona jest z dala od wszystkich tych kłopotów, skoro Ichani opuścili Sachakę.*

~ *Z dala od kłopotów? Ależ ja mam tam sprzymierzeńców* ~ powiedział do niego Kariko. ~ *Odnajdą ją i przyprowadzą do mnie. A kiedy dostanę ją w swoje ręce, postaram się, żeby cierpiała. A ty... ty przeżyjesz, żeby to oglądać, zabójco niewolników. Tak, nie sądzę, żeby miało mi to zaszkodzić. Jesteś słaby i masz połamane kości, więc nie dasz rady dotrzeć do miasta na czas, żeby pomóc swojej Gildii.*

Rothen poczuł, że Kariko zdejmuje dłonie z jego skroni. Sachakanin popatrzył na podłogę i schylił się, by podnieść okruch szkła z rozbitego okna.

Podszedł znów bliżej i przejechał ostrzem szkiełka po policzku Alchemika. Zabolało go, a potem poczuł na nim ciepły strumyczek. Kariko podłożył dłoń pod podbródek Rothena, a kiedy ją cofnął, miał w jej zagłębieniu niewielką ilość krwi.

Następnie uniósł szkiełko do góry. Jego czubek zaczął się rozgrzewać i topić, aż wreszcie uformował się w niewielką kulkę, która spadła na rękę Kariko.

Sachakanin zacisnął palce i zamknął oczy. Coś poruszyło się na krawędzi myśli Rothena. Wyczuł obcy umysł i zrozumiał, o co chodzi w tym dziwacznym rytuale. Jego umysł był teraz połączony ze szkiełkiem – i każdym, kto go dotykał. Kariko zamierzał wykonać pierścień i...

Połączenie nagle się przerwało. Kariko uśmiechnął się i odwrócił od Rothena, który poczuł, że siła trzymająca go dotąd pod ścianą zelżała. Jęknął, czując przeraźliwy ból w ramieniu. Podniósł wzrok i patrzył z niedowierzaniem, jak Sachakanin odchodzi przez roztrzaskany front domu ku zniszczonym wozom.

Darował mi życie.

Rothen pomyślał o tej małej szklanej kulce. Przypomniał sobie podstawowe informacje o zastosowaniach czarnej magii, przekazane mu przez Mistrza Sarrina, i uświadomił sobie, że Kariko wykonał właśnie krwawy klejnot.

Głosy rozbrzmiewające na drodze przeszyły go dreszczem. *Muszę stąd teraz uciec*, pomyślał, *póki jeszcze jestem w stanie.* Odwrócił się, przebrnął przez pokój ku tylnym drzwiom i pokuśtykał, oddychając nocnym powietrzem.

Kiedy Cery patrzył na Soneę, ogarniał go nieoczekiwany spokój.

Myślał, że poczuje jakieś rozdarcie na sam jej widok. Ale nie pojawiło się ani podniecenie, ani uwielbienie jak w dawnych czasach, ani też nic z tej bolesnej tęsknoty, której doświadczył, gdy ona wstąpiła do Gildii. Czuł przede wszystkim sympatię – i troskę.

Podejrzewam, że nigdy nie przestanę się o nią tak czy inaczej troszczyć. Obserwując ją, zauważył, że jej uwaga skupiona jest nieustannie na Akkarinie. Uśmiechnął się. Z początku zdawało mu się, że to dlatego, iż Akkarin był jej mentorem, przywykła więc do wykonywania jego poleceń, ale w tej chwili nie był tego wcale pewny. Nie zawahała się wyrazić swego oburzenia z powodu ukrywania przez Akkarina obecnej pozycji Cery'ego. Akkarina zaś wcale nie zdenerwowało to, że sobie na to pozwoliła.

Oni już nie są magami Gildii, przypomniał sobie. *Zapewne zatem zarzucili wszystkie te formalności między mentorem a nowicjuszką.*

Zaczynał się jednak zastanawiać, czy nie kryje się za tym coś więcej.

– Masz mój sztylet? – zwrócił się Akkarin do swojego sługi.

Takan potaknął, wstał i zniknął w jednej z sypialni. Wrócił z ukrytym w pochwie sztyletem zawieszonym na pasie i podał go Akkarinowi, skłaniając głowę.

Akkarin przyjął go z równym namaszczeniem. Położył sobie pas na kolanach, po czym nagle wbił wzrok w przeciwległą ścianę. W tej samej chwili Sonea jęknęła głośno.

W pokoju zaległa cisza. Cery obserwował wpatrzoną gdzieś w przestrzeń parę. Akkarin zmarszczył mocno czoło i potrząsał głową, a Sonea otworzyła szeroko oczy.

– Nie! – jęknęła. – Rothen! – Pobladła na twarzy, a następnie chwyciła się rękami za głowę i zaczęła szlochać.

Cery poczuł, że serce mu się kraje, dostrzegł też podobne uczucie na twarzy Akkarina. Mag odłożył pas, zsunął się z krzesła i przyklęknął obok Sonei. Przyciągnął ją do siebie i przytulił mocno.

– Soneo – szepnął. – Tak mi przykro.

Najwyraźniej wydarzyło się coś okropnego.

– Co się stało? – spytał Cery.

– Mistrz Yikmo właśnie podał wiadomość, że wszyscy jego ludzie zginęli – odpowiedział Akkarin. – Wśród nich był Rothen, pierwszy mentor Sonei. – Urwał. – Yikmo jest ciężko ranny. Ale wspomniał też, że udało im się spowolnić marsz Ichanich. Podejrzewam, że to dlatego przygotowali tę zasadzkę, nie rozumiem tylko, po co Gildii to opóźnienie.

Łkanie Sonei zmieniło nieco ton. Najwyraźniej usiłowała przestać płakać. Akkarin spojrzał na nią, a następnie podniósł wzrok na Cery'ego.

– Gdzie możemy się przespać?

Takan wskazał jeden z pokoi.

– Tam, panie.

Uwadze Cery'ego nie uszło to, że służący wskazał pokój, w którym stało większe łóżko.

Akkarin wstał i pomógł Sonei się podnieść.

– Chodź, Soneo. Od tygodni nie przespaliśmy całej nocy.

– Nie dam rady zasnąć – odpowiedziała.

– W takim razie połóż się i zagrzej dla mnie łóżko.

No cóż, to nie pozostawia żadnych wątpliwości, pomyślał Cery.

Przeszli do sypialni, ale Akkarin powrócił po krótkiej chwili. Cery wstał.

– Już późno – powiedział. – Rano skończymy rozmowę o spotkaniu.

Akkarin przytaknął.

– Dziękuję ci, Ceryni.

Odszedł do sypialni, zamykając za sobą drzwi.

Cery wpatrywał się w nie. *Akkarin, hę? Ciekawy wybór.*

– Mam nadzieję, że to cię nie martwi?

Cery odwrócił się do Takana. Sługa wskazywał głową w stronę sypialni.

– Tych dwoje? – Cery wzruszył ramionami. – Nie.

Takan skinął głową.

– Miałem taką nadzieję, zważywszy, że zajmuje cię teraz inna kobieta.

Cery poczuł, że serce w nim zamiera. Zerknął na Gola, na którego czole pojawiła się zmarszczka.

– Skąd o tym wiesz?

– Dowiedziałem się od jednego ze strażników. – Takan spoglądał to na Cery'ego, to na Gola. – Rozumiem, że ma to pozostać sekretem?

– Tak. Przyjaźń ze Złodziejem bywa ryzykowna.

Służący miał autentycznie zmartwioną minę.

– Oni nie znają jej imienia. Młody człowiek taki jak ty powinien mieć jakąś kobietę. Może nawet wiele kobiet.

Cery zdołał uśmiechnąć się ponuro.

– Zapewne masz rację. Muszę przyjrzeć się bliżej tym plotkom. Dobranoc.

Takan skinął mu głową.

– Dobranoc, Złodzieju.

ROZDZIAŁ 31

PRZYGOTOWANIA DO WOJNY

Przewodnik wprowadził Lorlena do obszernej komnaty. Poranne słońce wpadało przez znajdujące się na jednej ze ścian wielkie okna. Wokół stołu pośrodku pomieszczenia zgromadziła się niewielka grupka ludzi. Między nimi stał Król z Mistrzem Balkanem po swej lewicy i kapitanem Arinem, doradcą wojskowym, po prawej stronie. Reszta grupy składała się z oficerów i dworzan, tylko po części znanych Lorlenowi.

Król powitał Administratora Gildii spojrzeniem i skinieniem głowy, po czym powrócił do narysowanego odręcznie planu miasta rozłożonego na blacie.

– Kiedy zostaną ukończone wzmocnienia zewnętrznych murów, kapitanie Vettanie? – zapytał siwowłosego mężczyzny.

– Bramy północna i zachodnia są już gotowe. Południowa powinna zostać przygotowana dziś wieczorem – odparł oficer.

– Mam pytanie, Wasza Królewska Mość. – Ten głos należał do szykownie odzianego młodzieńca stojącego po drugiej stronie stołu.

Król podniósł wzrok.

– Słucham, Ilorinie.

Lorlen spojrzał na młodego człowieka ze zdumieniem. Był to królewski kuzyn, potencjalny następca tronu, nie starszy niż nowo przyjęty nowicjusz.

– W jakim celu umacniamy bramy, skoro rozpadł się mur zewnętrzny wokół Gildii? – spytał młody człowiek. – Sachakanom wystarczy wysłać ludzi na przeszpiegi wokół miasta, żeby to odkryć.

Król uśmiechnął się ponuro.

– Mamy nadzieję, że tego nie zrobią.

– Spodziewamy się z ich strony ataku frontalnego – wyjaśnił Ilorinowi Balkan – a ponieważ niewolnicy Ichanich są ich źródłami mocy, wątpię, by zaryzykowali wysyłanie ich na przeszpiegi. – Lorlen zauważył, że Balkan pominął milczeniem fakt, iż Sachakanie mogli wyczytać informacje o tym słabym punkcie z umysłów Wojowników w Forcie i w Calii. Być może Król prosił go, by ukrył przed młodym kuzynem beznadziejność sytuacji Kyralii.

– Wierzysz, że te umocnienia powstrzymają Sachakan? – nie dawał spokoju Ilorin.

– Nie – odparł Balkan. – Być może ich nieco spowolnią, ale nie zatrzymają. Chodzi o to, żeby zmusić ich do zużycia części mocy.

– Co się stanie, kiedy wtargną do miasta?

Balkan zerknął w stronę Króla.

– Będziemy walczyć z nimi, dopóki damy radę.

Król zwrócił się do jednego ze swoich oficerów.

– Czy Domy już wyjechały?

– Większość, tak – odpowiedział wojskowy.

– A co z resztą ludzi?

– Strażnicy bram twierdzą, że liczba osób opuszczających miasto zwiększyła się czterokrotnie.

Król spojrzał ponownie na plan i westchnął.

– Szkoda, że nie wyrysowano tu slumsów. – Podniósł wzrok na Mistrza Balkana. – Czy one mogą stanowić problem podczas bitwy?

Wojownik zmarszczył brwi.

– Tylko w wypadku, gdyby Sachakanie postanowili się tam ukryć.

– Jeśli tak zrobią, możemy podpalić budynki – zaproponował Ilorin.

– Albo spalić je od razu, by nie mogli ich wykorzystać – podpowiedział inny dworzanin.

– Będą płonąć przez wiele dni – ostrzegł kapitan Arin. – Dym pomoże nieprzyjacielowi się ukryć, a opadające popioły i żar mogą spowodować pożary w innych częściach miasta. Sugerowałbym pozostawienie slumsów na miejscu, chyba że nie będziemy mieli innego wyjścia.

Król potaknął. Wyprostował się i spojrzał na Lorlena.

– Wyjdźcie – rozkazał. – Administrator Lorlen i Mistrz Balkan niech zostaną.

Gwardziści szybko opuścili komnatę. Lorlen zauważył, że zostali dwaj Doradcy Królewscy.

– Masz dla mnie jakieś dobre wieści? – spytał Król.

– Niestety nie, Wasza Królewska Mość – odparł Lorlen. – Mistrz Sarrin nie zdołał odkryć, jak się posługiwać czarną magią. Prosi o wybaczenie i obiecuje pracować nad tym dalej.

– Czy uważa, że niewiele mu brakuje?

Lorlen westchnął i pokręcił głową.

– Nie.

Król spojrzał na plan i skrzywił się.

– Sachakanie zjawią się tu jutro, może pojutrze, jeśli będziemy mieli szczęście. – Spojrzał na Balkana. – Przyniosłeś to?

Wojownik potaknął. Wyciągnął z kieszeni szat niewielką sakiewkę, otworzył i wyrzucił spoczywający w niej przedmiot na stół. Lorlen nabrał powietrza w płuca, kiedy rozpoznał pierścień Akkarina.

– Zamierzacie wezwać Akkarina z powrotem?

Król skinął głową.

– Tak. To spore ryzyko, ale jeśli nawet on nas zdradzi, nie zrobi to wielkiej różnicy. Bez niego na pewno przegramy tę bitwę. – Ujął pierścień za obrączkę i podał go Lorlenowi. – Wezwij go.

Pierścień był chłodny. Lorlen wsunął go na palec i zamknął oczy.

~ *Akkarin!*

Nie doczekał się odpowiedzi. Policzył do stu i zawołał ponownie. Pokręcił głową.

– Nie odpowiada.

– Może coś jest nie tak z tym pierścieniem? – powiedział Król.

– Spróbuję jeszcze raz.

~ *Akkarin!*

Nadal bez odpowiedzi. Lorlen próbował jeszcze kilkakrotnie, po czym z westchnieniem zdjął pierścień z palca.

– Pewnie śpi – powiedział. – Spróbuję jeszcze za godzinę.

Król zmarszczył czoło i wyjrzał przez okno.

– Zawołaj go bez pierścienia. Może odpowie.

Balkan i Lorlen wymienili zaniepokojone spojrzenia.

– Nieprzyjaciel usłyszy – zauważył Balkan.

– Wiem. Zawołaj.

Balkan skinął głową i zamknął oczy.

~ *Akkarin!*

Milczenie. Lorlen dodał swoje wołanie.

~ Akkarin! Król wzywa cię do powrotu!

~ Ak...

~ AKKARIN! AKKARIN! AKKARIN! AKKARIN!

Lorlen niemal krzyknął, kiedy obcy umysł uderzył w jego myśli niczym młotem. Usłyszał też inne głosy wywołujące drwiąco imię Akkarina, zanim z dreszczem wycofał się z kontaktu.

– To było nieprzyjemne – mruknął Balkan, pocierając skronie.

– Co się stało?

– Sachakanie odpowiedzieli.

– Uderzeniami myślowymi – dorzucił Lorlen.

Król skrzywił się i odwrócił od stołu, zaciskając pięści. Przez kilka minut krążył po pokoju, po czym zwrócił się znów do Lorlena:

– Spróbuj jeszcze raz za godzinę.

Administrator potaknął.

– Tak, Wasza Królewska Mość.

Dom, do którego dotarł Dannyl, idąc za wskazówkami Tayenda, okazał się typową magicznie wzniesioną rezydencją. Od strony ulicy zwieszały się niewiarygodnie delikatne balkony. Nawet drzwi zostały wykonane z magicznym wsparciem – z tafli wymyślnie rzeźbionego szkła.

Dannyl czekał dość długo, nim ktokolwiek odpowiedział na jego pukanie. Najpierw usłyszał kroki, a następnie za szybą pojawił się cień jakiejś postaci. Drzwi otworzyły się i zamiast odźwiernego pojawił się w nich Tayend, witając Dannyla uśmiechem i ukłonem.

– Wybacz tę powolną obsługę – powiedział. – Wszyscy domownicy Zerrenda wyjechali do Elyne, nie ma tu więc nikogo prócz... – Zmarszczył brwi. – Wyglądasz okropnie.

Dannyl pokiwał głową.

– Nie spałem przez całą noc… – Urwał, czując, że nadmiar emocji pozbawia go słów.

Uczony wpuścił Dannyla za próg i zamknął za nim drzwi.

– Co się stało?

Dannyl przełknął głośno ślinę i zamrugał, ponieważ piekły go oczy. Przez całą noc starał się być opanowany, pocieszając najpierw Yaldina i Ezrille, a następnie Dorriena. Ale teraz…

– Rothen nie żyje – wymamrotał w końcu. Poczuł, że wypełnia go morze łez. Tayend otworzył szeroko oczy, podszedł do Dannyla i objął go mocno.

Dannyla jakby zmroziło i przeklął sam siebie za tę reakcję.

– Nie przejmuj się – powiedział Tayend. – Jak już mówiłem, nie ma tu nikogo oprócz mnie. Nie ma nawet służby.

– Przepraszam – odparł Dannyl. – Ja po prostu…

– Przejmujesz się, że ktoś może nas zobaczyć, wiem. Jestem ostrożny.

Dannyl odetchnął głęboko.

– *Nienawidzę* tej ostrożności.

– Ja też – odrzekł Tayend. Odchylił się i przyjrzał dokładnie Dannylowi. – Ale tak musi być. Bylibyśmy głupcami, gdybyśmy się oszukiwali, że jest inaczej.

Dannyl westchnął i otarł oczy.

– Spójrz na mnie. Jestem głupcem.

Tayend wziął go za rękę i pociągnął w głąb domu.

– Nie, nie jesteś. Po prostu straciłeś starego, dobrego przyjaciela. Zerrend miał na to świetne lekarstwo, ale obawiam się, że mój drogi kuzyn drugiego, a i może trzeciego stopnia mógł zabrać najlepsze roczniki ze sobą.

– Tayendzie – powiedział Dannyl. – Zerrend nie wyjechał bez powodu. Sachakanie są w odległości dnia albo dwóch od miasta. Nie możesz tu pozostać.

– Nie pojadę do domu. Przyjechałem tu, żeby towarzyszyć ci w kłopotach, i tak właśnie będzie.

Dannyl zatrzymał go w pół kroku.

– Mówię poważnie, Tayendzie. Ci magowie zabijają, żeby zwiększyć moc. Najpierw będą walczyć z Gildią, bo ona jest ich najpoważniejszym przeciwnikiem. A potem zaczną się rozglądać za ofiarami, które umożliwiłyby im uzupełnienie utraconej energii. Magowie będą dla nich bezużyteczni, ponieważ wszyscy wyczerpiemy się w walce. Dobiorą się do zwykłych ludzi, zwłaszcza tych, którzy mają ukryty potencjał magiczny. Jak ty.

Uczony otworzył szeroko oczy.

– Ale przecież do tego nie dojdzie. Powiedziałeś, że najpierw będą walczyć z Gildią. A Gildia wygra, prawda?

Dannyl wbił wzrok w Tayenda, potrząsając przecząco głową.

– Sądząc z rozkazów, jakie otrzymałem, nikt nie wierzy w to, że możemy ich pokonać. Może uda nam się zabić jednego albo dwóch, ale nie wszystkich. Mamy rozkaz opuścić Imardin, kiedy tylko wyczerpiemy moc.

– W takim razie, skoro będziesz wyczerpany, przyda ci się pomoc, żeby się stąd wydostać. A ja…

– Nie. – Dannyl chwycił Tayenda za ramiona. – Musisz wyjechać *natychmiast*.

Uczony potrząsnął głową.

– Nie wyjadę bez ciebie.

– Tayendzie…

– A poza tym – dodał młodzieniec – Sachakanie zapewne w następnej kolejności zaatakują Elyne. Wolę spędzić kilka dni z tobą tutaj, ryzykując, że zginę, niż wrócić do domu tylko po to, żeby przez następne kilka miesięcy spokoju nienawidzić się za to, że cię opuściłem. Zostaję, a ty postaraj się jak najlepiej wykorzystać ten czas.

Po wyjściu z ciemności panujących w kanałach oślepiło ich światło słoneczne. Wydostając się przez klapę, Sonea poczuła jakiś przedmiot pod nogą, potknęła się i usłyszała stłumione przekleństwo.

– To była moja stopa – mruknął Cery.

Nie zdołała powstrzymać się od uśmiechu.

– Przepraszam, Cery. A może powinnam mówić ci teraz „Ceryni"?

Cery wydał jakiś nieokreślony pomruk niezadowolenia.

– Przez całe życie usiłowałem pozbyć się tego imienia, a teraz *muszę* go używać. Podejrzewam, że niejeden z nas miałby ochotę powiedzieć parę przykrych słów temu Złodziejowi, który uznał, że mamy wszyscy używać imion oznaczających zwierzęta.

– Twoja mama najwyraźniej miała dar prorokowania w chwili, gdy nadawała ci imię – zauważyła Sonea. Odsunęła się, gdy w otworze klapy pojawiła się głowa Akkarina.

– Potrafiła na jeden rzut oka ocenić, którzy klienci uciekną bez zapłaty – odpowiedział Cery. – I zawsze powtarzała, że tato wpakuje się w tarapaty.

– Moja ciotka chyba też ma taki talent. Zawsze mówiła, że *ty* i kłopoty to jedno. – Urwała. – Widziałeś ostatnio Jonnę i Ranela?

– Nie – odpowiedział, schylając się, żeby odłożyć klapę rynsztoku z powrotem na miejsce. – Nie widziałem się z nimi od kilku miesięcy.

Westchnęła, czując, że wspomnienie o śmierci Rothena powróciło niczym jakiś ciężar, który nosiła ze sobą.

– Chętnie bym się z nimi zobaczyła. Zanim się zacznie…

Cery uniósł rękę – znak, by byli cicho – po czym pociągnął oboje we wnękę bramy. Gol podbiegł do nich z wylotu zaułka. Dwaj mężczyźni weszli w uliczkę i szybkimi krokami zbliżali się w ich kierunku. Kiedy podeszli bliżej, Sonea rozpoznała smaglejszą z twarzy. Poczuła na plecach lekkie popchnięcie dłonią.

– Wyjdź – szepnął Cery. – Wystrasz go śmiertelnie.

Odwróciła głowę: oczy Cery'ego błyszczały łobuzersko. Zaczekała, aż tamci dwaj zrównają się z ich kryjówką, po czym zastąpiła im drogę, odrzucając kaptur.

– Faren.

Obaj przyjęli obronną postawę, wpatrując się w Soneę uważnie, po czym jeden głośno wciągnął powietrze do płuc.

– *Sonea?*

– Poznajesz mnie wciąż, mimo że minęło tyle czasu.

Zachmurzył się.

– Sądziłem, że…

– Wyjechałam z Kyralii? – Założyła ręce. – Postanowiłam wrócić i pozałatwiać parę spraw i niespłaconych długów.

– Długów? – Faren rzucił towarzyszowi zakłopotane spojrzenie. – W takim razie nie masz nic do mnie.

– Nie? – Podeszła do niego bliżej i poczuła rodzaj dumy, kiedy cofnął się przed nią o krok. – Przypominam sobie pewną umowę, którą kiedyś zawarliśmy. Nie mów, że o tym zapomniałeś, Farenie.

– Jakże mógłbym zapomnieć? – wymamrotał. – Pamiętam również, że ty nigdy nie wywiązałaś się ze swoich zobowiązań. Wprawdzie spaliłaś kilka moich domów w czasie, kiedy cię ochraniałem.

Sonea wzruszyła ramionami.

– Obawiam się, że istotnie nie okazałam się bardzo użyteczna. Nie sądzę jednak, żeby kilka spalonych domów uzasadniało sprzedanie mnie Gildii.

Faren cofnął się o kolejny krok.

– To nie był mój pomysł. Nie miałem wyboru.

– Nie miałeś wyboru? – zawołała. – Z tego, co słyszałam, nieźle na tym zarobiłeś. Powiedz mi, czy pozostali Złodzieje też skorzystali z tej nagrody? Ponoć zawłaszczyłeś całość.

Faren przełknął głośno ślinę i cofnął się o jeszcze kilka kroków.

– To była rekompensata – powiedział ściśniętym głosem.

Sonea zrobiła krok w jego kierunku, ale w tej samej chwili w bramie rozległo się parsknięcie, które następnie przeszło w gromki śmiech.

– Soneo – odezwał się Cery – powinienem wynająć cię jako posłańca. Potrafisz nieźle zastraszać, jeśli tylko zechcesz.

Uśmiechnęła się ponuro.

– Nie ty jeden mi to w ostatnich dniach powiedziałeś. – Myśl o Dorrienie przypomniała jej tylko Rothena. Poczuła znów ciężar smutku i usiłowała odegnać go od siebie. *Nie mogę teraz o tym myśleć*, powtarzała sobie. *Mam za dużo do zrobienia.*

Faren zmrużył żółte oczy, spoglądając na Cery'ego.

– Powinienem się był domyślić, że to ty stoisz za tą drobną zasadzką.

Cery uśmiechnął się.

– Och, ja tylko podpowiedziałem jej, żeby zabawiła się nieco twoim kosztem. Należało jej się. W końcu rzeczywiście wydałeś ją w ręce Gildii.

– Zabierasz ją na spotkanie, prawda?

– Zgadza się. Ona i Akkarin mają im wiele do powiedzenia.

– Akkarin...? – powtórzył Faren niepewnie.

Sonea usłyszała za sobą kroki, odwróciła się więc i zobaczyła, jak wynurza się z bramy w towarzystwie Gola. Zgolił swój krótki zarost i związał włosy z tyłu głowy, co nadało mu dawny, imponujący wygląd.

Faren znowu się cofnął.

– To musi być *Faren*, nieprawdaż? – powiedział kurtuazyjnym tonem Akkarin. – Czarny, ośmionożny, jadowity?

Faren potaknął.

– Owszem – odparł. – Oczywiście pomijając nogi.

– Rad jestem, że mogę cię poznać.

Złodziej skinął ponownie głową.

– Ja również. – Zerknął na Cery'ego. – No cóż, spotkanie zapowiada się interesująco. Chodźcie za mną.

Ruszył w kierunku wylotu zaułka, a towarzysz Farena, nim podążył jego śladem, obrzucił parę magów zaciekawionym spojrzeniem. Cery popatrzył na Soneę, Akkarina i Gola, potem dał im ręką znak. Wszyscy razem weszli w wąskie przejście między dwoma budynkami na końcu uliczki. Kawałek dalej potężnie zbudowany mężczyzna zastąpił Farenowi drogę.

– Kim są tamci? – zapytał ostrym tonem, wskazując na Soneę i Akkarina.

– Gośćmi – odparł Cery.

Mężczyzna zawahał się przez chwilę, ale, jakkolwiek niechętnie, ustąpił drogi. Faren wszedł za nim do wnętrza budynku. Za drzwiami znajdował się niewielki korytarzyk i klatka schodowa. Faren zatrzymał się przed drzwiami na górze schodów i odwrócił się do Cery'ego.

– Powinieneś był zapytać, zanim przyprowadziłeś ich tutaj.

– I pozwolić im naradzać się godzinami? – Cery potrząsnął głową. – Nie mamy na to czasu.

– Pamiętaj tylko, że cię ostrzegłem.

Faren otworzył drzwi. Wchodząc za nim i za Cerym, Sonea obrzuciła wzrokiem luksusowe urządzenie wnętrza. Wyściełane krzesła ustawiono w nierówny krąg. Naliczyła siedem zajętych miejsc. Domyśliła się, że siedmiu mężczyzn stojących za krzesłami musi być ochroniarzami Złodziei.

Nietrudno było zgadnąć, który ze Złodziei jest który. Chudy łysy człowieczek musiał być Sevlim. Rudowłosa kobieta o zadartym nosie to zapewne Zill, a brodacz z krzaczastymi brwiami – Limek. Rozglądając się dookoła, Sonea zastanawiała się, czy Złodzieje zawdzięczają imiona swemu wyglądowi, czy też starają się upodobnić do zwierząt, których miana noszą. Doszła do wniosku, że zapewne po trochu jedno i drugie.

Siedzący na krzesłach wpatrywali się w nią i Akkarina; na twarzach niektórych widać było gniew i oburzenie, na innych – zdumienie. Jedna z osób wyglądała znajomo. Sonea uśmiechnęła się, gdy natrafiła na spojrzenie Raviego.

– Kim są ci ludzie? – zapytał ostro Sevli.

– Przyjaciółmi Cery'ego – odrzekł Faren. Podszedł do jednego z pustych krzeseł i usiadł. – Nalegał, by ich tu przyprowadzić.

– To jest Sonea – zwrócił się do pozostałych Złodziei Ravi, po czym przeniósł wzrok na Akkarina. – Co oznacza, że to musi być były Wielki Mistrz.

Oburzenie i zaskoczenie zmieniło się w pełne uznania zdumienie.

– To dla mnie zaszczyt spotkać wreszcie was wszystkich – odezwał się Akkarin. – Zwłaszcza ciebie, Mistrzu Senfelu.

Sonea spojrzała na mężczyznę stojącego za krzesłem Raviego. Stary mag zgolił brodę i zapewne dlatego nie poznała go od razu. Ostatnim razem, kiedy się spotkali, a Faren usiłował zmusić go do nauczenia jej magii, Senfel miał długą białą brodę. Sonea została otumaniona ziołami w bezskutecznej próbie opanowania jej mocy, wydawało jej się więc, że to spotkanie było tylko snem, ale Cery wyprowadził ją później z błędu. Senfel wpatrywał się teraz w Akkarina z pobladłą twarzą.

– A więc – powiedział – w końcu mnie dopadłeś.

– W końcu? – Akkarin wzruszył ramionami. – Wiedziałem o tobie od bardzo dawna, Senfelu.

Starzec zamrugał oczami ze zdziwienia.

– *Wiedziałeś?*

– Oczywiście – odparł Akkarin. – Twoja udawana śmierć nie była bardzo przekonująca. W dodatku wciąż nie rozumiem, dlaczego nas opuściłeś.

– Wasze zasady wydawały mi się... krępujące. Dlaczego nic nie zrobiłeś?

Akkarin uśmiechnął się.

– No cóż, postawiłoby to mojego poprzednika w niezbyt korzystnym świetle. On nawet nie zauważył, że zniknąłeś. Nie czyniłeś tu żadnej szkody, postanowiłem więc zostawić cię w spokoju.

Stary mag wybuchł krótkim, nieprzyjemnym śmiechem, brzmiącym jak warknięcie.

– Wygląda na to, że łamanie zasad masz we krwi, Akkarinie z Delvon.

– Poza tym czekałem, aż będziesz mi potrzebny – dodał Akkarin.

Senfel spoważniał.

– Gildia cię wzywała – powiedział. – Wygląda na to, że to *ty* jesteś potrzebny *im*. Dlaczego nie odpowiedziałeś?

Akkarin spojrzał na krąg Złodziei.

– Ponieważ Gildia nie może się dowiedzieć, że tu jesteśmy.

Oczy Złodziei zabłysły z ciekawości.

– A to dlaczego? – spytał Sevli.

Cery wystąpił na przód.

– Historia, którą Akkarin ma do opowiedzenia, nie jest krótka. Przydałoby się więcej krzeseł.

Mężczyzna, który wprowadził ich do środka, wyszedł z pomieszczenia i chwilę później wrócił z dwoma zwykłymi, drewnianymi krzesłami. Kiedy wszyscy zasiedli, Akkarin rozejrzał się po pomieszczeniu i wziął głęboki oddech.

– Pozwolicie, że najpierw opowiem wam, jak spotkałem Sachakan – zaczął.

Opisał pokrótce swoje spotkanie z Dakovą, a Sonea obserwowała Złodziei. Z początku słuchali ze spokojem, ale kiedy opisał Ichanich, na ich twarzach pojawiła się obawa i troska. Akkarin opowiedział następnie o szpiegach i o tym, jak zatrudnił Cery'ego do ich odnajdywania – to sprawiło, że oczy zebranych, teraz zaskoczonych i zaciekawionych, zwróciły się na dawnego przyjaciela Sonei. Kiedy Akkarin przeszedł do opowieści o ich wygnaniu do Sachaki, Sevli poderwał się z zagniewaną miną.

– Gildia to głupcy! – oznajmił. – Powinni byli zatrzymać cię u siebie, dopóki się nie przekonają, czy ci Ichani istnieją.

– Być może dobrze się stało, że tak nie uczynili – odparł Akkarin. – Ichani nie wiedzą, że tu jestem, a to daje nam pewną przewagę. Mimo że jestem potężniejszy od każdego z magów Gildii, nie mam tyle mocy, żeby pokonać ośmiu Ichanich. Razem z Soneą być może zdołalibyśmy zabić jednego, jeśli będzie z dala od reszty. Gdyby zatem Ichani wiedzieli o naszej obecności, polowaliby na nas grupami.

Przebiegł wzrokiem po twarzach Złodziei.

– Dlatego właśnie nie odpowiedziałem na wezwania Gildii. Gdyby magowie dowiedzieli się, że wróciłem, Ichani mogliby to wyczytać z umysłu pierwszego schwytanego.

– Uznałeś jednak, że *my* możemy wiedzieć – zauważył Sevli.

– Tak. Istnieje pewne ryzyko, ale niewielkie. Myślę, że zgromadzeni tu ludzie będą trzymać się jak najdalej od Sachakan. A wszelkie pogłoski na temat naszego powrotu, które wypłyną wśród ludzi, można łatwo potraktować jako legendy.

– Czego zatem od nas oczekujesz? – spytał Ravi.

– Chcą, żebyśmy pomogli im rozdzielać od siebie tych Sachakan – odpowiedziała Zill.

– Zgadza się – potwierdził Akkarin. – A także byście pozwolili nam korzystać ze Złodziejskiej Ścieżki na terenie całego miasta i przydzielili przewodników.

– Ścieżka nie obejmuje części Wewnętrznego Kręgu – ostrzegł Sevli.

– Za to budynki w tamtej dzielnicy są w większości puste – zauważyła Zill. – Są pozamykane, ale to akurat nie jest problemem.

Sonea spojrzała na nią pytająco.

– Dlaczego są puste?

Kobieta przeniosła na nią wzrok.

– Król rozkazał Domom wyjechać z Imardinu. Zastanawialiśmy się dlaczego, dopóki Senfel dopiero co nie powiedział nam o upadku Fortu i Calii.

Akkarin pokiwał głową.

– Gildia musiała się zorientować, że mieszkańcy Imardinu będą stanowić potencjalne źródło mocy dla Ichanich. Doradzono więc zapewne Królowi, by ewakuował miasto.

– Ale kazał wyjechać tylko Domom, prawda? – wtrąciła się Sonea. Na widok potakujących Złodziei poczuła, że budzi się w niej gniew. – A co z resztą ludzi?

– Kiedy Domy zaczęły wyjeżdżać, wszyscy pozostali domyślili się, że coś się dzieje – odpowiedział Cery. – Z tego, co wiem, tysiące ludzi pakują dobytek i wynoszą się na wieś.

– A co z bylcami? – spytała.

– Poradzą sobie – zapewnił ją Cery.

– W slumsach, poza murami miasta, tam, gdzie Ichani dotrą najszybciej. – Pokręciła głową. – Jeśli Ichani postanowią zatrzymać się i wzmocnić, bylcy będą bez szans. – Czuła, że jej gniew potęguje się. – Mogę uwierzyć, że Król jest taki głupi, ale nie że Gildia. W slumsach muszą być setki potencjalnych magów. To *ich* trzeba ewakuować w pierwszej kolejności.

– Potencjalnych magów? – Sevli zamyślił się. – Co masz na myśli?

– Gildia szuka talentów magicznych wyłącznie wśród dzieci pochodzących z Domów – wyjaśnił Akkarin – ale to nie znaczy, że ludzie z innych warstw nie mają magicznego potencjału. Sonea jest tego dowodem. Pozwolono jej wstąpić do Gildii tylko dlatego, że jej moc jest duża, tak duża, że rozwinęła się bez pomocy z zewnątrz. Wśród nizin społecznych są zapewne setki potencjalnych magów.

– I są oni znacznie atrakcyjniejszym łupem dla Ichanich niż magowie – dodała Sonea. – Magowie będą zużywać moc w walce, a zatem kiedy zostaną pokonani, nie będą mieli wiele energii.

Złodzieje wymienili spojrzenia.

– Myśleliśmy, że najeźdźcy nie zwrócą na nas uwagi – mruknął Ravi. – A teraz zanosi się na to, że potraktują nas jak jakieś dojne zwierzęta.

– Chyba że... – Sonea wstrzymała oddech i spojrzała na Akkarina. – Chyba że ktoś zabierze im moc, zanim zdążą to zrobić Ichani.

Otworzył szeroko oczy, gdy do niego dotarło, o czym ona mówi, ale szybko spochmurniał.

– Czy oni się na to zgodzą? Nie zamierzam odbierać mocy żadnemu Kyralianinowi bez jego zgody.

– Myślę, że większość się zgodzi, jeśli zrozumieją, z jakiego powodu ich o to prosimy.

Akkarin kręcił głową.

– Ale jak to zorganizować? Musielibyśmy przetestować tysiące ludzi i wszystkim im wytłumaczyć, co robimy. A możemy mieć tylko jeden dzień na przygotowania.

– Czy wy rozważacie to, co przypuszczam? – zapytał Senfel.

– Czyli co? – spytał zdezorientowany Sevli. – Jeśli ty coś z tego rozumiesz, Senfelu, to mi wytłumacz.

– Jeśli udałoby nam się znaleźć tych mieszkańców slumsów, którzy posiadają magiczny potencjał, Akkarin i Sonea mogliby zaczerpnąć od nich moc – wyjaśnił Senfel.

– W ten sposób nie tylko odebralibyśmy Ichanim ich łup, ale *nasi* magowie staliby się potężniejsi – powiedziała Zill, prostując się na krześle.

Nasi magowie? – Sonea stłumiła cisnący się jej na usta uśmiech. *Wygląda na to, że Złodzieje nas zaakceptowali.*

– Tylko czy bylcy się zgodzą? – spytał Akkarin. – Oni nie przepadają za magami.

– Zgodzą się, jeśli *my* ich o to poprosimy – powiedział Ravi. – Niezależnie od tego, co bylcy o nas sądzą, zdają sobie sprawę, że walczyliśmy w ich obronie podczas pierwszej Czystki i później. Jeśli wezwiemy ich do pomocy w walce z tymi najeźdźcami, będziemy mieli tysiące ochotników przed wieczorem. Możemy im powiedzieć, że mamy pomoc kilkorga magów. Jeśli pomyślą, że to magowie spoza Gildii, to jeszcze chętniej wam pomogą.

– Dostrzegam tylko jedną wadę tego planu – odezwał się Sevli. – Jeśli to zorganizujemy, zobaczą was tysiące bylców. A nawet jeśli nie zgadną, kim jesteście, obejrzą wasze twarze. I jeśli Ichani przeczytają ich myśli…

– Tu mogę pomóc – zgłosił się Senfel. – To ja będę testował ochotników. I tylko ci, którzy mają potencjał, zobaczą Soneę i Akkarina. A to oznacza, że zaledwie około setki osób dowie się o ich obecności.

Cery uśmiechnął się.

– Widzisz, Senfelu, przydasz się.

Stary mag rzucił Cery'emu zabójcze spojrzenie, po czym zwrócił się ponownie do Akkarina.

– Jeśli zachęcimy tych ochotników do zgromadzenia się w jednym miejscu – jakimś bezpiecznym domu z wygodnymi łóżkami i zapasami jedzenia – odzyskają energię i jutro będziecie mogli się dodatkowo wzmocnić.

Akkarin popatrzył na niego, po czym skinął głową.

– Dziękuję, Senfelu.

– Nie dziękuj mi na razie – odparł Senfel. – Mogą uciec na sam mój widok.

Sevli zachichotał.

– Możesz raz w życiu postarać się być miły, Senfelu. – Udał, że nie dostrzega przeszywającego go spojrzenia starego człowieka, i rozejrzał się po twarzach zebranych. – Teraz, skoro wiemy coś o tych Ichanich, widzę, że moje propozycje dotyczące metod walki z nimi nie miały sensu. Powinniśmy się trzymać jak najdalej od nich.

– Owszem – zgodził się Faren. – Musimy też ostrzec byłców, by nie wchodzili im w drogę.

– A jeszcze lepiej – powiedział Ravi – wprowadzić ich w podziemne korytarze. Będzie ciasno i może się zrobić nieco duszna atmosfera, ale – zerknął na Senfela – magiczne bitwy nie trwają ponoć długo.

– A jak będziemy wabić Ichanich z dala od grupy? – spytała Zill.

– Słyszałem, że Limek zna dobrego krawca – podpowiedział Cery, posyłając Złodziejowi o krzaczastych brwiach znaczące spojrzenie.

– Chciałoby się poparadować w szacie, co? – odezwał się tamten tubalnym głosem.

– Ech, nigdy nie uwierzą, że mag może być taki mały – parsknął Faren.

– Eja! – krzyknął Cery, wskazując na Soneę. – Zdarzają się niscy magowie.

Faren pokiwał głową.

– Sądzę, że bardziej przekonująco będziesz wyglądał w szacie nowicjusza.

Sonea poczuła, że coś muska jej ramię i spojrzawszy w dół, zorientowała się, że to palce Akkarina dotykają lekko jej skóry.

~ *Ci ludzie są odważniejsi, niż sądziłem* ~ wysłał do niej. ~ *Wygląda na to, że rozumieją, jak bardzo niebezpieczni i potężni są Ichani, a mimo to chcą z nimi walczyć.*

Sonea uśmiechnęła się i posłała mu obraz bylców ciskających kamienie w magów podczas Czystek, a potem system kanałów, którym Cery wprowadził ich do miasta.

~ *Dlaczego mieliby nie chcieć? Walczą przecież z magami i przechytrzają ich od lat.*

ROZDZIAŁ 32

PREZENT

Coś łaskotało Rothena w nos. Prychnął i otworzył oczy.

Leżał twarzą do ziemi w wyschniętej trawie. Przetoczył się na bok i poczuł piekący ból w ramieniu. Wspomnienia poprzedniego dnia powróciły do niego falą: przyjazd wozów, młody Wojownik otoczony w stajni przez Ichanich, Mistrz Yikmo w oknie domu, roztrzaskanie wozów, Kariko, krwawy klejnot, ucieczka...

Rozejrzał się dookoła i przekonał się, że znajduje się w stodole. Sądząc z kąta padania promieni słonecznych przez szpary w poszyciu dachu, wywnioskował, że musi być koło południa.

Podniósł się do pozycji siedzącej i poczuł znów przeszywający ból. Wsunął dłoń pod ubranie i dotknął swojego ramienia. Unosiło się nieco wyżej, niż powinno. Zamknął oczy, wysłał myśli do środka i z niezadowoleniem obejrzał ramię. Podczas snu ciało posłużyło się powracającą mocą, by wyleczyć połamane kości w barku i ramieniu. Coś jednak było zdecydowanie nie na swoim miejscu.

Westchnął. Nieświadome samoleczenie było jedną z zalet bycia magiem, ale nie należało zbytnio na nim polegać. Kości zrosły się pod wykręconymi, krzywymi kątami. Doświadczony Uzdrowiciel potrafiłby je na nowo złamać i nastawić, Rothen musiał jednak radzić sobie z niewygodą i ograniczeniem ruchów.

Wstając, poczuł przez moment zawroty głowy i głód. Podszedł do drzwi stodoły i wyjrzał na zewnątrz. W pobliżu ciągnęły się zabudowania, ale wszędzie panowała cisza. Stojący najbliżej budynek wyglądał znajomo. Rothen poczuł dreszcz, kiedy uświadomił sobie, że jest to ten sam dom, w którym spotkał Kariko.

Nie miał najmniejszej ochoty opuszczać stodoły. Sachakanie mogli wciąż przebywać w miasteczku, szukając nowych wozów. Powinien zaczekać do zmroku i wymknąć się pod osłoną ciemności.

W tej samej chwili dostrzegł maga leżącego w tylnych drzwiach domu. Wieczorem nie było tam żadnego ciała, w związku z tym mógł to być tylko jeden z magów: Mistrz Yikmo.

Rothen wyszedł na światło słoneczne i zbliżył się do odzianej na czerwono postaci. Chwycił Yikmo za ramiona i przewrócił go na plecy. Oczy Wojownika były puste.

Na jego brodzie zaschły strużki krwi, szata była podarta i zakurzona. Wracając myślami do poprzedniego wieczora, Rothen przypomniał sobie eksplodujące w środku domu drzwi. Założył wtedy, że Yikmo uciekł. Wyglądało jednak na to, że został śmiertelnie ranny w wybuchu.

Rothen potrząsnął głową. Yikmo był szanowany i podziwiany w Gildii. Nie był może potężnym magiem, ale miał błyskotliwy umysł, a umiejętność uczenia nowicjuszy mających problemy ze sztukami walki zyskała mu bardzo duże uznanie zarówno w oczach Balkana, jak i Akkarina.

Dlatego Akkarin wybrał go na nauczyciela Sonei, pomyślał. *A ona lubiła Yikmo, o ile wiem. Bardzo zmartwi ją wieść, że on nie żyje.*

Podobnie jak cała Gildia Rothen zastanawiał się, czy nie powinien przekazać im informacji o tym, co się zdarzyło, ale coś go powstrzymywało. Gildia musi wiedzieć, sądząc z milczenia po bitwie, że wszyscy polegli, ale Sachakanie nie mogą mieć co do tego pewności. *Lepiej nie mówić im czegoś, czego jeszcze nie wiedzą*, pomyślał.

Wstał i zachowując ostrożność, wszedł do wnętrza domu. Kierował się do głównej izby. W miejscu frontowej ściany ziała potężna dziura. Roztrzaskane szczątki dwóch wozów stały w dwóch stertach na środku drogi.

Odjechali.

Wśród resztek wozów leżały trzy ciała. Rothen uważnie zlustrował budynki po obu stronach i ostrożnie wyszedł na drogę.

– Magu!

Obrócił się szybko na pięcie i dostrzegł biegnącego ku niemu nastoletniego chłopca. Pamiętał go z ewakuacji miasteczka. Potrzeba było kilku ostrych słów Yikmo, żeby przekonać chłopaka, by przestał przyglądać się bitwie.

– Co ty tu robisz? – spytał Rothen.

Chłopak zatrzymał się, a nieudolny ukłon, jaki wykonał, wyglądał niemal komicznie.

– Wróciłem, żeby zobaczyć, co się stało, panie – odparł, a jego wzrok powędrował ku szczątkom wozów. – To nieprzyjaciel?

Rothen podszedł do leżących na drodze ciał i przyjrzał im się dokładnie. Wszyscy byli Sachakanami. Na ich rękach dostrzegł liczne drobne blizny.

– Niewolnicy – powiedział. Przyjrzał się bliżej. – Zostali ranni chyba wtedy, gdy uderzyliśmy w wozy. To paskudne rany, ale możliwe do Uzdrowienia. Poza tym nie powinni tak szybko umrzeć.

– Myślisz, że Sachakanie zabiliby własnych ludzi?

– Być może. – Rothen wyprostował się i przyglądał po kolei martwym Sachakanom. – Tak. Tych ran na nadgarstkach nie spowodowały odłamki drewna.

– Pewnie nie chcieli, żeby ich ci niewolnicy spowolnili – oznajmił chłopak.

– Rozejrzałeś się po wiosce? – spytał Rothen.

Chłopak potaknął.

– Widziałeś jakichś innych magów?

Chłopiec skinął znów głową, po czym spuścił wzrok.

– Ale wszyscy już nie żyli.

Rothen westchnął.

– A zostały jakieś konie?

Na twarzy chłopaka pojawił się szeroki uśmiech.

– Tu nie, ale mogę ci jakiegoś przyprowadzić. Mój ojciec trenuje konie wyścigowe dla Domu Arran. Ich rezydencja jest niedaleko. Mogę tam pobiec i wrócić za pół godziny.

– W takim razie przyprowadź konia. – Rothen rozejrzał się po drodze. – I ludzi, żeby pogrzebali ciała.

– Gdzie chcesz ich pochować? Na cmentarzu w Calii?

Cmentarz. Rothen przypomniał sobie zagadkowe groby w lesie za Gildią, a następnie słowa Akkarina o tym, że niegdyś czarna magia była powszechnie praktykowana. Nagle zrozumiał aż za dobrze, skąd wzięły się te groby.

– Tak, przynajmniej na razie – odpowiedział. – Zostanę tutaj, by ich zidentyfikować, a potem pojadę do Imardinu.

Podobnie jak wiele osób przed nią, wchodząca kobieta zawahała się na widok Sonei.

– Wiem, zasłona to lekka przesada – powiedziała Sonea z akcentem typowym dla slumsów. – Muszę ją nosić, żeby nikt nie wiedział, kim są magowie Złodziei.

Wymyślił to Takan. Zasłona miała zagwarantować, że nawet ta setka potencjalnych magów, od których pobiorą moc, nie pozna jej twarzy. Akkarin, który urzędował w sąsiednim pokoju, ukrywał twarz pod maską.

– Sonea? – wyszeptała kobieta.

Sonea zaniepokoiła się. Przyjrzała się bliżej i szybkim ruchem zerwała zasłonę, rozpoznając stojącą przed nią kobietę.

– Jonna!

Wybiegła zza stołu i objęła z całej siły ciotkę.

– To naprawdę ty – powiedziała Jonna, odchylając się nieco, żeby się jej lepiej przyjrzeć. – Myślałam, że Gildia cię wygnała.

– Bo wygnała – odparła Sonea z uśmiechem. – Ale wróciłam. Nie możemy pozwolić, żeby Sachakanie zdobyli to miasto, prawda?

Na twarzy Jonny pojawiła się cała gama emocji. Niepokój, strach, wreszcie nieco krzywy uśmiech.

– Ty to umiesz napytać sobie kłopotów. – Rozejrzała się po pokoju. – Musiałam czekać przez kilka godzin. Myślałam, że potrzebują kucharki czy co, ale powiedzieli mi, że mam jakieś tam zdolności magiczne i mam pomóc magom.

– Naprawdę? – Sonea posadziła ciotkę na krześle i wróciła na swoje miejsce po drugiej stronie stołu. – W takim razie muszę mieć mój talent po rodzinie matki. Daj mi rękę.

Jonna podała jej rękę. Sonea ujęła ją i wysłała swoje zmysły. Wykryła niewielkie źródło mocy.

– Niewiele. Dlatego kazali ci czekać. Jak się miewa Ranel i moi mali kuzyni?

– Kerrel szybko rośnie. Hania dużo płacze, ale powtarzam sobie, że wkrótce z tego wyrośnie. Gdyby Ranel wiedział, że tu będziesz, sam by przyszedł, ale uważał, że na nic się nie przyda z powodu tej kulawej nogi.

– Chętnie bym go zobaczyła. Może jak się to wszystko skończy... Muszę cię lekko skaleczyć w dłoń, jeśli pozwolisz.

Jonna wzruszyła ramionami. Sonea otworzyła stojącą na stole szkatułkę i wyciągnęła z niej maleńki nożyk – prezent od Cery'ego, który uznał, że niewielkie i niepokaźne nie wystraszy bylców tak jak duże. Ten był tak mały, że kilku bylców wręcz go wyśmiało.

Sonea przecięła nim skórę Jonny i położyła palec na rance. Podobnie jak wszyscy bylcy Jonna rozluźniła się, gdy Sonea pobierała od niej moc. Kiedy skończyła i zaleczyła skaleczenie, kobieta wyprostowała się.

– To było... bardzo dziwne uczucie – powiedziała Jonna. – Nie mogłam się ruszyć, ale czułam taką senność, że nawet nie miałam ochoty.

Sonea potaknęła.

– Podobne odczucia ma większość ludzi. Nie jestem pewna, czy dałabym radę to robić, gdybym miała świadomość, że jest to nieprzyjemne. Opowiedz mi teraz, co ostatnio porabialiście z Ranelem?

Problemy, o których opowiedziała jej Jonna, wydały jej się cudownie zwykłe i proste. Sonea słuchała, a następnie opowiedziała ciotce o wszystkim, co się wydarzyło od ich ostatniego spotkania, a także o niektórych swych lękach i wątpliwościach. Kiedy skończyła, Jonna spojrzała na nią badawczo.

– Ciężko uwierzyć, że to spokojne dziecko, które trafiło do mnie na wychowanie, wyrosło na taką ważną osobę – powiedziała. – No i jesteś z Akkarinem, Wielkim Mistrzem Gildii i w ogóle.

– On już nie jest Wielkim Mistrzem – przypomniała jej Sonea.

Jonna machnęła ręką.

– Nieważne. Jesteś go pewna? Myślisz, że się z tobą ożeni?

Sonea poczuła, że rumieniec zalewa jej twarz.

– Niee… nie wiem. Ja…

– A ty go przyjmiesz?

Małżeństwo? Sonea zawahała się przez chwilę, po czym skinęła głową.

– Ale jeszcze o tym nie rozmawialiście, co? – Jonna nachyliła się ku niej ze zmarszczonym czołem. – Jesteś ostrożna, hę? – mruknęła.

– Są… – Sonea wzięła głęboki oddech. – Wiem, że istnieją sposoby… magiczne, żeby mieć pewność, że kobieta nie… To jedna z zalet bycia magiem. Akkarin nie chciałby tego. – Czuła, że rumieni się coraz bardziej. – W każdym razie nie teraz. To nie byłoby rozsądne, cała ta walka…

Jonna pokiwała głową i pogłaskała Soneę po wierzchu dłoni.

– Oczywiście. Może później. Kiedy to się skończy.

Sonea uśmiechnęła się.

– Tak. I kiedy będę na to gotowa. A to nie nastąpi prędko.

Jonna westchnęła.

– Dobrze cię zobaczyć, Soneo. Z jednej strony od razu lepiej się czuję, wiedząc, że wróciłaś. – Spoważniała. – Ale z drugiej – zupełnie mnie to nie cieszy. Wolałabym, żebyś była gdzieś daleko, gdzie jest bezpiecznie. Wcale nie chcę, żebyś walczyła z tymi Sachakanami. Będziesz… będziesz na siebie uważała?

– Oczywiście.

– Nie zrób jakiegoś głupstwa.

– Nie zrobię. Wcale nie uśmiecha mi się myśl o śmierci, Jonno. To niezłe lekarstwo na głupotę.

Przerwało im pukanie do drzwi.

– Tak? – zawołała Sonea.

Otworzyły się drzwi i do środka wślizgnął się Cery, niosąc spory tobołek. Szeroko się uśmiechał.

– Ploteczki? – zauważył.

– To twoja sprawka? – spytała Sonea.

– Być może – odparł z chytrym uśmieszkiem.

– Dziękuję.

Cery wzruszył ramionami, a Jonna wstała.

– Późno już. Muszę wracać do rodziny – oznajmiła. – I tak już bardzo długo mnie nie było.

Sonea podniosła się i obeszła znowu stół, żeby objąć jeszcze raz ciotkę.

– Uważajcie na siebie – powiedziała. – Ucałuj ode mnie Ranela. I powiedz mu, że ma nikomu nie mówić o tym, że tu jesteśmy. Nikomu.

Jonna potaknęła, odwróciła się i wyszła.

– Ona była ostatnia – odezwał się Cery. – Zaprowadzę cię z powrotem do waszego mieszkania.

– A co z Akkarinem?

– Czeka już tam na ciebie. Chodź.

Przeszedł do drzwi znajdujących się z tyłu pokoju i wprowadził Soneę w korytarzyk, na którego końcu stała niewielka szafa. Cery odwiązał linę zwisającą z jej sufitu i kiedy przekładał ją między palcami, podłoga szafy zaczęła się powoli obniżać.

– Niezła z was para – zauważył.

Sonea odwróciła się do niego.

– Ze mnie i z Jonny?

Roześmiał się i pokręcił głową.

– Z ciebie i z Akkarina.

– Tak uważasz?

– Taką mam nadzieję. Nie jestem pewny, czy mi się podoba, że wplątał cię w te wszystkie kłopoty, ale wygląda na to, że jemu zależy na tym, żebyś przeżyła, w równym stopniu co mnie.

Podłoga zatrzymała się przed kolejnymi drzwiami. Cery popchnął je i znaleźli się w znanym Sonei korytarzu. Kilka kroków dalej minęli wielkie metalowe drzwi wiodące do gościnnych pokoi Cery'ego. Akkarin siedział przy stole zastawionym talerzami pełnymi świeżego jedzenia i trzymał kieliszek z winem. Miejsce obok swojego pana zajął Takan.

Akkarin spojrzał na Soneę i uśmiechnął się. Zauważyła, że Takan bacznie ją obserwuje, i zaczęła się zastanawiać, o czym mogli rozmawiać, zanim przyszła.

– Ceryni – odezwał się Akkarin. – Znów podejmujesz nas po królewsku. – Uniósł kieliszek. – Ciemne anureńskie, nic innego.

Cery wzruszył ramionami.

– Wszystko dla obrońców miasta.

Sonea usiadła i wzięła się do posiłku. Mimo że była głodna, jedzenie jej nie szło, a kiedy zaczęli rozprawiać o planach na następny dzień, całkowicie straciła apetyt. To nie była długa rozmowa, Akkarin szybko zamilkł i zaczął wpatrywać się w nią uważnie.

– Twoja moc jest widoczna – powiedział cicho. – Muszę nauczyć cię, jak ją ukrywać.

Wyciągnął do niej rękę. Ujęła ją w swoją i poczuła, że jego obecność pojawia się wyraźnie na krawędzi jej myśli. Zamknęła oczy.

~ *Tak to widać.*

Natychmiast wyczuła jego moc promieniującą na zewnątrz niczym lśniąca mgiełka.

~ *Widzę.*

~ *Pozwalasz mocy prześwitywać przez barierę, która otacza twoją naturalną osłonę magiczną. Musisz wzmocnić tę barierę. W taki sposób.*

Poświata znikła. Sonea skupiła się na własnym ciele i wyczuła zmagazynowaną w nim moc. Nie miała jeszcze czasu, by zastanowić się, jak wiele uzyskała od bylców. Usiłowała liczyć ochotników, ale straciła rachubę mniej więcej przy trzydziestym.

Teraz z zachwytem patrzyła na ogromny zapas mocy mieszczący się w przestrzeni wyznaczanej przez jej skórę. Bariera pozwalała jej tylko na utrzymywanie naturalnego poziomu mocy. Musi posłużyć się odrobiną tej dodatkowej magii, by wzmocnić osłonę. Skoncentrowała wolę i wysłała strumień mocy do bariery.

~ *Doskonale.* ~ Akkarin jednak nie wycofał się od razu, pozostał w jej umyśle. ~ *Spójrz na mnie.*

Otworzyła oczy. Poczuła przebiegający jej po plecach dreszcz na myśl o tym, że może go jednocześnie widzieć i czuć. Miał ten zamyślony wyraz twarzy, który zawsze przybierał, kiedy przyłapała go na wpatrywaniu się w nią… a teraz wiedziała dokładnie, co w takich chwilach myślał. Poczuła, że się rumieni, a kącik jego ust uniósł się nieznacznie do góry.

Chwilę później Akkarin puścił jej rękę i poczucie jego obecności znikło. Kiedy odwrócił wzrok, odczuła lekkie rozczarowanie.

– Powinniśmy zrobić dla siebie nawzajem krwawe klejnoty. W ciągu najbliższych kilku dni możemy potrzebować rozmowy na osobności.

Krwawe klejnoty. Rozczarowanie zmalało, zastąpione przez uczucie ciekawości.

– Będziemy potrzebowali nieco szkła. – Spojrzał na Takana. Służący wstał i przeszedł do kuchni, a chwilę później wrócił, potrząsając głową.

– Niczego tam nie ma...

Akkarin podniósł kieliszek i rzucił spojrzenie Cery'emu.

– Bardzo będziesz zły, jeśli go stłukę?

Cery wzruszył ramionami.

– Nie. Rozbijaj.

Szkło potłukło się, gdy Akkarin uderzył kieliszkiem w kant stołu. Podniósł jeden z okruchów i podał go Sonei, drugi zaś wziął dla siebie. Cery przyglądał się, najwyraźniej zżerała go ciekawość.

Sonea i Akkarin stopili swoje okruchy w niewielkie kulki. Akkarin wziął ze stołu ostry kawałek szkła i zranił się w rękę. Sonea uczyniła to samo. Chwycił znów jej dłoń i poczuła bliskość jego umysłu. Postępowała zgodnie z przekazywanymi jej poleceniami, jak połączyć krew i magię z gorącym szkłem.

Kiedy szkiełka ochłodziły się, Takan położył na blacie niewielki kawałek złota. Płytka uniosła się i zawisła na wysokości twarzy Akkarina, po czym zwinęła się i uformowała w dwa pierścienie. Akkarin umieścił klejnot w jednej z obrączek, Sonea uczyniła to samo ze swoim. Zauważyła, że kamień przechodzi przez metal, tak że styka się ze skórą noszącego pierścień.

Złote pazurki oprawy zacisnęły się na klejnotach. Akkarin ujął oba pierścienie, trzymając je za obrączki, i spojrzał Sonei prosto w oczy.

– Dzięki tym pierścieniom będziemy mieli wzajemnie wgląd w swoje umysły. To niesie z sobą pewne...

niedogodności. Czasami wiedza o tym, jak widzi cię ktoś inny, nie jest wcale miłym doświadczeniem. To potrafi niszczyć przyjaźnie, zmieniać miłość w niechęć, zabijać szacunek dla samego siebie. – Zamilkł na chwilę. – Może to jednak również prowadzić do lepszego zrozumienia. Ale nie powinniśmy ich nosić częściej, niż to naprawdę konieczne.

Sonea wzięła do ręki jego pierścień, rozważając to, co właśnie powiedział. Zmienić miłość w niechęć? On przecież nigdy nie *powiedział*, że ją kocha. Pomyślała o słowach Jonny: „*Jeszcze o tym nie rozmawialiście, co?*".

Nie potrzebowaliśmy, powiedziała sobie. *Strzępki jego myśli, które czasem do niej docierały, wystarczały.*

Wystarczały?

Spojrzała na trzymany w ręce pierścień i poczuła, że szarpią nią dwie myśli: albo on ją kocha i boi się, że pierścień wszystko popsuje, albo jej nie kocha i lęka się, że poprzez pierścień ona odkryje prawdę.

Kiedy jednak przed chwilą pozostawał jeszcze przez moment w jej umyśle, była pewna, że on czuje coś więcej niż tylko pożądanie.

Położyła pierścień na stole. Jutro będą go potrzebować. Jutro przekonają się, ile ich to będzie kosztować. Na razie nie musi wiedzieć nic więcej poza tym, co wychwyciła z jego umysłu.

Cery podniósł się niespodzianie.

– Chętnie bym został, ale muszę się zająć jeszcze kilkoma sprawami. – Zatrzymał się i wskazał ręką na worek, który zostawił na jednym z krzeseł. – Trochę ubrań. Pomyślałem, że będą lepiej pasowały niż to, co nosicie teraz.

Akkarin skinął głową.

– Dziękuję.

– Dobranoc.

Kiedy Cery wyszedł, Takan również się podniósł.

– Późno już – powiedział. – Jeśli mnie nie potrzebujecie...?

Akkarin pokręcił przecząco głową.

– Nie. Wyśpij się, Takanie. – Przeniósł wzrok na Soneę. – My też powinniśmy odpocząć.

Wstał i przeszedł do sypialni. Sonea ruszyła za nim, ale zatrzymała się, przypominając sobie o tobołku leżącym na krześle. Wzięła go z sobą.

Akkarin zerknął na worek, który rzuciła na łóżko.

– Jakież to przebranie wymyślił Cery, hmm?

Sonea rozwiązała worek i przechyliła go do góry nogami. Wypadły z niego wielkie ilości czarnej tkaniny. Zerknęła na Akkarina i rozpostarła materiał na łóżku.

To były szaty. Szaty *magów*.

Akkarin wpatrywał się w nie ponuro.

– Nie będziemy tego nosić – powiedział cicho. – Nie należymy do Gildii. To byłoby przestępstwo.

– W takim razie jutro Gildia zamiast walczyć z Ichanimi będzie musiała zająć się zatrzymywaniem przestępców – odparła Sonea. – Na ulicach pojawią się setki niemagicznych ludzi w szatach, żeby odciągać od siebie Sachakan.

– To... co innego. My jesteśmy wyrzutkami. Na dodatek te są czarne. Nikt nie weźmie nas za zwykłych magów.

Sonea spojrzała na worek. Był nadal w połowie pełny. Sięgnęła do środka i wyciągnęła dwie pary spodni i dwie koszule. Obie dość obszerne.

– Dziwne. Po co dał nam dwa zestawy ubrań?

– Do wyboru.

– Albo też uważa, że powinniśmy nosić pod tym szaty.

Akkarin zmrużył oczy.

– I zdjąć wierzchnie okrycie we właściwym momencie?
– Być może. Przyznasz, że mogłoby to wywołać niezły efekt. Dwoje czarnych magów…

Wzięła głęboki oddech i spojrzała w dół na łóżko i poczuła nagły dreszcz, uświadomiła sobie bowiem, że patrzy na szaty pełnej długości – szaty pełnoprawnych magów.

– Nie mogłabym tego nosić! – wykrzyknęła.

Akkarin zaśmiał się.

– Kiedy tylko zaczęłaś się ze mną zgadzać, to ja zacząłem zmieniać zdanie. Uznałem właśnie, że być może twój przyjaciel jest tak wyrafinowany i sprytny, jak mogłem się spodziewać. – Pochylił się i przesunął palcami po tkaninie. – Nie pokażemy tego, chyba że ktoś odkryje naszą tożsamość. A gdyby tak się stało, jest szansa, że Sachakanie uznają, że Gildia przyjęła nas z powrotem. To dałoby Kariko do myślenia.

– A Gildii?

Spochmurniał.

– Jeśli naprawdę chcą, byśmy wrócili, to muszą się pogodzić z tym, czym jesteśmy – mruknął. – Poza wszystkim nie jesteśmy w stanie zapomnieć o tym, co umiemy.

Sonea spuściła wzrok.

– A zatem to czarne szaty dla czarnych magów.

– Tak.

Teraz ona zmarszczyła brwi. Myśl o paradowaniu w czarnej szacie przed Rothenem… poczuła nagły przypływ żalu. *Przecież on nie żyje.*

Westchnęła.

– Wolałabym, by czarna magia nazywała się dalej wyższą, ale gdyby Gildia miała nas przyjąć z powrotem, trudno żeby mówili o nas: „wyżsi magowie". Brzmiałoby to niepoważnie.

Akkarin pokręcił głową.

– Owszem, a poza tym określenie „czarny mag" nie zachęca do wyobrażania sobie, że stoi się ponad innymi.

Sonea spojrzała na niego uważnie.

– Myślisz, że oni nas przyjmą z powrotem?

Mina Akkarina świadczyła o tym, że się zamyślił.

– Nawet jeśli Gildia przetrwa, nie będzie już taka sama. – Zebrał szaty i przewiesił je przez oparcie krzesła. – Na razie musimy się wyspać. W najbliższym czasie możemy nie mieć do tego okazji.

Kiedy zaczął się rozbierać, Sonea przysiadła na skraju łóżka i zastanawiała się nad tym, co powiedział. Gildia już się zmieniła. Tylu magów zginęło... Poczuła, że żal znów ściska ją w gardle na myśl o Rothenie.

– Nigdy nie widziałem, by ktoś wyspał się dobrze na siedząco – zauważył Akkarin.

Sonea odwróciła się i zobaczyła, że wsunął się już pod kołdrę. Poczuła dziwaczną mieszankę podniecenia i nieśmiałości. Przebudzenie rano w jednym łóżku z nim sporo zmieniało. *Było z pewnością znacznie wygodniej niż na skale*, pomyślała, *ale bycie razem tutaj sprawiało wrażenie bardziej... przemyślanego.*

Odłożyła na bok worek i pozostałe ubrania, rozebrała się i wsunęła do łóżka. Akkarin miał zamknięte oczy, a jego równy oddech świadczył o tym, że już śpi. Uśmiechnęła się i wyciągnęła rękę, żeby zgasić lampę.

Mimo panującej wokół ciemności i zmęczenia długim dniem, nie udawało jej się zasnąć. Stworzyła maleńką kulę świetlną i obróciła się na bok, by popatrzeć na Akkarina, zadowolona, że może spokojnie przyjrzeć się jego twarzy.

Nagle zamrugał powiekami i spojrzał prosto na nią. Na jego czole pojawiła się niewielka zmarszczka.

– Miałaś spać – mruknął.
– Nie mogę zasnąć – odparła.
Jego usta wygięły się w lekki uśmiech.
– Kiedy ja to ostatnio słyszałem?

Wchodząc do swojego mieszkania, Cery wciągnął głęboko powietrze, w którym unosił się ciepły, korzenny zapach. Uśmiechnął się i poszedł za tym zapachem do łazienki, gdzie znalazł Savarę wylegującą się w wannie pełnej wody.

– Znów się kąpiesz? – zapytał.

Odpowiedziała łobuzerskim uśmiechem.

– Chcesz się przyłączyć?

– Myślę, że na razie zachowam bezpieczną odległość.

Uśmiechnęła się jeszcze szerzej.

– W takim razie opowiedz mi, co mnie ominęło.

– Przyniosę sobie krzesło.

Wrócił do pokoju, zatrzymał się na środku i kilka razy głęboko odetchnął.

Po raz kolejny czuł wielką potrzebę opowiedzenia jej o wszystkim. Zawarli przecież umowę: będzie ją informował o zdarzeniach w zamian za podpowiedzi, jak zabijać Ichanich. Jakaś jego cząstka mówiła mu, że może jej w pełni zaufać, ale inna podpowiadała ostrożność.

Ile on naprawdę o niej wiedział? Była Sachakanką. Wyszukiwała i wskazywała dla niego swoich ziomków, wiedząc, że zginą. To jednak jeszcze nie znaczyło, że miała na uwadze dobro Kyralii. Powiedziała mu, że pracuje dla innej „frakcji" w Sachace i jedno było pewne: była lojalna wobec swoich ludzi.

Zawarli umowę i ona na razie dotrzymywała swoich zobowiązań…

Nie mógł jej jednak powiedzieć, że Akkarin i Sonea powrócili. Gdyby wieść o ich przybyciu i czynionych przygotowaniach się rozeszła, Ichani mieliby zagwarantowane zwycięstwo. Gdyby zaufał Savarze i ich wydał, ponosiłby odpowiedzialność za klęskę Kyralii.

A Sonea mogłaby zginąć. Cery czuł lekkie wyrzuty sumienia z powodu ukrywania tych informacji przed swoją nową kobietą ze względu na bezpieczeństwo dawnej ukochanej. *Gdybym jednak naraził życie dawnej dla nowej*, powtarzał sobie, *czułbym się jeszcze gorzej niż teraz.*

Savara i tak w końcu się dowie. Serce Cery'ego przyspieszało z dziwacznego, nieznanego strachu, ilekroć rozważał, jak ona może na to zareagować.

Zrozumie, tłumaczył sobie. *Co za Złodziej byłby ze mnie, gdybym tak łatwo zdradził powierzone mi tajemnice? A poza tym ona długo tu nie zostanie. Kiedy to się skończy, i tak mnie opuści.*

Odetchnął głęboko, podniósł jedno z krzeseł i zaniósł je do łazienki. Savara opierała się łokciami o brzeg wanny, a dłońmi podpierała podbródek.

– Co zatem postanowili Złodzieje?

– Spodobały im się nasze pomysły – odpowiedział. – Limek posadził swoich ludzi do szycia szat.

Uśmiechnęła się promiennie.

– Mam nadzieję, że ci, którzy będą je nosić, umieją szybko biegać.

– Złodziejska Ścieżka będzie dla nich drogą ucieczki. Reszta zaś wyszukuje dobre miejsca na pułapki.

Skinęła głową.

– Gildia wysłała dziś mentalne zawołanie do Akkarina.

Udał zdziwienie.

– I co odpowiedział?

– Nic nie odpowiedział.

Cery zmarszczył brwi.

– Myślisz, że on…?

– Nie żyje? – Uniosła nieznacznie ramiona. – Nie wiem. Może. Albo też uznał, że jakakolwiek inna odpowiedź byłaby zbyt niebezpieczna. Mógłby zwrócić na siebie niepożądaną uwagę.

Cery potaknął i bez większego problemu zdołał wywołać na swej twarzy grymas wskazujący na zaniepokojenie. Savara rozłożyła ręce i skinęła na niego, żeby podszedł.

– Chodź do mnie, Cery – wymruczała. – Zostawiłeś mnie tu samą na cały długi dzień. Dziewczyna się nudzi.

Wstał i założył ręce.

– Cały dzień? Słyszałem, że wymknęłaś się na targ.

Zachichotała.

– Podejrzewałam, że się dowiesz. Chciałam odebrać coś, co zrobił dla mnie jubiler. Zobacz.

Na brzegu wanny leżało niewielkie puzderko. Wzięła je do ręki i podała mu.

– Prezent dla ciebie – powiedziała. – Zrobiony z kilku kamieni z mojego sztyletu.

Cery uniósł wieczko i wstrzymał oddech na widok dziwacznej srebrnej zawieszki leżącej w środku. Misternie wyrzeźbione żyłkowane skrzydła wyrastały z wydłużonego ciała. Dwie żółte iskierki tworzyły oczy owada, a zielone kamienie zdobiły jego zakrzywiony odwłok. Tułów był wykonany z wielkiego, gładkiego rubinu.

– W moim kraju uważa się za szczęśliwy znak, jeśli inava usiądzie na tobie przed bitwą – powiedziała. – Są one również uważane za posłańców między rozdzielonymi kochankami. Zauważyłam, że w Kyralii mężczyźni nie noszą biżuterii, ale zawsze możesz to trzymać pod ubraniem. – Uśmiechnęła się. – Tuż przy skórze.

Naszło go poczucie winy. Wyjął zawieszkę ze szkatułki i przełożył sobie łańcuszek przez głowę.

– Jest piękny – powiedział. – Dziękuję.

Na moment odwróciła wzrok, jakby nagle zawstydziła się sentymentalnością swojego prezentu. Chwilę później na jej twarzy zagościł znów łobuzerski uśmieszek.

– Może wejdziesz tu w końcu i podziękujesz mi należycie?

Cery roześmiał się.

– Niech ci będzie. Jak mógłbym ci odmówić?

ROZDZIAŁ 33

NADEJŚCIE ICHANICH

Poranne słońce wznosiło się ponad horyzont tak powoli, jakby nie miało ochoty powitać nadchodzącego dnia. Pierwsze promienie dotknęły pałacowych wież, ukazując je w żywych żółtopomarańczowych barwach. Złote światło powoli rozkładało się na dachach, najpierw na obrzeżach miasta, a potem coraz bliżej Zewnętrznego Muru, gdzie zalało twarze stojących na blankach.

Opuścili Gildię, gdy tylko patrol przekazał, że Sachakanie się zbliżają. Wspięli się na mury i ustawili w długim szeregu. Był to imponujący widok: setki zebranych razem magów przeciwko mizernie wyglądającym dwóm wozom, które nadjeżdżały w kierunku miasta. Lorlen cały czas musiał sobie przypominać, że zbliżający się w nich zdążyli już zabić ponad czterdziestu najlepszych Wojowników Gildii i byli kilkakrotnie potężniejsi od stojących na murach magów.

Ichani znaleźli nowe wozy na miejsce tych, które zniszczyli ludzie Yikmo, ale ich przybycie opóźniło się o pół dnia. Gildia nie skorzystała jednak wiele na poświęceniu Wojowników. Podjęte przez Sarrina próby opanowania czarnej magii nie powiodły się. Stary mag twierdził, że nie jest w stanie do końca zrozumieć opisów i instrukcji dotyczących tej sztuki, zawartych w księgach, i z dnia na dzień irytował się coraz bardziej. Lorlen wiedział, że Sarrin obciąża swoje sumienie przekonaniem, że śmierć ludzi Yikmo poszła na marne, i dręczy go poczucie winy, że nie zdoła wybawić Kyralii.

Administrator zerknął na stojącego kilka kroków dalej Alchemika. Sarrin był wymizerowany i zmęczony, ale spoglądał w stronę zbliżających się wrogów z zaciętą determinacją. Lorlen przeniósł wzrok na Balkana, który stał ze skrzyżowanymi na piersi ramionami, starając się zachowywać spokój i pewność siebie. Mistrzyni Vinara sprawiała wrażenie równie spokojnej i zdecydowanej.

Lorlen popatrzył ponownie na zbliżające się wozy. Poprzedniego dnia wieczorem patrol doniósł o pozycji wroga. Sachakanie włamali się na opuszczoną farmę przy drodze, w odległości zaledwie godziny jazdy od miasta. Kiedy stało się jasne, że zamierzają zaatakować dopiero rano, Król ucieszył się. Wciąż miał nadzieję, że Sarrin opanuje sztukę czarnej magii.

Jeden z Doradców Króla stwierdził, że Ichani nie będą odpoczywać, jeśli nie będzie im to potrzebne. Lorlen rozpoznał w tym człowieku Ravena, szpiega, który towarzyszył Rothenowi w pierwszych dniach jego niedoszłej misji.

– Jeśli chcą spać, nie powinniśmy im na to pozwolić – oznajmił Raven. – Nie musicie wysyłać magów. Zwykli ludzie na nic się nie zdadzą w magicznej konfrontacji, ale nie powinniśmy lekceważyć naszych zdolności w kwestii uprzykrzania życia.

Grupa gwardzistów została więc wysłana nocą na farmę, żeby wypuścić na Sachakan żywiki, przeszkadzać hałasami w ewentualnym odpoczynku i w końcu podpalić zabudowania. To ostatnie zadanie wypełnili ze szczególną zawziętością, po tym jak Ichani dorwali jednego z gwardzistów. To, co uczynili temu człowiekowi, nie wróżyło dobrze mieszkańcom Imardinu, którzy nie zdążyli jeszcze opuścić miasta.

Spoglądając przez ramię, Lorlen zastanawiał się nad losem miasta. Ulice były opustoszałe i ciche. Większość ludzi pochodzących z Domów odpłynęła do Elyne, zabierając z sobą rodziny i służbę. Przez ostatnie dwa dni przez Bramę Południową wyjeżdżały rzędy wozów: to pozostała ludność uciekała do pobliskich wiosek. Gwardia z całych sił starała się utrzymywać spokój, ale nie była tak liczna, żeby mogła powstrzymać wszystkie grabieże. Kiedy tylko słońce zaszło poprzedniego wieczora, zamknięto bramy i obsadzono fortyfikacje.

Ichani mogą oczywiście zlekceważyć bramy. Mogą skierować się prosto ku wyrwie w zewnętrznym murze, w miejscu, gdzie niegdyś okrążał on tereny Gildii.

A Gildia nie mogła zrobić nic, by temu zapobiec. Wiadomo było, że bitwa jest z góry przegrana. Być może zdołają zabić jednego albo dwóch Ichanich.

Lorlen z przerażeniem myślał o zniszczeniu wspaniałych, starych budowli. Mistrz Jullen spakował i odesłał z miasta najcenniejsze księgi i kroniki, a pozostałe ukrył i zapieczętował w komnacie znajdującej się pod gmachem Uniwersytetu. Chorzy znajdujący się w Domu Uzdrowicieli, służba i rodziny magów wyjechały z miasta.

Podobne kroki podjęto w Pałacu. Lorlen spojrzał na wieże, ledwie widoczne ponad murem wewnętrznym. Mury miejskie miały strzec tego budynku. Pałac rozbudowywano przez stulecia, schlebiając kaprysom i gustom kolejnych członków rodziny królewskiej, ale mur pozostawał nienaruszony. Wewnątrz zgromadził się kwiat gwardii miejskiej, gotowej walczyć, nawet jeśli Gildia padnie.

– Dotarli do slumsów – mruknął Osen.

Lorlen skierował spojrzenie na północ, ku slumsom. Przed nim rozciągał się labirynt ulic, których nie wyznaczał żaden plan. Pustych. Zastanawiał się, gdzie podziali się bylcy. Miał nadzieję, że są daleko.

Wozy dojechały już do pierwszych zabudowań, a siedzący na nich ludzie wyglądali niczym maleńkie figurki. Lorlen obserwował, jak się zatrzymują. Wysiadło z nich sześciu mężczyzn i jedna kobieta. Wszyscy ruszyli w stronę Bramy Północnej. Niewolnicy odjechali wozami w głąb slumsów.

Został z nimi jeden Ichani, zauważył Lorlen. *O jednego mniej do ataku na nas. Choć w zasadzie nie robi to wielkiej różnicy.*

– Przybył Król – mruknął Osen.

Lorlen odwrócił się i zobaczył nadchodzącego władcę. Magowie przyklękli, ale szybko podnieśli się z powrotem, kiedy Król przeszedł koło nich. Lorlen ruszył za nim.

– Administratorze.

– Wasza Królewska Mość – odpowiedział.

Król spojrzał w dół ku zbliżającym się Sachakanom.

– Próbowałeś nawiązać kontakt z Akkarinem?

Lorlen przytaknął.

– Co godzinę, odkąd o to poprosiłeś.

– I jak?

– Bezskutecznie.

Król skinął głową.

– W takim razie musimy stawić im czoła samotnie. Miejmy nadzieję, że on pomylił się w ocenie ich mocy.

*

Sonea nigdy nie widziała zamkniętej Bramy Północnej. Ogromne metalowe płyty zawsze pokrywała warstewka rdzy, a ornamenty zasłaniał gromadzący się przez stulecia brud. Teraz odrzwia lśniły polerowaną czernią – odnowione, by pokazać dumę i opór.

Na blankach murów stali w rzędach magowie. Między czerwonymi, zielonymi i fioletowymi szatami migał również kolor brązowy. Soneę ogarnęło współczucie dla szkolnych kolegów. Muszą się okropnie bać.

Ichani pojawili się na drodze w zasięgu jej wzroku. Poczuła, że żołądek podchodzi jej do gardła, i usłyszała, że Akkarin wstrzymuje oddech. Znajdowali się w odległości zaledwie stu kroków, może nieco dalej, i tym razem nie patrzyła na nich oczami innego maga.

Akkarin, Cery, Takan i ona ukryli się w domu położonym obok drogi północnej. Cery przyprowadził ich tutaj, ponieważ ten budynek miał wieżyczkę nad drugim piętrem, skąd roztaczał się najlepszy widok na obszar znajdujący się bezpośrednio przed bramą.

– Ten na samym przodzie to Kariko – mruknął Akkarin.

Sonea potaknęła.

– Kobieta to musi być Avala. A pozostali?

– Pamiętasz tego szpiega, którego wspomnienia widziałaś? Ten wysoki to zapewne jego pan, Harikava. A ci dwaj z tyłu to Inijaka i Sarika, widziałem ich w umysłach innych szpiegów. Pozostali dwaj, Rikacha i Rashi, to starzy sprzymierzeńcy Kariko.

– To daje siedmiu – powiedziała. – Brakuje jednego.

Akkarin zmarszczył brwi.

– Istotnie.

Ichani minęli ich kryjówkę i zatrzymali się. Popatrzyli na szereg postaci w szatach stojących na szczycie Zewnętrznego Muru.

Głos, który rozległ się z góry, nie był jej znany.

– Odejdźcie, Sachakanie. Nie jesteście mile widzianymi gośćmi na mojej ziemi.

Sonea przyjrzała się gromadzie magów stojących nad bramą i dostrzegła obok Administratora Lorlena bogato odzianego mężczyznę.

– Czy to… Król?

– Tak.

Poczuła niechętny podziw dla monarchy. Został w mieście, mimo że mógł uciec wraz z Domami.

Kariko rozłożył ręce.

– To jest kyraliańska gościnność? I to wobec znużonych podróżnych?

– Goście nie zabijają rodziny ani służby gospodarza.

Kariko roześmiał się.

– Zaiste. Ale czy jestem mile widziany na twojej ziemi, czy nie, stoję na niej. I żądam twojego miasta. Otwórz mi bramę, a daruję ci życie i uczynię moim sługą.

– Wolimy śmierć niż służbę u was.

Sonea poczuła, że serce jej zamiera, gdy rozpoznała głos Lorlena.

– Czy to któryś z tych, którzy mienią się „magami"? – roześmiał się Kariko. – Wybacz, ale zaproszenie nie dotyczyło ciebie ani twojej Gildii. Nie trzymam magów. Wasza żałosna Gildia zapłaci mi śmiercią. – Skrzyżował ramiona na piersi. – Otwórz bramę, Królu Merinie.

– Sam ją sobie otwórz – odrzekł Król. – A wtedy przekonamy się, czy moja Gildia jest tak żałosna, jak twierdzisz.

Kariko odwrócił się do swoich sojuszników.
– Wygląda na to, że lepszego powitania nie będzie. Rozbijmy więc skorupkę i posilmy się jajkiem.

Poruszali się niedbale, ustawiając w luźny szereg. W bramę uderzyły promienie białego światła, celując w sam środek i boki. Sonea usłyszała, jak Cery'emu brakło tchu w piersiach, gdy metal zaczął błyszczeć. Z góry na atakujących posypał się deszcz pocisków, ale wszystkie odbiły się od tarcz Ichanich.

– Zobacz ich słaby punkt, Lorlenie! – syknął Akkarin. – Skupcie się na jednym!

Sonea podskoczyła, słysząc w pobliżu trzask czegoś, co się rozdarło. Akkarin trzymał rękę na papierowym okienniku stojącym pod ścianą. Wydostał palce z podartego papieru i oparł się na parapecie.

– Właśnie tak! – powiedział.

Sonea wyjrzała ponownie na zewnątrz i zobaczyła, że ciężar ataku Gildii przeniósł się na jednego z Ichanich. Wstrzymała oddech, spodziewając się, że Sachakanie połączą tarcze, ale tak się nie stało.

– Ten człowiek – Akkarin wskazał palcem atakowanego Ichani – będzie naszą pierwszą ofiarą.

– Pod warunkiem, że odłączy się od grupy – dodał Cery.

Kariko spojrzał na znajdującego się pod obstrzałem sojusznika, a następnie podniósł oczy na mur. Z jego dłoni ku stojącym nad bramą postaciom wystrzelił promień oślepiającego światła, ale odbił się od wspólnej tarczy magów Gildii.

W tej samej chwili brama wypluła białą chmurę. W metalu pojawiła się potężna dziura, zza której wznosiły się kolejne tumany.

– Domy za bramą musiały zająć się ogniem – powiedział ponuro Cery.

Akkarin pokręcił przecząco głową.

– Jeszcze nie. To para, nie dym. Gwardziści wylewają wodę na drewniane dachy, żeby zapobiec pożarom.

Wydawało się to śmiesznie marną próbą powstrzymania Ichanich, ale każda przeszkoda, którą Sachakanie napotykali na swojej drodze, pozbawiała ich odrobiny mocy. Sonea znowu popatrzyła na mury. Król i otaczający go magowie rozbiegali się z dala od wzbijających się tumanów pary.

Jedno ze skrzydeł bramy drgnęło. Cery wymamrotał jakieś przekleństwo, kiedy metalowa płyta wygięła się do przodu. Rozległy się głośne trzaski, po czym płyta zerwała się z zawiasów i runęła na ziemię. W wyrwie ukazało się rusztowanie z drewna i żelaza. Kiedy gwardziści rzucili się do ucieczki z tej konstrukcji, runęło drugie skrzydło bramy.

Kariko powiódł wzrokiem po swoich towarzyszach.

– Myślą, że to zdoła nas powstrzymać? – Roześmiał się i skierował wzrok z powrotem na rusztowanie.

Powietrze zadrgało i konstrukcja zapadła się, jakby uderzona potężną niewidzialną pięścią. Trzask łamiącego się drewna i pękającego metalu poniósł się echem przez sforsowaną bramę i rusztowanie zawaliło się na ziemię.

Sonea podniosła oczy i zobaczyła, że magowie znikli z blanków. Patrzyła, jak Ichani wkraczają do miasta. Z domów po obu stronach ulicy posypały się uderzenia, ale Sachakanie nie zwracali na nie uwagi. Zdążali ku Wewnętrznemu Murowi.

Akkarin odsunął się od okna i zwrócił się do Cery'ego.

– Musimy jak najszybciej dostać się do miasta – powiedział.

Cery uśmiechnął się.
– Nie ma problemu. Chodźcie za mną.

Farand z trudem łapał powietrze. Dannyl chwycił młodzieńca za rękę i zwolnił kroku. Chłopak odwrócił się do niego, a na jego twarzy malował się strach.

– Nie pójdą za nami – zapewnił go Dannyl. – Wyglądali tak, jakby całą uwagę skupili na Wewnętrznym Kręgu.

Farand przytaknął. Młodzieniec pojawił się na murze u boku Dannyla, zapewne poszukując pociechy w widoku znajomej twarzy. Magowie biegnący przed nimi oddalili się i w końcu znikli im z pola widzenia.

– Czy my... dostaniemy się... tam na czas? – wydyszał Farand, kiedy dotarli do zachodniej dzielnicy.

– Mam nadzieję – odparł Dannyl. Spojrzał ku Wewnętrznemu Murowi i zobaczył, że niektórzy magowie wspinają się już na blanki. Zerknął na Faranda, który wyglądał wciąż blado, ale dzielnie parł do przodu. – A może nie.

Skręcił w najbliższą uliczkę. Mur znajdował się dokładnie przed nimi. Kiedy do niego dobiegli, Dannyl chwycił Faranda za ramiona. Uformował tarczę pod ich stopami i wzniósł się w górę najszybciej, jak potrafił. Prędkość lotu wzburzyła jego żołądek.

– Myślałem, że mamy nie używać magii poza walką – jęknął Farand.

Dotarli na szczyt muru i Dannyl postawił ich na ziemi.

– Jesteś za słaby, żeby biec – powiedział. – Lepiej, że jesteśmy na miejscu dostatecznie szybko, bym zdołał ukierunkować twoją moc, niż gdybyśmy mieli nie dotrzeć tu wcale.

Zbliżył się do nich mag z twarzą zarumienioną od wysiłku i podążyli za nim wzdłuż muru. Spoglądając na

Wewnętrzny Krąg, Dannyl się zaniepokoił. Tayend znajdował się w jednym z tych budynków. Dom, w którym się schronił, mieścił się po drugiej stronie Pałacu, nie będzie stanowił żadnej ochrony, jeśli Ichani zechcą przeszukać dzielnicę.

Kiedy dotarli do formującego się na murach szeregu magów, Dannyl wysłał nieco swojej magii, żeby wzmocnić tarczę Gildii. Spoglądał w dół, obserwując Ichanich. Stali w grupce pod bramą i rozmawiali.

– Dlaczego nie atakują? – spytał Farand.

Dannyl przyjrzał się dokładniej.

– Nie mam pojęcia. Jest ich tylko sześcioro. Któregoś brakuje.

W wylocie jednej z bocznych uliczek pojawiła się Sachakanka. Powolnym krokiem podeszła do Ichanich. Przywódca założył ręce i wyszedł jej na spotkanie. Dannyl obserwował ruchy ich ust. Kobieta uśmiechnęła się, ale gdy tylko wódz się od niej odwrócił, jej uśmiech zmienił się w szyderczy grymas.

– Buntuje się – powiedział Farand. – To może się okazać dla nas cenne.

Dannyl przytaknął, po czym jego uwagę przykuli na powrót Ichani, którzy właśnie zaatakowali. Powietrze rozdarły uderzenia i Dannyl poczuł, że mur pod jego stopami drży.

– Uderzają w bramę! – zawołał stojący w pobliżu Uzdrowiciel.

Drżenie szybko zmieniło się w potężne wstrząsy. Dannyl podniósł wzrok. Magowie znajdujący się najbliżej bramy z trudem utrzymywali równowagę. Niektórzy padali na kolana. Kiedy tarcza Gildii zaczęła się rozpadać, część z nich została zrzucona z muru.

~ *Do ataku!*

W odpowiedzi na mentalne wezwanie Balkana Dannyl wyprostował się. Jego uderzenie dołączyło do setek innych padających na Sachakan. Poczuł czyjąś rękę na swoim ramieniu i moc Faranda wsparła jego magię.

Wstrząsy i hałas nagle ustały. Ichani cofnęli się spod bramy. Dannyl poczuł słaby przypływ nadziei, choć nie miał pojęcia, przed czym się cofają.

W tej chwili skrzydła bramy rozwarły się i runęły na ziemię, prosto pod nogi Ichanich, przysypane gruzem z roztrzaskanego muru. Kariko podniósł wzrok na stojących po obu stronach magów i uśmiechnął się, wyraźnie z siebie zadowolony.

~ *Porzucić mur!* ~ rozkazał Balkan.

Magowie natychmiast pospieszyli ku drewnianym stopniom wzniesionym po wewnętrznej stronie muru. Dannyl i Farand pospieszyli w dół, na ulicę.

– Co teraz? – spytał Farand, dysząc z wysiłku.

– Szukamy Mistrza Vorela.

– A potem?

– Nie wiem. Vorel zna dalsze rozkazy, o ile rozumiem.

Kilka ulic dalej Dannyl odnalazł Wojownika czekającego w towarzystwie kilku innych magów w umówionym wcześniej miejscu. Wszyscy zachowywali posępne milczenie.

~ *Przegrupowanie!*

Vorel skinął głową, słysząc komendę Balkana. Spojrzał ponuro na otaczających go magów.

– To znaczy, że mamy jak najbardziej zbliżyć się do nich, nie będąc zauważonymi. Kiedy padnie następny rozkaz, mamy natychmiast atakować, skupiając się na jednym z Sachakan. Chodźcie za mną.

Vorel pobiegł, a Dannyl, Farand i pozostali magowie ruszyli za nim. Nikt nic nie mówił. *Wszyscy wiedzą, że to już ostatnie starcie*, pomyślał Dannyl. *Później ci, którzy przeżyją, mają opuścić miasto.*

Cery obserwował Soneę i Akkarina znikających wraz z przewodnikiem w ciemnym tunelu. Wziął głęboki oddech i ruszył w przeciwnym kierunku. Takan podążał kilka kroków za nim.

Miał sporo do zrobienia. Inni Złodzieje muszą się dowiedzieć, że Akkarin i Sonea przedostali się do Wewnętrznego Kręgu. Na ulice trzeba wypuścić fałszywych magów. Odnaleźć niewolników i rozprawić się z nimi. A on… jemu przydałby się porządny napitek.

Wędrówka do Wewnętrznego Kręgu była przerażająca, nawet dla osób nawykłych do poruszania się w tunelach Złodziejskiej Ścieżki. Pod samym murem zawalił się strop, tak że gdzieniegdzie trzeba było się czołgać. Sonea zapewniła go, że ona i Akkarin zdołają magicznie utrzymać strop, gdyby zaczął się dalej walić, ale z każdym oddechem Cery coraz wyraźniej widział siebie samego przygniecionego i pogrzebanego pod gruzami.

Dotarł do odcinka tunelu, który biegł równolegle do jednego z zaułków. Przez kraty umieszczone wysoko w ścianie widać było ulicę. Słysząc tupot kroków, Cery zatrzymał się i dostrzegł przebiegającego maga. Mężczyzna stanął nagle jak wryty.

– Och, nie… – jęknął żałośnie.

Cery przysunął się bliżej do kraty i dostrzegł, że zaułek jest ślepy. Mag był nowicjuszem, całkiem młodym chłopakiem. Jego szatę pokrywał kurz.

W tej samej chwili gdzieś od strony wejścia w zaułek dobiegł go kobiecy głos.

– Gdzie jesteś? Gdzie jesteś, mały magiku?

Jej akcent do tego stopnia przypominał wymowę Savary, że przez moment Cery pomyślał, że to ona. Ten głos był jednak nieco wyższy, a w śmiechu, który się teraz rozległ, rozbrzmiewało okrucieństwo.

Chłopak rozglądał się rozpaczliwie dookoła, ale ponieważ to był Wewnętrzny Krąg, na ulicach nie leżały skrzynie czy stosy śmieci, za którymi można by się ukryć. Cery popędził tunelem do kraty znajdującej się najbliżej chłopaka i otworzył ją.

– Eja, magu! – szepnął.

Tamten podskoczył i odwrócił się zdumiony do Cery'ego.

– Chodź tutaj – kiwnął na niego Cery. – Szybko.

Chłopak zerknął jeszcze w kierunku wejścia do zaułka, po czym dał nura w otwór. Wpadł głową naprzód w tunel, wylądował niezgrabnie na ziemi, odwrócił się i stanął na równe nogi. Kiedy ponownie rozległ się kobiecy głos, przywarł mocno do ściany, dysząc z wysiłku i przerażenia.

– Gdzie się podziałeś? – zawołała kobieta, wchodząc w zaułek. – To prowadzi do nikąd. Musisz być w którymś z tych domów. Niech no ja cię znajdę.

Przyjrzała się kilku bramom, po czym jedną z nich roztrzaskała. Gdy weszła do środka, Cery zwrócił się z uśmiechem do nowicjusza.

– Jesteś tu bezpieczny – powiedział. – Poszukiwania zajmą jej kilka godzin, jeśli chce obejść wszystkie te domy. Zapewne szybciej się znudzi i poszuka łatwiejszego łupu.

Oddech chłopaka wyrównał się. Nowicjusz wyprostował się i odepchnął od ściany.

– Dziękuję ci – powiedział. – Uratowałeś mi życie.

Cery wzruszył ramionami.

– Żaden kłopot.

– Kim jesteś... i skąd się tu wziąłeś? Myślałem, że wszyscy się ewakuowali.

– Mam na imię Ceryni – odparł Cery. – Ceryni od Złodziei.

Chłopak zamrugał oczami ze zdumienia, po czym uśmiechnął się szeroko.

– To zaszczyt dla mnie, Złodzieju. Jestem Regin z Domu Winar.

Kłus konia wyznaczał rytm wszystkiego innego. Zwierzę oddychało zgodnie ze rytmem stukotu kopyt. Ból w ramieniu Rothena wzmagał się z każdą chwilą. Mógł go złagodzić za pomocą odrobiny mocy Uzdrowicielskiej, ale nie chciał marnować niepotrzebnie swojej siły. Do walki z Ichanimi Gildia potrzebuje każdej iskierki. Rothen nie posługiwał się magią nawet po to, żeby odgonić od siebie zmęczenie, które ogarnęło go po całonocnej jeździe.

Widoczne w oddali miasto lśniło niczym skarb rozłożony na stole. W świetle poranka wszystkie budynki błyszczały złotem. Rothen powinien tam dotrzeć za godzinę, może trochę wcześniej.

Na spalonym polu stał dymiący budynek. Niewielkie grupki ludzi, rodziny, biegły drogą, niosąc worki, skrzynki i kosze. Spoglądali na mijającego ich maga z nadzieją pomieszaną z lękiem. Im bardziej zbliżał się do miasta, tym więcej uciekinierów spotykał, aż wreszcie znalazł się pośrodku ludzkiej rzeki wypływającej z Imardinu.

Nie wróżyło to Gildii dobrze. Rothen zaklął pod nosem. Jedynymi mentalnymi wołaniami, jakie słyszał ostatnio, były wydawane przez Balkana komendy. Nie śmiał wzywać Dorriena albo Dannyla.

Przed oczami mignął mu obraz. Ulica w mieście i twarz Sachakanina. Kariko. Zamrugał kilka razy, ale obraz nie znikał.

Tak bardzo chciałem wiedzieć, co się dzieje, że zaczynam mieć zwidy, pomyślał. *A może to brak snu daje mi się we znaki?*

Poddał się i wysłał w głąb swego ciała odrobinę leczniczej magii, ale wizja nie ustępowała. Poczuł falę przerażenia, ale nie swojego. Ujrzał w przebłysku zielone szaty i otarł się o czyjąś obecność. Mistrz Sarle.

Czy to Uzdrowiciel przesyłał mu te obrazy? Nie wyglądało to na celowy przekaz.

Kariko trzymał w ręku nóż. Uśmiechnął się i pochylił nad leżącym.

– Przyjrzyj się dobrze, zabójco niewolników.

Rothen poczuł uderzenie bólu, a następnie odległe, ale straszliwe wrażenie paraliżującego strachu. Możliwość odczuwania obecności Mistrza Sarle odeszła, a Rothen był wolny.

Krzyknął i rozejrzał się dookoła. Koń stanął. Wokół przebiegali ludzie, przyglądając mu się z przerażeniem.

Krwawy kamień! – pomyślał nagle Rothen. *Kariko musiał go założyć Mistrzowi Sarle.* Wzdrygnął się na myśl o tym, że czuł śmierć Uzdrowiciela. *On zamierza pokazać mi śmierć każdego maga, którego zabije.*

A następny może być Dorrien lub Dannyl.

Spiął konia piętami i popędził galopem w kierunku miasta.

ROZDZIAŁ 34

ŁOWY ROZPOCZĘTE

Ulice Imardinu wciąż zasnuwała mgiełka pyłu pochodzącego z rozwalonego muru. W otaczającej Lorlena pustce panowała cisza, ale udawało mu się czasem dostrzec gdzieś za rogiem budynku lub w oknie niewyraźne poruszenia. Wraz z Osenem włamali się zaledwie kilka minut wcześniej do jednego z domów naprzeciwko Pałacu. Czekali teraz na przybycie Ichanich i rozkazy Balkana.

Lorlen nie miał pojęcia, ilu magów przeżyło ani ile mocy im pozostało; miał się jednak niedługo przekonać.

– Siadaj – mruknął do niego Osen.

Lorlen odwrócił wzrok od okna i spojrzał na swojego asystenta, trzymającego w rękach staroświeckie krzesło. Kiedy Osen postawił mebel na podłodze, Lorlen zdobył się na gorzki uśmiech.

– Dziękuję. Choć wątpię, by miało mi długo służyć.

Wzrok młodego maga powędrował ku ulicy za oknem.

– Tak. Są już tutaj.

Lorlen wyjrzał ponownie przez okno i dostrzegł sześć postaci wyłaniających się z chmury pyłu. Sachakanie minęli ich powolnym krokiem, zmierzając w stronę Pałacu. Kariko wpatrywał się w mury.

Nie, nie damy wam kolejnej okazji do wytrącenia nam gruntu spod nóg, pomyślał Lorlen, podchodząc do drzwi.

~ *Do ataku!*

Na rozkaz Balkana Lorlen otworzył szeroko drzwi i wypadł na ulicę. Osen poszedł w jego ślady. Z innych bram wynurzali się magowie, otaczając Sachakan półkolem. Lorlen dodał swoją moc do ich tarczy i uderzył w Ichanich.

Sachakanie zwrócili się ku napastnikom. W umyśle Lorlena pojawił się obraz jednego z nich. Wszyscy magowie Gildii natychmiast skierowali ogień na tego Ichaniego. Moc ich uderzeń zachwiała Ichanim, aż zatoczył się na ścianę Pałacu, ale odpowiedź ze strony Sachakan sprawiła, że Gildia musiała skoncentrować uwagę na tarczy.

Pociski uderzające w osłonę Gildii były niezwykle potężne. Lorlen poczuł zalewającą go falę niepokoju i przerażenia, kiedy krąg magów cofnął się. Gildia szybko wyczerpie siły, jeśli będzie długo stawiać opór tym ciosom.

~ *Odwrót!*

Na komendę Balkana magowie Gildii wycofali się do domów i zaułków, w których się wcześniej ukrywali. Ichani ruszyli dalej.

– Musimy dorwać przynajmniej *jednego* z nich – wykrzyknął Osen.

– Ty osłaniasz, ja uderzam – powiedział na to Lorlen. – Podejdźmy tylko bliżej budynku.

Przemknęli w stronę bramy i przystanęli przy niej.

– Już!

Lorlen opuścił swoją tarczę i uderzył całą mocą, która jeszcze mu pozostała, w osłabionego Ichaniego. Sachakanin zachwiał się, a chwilę później znalazł się w deszczu pocisków, kiedy inni magowie zorientowali się, że jest osłabiony. Mężczyzna krzyknął – pozbawionym słów okrzykiem wściekłości i strachu – i jego tarcza opadła. Kolejny pocisk przygwoździł go do ściany Pałacu, która wgłębiła się wokół niego. Jego ciało zawisło bezwładnie i opadło na ziemię.

Zewsząd odezwały się okrzyki radości, ucichły jednak niemal natychmiast, Ichani odpowiedzieli bowiem potężnym atakiem. Osen wydał zduszony jęk.

– Do... środka... już... – wymamrotał zza zaciśniętych zębów.

Lorlen podążył za jego wzrokiem i zamarł z przerażenia na widok zbliżającego się do nich przywódcy Ichanich, Kariko, bombardującego tarczę Osena niekończącą się serią uderzeń. Lorlen chwycił Osena za ramię i pociągnął go za sobą do wnętrza domu. Posypało się drewno i cegły, kiedy Kariko uderzył przez drzwi. Tarcza Osena zachwiała się.

– Nie – jęknął Osen. – Nie teraz.

Lorlen chwycił go za ramiona i odepchnął na bok. Rozległ się huk i frontowa ściana budynku zawaliła się do wnętrza. Na suficie pojawiły się pęknięcia. Lorlen poczuł, że coś uderza go w bark i osunął się na kolana.

Deszcz odłamków przycisnął go do ziemi. To zapewne zawalił się strop. Lorlen czuł przygniatający ciężar, który nie pozwalał mu oddychać. Kiedy wreszcie zapadła cisza, uświadomił sobie przeszywający ból. Wysłał myśli w głąb swego ciała; poczuł dreszcz na widok połamanych kości i porozrywanych narządów, i uzmysłowił sobie, co to oznacza.

Pozostawało tylko jedno do zrobienia.

Wokół padał gruz i pył, a Lorlen sięgnął do kieszeni po pierścień.

*

W tunelach pod Wewnętrznym Kręgiem panowała cisza. Gdzieniegdzie przy wyjściach ochotnicy pełnili straż. Przewodnik Akkarina i Sonei zatrzymał się na widok posłańca, który wypadł zza rogu i zmierzał spiesznie ku nim.

– Mag sachakański... został... z niewolnikami – wyrzucił ze siebie, ciężko dysząc. – Są... w slumsach... Po północnej.

– A zatem jeden z nich już się odłączył od pozostałych – zauważyła Sonea. – Może powinniśmy go od razu odszukać?

– Dotarcie tam zajmie nam dużo czasu – odparł Akkarin, spoglądając w kierunku Pałacu. – Chciałbym zobaczyć, jak radzi sobie Gildia, ale... ten samotny Ichani może zechcieć dołączyć do Kariko, kiedy dowie się, że została pokonana. – Pokiwał powoli głową i zwrócił się do przewodnika. – Zaprowadź nas do slumsów.

– Powiadomię ich o waszym przybyciu – powiedział posłaniec i popędził przed nimi.

Przewodnik zawrócił i poprowadził ich z powrotem tunelem. Kilka minut później zatrzymała ich kobieta w średnim wieku.

– Tunel się zawalił – powiedziała. – Nie przejdziecie tędy.

– Którędy będzie najszybciej?

– W pobliżu muru Gildii biegnie inny tunel – odparł ich przewodnik.

Akkarin spojrzał w górę.

– Wyrwa w murze jest prawie nad nami.

– Tak będzie szybciej – zgodził się przewodnik, wzruszając ramionami. – Ale ktoś może was zobaczyć.

– Gildia i Ichani są w okolicy Pałacu. A dla wszystkich pozostałych będziemy wyglądali jak dwoje zwykłych mieszkańców uciekających z Imardinu. Zaprowadź nas do wyjścia jak najbliżej muru.

Przewodnik skinął głową i poprowadził ich dalej. Po kilku zakrętach zatrzymał się przy drabinie przymocowanej do ściany i wskazał drogę w górę.

– Znajdziecie się w magazynie, z którego drzwiczki prowadzą do zaułka. – Pouczył ich, jak mają znaleźć wejście do podziemi po drugiej stronie muru. – Tam znajdziecie przewodnika, który zna północną dzielnicę lepiej ode mnie.

Akkarin zaczął się wspinać. Sonea podążyła za nim i chwilę później dotarła do sporego pomieszczenia wypełnionego żywnością. Przecisnęli się przez drzwi wychodzące w ciasny, ślepy zaułek. Przeszli wzdłuż niego i Sonea zorientowała się, że są po drugiej stronie ulicy okrążającej Wewnętrzny Mur. Kiedy ujrzała ruiny, ogarnął ją żal.

Podmuch wiatru rozwiał nieco unoszący się w powietrzu pył i Sonea dostrzegła wśród gruzu znajome kolory. Przyjrzała się bliżej i uzmysłowiła sobie, że są to szaty magów.

– Droga wolna – mruknął Akkarin.

Gdy wyszli z zaułka, Sonea podeszła w stronę magów i poczuła na ramieniu dłoń Akkarina.

– Oni nie żyją, Soneo – szepnął cicho. – Gildia nie zostawiłaby ich, gdyby było inaczej.

– Wiem – odpowiedziała. – Chciałam tylko zobaczyć kto to.

– Nie teraz. Będzie na to czas później.

Akkarin pociągnął ją w stronę wyrwy w murze. Ziemię pokrywał gruz, musieli więc zwolnić, zbliżając się do przejścia. Dotarli do podnóża zniszczonej bramy, kiedy Akkarin nagle się zatrzymał. Sonea spojrzała na niego i poczuła ukłucie niepokoju. Jego twarz pobladła straszliwie, oczy wpatrywały się w jakiś nieokreślony punkt pod ich stopami.

– Co się stało?

– Lorlen. – Akkarin odwrócił się w stronę Wewnętrznego Kręgu. – Muszę go odnaleźć. Idź do slumsów. Znajdź tego Ichaniego, ale nie rób nic, póki do ciebie nie dołączę.

– Ale...

– Idź – powiedział i wbił w nią lodowate spojrzenie. – Muszę się z tym zmierzyć sam.

– Z czym?

– Czy możesz zrobić, co ci kazałem, Soneo?

Nie była w stanie pohamować uczucia żalu i gniewu z powodu tej niecierpliwości w jego głosie. To nie czas na tajemnice i sekrety. Jeśli się teraz rozejdą, jak mają się potem odnaleźć? I przypomniała sobie o pierścieniu.

– Czy powinnam teraz założyć twój krwawy pierścień? Powiedziałeś, że mamy je nosić, gdybyśmy zostali rozdzieleni.

Przez jego twarz przebiegł cień zaniepokojenia, ale szybko znikł.

– Tak – odpowiedział. – Ale ja na razie nie założę twojego. Nie zamierzam pokazywać ci obrazów, które będę musiał ujrzeć w ciągu najbliższej godziny.

Wbiła w niego wzrok. Co takiego może się stać, że on nie chce, by to widziała? Czy to ma coś wspólnego z Lorlenem?

– Muszę już iść – powiedział.

Kiwnęła głową i patrzyła, jak się oddalał.

Kiedy zniknął, pospieszyła do północnej dzielnicy. W ciemnym zaułku wyciągnęła z kieszeni jego pierścień i przyjrzała mu się. W myślach brzmiało jej ostrzeżenie z poprzedniego wieczora.

Czasami wiedza o tym, jak widzi cię ktoś inny, nie jest wcale miłym doświadczeniem. To potrafi niszczyć przyjaźnie, zmieniać miłość w niechęć...

Ale przecież muszą mieć możliwość porozumiewania się, kiedy są w różnych częściach miasta. Odsunęła na bok wszelkie wątpliwości i włożyła pierścień na palec. W jej myślach nie pojawiło się odczuwanie niczyjej obecności. Szukała jej, ale nic nie wyczuła. Może klejnot nie działa.

Nie, pomyślała sobie, *to twórca ma kontrolę nad tym, czego dowie się ten, kto nosi klejnot*. Nie może jednak odciąć się od myśli i odczuć noszącego kamień. To znaczy, że Akkarin pozna teraz każdą jej myśl.

Hej? – pomyślała.

Nie dostała żadnej odpowiedzi. Uśmiechnęła się i wzruszyła ramionami. Cokolwiek by robił, nie chciałby, żeby go rozpraszała – a ostatnią rzeczą, której ona pragnęła, było odwracanie jego uwagi, kiedy konieczna była koncentracja.

Poszła za wskazówkami przewodnika i bez trudu odnalazła wejście do podziemnych tuneli. Ku swemu zaskoczeniu na dole zastała Farena. Obok niego stał jego ochroniarz, milczący mężczyzna, który przyglądał się jej spotkaniu ze Złodziejem zaledwie przed dwoma dniami.

– Gildia zdołała zabić jednego Ichaniego – oznajmił jej Faren z podnieceniem. – Chciałem osobiście przekazać ci tę wiadomość.

Uśmiechnęła się i poczuła się nieco lepiej.

– To *rzeczywiście* dobra wiadomość. A co z resztą Sachakan?

– Kobieta włóczy się samotnie po mieście. Ten od niewolników wedle ostatnich raportów przebywa nadal po północnej stronie. Podejrzewam, że reszta siedzi w Pałacu. A gdzie twój nieodłączny towarzysz?

Zmarszczyła brwi.

– Musiał załatwić pewną sprawę w cztery oczy. Mnie polecił znaleźć tego Ichaniego od niewolników, a następnie czekać.

Faren wyszczerzył się w uśmiechu.

– W takim razie poszukajmy go.

Po krótkim marszu wyszli na powierzchnię w kolejnym zaułku. Faren poprowadził Soneę ku wielkiej stercie skrzyń i wszedł w wąskie przejście między nimi. Wewnątrz znajdowała się ciasna przestrzeń. Złodziej przykucnął i postukał w coś, co wydawało metaliczny dźwięk.

Sonea powstrzymała jęk obrzydzenia, kiedy klapa się otworzyła, a z dołu wydostał się wstrętny odór.

– Znowu ścieki.

– Obawiam się, że tak – odparł Faren. – To najkrótsza droga z miasta.

Zeszli w wilgotną ciemność. Koło drabiny stał człowiek o szerokiej twarzy, w obu rękach trzymał lampy, które rzucały wokół okrąg światła. Złodziej wziął od niego jedną z lamp i ruszył po kładce biegnącej wzdłuż ściany tunelu. Minęli kilku strażników przejść. W pewnym momencie Faren powiedział jej, że właśnie przeszli obok Zewnętrznego Muru. A kiedy wydostali się wreszcie z tunelu, znalazła się w dobrze znanej części slumsów. Faren szybko przeprowadził ją przez kratę na Złodziejską Ścieżkę.

Czekający tam chłopak poinformował ich, że samotny Ichani i niewolnicy zatrzymali się raptem kilka ulic dalej.

– Zmierzają ku głównej drodze – dodał.

– Powiedz wszystkim, że mają być gotowi i zamelduj się z powrotem.

Chłopiec przytaknął i pobiegł.

Po krótkiej wędrówce wyszli na powierzchnię w jakimś budynku i wspięli się na chwiejne schody wiodące na drugie piętro. Sonea wyjrzała przez okno i dostrzegła sachakańskich niewolników stojących w grupie na ulicy. Ichani przyglądał się, jak dwóch z nich wychodzi z piekarni z tacami pełnymi bułek. Kilka limkopodobnych zwierząt walczyło nad truchłem rebera. Wozów nigdzie nie było widać.

Do pokoju wszedł chłopak ze Ścieżki. Oczy błyszczały mu z podniecenia.

– Wszystko gotowe – oznajmił.

Sonea rzuciła Farenowi pytające spojrzenie.

– Gotowe do czego?

– Założyliśmy kilka pułapek na Sachakan – wyjaśnił jej Faren. – To był pomysł Cery'ego.

– Można się było domyślić – uśmiechnęła się. – Jaki jest plan?

Faren podszedł do bocznego okna. Poniżej niewielkie, ograniczone ścianami budynków podwórko otwierało się na ciasną uliczkę. Dwaj potężnie zbudowani mężczyźni opierali o ścianę długi metalowy pręt z zaostrzonym końcem. Rzucali niespokojne spojrzenia w stronę okna. Faren dał im znak, że mają czekać.

– Kolejnych dwóch czeka za drugą ścianą – powiedział Faren. – W obu są dziury wypełnione fałszywą zaprawą. Jeden z naszych niby-magów zwabi Ichaniego w zaułek. A kiedy on już tu się znajdzie, ci ludzie nabiją go na pal.

Sonea spojrzała na niego z niedowierzaniem.

– *To* jest wasz plan? To nie ma żadnych szans. Tarcza ochroni Ichaniego.

– Może jest leniwy, a może uzna, że ściany stanowią wystarczającą ochronę.

– Może – odparła – ale jest na to tylko cień szansy. To ogromne ryzyko.

– Myślisz, że nasi pomocnicy o tym nie wiedzą? – Głos Farena brzmiał cicho. – Wiedzą doskonale, że szanse są niewielkie. Ale są równie zdecydowani walczyć z Sachakanami jak ty.

Westchnęła. Oczywiście, bylcy będą walczyć, nawet jeśli oznacza to wielkie ryzyko.

– Cóż, jeśli to miałoby się nie powieść, powinnam być tam na dole, że...

– Za późno – odezwał się ochroniarz Farena. – Patrz.

Sonea podeszła do wychodzącego na ulicę okna i zobaczyła, że Ichani i niewolnicy zbliżają się. Grupka wyrostków biegła przed nimi drugą stroną ulicy, ciskając kamieniami. Kiedy Ichani zrobił krok w ich kierunku, Sonea usłyszała stłumiony krzyk i dostrzegła człowieka w szatach wychodzącego na ulicę dokładnie spod miejsca, w którym się znajdowała. Mężczyzna ten ruszył w kierunku Ichaniego i zatrzymał się u wylotu zaułka. Kiedy Ichani go zobaczył, uśmiechnął się.

Powietrze przeszył blask uderzenia. Fałszywy mag uchylił się, ledwie ratując skórę. Rzucił się pędem w zaułek.

Sonea przebiegła do bocznego okna. Dwaj mężczyźni z prętem stali w pogotowiu. To nie ma szans zadziałać... a jeżeli... Poczuła ogarniającą ją panikę, gdy uzmysłowiła sobie, co się stanie.

– Faren, ja muszę zejść na dół.

– Nie ma czasu – odparł. – Patrz.

Ichani wszedł w zaułek. Mężczyzna w szatach zatrzymał się. Sonea dostrzegała bladą poświatę bariery blokującej mu drogę. Kiedy Ichani był o krok od ukrytych mężczyzn, nibymag wydał jakiś okrzyk. Pręty wystrzeliły ze ściany...

...i zagłębiły się w ciele Ichaniego. Sachakanin zawył z zaskoczenia i bólu.

– Udało się! – wrzasnął Faren. Sonea słyszała podobnie triumfalne krzyki dochodzące z zewnątrz, tłumione nieco przez zamknięte okna. Wzdrygnęła się z cieniem współczucia na widok konwulsji wstrząsających ciałem Ichaniego. Kiedy drgawki przybrały na sile, wiedziała, że nie zdąży dobiec, zanim on skona.

Roztrzaskała okno i zawołała do znajdujących się poniżej ludzi.

– Uciekajcie od niego.

Spojrzeli na nią osłupiali.

W tej samej chwili wszystko ogarnęła oślepiająca biel.

Sonea utworzyła tarczę wokół siebie, Farena i jego ochroniarza. Chwilę później ściana pokoju zwaliła się do wnętrza. Fala gorąca promieniowała przez tarczę Sonei, zmuszając ją do wzmocnienia osłony. Miała wrażenie, że podłoga pod nimi ugina się i usuwa spod stóp, potem czuła, że spadają. Lądując na ziemi, upadła na kolana.

Energia wyzwolona z ciała umierającego Ichaniego nagle się skończyła. Sonea klęczała na stercie cegieł i spalonego drewna. Wstała i przekonała się, że otaczają ich ruiny.

Wszystko w promieniu stu kroków obróciło się w spalone, dymiące gruzowisko. Sonea zerknęła w stronę zaułka, ale po mężczyznach z prętami nie było śladu. Poczuła straszliwy żal. *Mogłam ich ocalić, gdybym wcześniej znała plan.*

Faren i jego ochroniarz podnosili się na nogi, patrząc z przerażeniem na zniszczenia.

– Cery ostrzegał, że coś takiego może się zdarzyć – odezwał się Faren. – Mówił, że wszyscy muszą uciekać najdalej, jak się da. Nie mówił, że to sięgnie tak daleko.

– Co się stało? – spytał jego ochroniarz słabym głosem.

Sonea usiłowała odpowiedzieć, ale słowa uwięzły jej w gardle. Przełknęła ślinę i spróbowała jeszcze raz.

– To, co zawsze się dzieje, kiedy umiera mag – wydusiła z siebie wreszcie. – Cała moc, która mu jeszcze pozostała zostaje uwolniona.

Patrzył na nią szeroko rozwartymi oczami.

– To... to stanie się też z tobą?

– Obawiam się, że tak. Chyba że będę wyczerpana albo Ichani zabierze mi całą moc.

– Och. – Mężczyzna wzdrygnął się i odwrócił wzrok.

– Mamy szczęście, że tu byłaś – powiedział cicho Faren. – Gdyby nie ty, upieklibyśmy się jak ci niewolnicy.

Sonea powędrowała spojrzeniem za jego wzrokiem. Na ulicy leżało kilka ciemnych kształtów. Wzdrygnęła się. Przynajmniej mieli szybką śmierć.

Faren zaśmiał się.

– Cóż, dobrze, że nie musimy się zastanawiać, co z nimi zrobić, nie?

– Pomocy!

Dannyl rozejrzał się dookoła, ponieważ błagalny głos wyrwał go z otępienia. W dziurze ziejącej w ścianie pobliskiego domu stał Mistrz Osen. Jego szatę pokrywał pył, a po twarzy płynęły mu łzy.

– Przysypało Lorlena – wycharczał. – Czy któryś z was ma jeszcze trochę mocy?

Dannyl zerknął na Faranda i pokręcił przecząco głową.

– W takim razie... pomóżcie mi go przynajmniej odkopać.

Weszli za Osenem do budynku. Pomieszczenie, w którym się znaleźli, wypełniała potężna góra gruzu. Przez unoszący się w powietrzu kurz przebijało światło. Dannyl podniósł wzrok i przekonał się, że wyższe piętro i dach przestały istnieć.

– Jest chyba tutaj – powiedział Osen, przystając obok na wpół zakopanych w gruzie drzwi. Upadł na kolana i zaczął rozgarniać gruz rękami.

Dannyl i Farand przyłączyli się do niego. Nie mogli zrobić nic więcej. Odrzucali na bok gruz, ale czynili niewielkie postępy. Dannyl zaciął się w rękę, natknąwszy się na kawałki potłuczonego szkła. Zaczynał właśnie powątpiewać, czy ktokolwiek miałby szanse przeżyć pod takimi zwałami gruzu. Cegły, drewniane belki i odłamki szkła zsuwały się w kierunku tylnej ściany pomieszczenia.

Osen potrząsnął głową, jakby dla rozjaśnienia myśli, i rozejrzał się po pokoju. Nagle jego wzrok trafił na coś, co znajdowało się za plecami Dannyla. Osen zamarł.

Dannyl obrócił się szybko i ujrzał stojącą w wyrwie bocznej ściany domu postać. Ciemną sylwetkę na tle jasnego światła padającego z ulicy. Ten człowiek miał na sobie zwyczajne ubranie, a jego twarz skrywał cień.

Dźwięk przesuwającego się gruzu uciszył się.

– Wróciłeś.

Głos był słaby, ale znajomy. Dannyl znów odwrócił głowę i poczuł przypływ nadziei, widząc, że odkopali Lorlena. Szata Administratora była przysypana kurzem. Twarz miał potłuczoną, ale oczy zachowały jasność.

– Wróciłem.

Dannyl wstrzymał oddech na dźwięk tego głosu. Odwrócił głowę i wbił wzrok w Akkarina. Wygnaniec wszedł do pomieszczenia.

– Nie! – zawołał Lorlen. – Nie podchodź... bliżej.

Akkarin zatrzymał się.

– Ty jesteś umierający, Lorlenie.

– Wiem. – Administrator oddychał z wysiłkiem. – Nie pozwolę... nie będziesz marnował swojej mocy dla mnie.

Akkarin zrobił krok do przodu.

– To nie...

– Stój. Albo umrę, nim się do mnie zbliżysz – jęknął Lorlen. – Mam jeszcze krztynę mocy, tyle tylko by zachowywać świadomość. Wystarczy, że zużyję ją nieco szybciej.

– Lorlenie – powiedział Akkarin. – To wymaga jedynie odrobiny mocy. Tyle, żeby utrzymać cię przy życiu, dopóki...

– Dopóki Ichani nie wrócą, by mnie wykończyć. – Lorlen zamknął oczy. – Ja byłem Uzdrowicielem, o ile pamiętasz. Wiem, ile trzeba, żeby mnie poskładać. Zbyt wiele mocy. A ty potrzebujesz wszystkiego, co masz, żeby ich powstrzymać. – Jeszcze raz uniósł powieki i spojrzał Akkarinowi prosto w oczy. – Rozumiem już, dlaczego to zrobiłeś. Dlaczego mnie okłamywałeś. Bezpieczeństwo Kyralii było ważniejsze niż nasza przyjaźń. I nadal jest. Chcę wiedzieć tylko jedno. Dlaczego nie odpowiadałeś, kiedy cię wołałem?

– Nie mogłem – odparł Akkarin. – Gdyby Gildia wiedziała, że tu jestem, Ichani wyczytaliby to z myśli swojej pierwszej ofiary. Trzymaliby się razem. W pojedynkę są znacznie łatwiejszym celem.

– Ach – Lorlen uśmiechnął się słabo. – Rozumiem.

Zamknął oczy. Akkarin zbliżył się znów o krok.

– Nie, przestań – szepnął. – Nie ruszaj się. Powiedz mi... powiedz mi, co z Soneą.

– Żyje – odpowiedział Akkarin. – Jest...

Mimo że Akkarin nie dokończył tego zdania, usta Lorlena wygięły się w krzywy uśmiech.

– To dobrze.

Mięśnie jego twarzy rozluźniły się i Lorlen wydał długie westchnienie. Akkarin rzucił się do przodu i przyklęknął przy nim. Dotknął czoła przykaciela, a na jego twarzy pojawił się ból. Ujął w dłonie rękę Lorlena, pochylił głowę i zdjął z jego palca pierścień.

– Mistrzu Osenie – powiedział.

– Słucham?

– Ty, Ambasador Dannyl i… – spojrzał na Faranda – jego towarzysz… nie możecie wyjawić nikomu, że tu jestem. Jeśli Ichani dowiedzą się o obecności Sonei i mnie w mieście, stracimy wszelkie szanse na ich pokonanie. Rozumiecie?

– Tak – powiedział cicho Osen.

– Wszyscy Ichani poza jednym są w Pałacu. Uciekajcie z miasta, póki jeszcze możecie.

Akkarin wstał i odwrócił się szybko. Ruszył z powrotem ku wyrwie w murze. Przez chwilę, nim wyszedł z budynku, Dannyl widział jeszcze jego twarz. Mimo że rysy miał spokojne i zdecydowane, w świetle słońca w jego oczach połyskiwało coś jak rosa.

Kilkaset kroków od granicy slumsów Rothen zjechał z drogi. W miejscu, gdzie niegdyś wznosiła się Brama Północna, ziała teraz wielka dziura, a przez nią dostrzegał wyrwę w Murze Wewnętrznym.

Nie musiał jednak wjeżdżać do miasta tą drogą. Istniała przecież jeszcze wyrwa w murze zewnętrznym na terenie Gildii.

Zastanawiało go, z jakiego powodu Ichani postanowili marnować moc na burzenie bram miejskich. Przecież o braku kawałka muru musieli wyczytać z umysłów magów schwytanych i zabitych w Forcie i Calii. Może chcieli popisać się przed Gildią swoją potęgą. A może zamierzali szybko odzyskać utracone siły, wykorzystując zwykłych mieszkańców miasta.

Tak czy inaczej musieli być bardzo pewni tego, że ich moc – lub możliwość jej uzupełniania – wystarczy, by podbić Kyralię. Rothen poganiał konia w kierunku lesistego wzgórza za Gildią i czuł wzrastające przerażenie. Czy przybywa za późno? Czy zastanie zniszczoną Gildię i czekających na niego Ichanich? Musi zbliżyć się ostrożnie do zabudowań.

Przeszedł do stępa, kiedy dotarł do linii drzew. Las stawał się coraz gęstszy, musiał więc zsiąść i dalej poprowadzić swoją klacz. Nagle przed oczami błysnął mu obraz. *Znowu... nie...*

Brnął przed siebie, a widoki śmierci kładły się na tym, co widział dookoła. Tym razem był to pałacowy gwardzista. Kiedy obraz zgasł, Rothen westchnął z ulgą.

Ilu to już było? – pomyślał. *Dwudziestu? Trzydziestu?*

Zbocze stawało się coraz bardziej strome. Potykał się o niskie zarośla, pnie, skały i wykroty. Kiedy dotarł wreszcie do polany, podniósł wzrok i dostrzegł przebłyski bieli między rzadszymi drzewami.

Poczuł ulgę i radość na widok budynków. Pospieszył ku nim, aż znalazł się na granicy lasu. Teren znajdujący się bezpośrednio przed nim zapełniały dziesiątki niewielkich domków. Wyglądało to jak maleńka wioska.

Opuszczona wioska – dodał w myślach. Mimo że Rothen mieszkał zaledwie kilkaset kroków od tego miejsca, był tu tylko raz, jako nowicjusz. Te zabudowania były znane jako Domy Służby.

Ruszył w ich kierunku. W pewnej chwili drzwi jednego z domków otworzyły się i mężczyzna w ubraniu służącego pospieszył ku Rothenowi.

– Mój panie – odezwał się, wykonując pospieszny ukłon. – Jak tam bitwa?

– Nie wiem – odparł Rothen. – Dopiero przyjechałem. A ty dlaczego tu wciąż jesteś?

Mężczyzna wzruszył lekko ramionami.

– Zostałem na ochotnika, żeby mieć oko na domy, nim wszyscy tu wrócą.

Rothen spojrzał na swoją klacz.

– A jest tu któryś ze stajennych?

– Nie, ale ja mogę się zająć twoim koniem.

– Dziękuję. – Rothen podał służącemu wodze. – Jeśli nikt tu nie wróci do wieczora, uciekaj. Możesz zabrać konia, jeśli chcesz.

Mężczyzna wyglądał na zaskoczonego. Ukłonił się, pogładził klacz po pysku i odprowadził ją. Rothen odwrócił się i ruszył ścieżką wiodącą do Gildii.

Minęły trzy godziny, odkąd Cery rozstał się z Soneą i Akkarinem. Otrzymał wieści, że ona udała się do slumsów, żeby zająć się samotnym Ichanim, Akkarin zaś zniknął w Wewnętrznym Kręgu, a Takan nie potrafił powiedzieć, co robi jego pan.

Zbiórkę wyznaczyli w kryjówce przemytników pod Wewnętrznym Kręgiem. Było to spore pomieszczenie, wypełnione po brzegi najróżniejszymi towarami. Kiedy na stopniach między półkami pojawiły się trzy postacie, Cery uśmiechnął się i wyszedł na ich spotkanie.

– Wasza Gildia zabiła jednego z Ichanich – powiedział. – Jeden martwy, siedmiu do załatwienia.

– Nie – odrzekła z uśmiechem Sonea. – Dwóch martwych, sześciu do załatwienia.

Cery zerknął na Farena.

– Ten ze slumsów?

– Owszem, ale to nie moja robota – przyznała Sonea.

Cery uśmiechnął się szeroko i poczuł dumę.

– Któraś z moich pułapek zadziałała, co?

– Powinieneś najpierw obejrzeć, co zostało ze slumsów, nim zaczniesz się tym przechwalać – odparł chłodno Faren. Jego ochroniarz potaknął gorliwie.

– Co się stało? – spytał Cery, przenosząc wzrok na Soneę.

– Faren wyjaśni ci później. – Zerknęła ponad jego ramię; Cery odwrócił głowę i zobaczył zbliżającego się Takana. – Czy któreś z was wie, gdzie jest Akkarin? – spytała.

Służący potrząsnął przecząco głową.

– Nie miałem od niego wieści od dwóch godzin.

Sonea zmarszczyła brwi. Ponieważ Takan miał podobną minę, Cery domyślił się, że cokolwiek Akkarin zamierzył, miało to pozostać jego sekretem. Co mogło być tak ważne, że postanowił ukryć to przed dwojgiem najbliższych towarzyszy?

– Gdzie są pozostali Ichani? – spytał Faren.

– Pięciu w Pałacu, jedna się włóczy po okolicy – odparł Cery.

– Można się było domyślić – powiedziała Sonea – że ta kobieta będzie się włóczyć.

– Aha.

Westchnęła.

– Rozumiem, że mamy tu czekać, aż Akkarin wróci?

Cery odpowiedział uśmiechem.

– Tu na dole ukrywa się ktoś, z kim na pewno zechcesz się spotkać.

– Och, a któż by to miał być?

– Mag. Ocaliłem go przed tą Ichani. Jest mi bardzo wdzięczny. Prawdę mówiąc, jest tak wdzięczny, że zgłosił się na ochotnika jako przynęta do następnej pułapki, którą zastawimy.

Cery poprowadził ją za stertę skrzynek, gdzie na niewielkiej przestrzeni stało kilka krzeseł. Na jednym z nich siedział nowicjusz. Podniósł wzrok, kiedy się pojawili, i wstał z uśmiechem.

– Witaj, Soneo.

Sonea popatrzyła na niego z niechęcią. Zgodnie z przewidywaniami Cery'ego odpowiedziała zza zaciśniętych zębów.

– Witaj, Reginie.

ROZDZIAŁ 35

W PUŁAPCE

– Usiądź, Soneo – powiedział Cery. – Zostańcie tutaj, a ja poszukam czegoś do jedzenia.

Sonea wpatrywała się w Cery'ego. On chyba nie ma pojęcia o tym, co zaszło między nią a Reginem. Nagle jednak mrugnął porozumiewawczo i uświadomiła sobie, że on *doskonale* pamięta, kim jest Regin.

– No, już – ponaglił. – Jestem pewny, że macie mnóstwo spraw do omówienia.

Sonea niechętnie usiadła. Spojrzała w kierunku Farena, ale Złodziej prowadził przyciszonym głosem rozmowę ze swoim przybocznym po drugiej stronie pomieszczenia. Takan krążył w innym kącie. Regin zerknął na nią, odwrócił wzrok, potarł dłonie i odchrząknął.

– No więc – zaczął – zabiłaś już któregoś z tych Sachakan?

Musiała się powstrzymać od śmiechu. Był to dziwaczny, a mimo to właściwy początek rozmowy z dawnym wrogiem.

– Dwóch – odparła.

Pokiwał głową.

– Tego w slumsach?

– Nie. Na Południowej Przełęczy, a także wcześniej, tu w mieście.

Wbił wzrok w ziemię.

– Trudno było?

– Zabić kogoś? – Skrzywiła się. – Tak i nie. Nie myślisz o tym, kiedy usiłujesz powstrzymać tego kogoś od zabicia ciebie. Myślisz o tym później.

Uśmiechnął się nieśmiało.

– Chodziło mi o to, czy są trudni do zabicia?

– Och. – Odwróciła wzrok. – Zapewne. Mnie się udało z tą dwójką, ponieważ ich oszukałam.

– Zapewne? Nie znasz ich mocy?

– Nie. Co więcej, nie jestem pewna własnej mocy. Myślę, że się przekonam, kiedy przyjdzie mi z którymś z nich walczyć.

– Skąd więc wiesz, że możecie wygrać tę bitwę?

– Nie wiem.

Regin spojrzał na nią z wyraźnym niedowierzaniem, po czym spłonił się i odwrócił wzrok.

– Nie miałaś z nami łatwego życia – powiedział cicho. – Najpierw Mistrz Fergun, potem ja i inni nowicjusze, a w końcu cała Gildia, kiedy dowiedzieli się, że poznałaś czarną magię... a ty jednak wróciłaś. Mimo wszystko chcesz nadstawiać karku, żeby nas ratować. – Pokręcił głową. – Gdybym wiedział, co się szykuje, nie dawałbym ci tak w kość w tym pierwszym roku.

Sonea wpatrywała się w niego z niedowierzaniem i zaskoczeniem. Czy ma to potraktować jako przeprosiny?

Spojrzał jej prosto w oczy.

– Ja... jeśli uda mi się to przeżyć... postaram się jakoś ci to wynagrodzić. – Wzdrygnął się. – Jeśli przeżyję, przynajmniej tyle będę mógł zrobić.

Skinęła głową. Teraz było jej znacznie trudniej wymyślić, co chciałaby mu powiedzieć. Uratowało ją pojawienie się między stosami skrzyń wysokiej postaci.

– Akkarin! – Zerwała się z krzesła i pobiegła mu na spotkanie. Uśmiechnął się smutno na jej widok.

– Soneo.

– Widziałeś, co zrobili bylcy?

– Tak, patrzyłem przez pierścień i widziałem też tego skutki.

Zmarszczyła brwi. Na jego twarzy widoczne było napięcie, jakby ukrywał jakieś cierpienie lub ból.

– Co się stało? – szepnęła. – Coś jest nie tak.

Zerknął ponad jej głową na Regina. Wziął ją za rękę i odprowadził kilka kroków dalej, spuścił wzrok i westchnął ciężko.

– Lorlen nie żyje.

Lorlen? Nie żyje? Wpatrywała się w niego z przerażeniem, czując, jak zalewa ją fala współczucia na widok bólu na twarzy Akkarina. Lorlen był kiedyś jego najbliższym przyjacielem, a jednak Akkarin musiał go okłamywać, szantażować i kontrolować za pomocą pierścienia. Dwa ostatnie lata były dla obu okropne. Ciężar, który odczuwała, odkąd dowiedziała się o śmierci Rothena, stawał się nie do wytrzymania.

Objęła Akkarina w pasie i oparła głowę na jego piersi. Przyciągnął ją do siebie i przytulił mocno. Chwilę później wziął głęboki wdech i powoli wypuścił powietrze z płuc.

– Widziałem się z Dannylem i Osenem – powiedział jej cicho. – Byli z Lorlenem, teraz wiedzą więc o naszej obecności. Ostrzegłem ich, by nie mówili innym i... zabrałem pierścień Lorlena.

– A co z resztą Gildii?

– Wątpię, czy pozostał ktokolwiek, kto nie byłby wyczerpany albo prawie wyczerpany – odparł. – Złodzieje sprowadzili niektórych do tuneli. Inni wycofują się na teren Gildii.

– Ilu zginęło?

– Nie wiem. Dwudziestu? Pięćdziesięciu? Może więcej. Tak wielu.

– Co teraz zrobimy?

Akkarin jeszcze przez chwilę trzymał ją w ramionach, po czym odsunął od siebie na odległość wyciągniętej ręki.

– Kariko jest w Pałacu z czterema innymi. Avala wciąż włóczy się samotnie po ulicach. Musimy ją odnaleźć, nim dołączy do pozostałych.

Sonea przytaknęła.

– Szkoda, że nie wiedziałam, co Złodzieje planują zrobić z tym Ichanim w slumsach. Gdyby któreś z nas było w pobliżu, moglibyśmy mieć całą jego moc.

– To prawda, ale i tak mamy o jednego mniej do pokonania. – Puścił ją i wrócił do wnęki z krzesłami. – Twój przyjaciel Cery ma interesujące pomysły. Obawiam się, że jeśli Kyralia przetrwa, Gildia może uznać Czystki za ryzykowne przedsięwzięcie.

Sonea uśmiechnęła się.

– Myślałam, że to ja ich o tym przekonałam.

– Chyba nie tak bardzo, jak mogą to uczynić przyjaciele Cery'ego.

Doszli do głównego pomieszczenia i Sonea zobaczyła, że Cery wrócił już z obiecanym jedzeniem. Takan, znacznie mniej niespokojny niż jeszcze chwilę wcześniej, zajadał łapczywie. Regin zerkał to na nią, to na Akkarina, a w jego oczach błyszczała ciekawość.

– Reginie z Domu Winar – odezwał się do niego Akkarin, a Sonea wyczuła w jego głosie nutę niechęci – słyszałem, że zostałeś ocalony przez Złodziei.

Regin wstał i ukłonił się.

– Ocalili mi życie, mój panie. Mam nadzieję odwzajemnić tę przysługę.

Akkarin pokiwał głową i spojrzał na Takana.

– Obawiam się, że wkrótce możesz mieć ku temu okazję.

– Dokąd idziemy?

Dannyl zerknął na Faranda. Chłopak nie odzywał się od godziny. Bez słowa ufnie podążał za Dannylem, aż do tego momentu.

– Muszę znaleźć przyjaciela – odparł Dannyl.

– Ale Wielki Mistrz powiedział, że mamy opuścić miasto.

– Wiem – przytaknął Dannyl. – Powiedział też, że Ichani są w Pałacu. Muszę więc znaleźć Tayenda teraz, póki jest na to czas. Poza tym on może da nam jakieś zwykłe ubrania.

– Tayend? On jest w Imardinie?

– Tak. – Dannyl zajrzał w najbliższą uliczkę i przekonał się, że jest pusta. Farand pospieszył za nim za róg. Rezydencja, w której zatrzymał się Tayend, znajdowała się zaledwie kilka domów dalej. Dannyl poczuł, że puls przyspiesza mu z niecierpliwości.

– Nie było go na Przesłuchaniu – powiedział Farand.

– Nie. Przyjechał kilka dni później.

– Niespecjalny czas wybrał.

Dannyl zaśmiał się.

– Też mu to powiedziałem.

– Czemu więc nie wyjechał z powrotem?

Byli teraz w połowie drogi do rezydencji. Dannyl usiłował wymyślić jakąś stosowną odpowiedź. *Ponieważ wydaje mu się, że może w jakiś sposób pomóc mi przeżyć bitwę.*

Ponieważ nie chce, żebym oglądał zagładę Gildii samotnie. Ponieważ zależy mu na mnie bardziej niż na własnym bezpieczeństwie.

Dannyl westchnął.

– Ponieważ nie rozumiał, jak bardzo niebezpieczni są Ichani – odpowiedział Farandowi. – A ja nie zdołałem go przekonać, że niemagicznym będzie zagrażało takie samo niebezpieczeństwo jak magom. Czy wszyscy Elynowie są tacy uparci?

Farand roześmiał się cicho.

– Z tego co wiem, to cecha narodowa.

Dotarli do bramy domu. Dannyl wyciągnął klucz, sięgnął do zamka... i zamarł.

Drzwi były otwarte.

Stał wpatrzony w szparę między drzwiami a futryną, czując, że serce podchodzi mu do gardła. Farand dotknął lekko jego ramienia.

– Ambasadorze?

– Jest otwarte. Tayend nie zostawiłby otwartych drzwi. Ktoś tu był.

– W takim razie możemy wracać.

– Nie! – Dannyl wziął kilka głębokich, powolnych oddechów i odwrócił się do Faranda. – Muszę wiedzieć, że z nim wszystko w porządku. Możesz iść ze mną, zaczekać gdzieś w pobliżu, aż wyjdę, albo też zostawić mnie i samemu uciekać z miasta.

Farand spojrzał na rezydencję. Odetchnął głęboko i wyprostował ramiona.

– Idę z tobą.

Dannyl popchnął drzwi. Pokój za nimi był pusty. Powoli i ostrożnie przechodził przez dom, zaglądając do wszystkich pomieszczeń, ale nigdzie nie dostrzegł nawet śladu

Tayenda, jeśli nie liczyć podróżnego kufra w jednej z sypialni i kilku brudnych kieliszków.

– Może wyszedł poszukać czegoś do jedzenia? – podsunął Farand. – I wróci, jeśli zaczekamy.

Dannyl pokręcił głową.

– Nie wyszedłby na zewnątrz, chyba że coś go do tego zmusiło. Nie dzisiaj. – Wszedł do kuchni, gdzie na wielkim stole stał opróżniony do połowy kieliszek i butelka. – Czy jest jeszcze jakieś miejsce, gdzie nie sprawdziliśmy?

Farand wskazał na drzwiczki.

– Piwnica?

Za drzwiczkami znajdowały się schody prowadzące do sporej spiżarni pełnej butelek i żywności. Nie było tu jednak nikogo. Dannyl wrócił do kuchni. Farand wskazał mu kieliszek.

– Wyszedł w pośpiechu – mruknął. – Z tego pomieszczenia. Gdybym ja stał w tym miejscu i coś wystraszyło mnie tak bardzo, że chciałbym uciekać z domu, dokąd bym się udał? – Spojrzał na Dannyla. – Najbliżej jest wejście dla służby.

Dannyl przytaknął.

– W takim razie tam właśnie się udamy.

Teren Gildii był tak pusty i cichy, jakby trwała właśnie przerwa semestralna. Cisza jednak była jeszcze głębsza. Nawet w ciągu tych kilku tygodni w roku, kiedy nie było lekcji, a większość magów korzystała z okazji, by odwiedzać rodziny, w Gildii nie było nigdy aż tak głucho.

Wchodząc do gmachu Uniwersytetu, Rothen zastanawiał się, czy Gildia jest najwłaściwszym miejscem, by się tu zatrzymywać. Przez całą drogę do Imardinu chciał tylko dotrzeć na znajomy teren. Teraz jednak, kiedy znalazł się na miejscu, uznał, że Gildia nie daje mu upragnionego poczucia bezpieczeństwa.

Z umysłów ofiar Kariko odczytał, że Gildia stawiła ostatni opór Ichanim pod Pałacem. Zabili jednego Sachakanina, ale wszyscy się wyczerpali. Później Kariko dopadł gwardzistów pałacowych, Rothen domyślał się więc, że Ichani nadal przebywają w centrum miasta. Ale dokąd się udadzą, kiedy już opanują Pałac? Rothen zatrzymał się przy wejściu do wielkiego holu, czując, że serce w nim zamiera.

Do Gildii.

Balkan o tym wie, pomyślał. *Każe wszystkim uciekać z miasta. Zapewne chciał, byśmy zebrali się w innym miejscu, odzyskali siły i zaczęli planować odbicie Imardinu. Powinienem się stąd wynosić i spróbować do nich dołączyć.*

Podniósł wzrok na wspaniałe sklepienie Holu i westchnął ciężko. To wszystko zapewne zostanie zniszczone w ciągu najbliższych dni. Potrząsnął ze smutkiem głową i odwrócił się do wyjścia.

I zamarł, słysząc za sobą rozmowę.

W pierwszej chwili myślał, że to przybyli Ichani, po czym stanął jak skamieniały, rozpoznając głosy. Odwrócił się i pobiegł korytarzem.

W drzwiach do Rady Gildii stali Balkan i Dorrien. Spierali się o coś, ale Rothen nawet nie słuchał. Obaj podnieśli wzrok, kiedy go usłyszeli.

– Ojcze! – krzyknął Dorrien.

Rothen poczuł zalewającą go falę ulgi i miłości. *Dorrien żyje.* Jego syn podbiegł i objął go mocno. Rothen zesztywniał, kiedy ból w ramieniu przypomniał o sobie.

– Dorrien! – powiedział. – Co ty tu robisz?

– Lorlen wezwał wszystkich do Imardinu – odrzekł Dorrien. Jego wzrok zatrzymał się na bliźnie na policzku Rothena, śladzie po nożu Kariko. – Myśleliśmy, że nie żyjesz, ojcze. Dlaczego się nie odezwałeś? – Zmarszczył brwi na widok barku Rothena. – I jesteś ranny. Co się stało?

– Nie byłem pewny, czy mogę zaryzykować komunikację mentalną. Był ten zakaz, no i... – Rothen urwał, nie chcąc opowiadać Dorrienowi o pierścieniu. – Rękę i bark złamałem w walce i wyleczyłem się nieprawidłowo przez sen. Ale nie odpowiedziałeś na moje pytanie – a może nie zadałem go odpowiednio. Co tu robisz? Przecież niedługo na pewno przyjdą tu Ichani.

Dorrien spojrzał na Balkana.

– Ja... nie walczyłem razem z resztą magów. Wymknąłem się przy pierwszej sposobności.

Rothen spojrzał z zaskoczeniem na swojego syna. Nie potrafił wyobrazić sobie Dorriena unikającego walki. Jego syn nie jest przecież tchórzem.

Na twarzy Dorriena pojawił się wyraz irytacji.

– Mam swoje powody – powiedział. – Nie mogę ci ich w tej chwili zdradzić. Zostałem zobowiązany do zachowania tajemnicy. Musisz mi zaufać, kiedy ci powiem, że nie mogę ryzykować schwytania przez Ichanich. Gdyby odczytali moje myśli, stracilibyśmy wszelkie szanse na pokonanie ich.

– Już straciliśmy wszelkie szanse – wtrącił się Balkan, po czym zmrużył oczy. – Chyba że...

Dorrien pokręcił głową.

– Nie myśl o tym. I tak już za dużo powiedziałem.

– Skoro tak się martwisz tym, żeby Ichani nie odczytali twoich myśli, to dlaczego ukryłeś się tutaj, na terenie Gildii, gdzie zapewne wkrótce się pojawią? – spytał Rothen.

– Z Holu mam dobry widok na bramę – odparł Dannyl. – Będę widział, gdyby nadchodzili, i ucieknę przez las. Gdybym wszedł do miasta, zwiększyłbym ryzyko, że zostanę złapany.

– Dlaczego od razu nie odejdziesz? – spytał Balkan.

Dorrien zwrócił się ku niemu.

– Nie odejdę, dopóki nie będę musiał. Skoro moja tajemnica i tak się wyda, może zdołam jeszcze jakoś pomóc.

Balkan zmarszczył brwi.

– Jeśli udamy się razem z tobą, chyba wyjawisz nam, co to za sekret?

Rothen aż za dobrze znał uparty wyraz twarzy swojego syna, pokręcił więc głową.

– Nie sądzę, żeby udało ci się go przekonać, Balkanie. Myślę natomiast, że powinniśmy uciekać na pierwszy znak, że Ichani się tu zbliżają. A to każe mi zadać ci pytanie: dlaczego *ty* tu jesteś?

Wojownik skrzywił się.

– Ktoś powinien być świadkiem upadku naszego Domu.

Rothen pokiwał głową.

– W takim razie wszyscy trzej zostaniemy tu do końca.

– Pielun – szepnął Faren, podnosząc niewielką flaszeczkę. – Niemal nie do wyczucia w winie i słodkich potrawach. Działa szybko, bądź więc gotowa.

Sonea spojrzała na Złodzieja i przewróciła oczami.

– O co chodzi? – spytał.

– Jakoś nie dziwi mnie, że tak dobrze znasz się na truciznach, Farenie.

Uśmiechnął się.

– Przyznaję, że zacząłem się o nich uczyć, ponieważ zapragnąłem dorównać mojemu imiennikowi. Ta wiedza niekiedy się przydaje, ale nie aż tak często, jak się spodziewałem. Twój przyjaciel nowicjusz jest bardzo zainteresowany tą dziedziną.

– On nie jest moim przyjacielem.

Sonea z powrotem przytknęła oko do dziurki od klucza. Większość pokoju zajmował wielki stół. W przyćmionym świetle wpadającym przez dwa niewielkie okna pobłyskiwały srebrne sztućce. Na wpół zjedzony i już wystygnięty posiłek leżał na pięknych talerzach.

Znajdowali się w jednej z wielkich rezydencji położonych w Wewnętrznym Kręgu. Jadalnia nie była duża, najwyraźniej tylko dla rodziny – miała dwoje drzwi dla służby i wejście główne. Sonea i Faren przyczaili się za jednymi drzwiami, Akkarin stanął za drugimi.

– Cery sprawiał wrażenie, jakby łączyło was dwoje coś więcej niż tylko znajomość – Faren nie dawał za wygraną.

Parsknęła cicho w odpowiedzi.

– Cery zaproponował mi kiedyś, że zabije Regina. Było to kuszące.

– Ach – odparł Złodziej.

Sonea przyglądała się stojącym na stole kieliszkom, w różnym stopniu wypełnionym winem. Pośrodku stołu ustawiono butelki. Wszystko było nasączone trucizną.

– Co więc nasz ochotnik uczynił, że zasłużył sobie na taką łaskę ze strony Cery'ego?

– Nie twoja sprawa.

– Doprawdy? Niezwykle interesujące.

Sonea podskoczyła, kiedy główne drzwi jadalni otworzyły się z hukiem. Regin wpadł do środka i zatrzasnął je za sobą. Obiegł szybko stół i popędził ku drzwiom dla służby, za którymi krył się Akkarin. Chwycił za klamkę i zaczekał.

Główne drzwi znów się otworzyły. Regin udał, że walczy z klamką. Sonea poczuła, że puls jej przyspiesza, kiedy w pokoju pojawił się jeden z Ichanich. Spojrzał na Regina, a następnie na suto zastawiony stół.

– A zatem zapewne nie będziesz starała się go ocalić w przypadku, gdyby Ichani nie połknął przynęty? – szepnął Faren.

– Oczywiście, że go ocalę – odmruknęła Sonea. – Regin mógł być… nieważne, ale nie zasłużył na śmierć.

Kiedy Ichani spojrzał ponownie na Regina, chłopak oparł się plecami o drzwi. Twarz miał bladą jak płótno. Ichani okrążył stół. Regin przemknął wzdłuż ściany, utrzymując wciąż stół między sobą a Sachakaninem.

Ichani zarechotał. Sięgnął po jeden z kieliszków i podniósł go do ust. Pociągnął łyk i skrzywił się, po czym odrzucił kieliszek, wzruszając ramionami. Kieliszek roztrzaskał się na ścianie, tworząc czerwoną plamę.

– Wystarczy? – szepnęła Sonea.

– Wątpię – odparł Faren. – Ale złapał haczyk, więc może skusi się na coś świeższego.

Ichani krążył wokół stołu, a Regin wciąż mu umykał. Nagle skoczył do przodu i chwycił jedną z butelek za szyjkę, wymachując nią groźnie, co wywołało głośny śmiech Ichaniego. Sachakanin wykonał szybki gest ręką. Regin zachwiał się na nogach, jakby coś uderzyło go mocno od tyłu, i runął twarzą na stół.

Ichani chwycił go za kark i przytrzymał. Sonea nacisnęła klamkę, ale Faren powstrzymał ją.

– Zaczekaj.

Sachakanin wziął butelkę z ręki Regina i przyjrzał się jej. Korek powoli wydostał się z szyjki i spadł na podłogę. Ichani uniósł butelkę do ust i wypił kilka solidnych łyków. Faren westchnął z ulgą.

– To wystarczy? – szepnęła Sonea.

– O tak.

Regin wił się na stole, rozbijając talerze i rozrzucając sztućce po całym pokoju, usiłując wyrwać się z uchwytu Ichaniego. Sachakanin pociągnął znów z butelki, po czym roztrzaskał ją o krawędź stołu i wyciągnął ku Reginowi rękę z ułamaną szyjką.

– Niedobrze – powiedział Faren. – Jeśli zrani Regina, to trucizna...

Drzwi znajdujące się za Ichanim otworzyły się nagle. Serce Sonei zamarło na moment, ale Akkarin nie wszedł do pokoju. Korytarz za drzwiami był pusty. Słysząc hałas, Ichani odwrócił się i wbił wzrok w puste drzwi.

– Dobrze. To go na moment rozproszy – mruknął Faren.

Sonea wstrzymała oddech. Klamka była śliska od jej potu. Jeśli ona lub Akkarin pokażą się Ichaniemu, zdąży to przekazać Kariko. Byłoby znacznie lepiej, żeby mężczyznę powaliła trucizna.

– Zaczyna się – szepnął do niej Faren.

Ichani nagle rozluźnił uchwyt na karku Regina i zatoczył się na stół. Chwycił się za brzuch, a w tej samej chwili Regin podniósł się i popędził ku głównym drzwiom.

~ *Kariko!*

~ *Rikacha?*

~ *Oni... mnie otruli!*

Kariko nie odpowiedział. Ichani upadł na kolana i zgiął się wpół, wydając niski, przeciągły jęk, po czym zwymiotował czerwonym płynem. Sonea wzdrygnęła się, rozpoznając krew.

– Ile czasu minie, zanim umrze? – spytała.

– Pięć, może dziesięć minut.

– I to ma być szybko?

– Mogłem użyć roinu. Działa szybciej, ale jest gorzki.

Akkarin pojawił się w sąsiednich drzwiach. Spojrzał na skręcającego się z bólu mężczyznę i ściągnął koszulę.

– Co on robi? – spytał Faren.

– Myślę... – Sonea kiwnęła głową, gdy Akkarin podszedł do Ichaniego i zarzucił mu koszulę na głowę. Zaskoczony Sachakanin krzyknął, usiłując zerwać z głowy materiał.

~ *Soneo.*

Głos mentalny Akkarina brzmiał teraz inaczej – wyraźniej – dzięki pierścieniowi. Otworzyła drzwi i podbiegła do niego.

~ *Przytrzymaj to.*

Chwyciła koszulę i zacisnęła ją mocno. Ichani walczył, ale brakowało mu siły. Akkarin wyciągnął nóż, przeciął skórę na ramieniu tamtego i przyłożył dłoń do rany.

Sonea poczuła, że ciało Sachakanina rozluźnia się. Chwilę później Akkarin zdjął dłoń. Kiedy puściła koszulę, zwłoki zsunęły się na podłogę. Soneę zemdliło.

~ *To było okropne.*

Akkarin spojrzał na nią.

~ *Owszem. Ale przynajmniej szybkie.*

– Zadziałało. Doskonale.

Oboje podnieśli wzrok, kiedy do pokoju wszedł Regin. Chłopak przyjrzał się Ichaniemu z nieskrywaną satysfakcją.

– Owszem – przytaknęła Sonea. – Ale drugi raz się nie uda. Pozostali Ichani słyszeli, że został otruty. Nie nabiorą się na tę samą sztuczkę.

– Dziękujemy za pomoc – dodał Akkarin.

Regin wzruszył ramionami.

– Było warto. Przynajmniej widziałem, jak jeden z tych drani zdycha. – Przyłożył dłoń do gardła i skrzywił się. – Ale nie martwi mnie to, że nie będę musiał powtarzać *tego* występu. Omal nie złamał mi karku.

Ludzie powinni mieć ambicje, powiedział do siebie Cery, przechodząc przez zrujnowaną bramę. *Moja jest prosta: chciałbym znaleźć się w środku wszystkich ważnych budynków Imardinu.*

Był dumny, że mimo młodego wieku – nie skończył jeszcze dwudziestu lat – zdołał już wejść do większości ważniejszych budowli miasta. Na teren zamkniętych dla pospólstwa torów wyścigowych można się było łatwo wślizgnąć w przebraniu sługi, a biegłość w posługiwaniu się wytrychem otworzyła mu drzwi większości rezydencji w obrębie Wewnętrznego Kręgu. Z powodu Sonei był też w Gildii, choć wolałby to zawdzięczać własnym umiejętnościom, a nie temu, że został więźniem maga o skłonności do intryg i fanatyzmu.

Przechodząc przez dziedziniec, nie potrafił powstrzymać uśmiechu. Pałac był jedynym naprawdę ważnym miejscem w Imardinie, dokąd nigdy nie udało mu się dostać. Teraz, kiedy Gildia została pokonana, a ciężkie skrzydła pałacowej bramy opadały bezradnie, nikt nie przeszkodzi mu w zwiedzaniu.

Nikt, nawet Ichani. Wedle raportów czujek ustawionych wokół przez Złodziei, Sachakanie niedawno opuścili Pałac. Przebywali w środku przez zaledwie godzinę lub dwie, może więc nie zdołali w tym czasie wszystkiego zniszczyć.

Ominął zwęglone ciała gwardzistów i zajrzał przez rozwaloną bramę. Poza nią znajdował się imponujący hol. Ku wyższym piętrom wznosiły się misterne klatki schodowe. Cery westchnął z zachwytu. Wchodząc do środka, zastanawiał się, dlaczego Ichani nie zniszczyli tego wszystkiego. Może nie chcieli marnować swoich sił. A może wiedzieni głosem rozsądku zostawili schody, po których mogli się dostać na wyższe piętra.

Cery zerknął na symbol mullooka umieszczony na posadzce. Wątpił, by Król przebywał nadal w Pałacu. Władca zapewne opuścił Imardin, gdy padł Wewnętrzny Mur.

– Avala będzie stanowiła problem.

– Zapewne. Ona lubi się włóczyć. Podejrzewam, że wkrótce wyniesie się z Kyralii.

– Myślę, że ma na oku Elyne.

Cery szybko się obrócił. Głosy niewątpliwie należały do Sachakan i dobiegały spoza wejścia do Pałacu. Rozejrzał się i pobiegł ku arkadom z tyłu holu. W chwili gdy ukrył się w ich cieniu, usłyszał echo kroków na posadzce.

– Wszyscy słyszeliśmy wołanie Rikachy, Kariko – odezwał się trzeci głos. – I wiemy, jak umarł. Chyba był głupi, że skosztował tego jedzenia. Nie rozumiem, po co tu wracamy, żeby o tym dyskutować, zwłaszcza że Avala i Inijaka zapewne się z nami zgodzą.

Cery uśmiechnął się pod nosem. A zatem sztuczka Farena powiodła się.

– Dlatego, że straciliśmy już trzech ludzi – odparł Kariko. – Jeszcze ktoś i pomyślę, że to coś więcej niż pech.

– Pech? – prychnął pierwszy z Ichanich. – Gildia zabiła Rashiego, bo był osłabiony. Vikara może jeszcze żyje. Mamy tylko pewność, że niewolnicy zginęli.

– Może – zgodził się Kariko. Sprawiał wrażenie rozkojarzonego. – Ale przede wszystkim chcę wam tu coś jeszcze pokazać. Widzicie te schody? Wyglądają na bardzo delikatne, prawda? Nie powinny utrzymać własnego ciężaru. Wiecie, jak oni je powstrzymują od zawalenia się?

Nikt nie odpowiedział.

– Wkładają w nie magię. Popatrzcie.

Zaległa cisza, a w niej rozległ się cichy brzęk, który stawał się coraz głośniejszy, aż wreszcie hol wypełnił się hukiem i trzaskiem. Cery stłumił krzyk i wyjrzał spod arkad.

Klatki schodowe zapadały się. Kariko dotykał kolejnych balustrad i piękne konstrukcje wydymały się i opadały na ziemię, a wokół sypał się deszcz odłamków. Jeden z nich upadł niedaleko Cery'ego. Ichani spojrzał w tamtym kierunku, więc Cery szybko dał nura w cień.

Oparł się o ścianę i zamknął oczy. Serce bolało go na myśl o tym, że można z taką obojętnością zniszczyć coś tak pięknego. Z holu dobiegł go dźwięk śmiechu Kariko.

– Nazywają to magicznym wspomaganiem – powiedział Ichani. – Wkładają magię w budynki, żeby je wzmacniać. Połowa domów w centrum miasta została w ten sposób zbudowana. Co z tego, że miasto jest opustoszałe? Możemy zebrać potrzebną nam moc z budynków. – Zniżył głos. – Niech pozostali się włóczą. Gdyby tu wrócili zgodnie z moimi rozkazami, też by o tym wiedzieli. Chodźcie ze mną, przekonamy się, ile mocy zostawiła nam Gildia. – Rozległy się kroki, ale szybko się zatrzymały. – Harikava?

– Zamierzam się tu rozejrzeć. To miejsce jest zapewne pełne tych magicznie wspomaganych elementów.

– Tylko niczego nie jedz – ostrzegł go trzeci Ichani.

Harikava zaśmiał się gardłowo.

– Nie zamierzam.

Cery wsłuchiwał się w cichnący odgłos kroków. Teraz słychać było kroki tylko jednej osoby i Cery zamarł, słysząc, że przybliżają się.

On idzie w tym kierunku.

Rozejrzał się i zobaczył, że znajduje się w sporym pomieszczeniu. Po jego lewej i prawej stronie ściany zdobiły rzędy arkad. Pobiegł ku tym, które znajdowały się bliżej. Za łukiem znalazł korytarz biegnący wzdłuż pokoju, a na wysokości każdego z łuków przecinały się z nim boczne przejścia. Cery ostrożnie zajrzał w jedno z nich.

Ichani stał w komnacie. Rozglądał się dookoła i w pewnym momencie skierował wzrok dokładnie w jego kierunku. Kiedy ruszył w stronę łuku, Cery poczuł, że zasycha mu w ustach.

Skąd on wie, że tu jestem?

Nie miał zamiaru się dowiadywać. Zawrócił i pobiegł w głąb Pałacu.

ROZDZIAŁ 36

NIESPODZIEWANY WYBAWCA

Podziemnym korytarzem poniosło się echo dalekiego huku. Akkarin i Sonea wymienili spojrzenia i podeszli do kraty wentylacyjnej w ścianie. Sonea wyjrzała w zaułek, nasłuchując uważnie. Normalnie uliczka tętniłaby życiem, teraz jednak zaległa w niej nienaturalna cisza.

Akkarin zmarszczył brwi i dał znak przewodnikowi, by iść dalej. Przez kilka minut jedynymi dźwiękami, jakie słyszeli, były ich oddechy i cichy stukot butów. Nagle Akkarin zatrzymał się, a jego wzrok stał się nieobecny.

– Takan mówi, że Kariko znów opuścił Pałac. Ichani niszczą budynki.

Sonea pomyślała o huku, który przed chwilą słyszeli, więc potaknęła.

– Zużywają moc.

– Owszem. – Uśmiechnął się, a w jego oczach pojawiły się dobrze znane, drapieżne błyski.

Zbliżający się odgłos kroków uświadomił im obecność jakiejś ciemnej postaci w oddali.

– Szukacie cudzoziemca? – Głos należał do starej kobiety. – Właśnie włamał się do domu niedaleko.

Akkarin ruszył ku staruszce.

– Co wiesz o tym miejscu?

– Należy do Domu Arran – odpowiedziała. – Ma wielką stajnię i dziedziniec z przodu, a dom jest po drugiej stronie. Otoczony murem. Żadnych przejść pod ziemią. Musisz wejść z ulicy.

– Ile wejść?

– Dwa. Główne od przodu, brama od tyłu. Cudzoziemiec wszedł od przodu.

– Co jest bliżej?

– Brama.

Akkarin spojrzał na Soneę.

– Idziemy do bramy.

Staruszka kiwnęła głową.

– Chodźcie za mną.

Kiedy ruszyli znów tunelem, Sonea dotknęła pierścienia na palcu.

~ *Jaki masz plan?*

~ *Jeszcze nie wymyśliłem. Ale może czas na wykorzystanie twojego sposobu.*

~ *Mojego sposobu? Masz na myśli uzdrawianie?*

~ *Tak.*

~ *W takim razie ja to zrobię. On może rozpoznać ciebie, ale mnie nie powinien.*

Akkarin zmarszczył brwi, ale nie odpowiedział. Kobieta podprowadziła ich do małych drzwiczek, przez które przecisnęli się rządkiem. Po drugiej stronie było pomieszczenie wypełnione beczkami.

– Jesteśmy wewnątrz domu po drugiej stronie ulicy – wyjaśniła. – Idźcie tymi schodami, a potem przez drzwi na końcu korytarza. – Uśmiechnęła się ponuro. – Życzę szczęścia.

Idąc za wskazówkami staruszki, Sonea i Akkarin dotarli do solidnego wejścia dla służby. Zamek był wyłamany.

Akkarin zajrzał ostrożnie, po czym wszedł za drzwi. Znaleźli się na typowej dla Wewnętrznego Kręgu ulicy. Po drugiej stronie mieli zwykły mur, pośrodku którego znajdowała się potężna drewniana brama. Akkarin podbiegł do niej i zerknął w szparę pomiędzy jej skrzydłami.

– Z dziedzińca do domu prowadzą dwa wejścia – powiedział. – Wchodzimy przez bliższe.

Spojrzał na zamek, który posłusznie się otworzył. Sonea weszła i zamknęła bramę. Przed nimi rozciągał się wielki prostokątny dziedziniec. Po lewej zamykał go długi budynek z kilkorgiem szerokich drzwi – stajnie. Po prawej wznosił się dwupiętrowy dom. Akkarin pobiegł w kierunku domu, pomajstrował przy zamku i wślizgnęli się do środka.

Za drzwiami był wąski korytarz. Mag gestem nakazał Sonei milczenie. Z daleka i z góry dobiegało ich trzeszczenie podłogi i kroki.

Sonea dostrzegła jakieś poruszenie, wyjrzała więc przez małe okienko znajdujące się przy drzwiach. Wstrzymała oddech na widok dwóch magów i bogato ubranego człowieka biegnących w kierunku stajni.

Akkarin podszedł do niej. Trzej mężczyźni dotarli do jednego z wejść do stajni. Towarzysz magów otworzył szeroko drzwi, najwyraźniej spodziewając się, że będą cięższe niż w rzeczywistości. Sonea zamarła, kiedy drzwi uderzyły głośno w ścianę.

Nad nimi rozległy się pospieszne kroki. Trzej mężczyźni zniknęli wewnątrz stajni, pozostawiając otwartą bramę. Zaległa cisza. Sonea poczuła, że zasycha jej w ustach, kiedy usłyszała kolejne kroki. Dźwięki na chwilę umilkły, po czym trzasnęły gdzieś drzwi, a na dziedzińcu pojawił się Ichani. Zatrzymał się na samym środku i rozejrzał ostrożnie dookoła. Na widok otwartej bramy stajni ruszył w jej kierunku.

– Nie podoba mi się to, ale masz rację: Inijaka może mnie rozpoznać – mruknął Akkarin. – Nie mamy czasu na wymyślenie lepszego planu.

Poczuła dreszcz przebiegający jej po plecach. Teraz wszystko będzie zależeć od niej. W myślach analizowała wszelkie możliwości skutecznego zastosowania sztuki uzdrawiania. Jeśli Ichani będzie miał tarczę, jeśli ona nie zdoła go dotknąć, jeśli nie zdoła użyć mocy uzdrowicielskiej, jeśli...

– Dasz sobie radę?

– Tak – odpowiedziała. Wyjrzała na zewnątrz: Ichani wszedł już do stajni.

Akkarin wziął głęboki oddech i otworzył jej drzwi.

– Będę uważał. Jeśli to nie zadziała, podnieś tarczę, zaczniemy z nim walczyć.

Sonea potaknęła, wyszła na dziedziniec i pobiegła do bramy stajni. Zajrzała do środka i usiłowała dostrzec cokolwiek w półmroku. Jakaś postać przechadzała się między boksami. Domyśliła się, że to Ichani. Przeszedł przez drzwi w przeciwległej ścianie i przestała go widzieć.

Weszła do środka. Kiedy ruszyła korytarzem, trzy postacie wyskoczyły z boksu i na jej widok zamarły. W tej samej chwili Sonea dostrzegła twarz bogato ubranego mężczyzny i poczuła jednocześnie zaskoczenie rozpoznaniem i niechęć.

~ *Nie powiedziałeś mi, że to Król!*

Władca Kyralii spojrzał na nią i jego oczy też zrobiły się szerokie, gdy ją rozpoznał. Patrząc na niego, czuła, że jej niechęć i gniew narastają. Wspomnienie Rady Gildii. Króla domagającego się kary wygnania. Potem pomyślała o Czystce, a także o swojej ciotce i wuju wygnanych do slumsów. O bylcach kryjących się po tunelach, ponieważ nikt ich nie ostrzegł o zbliżającym się najeździe.

Czemu miałabym ryzykować życie dla tego człowieka?

W chwili, gdy to pytanie pojawiło się w jej umyśle, poczuła do samej siebie niechęć z jego powodu. Nie może nikogo zostawić na pastwę Ichanich, nieważne, jak bardzo mogłaby nie lubić tej osoby. Wyprostowała się i ustąpiła z drogi.

– Uciekajcie – powiedziała.

Trzej mężczyźni pospiesznie ją wyminęli. Kiedy zniknęli z jej pola widzenia, usłyszała jakiś hałas za pobliską ścianą. Obróciła się i ujrzała Ichaniego. Napotkał jej wzrok i uśmiechnął się.

Nietrudno było udać strach, kiedy zaczął się do niej zbliżać. Cofnęła się ku wyjściu i poczuła drganie bariery. Ichani poruszył ręką i jakaś siła zaczęła ją przyciągać. Powstrzymując odruch zrzucenia jej z siebie, potykając się, podeszła do niego. Kiedy znajdowała się raptem o krok od niego, obrzucił ją taksującym spojrzeniem.

– Ach, więc jednak jakieś Kyralianki tu *zostały* – powiedział.

Sonea wyrywała się, kiedy moc otoczyła ją, przyciskając jej ręce do ciała. Serce podskoczyło jej do gardła, gdy Ichani znalazł się tak blisko, że czuła jego oddech na twarzy. Wsunął rękę pod jej koszulę. Zesztywniała z przerażenia, gdy na jego twarz wypełzł lubieżny grymas.

Ogarnęła ją panika. Nie była w stanie się poruszyć, nie mogła więc go dotknąć. A jeśli go nie dotknie, nie zdoła użyć wobec niego mocy uzdrowicielskiej. Jeśli zaś on zapuści się dalej, odkryje czarną szatę pod jej zwyczajnym ubraniem.

~ *Walcz z nim* ~ podpowiedział jej Akkarin.

Wysłała ku niemu falę mocy, odpychając go od siebie. Ichani spojrzał na nią ze zdumieniem. Podchodząc do niego, zaatakowała szybko, cios za ciosem. Wsparł się na nogach, uniósł ręce i odpowiedział jednym uderzeniem. Zachwiała się, kiedy trafił w jej tarczę.

Roześmiał się.

– A więc rzeczywiście pod koszulą *wymacałem* szatę. Zastanawiałem się, gdzie podziali się wszyscy magowie.

Sonea poczuła przypływ nadziei. Zakładał, że ona jest zwykłym magiem z Gildii. Może więc uda się jej go oszukać, jeśli uda wyczerpanie.

~ *Jestem za drzwiami* ~ powiedział Akkarin. ~ *Co mam zrobić?*

~ *Czekaj* ~ odpowiedziała.

Kiedy Ichani uderzył ponownie, zachwiała się i cofnęła na ścianę. Podszedł, a ona skuliła się, gdy znów zaatakował. Przy czwartym uderzeniu pozwoliła tarczy nieco zadrżeć. Ichani zaśmiał się złowieszczo, gdy tarcza opadła, wyciągnął nóż i przytrzymał go w zębach.

Poruszyła się tak, jakby zamierzała zrobić unik, kiedy nachylił się nad nią. Pociągnął ją za ramię do siebie i przygwoździł jedną ręką do ściany. Chwyciła go za nadgarstek, zamknęła oczy i wysłała myśli w głąb jego ciała.

Odnalazła jego serce dokładnie w tej chwili, gdy jej ramię przeszył ból. Uznała, że nie jest w stanie równocześnie się leczyć i starać się go uszkodzić, skupiła się więc na sercu Ichaniego. Kiedy się zatrzyma, to on już nic nie zdoła zrobić.

Jego uścisk zwiększył się, gdy wysiliła wolę. Usłyszała pełen bólu jęk, otworzyła oczy i zobaczyła, że jego twarz blednie, a oczy wpatrują się w nią oskarżycielsko. Poczuła dotyk dłoni.

Od ramienia przez całe jej ciało przebiegła fala straszliwego otępienia. Usiłowała się poruszyć, ale żaden mięsień nie chciał jej słuchać. W tej samej chwili poczuła przerażająco szybki odpływ mocy. Kątem oka widziała jakiś ruch, ale nie miała siły nawet na to, żeby poruszyć oczami. Nagle odpływ mocy zwolnił. Wyraz twarzy Ichaniego zmienił się z gniewu w zaskoczenie i lęk. Nóż wypadł mu z ręki. Puścił Soneę i chwycił się za pierś.

W jednej chwili odzyskała kontrolę. Podniosła nóż i przejechała nim po szyi Sachakanina. Krew trysnęła, a ona przyłożyła dłoń do jego gardła i zaczerpnęła mocy.

Zalała ją energia, ale nie tak wielką falą jak poprzednim razem. Walka z Gildią osłabiła tego Ichaniego. Kiedy pozbawiła go całej mocy, jego ciało osunęło się na ziemię bez ruchu.

Za nim stał Akkarin, przyglądając się Sonei z dziwacznym wyrazem twarzy. Spojrzała na swoje zachlapane krwią ubranie i wzdrygnęła się z niechęcią.

Kiedy to się skończy, pomyślała. *Nigdy już nie posłużę się tą mocą. Nigdy.*

– Tak się właśnie czułem, kiedy wróciłem z Sachaki.

Spojrzała na Akkarina. Wyciągnął do niej rękę.

– W tym domu musi znaleźć się coś, w co będziesz mogła się przebrać – powiedział. – Chodź, musisz się umyć.

Miała problem z powstaniem, mimo jego pomocy. Nie była zmęczona, ale nogi się pod nią uginały. Przez moment stała w miejscu, chwiejąc się. Patrząc na martwego Ichaniego, czuła, że strach zmienia się w ulgę. *Zadziałało. I nie zdążył skontaktować się z Kariko*. Ona przeżyła, a nawet uratowała...

– Co z Królem? – spytała.

– Odesłałem go do domu po drugiej stronie ulicy, a Takan poprosi Raviego, żeby się nim zajął.

Wyobrażenie sobie tego spotkania poprawiło nieco humor Sonei.

– Król ocalony przez Złodziei. To mi się podoba.

Kącik ust Akkarina uniósł się nieznacznie do góry.

– Jestem pewny, że następstwa tego wydarzenia mogą być interesujące.

Cery przebiegł kolejny korytarz i zatrzymał się przed jednymi z drzwi. Sprawdził klamkę. Zamknięte na klucz. Następne – to samo. Kroki przybliżały się. Rzucił się ku drzwiom na samym końcu korytarza i omal nie krzyknął z radości, kiedy klamka ustąpiła.

Znalazł się w wielkiej komnacie z oknami wychodzącymi na ogrody w samym środku Pałacu. Cery minął pozłacane i obite wspaniałymi tkaninami fotele, zmierzając ku kolejnym drzwiom po drugiej stronie komnaty. Pod ubraniem na piersi czuł dotyk zawieszki od Savary.

Nie bądźcie zamknięte, pomyślał. *Nie bądźcie ślepym zaułkiem.*

Chwycił za klamkę i nacisnął, ani drgnęła. Zaklął i sięgnął do kieszeni po wytrychy, bardzo był rad, że nigdy nie przestał nosić ich przy sobie. Wybrał dwa, wsunął je w zamek i starał się wyczuć mechanizm.

Kroki stawały się coraz głośniejsze.

Oddychał ciężko. W ustach mu zaschło, dłonie miał mokre od potu. Nabrał powietrza do płuc i wypuścił je powoli, a następnie szybko przekręcił wytrych.

Zamek ustąpił. Cery wyciągnął wytrychy, otworzył drzwi i rzucił się przed siebie. Zdążył złapać drzwi, zanim się zatrzasnęły i zamknął je najciszej, jak potrafił.

Jeden rzut oka wystarczył, by stwierdzić, że znalazł się w niewielkim pokoju pełnym luster, niskich stoliczków i foteli. Garderoba dla muzyków, domyślił się. Do pokoju nie prowadziło żadne inne wejście. Skupił więc uwagę na zamku i zabrał się do zamykania go z powrotem.

Mechanizm poddał się łatwo, Cery wiedział już bowiem, jak działa. Zatrzasnął się z zadowalającym go dźwiękiem. Cery westchnął z ulgą, podszedł do jednego z foteli i usiadł na nim.

Poczucie ulgi prysło jednak, kiedy za drzwiami rozległy się kroki. Jeśli Harikava go śledził, łatwo zgadnie, że Cery nie mógł uciec nigdzie indziej niż za te drzwi – niezależnie od tego, czy są zaryglowane, czy nie. Wstał i podszedł do niewielkiego okienka na jednej ze ścian pokoju. Jakoś musi się stąd wydostać.

W tej samej chwili usłyszał trzask zamka i serce w nim zamarło.

Drzwi otworzyły się z cichym piskiem i Ichani zajrzał do środka. Na widok Cery'ego uśmiechnął się szeroko.

– Jesteś.

Cery cofnął się. Sięgnął do kieszeni, wymacał rękojeści swoich noży i ścisnął je mocno.

Nic to nie da, pomyślał. Rzucił okiem na okno. *Nie dobiegnę. Dorwie mnie.*

Ichani zrobił krok do przodu.

Jeśli mnie złapie, przeczyta moje myśli. Dowie się o Sonei i Akkarinie.

Cery przełknął ślinę i wysunął sztylety z pochew. *Ale nie będzie mógł nic wyczytać, jeśli wcześniej umrę.*

Ichani przybliżył się jeszcze o krok i Cery poczuł, że jego postanowienie słabnie. *Nie dam rady. Nie potrafię się zabić.* Wpatrywał się w Ichaniego. W jego zimne oczy drapieżnika.

A co za różnica? Przecież i tak umrę.

Odetchnął szybko dwa razy i wyciągnął noże.

~ *Nie, Cery! Nie rób tego!*

Zamarł, albowiem ten głos rozległ się bezpośrednio w jego głowie. Czy tak przemawia lęk? Jeśli tak, to ma kobiecy głos. Bardzo podobny do...

Harikava spojrzał w kierunku drzwi i jego oczy zrobiły się wielkie jak spodki. Do uszu Cery'ego dobiegł odgłos pospiesznych kroków. Kiedy w drzwiach pojawiła się kobieta, zamurowało go kompletnie.

– Zostaw go, Harikavo – powiedziała Savara władczym tonem. – On należy do mnie.

Ichani cofnął się przed nią.

– Co tu robicie? – warknął.

Uśmiechnęła się.

– Nie zamierzamy przejąć Kyralii, czego się zapewne spodziewasz. Nie, po prostu obserwujemy.

– Tak mówisz.

– Nie jesteś na dobrej pozycji, żeby podważyć moje słowa – odparła, wchodząc do pokoju. – Na twoim miejscu zabrałabym się stąd.

Harikava śledził każdy jej ruch, kiedy przesuwała się w kierunku Cery'ego. Gdy znalazła się kilka kroków od drzwi, opuścił pospiesznie pokój. Cery słyszał jego kroki w wielkiej sali.

– Kariko nie będzie was tu tolerował. Dorwie cię prędzej czy później.

– Mnie tu już dawno nie będzie, kiedy on znajdzie wolną chwilę.

Kroki cichły w oddali, a jakiś czas później dało się słyszeć trzaśnięcie drzwi w sąsiedniej komnacie. Savara spojrzała na Cery'ego.

– Poszedł. Niewiele brakowało.

Odwzajemnił jej spojrzenie. Ocaliła mu życie. Jakoś dowiedziała się, że znalazł się w tarapatach i pojawiła się w sam czas. Jak to było możliwe? Czyżby szła za nim? A może śledziła Ichaniego? Ulga zmieniła się w wątpliwości, kiedy zastanowił się nad jej słowami. Ichani lękał się jej. Cery nagle uznał, że on też powinien.

– *Kim* jesteś? – wyszeptał.

Uniosła nieznacznie ramiona.

– Sługą mojego ludu.

– On... uciekł. Przed tobą. *Dlaczego?*

– Niepewność. Zużył dziś sporo mocy, nie wiedział więc, czy zdołałby mnie pokonać. – Uśmiechnęła się i podeszła do niego. – Blef to najpewniejszy sposób wygrywania bitew.

Cery cofnął się. Właśnie uratowała mu życie. Powinien być jej wdzięczny. Coś mu jednak w tym wszystkim nie pasowało.

– On cię rozpoznał. A ty znałaś jego imię.

– Rozpoznał, kim jestem, ale nie mnie – poprawiła go.

– Kim zatem jesteś?

– Twoim sprzymierzeńcem.

– Nie, nie jesteś. Mówisz, że chcesz nam pomóc, ale nie robisz nic, żeby powstrzymywać Ichanich, mimo że posiadasz dość mocy, by ich pokonać.

Uśmiech zniknął z jej twarzy. Spochmurniała i patrzyła na Cery'ego z powagą.

– Robię wszystko, co mogę, Cery. Co cię wreszcie przekona? Zaufasz mi, jeśli ci powiem, że od pewnego czasu wiem o powrocie Akkarina i Sonei? Wygląda na to, że nie wyjawiłam tego Ichanim.

Serce Cery'ego podskoczyło do gardła i waliło teraz mocno.

– Skąd się o tym dowiedziałaś?

Uśmiechnęła się, a jej wzrok zatrzymał się na moment na jego piersi.

– Mam swoje sposoby.

Czemu zerknęła na jego tors? Zmarszczył brwi na wspomnienie zawieszki. Sięgnął pod koszulę i wyciągnął klejnot na wierzch. Zamrugała oczami i jej uśmiech przybladł.

Jakie to może mieć magiczne właściwości? Przyglądając się gładkiemu rubinowi w samym środku, Cery pobladł na wspomnienie tego, jak Sonea i Akkarin wykonywali dla siebie pierścienie. Z oczkami w postaci czerwonych szklanych kulek...

Dzięki tym pierścieniom będziemy mieli wzajemnie wgląd w swoje umysły...

Wbił wzrok w rubin. Jeśli to krwawy klejnot, to Savara czyta w jego myślach... a on zaczął nosić tę zawieszkę zaraz po przybyciu do miasta Sonei i Akkarina.

Jak inaczej mogłaby się dowiedzieć o ich obecności w mieście?

Przełożył łańcuszek przez szyję i cisnął zawieszkę w kąt.

– *Byłem* głupcem, że ci zaufałem – powiedział gorzko.

Patrzyła na niego ze smutkiem na twarzy.

– Wiedziałam o Akkarinie i Sonei, odkąd dałam ci ten klejnot. Czy zdradziłam się z tym przed Ichanimi? Nie. Czy posłużyłam się tą wiedzą, by cię szantażować? Nie. Ja w żaden sposób nie nadużyłam twojego zaufania, Ceryni. Natomiast ty nadużyłeś mojego.

Założyła ręce na piersi.

– Powiedziałeś mi, że będziesz mnie informował, jeśli pomogę ci opracować sposoby zabijania magów, ale zatailłeś przede mną wiele ważnych informacji. Moi ludzie szukali Akkarina i Sonei w Sachace. Chcieli ofiarować byłemu

Wielkiemu Mistrzowi pomoc w odbiciu Ichanim Kyralii. Podobnie jak wy nie pragniemy, żeby Kariko i jego sprzymierzeńcy rządzili Kyralią.

Cery wbił w nią wzrok.

– Czemu miałbym w to wierzyć?

Savara westchnęła i potrząsnęła głową.

– Mogę jedynie prosić cię, żebyś mi zaufał. To wszystko trudno udowodnić... a ty chyba osiągnąłeś granicę zaufania. – Uśmiechnęła się smutno. – Co w tej sytuacji zrobimy?

Nie wiedział, jak na to odpowiedzieć. Spojrzał na leżącą pod ścianą zawieszkę. Był zły, czuł się głupi i zdradzony. Niemniej kiedy patrzył na Savarę, widział w jej oczach prawdziwy żal i smutek. Nie chciał rozstawać się z nią w niezgodzie.

Być może jednak nie było to możliwe.

– Oboje mamy umowy i tajemnice, których nie wolno nam wyjawić, i ludzi, których musimy chronić – powiedział powoli. – Szanowałem twoje sekrety, ale ty nie uszanowałaś moich. – Spojrzał ponownie na klejnot. – Nie powinnaś była mi tego robić. Wiem, czemu to zrobiłaś, ale to niewiele zmienia. Kiedy mi to dałaś, uniemożliwiłaś mi dotrzymanie obietnic.

– Chciałam chronić twoich ludzi.

– Wiem. – Zdobył się na gorzki uśmiech. – I doceniam to. Dopóki trwa wojna, nie możemy przedkładać osobistych uczuć nad bezpieczeństwo naszych ludzi. Zobaczmy więc, jak to się potoczy. Kiedy wszystko się skończy, może przebaczę ci to, co mi zrobiłaś. Na razie jednak będę się trzymał mojej strony. Nie spodziewaj się niczego więcej.

Spuściła wzrok i skinęła głową.

– Rozumiem.

Drzwi dla służby w domu Zerrenda wychodziły na niezbyt szeroką uliczkę, tak że mógł przejechać nią tylko wóz. Brama była zamknięta, ale nie zaryglowana. Po obu stronach zaułek wychodził na puste, ciche ulice.

Nigdzie nie było śladu Tayenda – ani też nikogo innego.

– Co teraz zrobimy? – spytał Farand.

– Nie wiem – przyznał Dannyl. – Nie chciałbym stąd odchodzić na wypadek, gdyby on wrócił. Ale mógł równie dobrze być zmuszony opuścić miasto.

Może również leżeć gdzieś martwy. Za każdym razem, kiedy Dannyl myślał o tym, czuł, że zalewa go zimny pot i robi mu się słabo ze strachu. *Najpierw Rothen, potem Tayend...*

Nie, powtarzał sobie. *Nawet nie próbuj sobie tego wyobrażać. Nie, dopóki nie przekonasz się na własne oczy.*

Myśl o tym, że mógłby zobaczyć martwe ciało Tayenda tylko pogarszała sprawę. Musi się skupić, rozważyć, gdzie powinni teraz pójść. Mieli trzy możliwości: zostać w rezydencji z nadzieją, że Tayend w końcu wróci, szukać go w mieście, poddać się i opuścić Imardin.

Nie opuszczę miasta, póki się nie dowiem, co zaszło.

Pozostawało więc czekać w rezydencji lub zacząć poszukiwania. Obie ewentualności były niezbyt uczciwe wobec Faranda.

– Idę szukać Tayenda – oznajmił. – Przeszukam pobliskie ulice i będę tu zaglądać, żeby sprawdzić, czy nie wrócił. Ty powinieneś opuścić miasto. Nie ma sensu, żebyśmy obaj ryzykowali życie.

– Nie – odparł Farand. – Ja zostanę na wypadek, gdyby tu przyszedł.

Dannyl spojrzał na niego ze zdumieniem.

– Jesteś pewny?

Nowicjusz skinął głową.

– Nie znam Imardinu, Dannylu. Nie jestem pewny, czy zdołałbym sam się wydostać. A tobie przyda się ktoś, kto będzie tu czekał na powrót Tayenda. – Wzruszył ramionami i cofnął się o kilka kroków. – Do zobaczenia, kiedy wrócisz.

Dannyl patrzył za Farandem, dopóki młodzieniec nie zniknął we wnętrzu domu, po czym skierował się do wylotu uliczki i wyjrzał za róg. Wszędzie panowała cisza. Wyszedł na ulicę i przebiegł do następnego zaułka.

Z początku znalazł jedynie kilka drewnianych skrzyń. Potem zaczął napotykać ciała magów. Strach o bezpieczeństwo Tayenda wzrastał.

Obszedł kwartał dookoła i już zbliżał się z powrotem do rezydencji, kiedy drogę zastąpił mu jakiś mężczyzna. Serce podskoczyło Dannylowi do gardła i przyspieszył mu puls – ale był to jedynie zwyczajny sługa lub rzemieślnik.

– Tutaj – powiedział ten mężczyzna, wskazując na otwartą klapę zsypu w ścianie. – Na dole jest magom bezpieczniej.

Dannyl pokręcił głową.

– Dziękuję.

Mężczyzna chwycił go za rękę, zanim Dannyl go minął.

– Był tu Sachakanin, dopiero co. Lepiej zejść mu z oczu.

Dannyl wyrwał się z jego uścisku.

– Szukam kogoś.

Mężczyzna wzruszył ramionami i cofnął się.

Dannyl ruszył dalej zaułkiem. W uliczce było pusto. Wyszedł za róg i skoczył ku zaułkowi naprzeciwko.

Kiedy już prawie tam dotarł, usłyszał tuż za sobą trzaśnięcie drzwi. Odwrócił się i zamarł.

– No, to już lepiej. – Zmierzająca ku niemu kobieta uśmiechała się chytrze. – Już myślałam, że w Kyralii nie ma więcej ładnych magów.

Dannyl rzucił się w zaułek, ale zatrzymała go niewidzialna bariera. Oszołomiony zatoczył się z bijącym mocno sercem.

– Nie tędy – zwróciła się do niego. – Chodź do mnie. Nie zamierzam cię zabić.

Dannyl wziął kilka głębokich oddechów i odwrócił się do niej. Kiedy się do niego zbliżyła, cofnął się o krok. W jej oczach czaił się złowieszczy błysk. Przypomniał sobie, gdzie już widział ten wzrok. To Ichani, która chciała sobie „zachować" Ferguna.

– Kariko nie pozwoli ci zatrzymać mnie żywego – powiedział.

Odrzuciła głowę do tyłu.

– Może pozwoli, skoro już tu jesteśmy, a połowa Gildii nie żyje.

– A po co ja tobie? – zapytał, wciąż się cofając.

Wzruszyła ramionami.

– Moi niewolnicy nie żyją. Potrzebuję nowych.

Chyba jest już blisko następnego zaułka. Może jeśli ją zagadam, zapomni go zablokować, pomyślał.

– Będzie ci bardzo przyjemnie. – Uśmiechała się chytrze, błądząc oczami po jego ciele od karku do stóp. – Lubię wynagradzać ulubionych niewolników.

Dannyl poczuł szaloną chęć wybuchnięcia śmiechem. *Co ona sobie wyobraża?* – pomyślał. – *Że jest jakąś niezwykłą uwodzicielką? To przecież śmieszne.*

– Nie jesteś w moim typie – oznajmił jej.

Uniosła brwi.

– Nie? Cóż, to bez znaczenia. Albo zrobisz, co ci każę, albo... – Zatrzymała się i rozejrzała wokół siebie ze zdumieniem.

Ze wszystkich stron, z drzwi i zaułków wynurzali się magowie Gildii. Dannyl też gapił się na nich, zdziwiony. Nie rozpoznawał żadnej z twarzy. W tej samej chwili jakaś ręka chwyciła go za ramię i pociągnęła w bok.

Potknął się o próg drzwi, które zamknęły się za nim. Dannyl odwrócił się do swojego wybawcy i nogi się pod nim ugięły.

– Tayend!

Uczony uśmiechnął się szeroko. Dannyl odetchnął z ulgą, przyciągnął do siebie Tayenda i przytulił go mocno.

– Wyszedłeś z domu. Dlaczego wyszedłeś z domu?

– Pojawiła się ta kobieta. Myślałem, że zaczekam w zaułku, aż sobie pójdzie, ale ona wyszła za mną. Ocalili mnie Złodzieje. Powiedziałem im, że będziesz mnie szukać, ale nie dotarli na czas do domu.

Dannyl usłyszał stłumione chrząknięcie i zamarł, zorientowawszy się, że nie są sami. Odwrócił się i zobaczył utkwiony w sobie zdumiony wzrok wysokiego Lonmarczyka. Maga oblał zimny pot, a chwilę później rumieniec.

– Widzę, że bardzo się przyjaźnicie – zauważył mężczyzna. – No, skoro już się znaleźliście, powinniśmy...

Nagle drzwiami wstrząsnął potężny wybuch. Mężczyzna pomachał do nich nerwowo.

– Szybko! Chodźcie!

Tayend chwycił Dannyla za rękę i pociągnął go za nieznajomym. Za nimi rozległ się huk. Lonmarczyk rzucił się przed siebie biegiem. Poprowadził ich schodami w dół, wprowadził do piwnicy i zaryglował za sobą drzwi.

– To jej nie powstrzyma – powiedział Dannyl.

– Nie – odrzekł nieznajomy. – Ale na chwilę zahamuje.

Przemknął między stojakami z winem ku szafie stojącej z tyłu pomieszczenia. Otworzył drzwi i pociągnął za półkę z konfiturami. Regały wysunęły się do przodu, ukazując kolejne drzwi. Nieznajomy otworzył je i wskazał Dannylowi drogę. Tayend i Dannyl przecisnęli się przez otwór. Po drugiej stronie stał chłopiec z niewielką latarnią w ręku.

Lonmarczyk przeszedł za nimi i zabrał się za wciąganie półek na miejsce. Zza wejścia do piwnicy doszedł do nich cichy trzask, a po nim głośny wybuch.

– Nie ma na to czasu – mruknął Lonmarczyk. Dał spokój nie do końca odtworzonej szafie, zamykając tylko jej drzwi. Wziął lampę od chłopca i ruszył tunelem. Dannyl i Tayend pospieszyli za nim.

– Niedobrze – mruknął nieznajomy pod nosem. – Miejmy nadzieję, że ona…

Za nimi rozległ się huk kolejnej eksplozji. Dannyl zerknął za siebie i ujrzał kulę świetlną pojawiającą się w miejscu ukrytych drzwi. Lonmarczyk wziął głęboki oddech.

– Biegiem!

ROZDZIAŁ 37

RZUT OKA NA NIEPRZYJACIELA

Strój służącej, na który Sonea zamieniała zakrwawioną koszulę i spodnie, musiał należeć do wyższej od niej kobiety. Dobrze skrywał szatę, ale rękawy miał tak długie, że musiała je podwinąć, a dół plątał jej się pod nogami. Usiłowała właśnie odzyskać równowagę po kolejnym nastąpieniu na rąbek spódnicy, kiedy w korytarzu przed nimi pojawił się posłaniec. Na ich widok przyspieszył kroku.

– Złe... wieści – wydyszał. – Ktoś z Sachaki... znalazł... tunele.

– Gdzie? – spytał Akkarin.

– Niedaleko.

– Zaprowadź nas tam.

Posłaniec zawahał się i skinął głową. Ruszył z powrotem korytarzem, a jego lampa rzucała pokraczne cienie na ściany.

~ *Spróbujemy tego samego oszustwa* ~ odezwał się Akkarin do Sonei. ~ *Tym razem jednak wylecz się, jeśli Ichani cię skaleczy. Jeśli zacznie czerpać moc, nie zdołasz jej użyć.*

~ *Och, nie zamierzam powtarzać dwa razy tego samego błędu* ~ odpowiedziała. ~ *Zwłaszcza odkąd wiem, jak to jest.*

Przewodnik szedł dalej tunelem, zatrzymując się na chwilę tylko po to, żeby przepytać pomocników trzymających straż przy wyjściach. Po drodze napotykali uciekających ludzi, pojawiła się też ciemnoskóra postać. Faren.

– Jesteście. – Złodziej też dyszał ze zmęczenia. – Dobrze. Ona się zbliża.

A więc to ta kobieta, pomyślała Sonea. *Avala.*

– Jak daleko jest?

Faren kiwnął głową w kierunku, z którego przyszedł.

– Może jakieś pięćdziesiąt kroków. Skręćcie w lewo na skrzyżowaniu.

Usunął się z drogi, kiedy Akkarin skierował się w stronę przejścia. Sonea wzięła od przewodnika latarnię i poszła za nim. Z każdym krokiem serce biło jej szybciej. Dotarli do skrzyżowania, zatrzymali się i Akkarin zajrzał w przejście po lewej. Wszedł w nie, a Sonea pospieszyła za nim. Na następnym zakręcie zatrzymali się znowu.

~ *Nadchodzi. Zaczekaj tutaj. Niech pomyśli, że to* ona *znalazła* ciebie. *Będę w pobliżu.*

Sonea potaknęła. Patrzyła, jak idzie do skrzyżowania i znika w cieniu jednego z bocznych przejść. Za sobą usłyszała cichy odgłos kroków.

Które stopniowo stawały się coraz głośniejsze. Słabe światło wynurzyło się zza zakrętu. Rozbłysło niespodziewanie, tak że Sonea musiała się cofnąć. Pojawiła się kula świetlna. Dziewczyna zasłoniła oczy dłonią i krzyknęła z udawanego strachu.

Ichani wpatrywała się w nią z uśmiechem.

– Ach, to ty. Kariko będzie zachwycony.

Sonea rzuciła się do ucieczki, ale jej stopy natychmiast zaplątały się w dół spódnicy i upadła przed siebie. Avala roześmiała się.

To byłaby niezła sztuczka, gdybym tylko udawała, pomyślała gorzko Sonea, podnosząc się niezgrabnie na nogi.

Kroki przybliżyły się, ręka chwyciła ją za ramię. Potrzebowała całej siły woli, żeby nie rzucić tą kobietą o ścianę.

Ichani obróciła ją twarzą do siebie. Dłonią dotknęła jej głowy. Sonea chwyciła ją za nadgarstek i usiłowała wysłać myśli w głąb jej ciała, ale napotkała opór.

Avala osłaniała się.

Tarcza leżała na samej powierzchni jej skóry. Sonea poczuła przez moment uznanie dla umiejętności tej kobiety, ale podziw zastąpiła niemal natychmiast panika.

Nie zdoła użyć wobec niej swojej uzdrowicielskiej mocy.

~ *Walcz z nią* ~ polecił jej Akkarin. ~ *Wyprowadź ją poza skrzyżowanie. Musimy złapać ją między siebie, żeby nie zdołała się wymknąć.*

Sonea wysłała falę mocy. Avala spojrzała na nią wielkimi oczami, zachwiała się i cofnęła o krok. Sonea uniosła spódnicę, obróciła się na pięcie i pognała korytarzem.

Przed nią rozbłysła bariera, którą rozbiła jednym uderzeniem. Kilka kroków dalej minęła skrzyżowanie. Kolejna bariera. Zatrzymała się i odwróciła ku Ichani.

Kobieta uśmiechnęła się triumfalnie.

~ *Kariko! Zobacz, co znalazłam.*

Sonea ujrzała obraz samej siebie, chudej i małej w za dużym ubraniu.

~ *Cóż to za żałosne stworzenie!*

~ *Ach! Uczennica Akkarina* ~ odpowiedział Kariko. ~ *Zbadaj jej umysł. Jeśli jedno z nich jest tutaj, drugie musi się znajdować gdzieś w pobliżu... ale nie zabijaj jej. Przyprowadź ją do mnie.*

Sonea potrząsnęła głową.

~ *To ja postanowię, gdzie i kiedy się spotkamy, Kariko* ~ wysłała.

~ *Nie mogę się doczekać* ~ odpowiedział ~ *podobnie jak twój były mentor. Rothen, tak on się nazywa? Mam jego krwawy klejnot. Będzie świadkiem twojej śmierci.*

Sonea krzyknęła. *Rothen?* Przecież on zginął. Dlaczego Kariko miałby robić klejnot z jego krwi?

~ *Czy to znaczy, że Rothen jednak żyje?*

~ *Zapewne, skoro on ma krwawy kamień* ~ odezwał się mentalny głos Akkarina przez jej pierścień. ~ *Ale równie dobrze Kariko może kłamać, żeby wywołać w tobie niepewność i zdekoncentrować cię.*

Avala zbliżała się. Kiedy minęła skrzyżowanie tuneli, Sonea poczuła mieszaninę ulgi i niepokoju. Kobieta znajdowała się teraz między nią a Akkarinem. Kiedy tylko Akkarin wyjdzie z tunelu, Avala go rozpozna.

~ *Kariko nie ma pewności, że tu jesteś, dopóki on albo inny Ichani cię nie zobaczy* ~ powiedziała do niego. ~ *Moglibyśmy próbować go oszukać, że jestem tu sama. Jeśli tylko ja będę walczyć z Avalą …*

~ *Tak* ~ zgodził się Akkarin. ~ *Jeśli osłabniesz, wkroczę. Trzymaj się tylko z daleka od niej.*

Kiedy Ichani zaatakowała, Sonea podniosła mocną tarczę i odwzajemniła się potężnymi uderzeniami. Avala nie stosowała żadnej strategii ani podstępów w swoim ataku i Sonea wkrótce się przekonała, że podobnie jak w walce z Pariką nawet cząstka umiejętności nabytych na lekcjach pozwoli uzyskać przewagę. Pojedynki z Ichanimi były, jak zauważyła, brutalną próbą sił.

Temperatura powietrza w korytarzu podnosiła się, ściany zaczęły lekko migotać. Kobieta cofnęła się o krok i nagle wszystko spowiła oślepiająca biel. Sonea zamrugała, ale była zbyt zamroczona, żeby cokolwiek dostrzec.

Ona mnie oślepiła!

Sonea niemal roześmiała się głośno, kiedy dotarło do niej, że to ta sama sztuczka, której ona użyła kilka lat temu, żeby wyrwać się bandzie Regina. Tyle tylko, że nowicjusze nie wiedzieli wtedy jeszcze wiele o uzdrawianiu...

Wzrok powrócił powoli, ale całkowicie. W przejściu przed sobą dostrzegła dwie postacie. Ichani była bliżej. Za nią stał Akkarin, zasypując Avalę wściekłym gradem ciosów. Ona spojrzała znów na Soneę, a w jej oczach malował się lęk. Tarcza Sachakanki nagle znikła, moc uleciała, a kolejny cios Akkarina posłał ją na tarczę Sonei. Rozległ się przyprawiający o mdłości trzask i kobieta osunęła się na ziemię.

Sonea patrzyła, wciąż z bijącym mocno sercem, jak Akkarin podchodzi powoli do Avali. Ichani otworzyła oczy. Na jej twarzy ból i gniew zmieniły się w zadowolony z siebie uśmiech, a jej wzrok utkwił gdzieś poza murem, zanim wydała ostatnie tchnienie.

– Czy tylko mnie się tak wydaje – odezwała się Sonea – czy też ona wyglądała na trochę zbyt szczęśliwą jak na umieranie?

Akkarin opadł na kolana. Przebiegł palcem po dekolcie kobiety. Kiedy przeszukiwał dalej jej ubrania, Sonea zobaczyła, że palce jednej z dłoni Avali rozluźniają uchwyt. Wypadła spomiędzy nich niewielka czerwona kulka.

– Krwawy klejnot – syknęła Sonea.

Akkarin westchnął i podniósł na nią wzrok.

– Tak. Czyj, nie wiemy, ale obawiam się, że musimy przyjąć, iż Kariko wie o mojej obecności.

Rothen zamrugał ze zdumieniem, kiedy przed jego oczami zamigotał obraz dziewczyny. Na widok jej rysów ogarnęła go ogromna radość. *Żyje!*

– Sonea! – krzyknął Balkan. – Ona jest tutaj!

~ *Ach! Uczennica Akkarina* ~ odpowiedział Kariko. ~ *Zbadaj jej umysł. Jeśli jedno z nich jest tutaj, drugie pewnie będzie w pobliżu... ale nie zabijaj jej. Przyprowadź ją do mnie.*

~ *To ja postanowię, gdzie i kiedy się spotkamy, Kariko* ~ wysłała.

W głosie Sonei brzmiała duma, nie strach. Rothen poczuł nagły przypływ równocześnie strachu i dumy.

~ *Nie mogę się doczekać* ~ odpowiedział Kariko ~ *podobnie jak twój były mentor. Rothen, tak on się nazywa? Mam jego krwawy klejnot. Będzie świadkiem twojej śmierci.*

Nagle Rothen skamieniał. Obraz wysyłała kobieta Ichani, która zapewne teraz usiłuje złapać Soneę. A jeśli się jej uda...

– Rothen?

Podniósł wzrok na wpatrzonych w niego Balkana i Dorriena.

– Stworzyłeś krwawy klejnot? – spytał Balkan cicho.

– Nie ja, ale Kariko. W Calii... – Rothen zmusił się do zaczerpnięcia powietrza. – Odczytał moje myśli, zobaczył w nich Soneę i zrobił ten kamień. – Wzdrygnął się. – Od tego czasu widzę i... czuję śmierć każdej osoby, którą on zabija.

Balkan otworzył szeroko oczy i spojrzał na niego ze współczuciem.

– Co to jest krwawy klejnot? – spytał Dorrien.

– Pozwala jego twórcy mieć łączność z umysłem innej osoby – wyjaśnił Balkan. – Rothen widzi poprzez kamień, chociaż został on wykonany przez Kariko, ponieważ do jego stworzenia użyto krwi Rothena.

Dorrien wbił wzrok w ojca.

– Schwytał cię. Dlaczego nic nie powiedziałeś?

Rothen westchnął.

– Nie wiem.

– Ale to, co ci zrobił… Możesz sprawić, by nie widzieć tych śmierci?

– Nie. Nie mam nad tym kontroli.

Twarz Dorriena pobladła.

– A jeśli złapią Soneę…

– Tak. – Rothen spojrzał synowi prosto w oczy. – To jest ten sekret, którego nie mogłeś nam wyjawić, zgadza się? Ona tu jest i Akkarin też.

Dorrien otworzył usta, ale nie mógł wypowiedzieć słowa. Spoglądał niepewnie na Balkana i Rothena.

– Teraz nie zrobi to już różnicy, jeśli nam powiesz – odezwał się Balkan. – Oni i tak wiedzą o Sonei. I zapewne, podobnie jak my, domyślili się, że jest z nią Akkarin.

Dorrien opuścił ramiona.

– Tak, są tutaj. Pięć dni temu przeszli przez Południową Przełęcz. To ja przyprowadziłem ich do miasta.

Balkan zmarszczył brwi.

– Dlaczego nie odesłałeś ich z powrotem do Sachaki?

– Usiłowałem. Prawdę mówiąc, nawet nie protestowali, ale zaatakował nas Ichani. Ledwie przeżyliśmy. Potem został zaatakowany Fort. A wtedy wiedziałem już, że wszystko, co mówił Akkarin, jest prawdą.

– Dlaczego nikomu o tym nie powiedziałeś? – spytał Rothen.

– Ponieważ gdyby Gildia wiedziała, że Akkarin jest tutaj, Ichani wyczytaliby to z umysłów ofiar. Akkarin zdawał sobie sprawę, że on i Sonea mają większe szanse pozabijać ich jednego po drugim, ale gdyby oni się o tym dowiedzieli, trzymaliby się razem.

Balkan pokiwał głową.
– Wiedział, że zostanie pokonany. Co zatem…
Z miasta dobiegł ich łoskot. Rothen odwrócił się i wyszedł do holu, po czym zerknął przez ramię na Balkana.
– Kolejny. I bliżej. Co waszym zdaniem się dzieje?
Wojownik wzruszył ramionami.
– Nie mam pojęcia.
Z okolicy Wewnętrznego Kręgu unosiła się chmura pyłu.
– Z dachu będziemy mieć lepszy widok.
Balkan popatrzył na niego, ale ruszył w kierunku schodów.
– W takim razie chodźmy na dach.
Zaprowadził ich na ostatnie piętro, a następnie korytarzem do schodów wiodących na dach Uniwersytetu. Chwilę później stali przed drzwiczkami. Z wąskiej kładki dostrzegali domy Wewnętrznego Kręgu.
Przyglądali się w milczeniu. Po dłuższej chwili w centrum miasta rozległ się kolejny wybuch i uniosła się następna chmura pyłu.
– Zawaliła się cała fasada tamtego budynku – wskazał Dorrien.
– Co oznacza, że przystąpili do burzenia miasta – powiedział Rothen. – Z jakiego powodu marnują moc?
– Żeby rozwścieczyć Akkarina? – odparł Balkan.
– A jeśli zniszczenie Wewnętrznego Kręgu nic im nie da, przyjdą tutaj – dodał Dorrien.
Balkan przytaknął.
– Musimy być gotowi do ucieczki, kiedy tylko się pojawią.

Podróż przez tunele zdawała się nie mieć końca. Im dalej wędrowali, tym zdumienie Dannyla rosło. Kiedyś błądził po korytarzach ciągnących się pod slumsami, negocjując ze

Złodziejami wydanie Sonei, i zdawało mu się, że nie przekraczają one granicy Zewnętrznego Muru. Teraz przekonywał się, że Złodzieje nie tylko przekopali się pod dzielnicami miasta, ale nawet zaczęli ryć pod Wewnętrznym Kręgiem.

Zerknął na swoich towarzyszy. Tayend wyglądał równie radośnie jak zawsze. Farand miał na twarzy wyraz kompletnego zaskoczenia. Kiedy Dannyl wrócił do rezydencji i powiedział, że podziemie Imardinu zorganizowało ich ucieczkę z miasta, młodzieniec z początku nie dowierzał.

Przewodnik zatrzymał się przed wielkimi drzwiami pilnowanymi przez dwóch osiłków. Na słowo przewodnika jeden ze strażników zabębnił w drzwi. Rozległ się zgrzyt odsuwających się wielkich rygli, a następnie drzwi powoli się uchyliły.

Za nimi znajdował się krótki korytarzyk, w którym stało kolejnych dwóch strażników. Ten również kończył się drzwiami. Nie były one jednak zamknięte, a przez sporą szparę widać było zatłoczone obszerne pomieszczenie.

Dannyl rozejrzał się dookoła i zaśmiał się. W ciągu ostatnich kilku godzin spotkało go zbyt wiele niespodzianek, by mógł teraz poczuć cokolwiek innego niż lekkie rozbawienie.

W sali pełno było magów. Kilku leżało na prowizorycznych łóżkach, a nad nimi pochylali się uzdrowiciele. Niektórzy pożywiali się z tac pełnych jedzenia, spoczywających na stołach pośrodku pomieszczenia. Inni odpoczywali w wygodnych fotelach.

Kto przeżył? – zastanowił się Dannyl. Rozejrzał się wokół i spośród starszyzny dostrzegł jedynie Rektora Jerrika, Mistrza Peakina, Mistrzynię Vinarę i Mistrza Telano. Rozglądał się wszędzie, ale nie dostrzegał Rothena.

Może nie zdołał wrócić do miasta, pomyślał. Krótka wymiana zdań między Ichanim a Soneą napełniła jego serce nadzieją. Odnalazł Tayenda, może więc uda mu się również odnaleźć Rothena całego i żywego.

Chyba że Kariko kłamał.

W pewnym momencie kilku magów odsunęło się od stołu i Dannyl dostrzegł bogato odzianego człowieka siedzącego w drugim końcu pomieszczenia – pomyślał, że choć nie wydawało mu się to prawdopodobne, jednak coś go jeszcze może zdumieć.

A zatem to tu przyprowadzili Króla. Nim zdążył zdecydować, co nakazuje w takiej sytuacji etykieta, monarcha zauważył Dannyla, skinął głową i zwrócił się na powrót do swego towarzysza. Wyraz jego twarzy mówił wyraźnie, że nie chce, żeby mu przeszkadzano.

Potężnie zbudowany mężczyzna, z którym rozmawiał, wyglądał dziwnie znajomo. Dannyl uśmiechnął się, kiedy uzmysłowił sobie, gdzie widział tego człowieka. To był Gorin, Złodziej, z którym negocjował wydanie Sonei.

Król rozmawia ze Złodziejami, zaśmiał się pod nosem. *Teraz już chyba naprawdę nic mnie nie zdziwi.*

– Hej – odezwał się za jego uchem Tayend. – Nie przedstawisz mnie?

Dannyl zerknął na uczonego.

– Chyba powinienem. Zacznijmy od starszyzny.

Ruszył w kierunku Mistrza Peakina, który rozmawiał z Davinem i Larkinem.

– Witaj, Ambasadorze – odezwał się Peakin na widok zbliżającego się Dannyla. – Masz jakieś wieści?

– Według słów naszego przewodnika, żyje jeszcze trzech Ichanich – odparł Dannyl i wskazał na swego towarzysza. –

Przedstawiam wam Tayenda z Tremmelin, który właśnie przybył w odwiedziny do Imar...

– Widziałeś Soneę? Czy Akkarin też tu jest? – wtrącił się Davin z ledwie wstrzymywanym podnieceniem.

– Nie, nie widziałem jej – odparł ostrożnie Dannyl. – I nie wiem, czy Akkarin jest z nią. – Zerknął na Faranda, który przytaknął niemal niezauważalnie. Akkarin nakazał im trzymać swoją obecność w tajemnicy, a Dannyl nie zamierzał nic zdradzać, dopóki nie będzie musiał.

Davin wyglądał na rozczarowanego.

– Jak więc to możliwe, by tylu Ichanich zginęło?

– Może to wszystko zasługa Sonei? – zasugerował Larkin.

Pozostali magowie wyglądali na nieprzekonanych.

– Wiem, że Złodzieje sami zdołali zabić jednego z nich – wtrącił się Tayend. – Ten, który nazywa się Faren, opowiedział mi o tym.

Peakin pokiwał głową.

– Złodzieje pokonujący Ichaniego. W świetle tych zdarzeń *my* wyglądamy na niedojdy.

– Jeszcze jakieś wieści? – spytał Larkin.

Dannyl rozejrzał się po pokoju.

– Czy jest tu Mistrz Osen?

Alchemicy pokręcili przecząco głowami.

– Och. – Dannyl spoglądał na nich po kolei. Westchnął. Nie słyszeli o Lorlenie. – W takim razie owszem, mam wieści, ale nie są one dobre.

W magazynie było gwarno. Przez ostatnią godzinę zebrał się tu tłum. Dwaj Złodzieje, Ravi i Sevli, przybyli, kiedy rozniosła się wieść, że Ichani wtargnęła do tuneli. Chwilę później Senfel powtórzył wszystkim krótką rozmowę mentalną między tą kobietą, Kariko i Soneą. Od tej chwili wszyscy czekali w napięciu na dalsze wieści, aż wreszcie Takan oznajmił, że Akkarin i Sonea zabili Avalę.

Wszyscy zapomnieli o obecności służącego, teraz jednak uzmysłowili sobie, że potrafi się on kontaktować z Akkarinem, został zatem zasypany gradem pytań, na które nie był w stanie odpowiedzieć.

Gol pochwycił spojrzenie Cery'ego. Wyglądał ponuro i nieszczęśliwie. Cery wiedział, że to dlatego, iż wymknął mu się sam do Pałacu. Miał z tego powodu lekkie poczucie winy. Zadaniem Gola była przecież jego ochrona.

Wracając jednak myślami do spotkania z Ichanim, Cery nie potrafił oprzeć się rozważaniom, co by się stało, gdyby Gol był z nim. Mógł mu rozkazać zwabić Ichaniego w inne miejsce. Ale czy mógłby to zrobić, wiedząc, że w ten sposób skazuje towarzysza na pewną śmierć? No i czy Gol by posłuchał, czy w ogóle wziąłby to pod uwagę? Cery wiedział, że Gol jest mu bezgranicznie oddany – ale czy *aż* tak?

Interesujące pytania, pomyślał, *dobrze jednak, że nie muszę szukać na nie odpowiedzi.*

Zmarszczył brwi. *Co Gol pomyślałby o Savarze, wiedząc, co zrobiła?* Rozstali się pod bramą Pałacu i od tego czasu jej nie widział.

Głosy w pomieszczeniu nagle ucichły. Cery podniósł wzrok i dostrzegł Soneę z Akkarinem zbliżających się ku niemu. Wyszedł im naprzeciw, uśmiechając się szeroko.

– Takan powiedział nam właśnie, że dorwaliście tę kobietę.

– Owszem – odparł Akkarin. – Miała przy sobie krwawy klejnot, a zatem Kariko zapewne wie, że tu jesteśmy.

– A także o przejściach pod miastem – dodał Faren. – Nie jesteśmy już tutaj bezpieczni.

– Czy inni Ichani wejdą do podziemi? – spytał Ravi?

– Zapewne – odpowiedział Akkarin. – Będą chcieli jak najszybciej nas znaleźć i zabić.

Sevli skrzyżował ramiona.

– Nie znajdą cię. Nie znają drogi, a nikt im jej nie pokaże.

– Do znalezienia drogi wystarczy im złapać przewodnika i odczytać jego myśli – przypomniał Akkarin.

Złodzieje wymienili spojrzenia.

– W takim razie musimy odwołać pomocników – powiedział Cery. Spojrzał na Akkarina. – Od teraz ja będę waszym przewodnikiem.

Akkarin skinął głową z wdzięcznością.

– Dziękuję.

Sonea spojrzała na niego.

– Jeśli tu zejdą, mogą się rozdzielić, żeby nas osaczyć. Możemy to wykorzystać: otoczyć ich i zaatakować osobno.

– Nie. – Akkarin pokręcił głową. – Kariko nie zaryzykuje rozdzielenia się ze swoimi sprzymierzeńcami. – Zerknął na Farena. – Co oni teraz robią?

– Rozmawiają – odparł Złodziej.

– No pewnie – mruknął Senfel.

– Już nie – wtrącił się nowy głos.

Wszyscy odwrócili głowy ku wchodzącemu pospiesznie do magazynu posłańcowi.

– Zabrali się do burzenia domów.

Akkarin spochmurniał.

– Jesteś pewny?

Posłaniec skinął głową.

– Myślisz, że usiłują nas stąd wywabić, żebyśmy spróbowali ich powstrzymać? – spytała Sonea.

– Może – odpowiedział Akkarin.

Akkarin nie wie, co oni robią, pomyślał sobie Cery, *a ja wiem*. Powstrzymał się od uśmiechu.

– Oni pobierają magię z budynków, które zostały nią wzmocnione.

Akkarin rzucił mu pełne zaskoczenia spojrzenie.

– Jak na to wpadłeś?

– Podsłuchałem rozmowę Kariko i dwóch innych, kiedy byłem w Pałacu.

Faren zakrztusił się.

– W Pałacu? A co ty tam robiłeś?

– Zwiedzałem.

– Zwiedzałeś!? – wykrzyknął Faren, potrząsając głową.

Akkarin westchnął.

– To bardzo zła wieść – mruknął.

– Ile mocy mogą w ten sposób uzyskać? – spytała Sonea.

– Nie jestem pewny. Jedne domy mają w sobie więcej magii, inne mniej.

– Wy też możecie wziąć tę moc – podpowiedział Senfel.

Akkarin skrzywił się.

– Myślę, że właściciele nie obrażą się, kiedy się dowiedzą, że ich domów użyto do obrony miasta – dodał Cery.

– I tak już zburzyli bardzo dużo – powiedział Ravi. – A nie wszystkie budynki w Wewnętrznym Kręgu są wzniesione z użyciem magii. Nie mogło zostać ich wiele.

– Nie byli jeszcze w Gildii – zauważył Senfel.

Na twarzy Akkarina odmalował się ból.

– Uniwersytet. To nie jedyny gmach na terenie Gildii, który powstał z magicznym wsparciem, ale na pewno ma w sobie więcej mocy niż jakikolwiek inny budynek w mieście.

Sonea wstrzymała oddech.

– Nie, niekoniecznie. Arena musi być jeszcze mocniejsza.

Senfel i Akkarin wymienili poważne spojrzenia. Stary mag zaklął siarczyście.

– Zgadza się – potwierdził Akkarin.

Cery spoglądał na trójkę magów.

– Złe wieści, co?

– O tak – odpowiedziała Sonea. – Bariera otaczająca arenę jest każdego miesiąca wzmacniana przez kilku magów. Musi być dostatecznie silna, żeby wytrzymać zabłąkane pociski magiczne podczas treningów sztuk walki... a one bywają zażarte.

– Musimy powstrzymać Ichanich od zabrania tej mocy – powiedział Akkarin. – Jeśliby im się to udało, możemy równie dobrze poddać miasto.

– Weźmiemy sami tę moc? – spytała Sonea.

– Jeśli będzie taka potrzeba.

Sonea zawahała się.

– A potem... będziemy z nimi walczyć?

Spojrzał jej prosto w oczy.

– Tak.

– Czy jesteśmy dość silni?

– Zabraliśmy moc czterem Ichanim, jeśli liczyć Parikę. Zużyliśmy niewiele swojej, no i mamy moc ochotników.

– Możecie to powtórzyć – przypomniał im Senfel. – Minął prawie dzień, odkąd czerpaliście od nich. Powinni byli już odzyskać większość energii.

– A Ichanich została już tylko trójka – zaznaczył Faren.

Akkarin wyprostował się.

– Tak, myślę, że nadszedł czas, by stawić im czoła.

Sonea pobladła nieco, ale kiwnęła potakująco głową.

– Na to wygląda.

Zapadło milczenie. W końcu Ravi odchrząknął.

– Dobrze – powiedział. – W takim razie wezmę was jak najszybciej do naszych ochotników.

Akkarin przytaknął. Kiedy Złodziej ruszył ku drzwiom, Cery przyjrzał się dokładnie Sonei. Chwycił ją za rękę.

– A zatem nadszedł czas. Boisz się?

Wzruszyła ramionami.

– Trochę. Ale głównie czuję ulgę.

– Ulgę?

– Tak. Nareszcie będziemy normalnie walczyć, bez trucizn, pułapek czy czarnej magii.

– Pragnienie uczciwej walki nie jest niczym złym, pod warunkiem, że przeciwnik ma podobne zamiary – powiedział Cery. – Uważajcie na siebie. Ja nie poczuję ulgi, dopóki to wszystko się nie skończy i nie dowiem się, że jesteś cała i zdrowa.

Uśmiechnęła się, ścisnęła jego dłoń i podążyła za Akkarinem.

ROZDZIAŁ 38

CZARNI MAGOWIE

W ciągu ostatniej godziny posłańcy donosili, że Ichani powoli zbliżają się do Gildii, niszcząc budynki na swej drodze. Sonea i Akkarin pospieszyli do ochotników, którzy znieśli ich pospieszną wizytę z godnym podziwu spokojem i odwagą, a następnie pobiegli z powrotem do Wewnętrznego Kręgu. Przez cały ten czas Soneę dręczyło zniecierpliwienie, ale kiedy weszła przez tajne drzwi do gabinetu Lorlena, zaczęła żałować, że tak szybko tu dotarli. Nagle poczuła, że uginają się pod nią kolana, ręce się jej trzęsą i nie może otrząsnąć się z myśli, że o czymś zapomnieli.

Akkarin zatrzymał się na moment i rozejrzał po gabinecie. Westchnął i zdjął z siebie koszulę. Sonea ściągnęła sukienkę przez głowę i rzuciła ją na podłogę. Spojrzała na siebie i wzdrygnęła się. Pełna szata maga… *czarna* szata maga…

Popatrzyła na Akkarina. Stał wyprostowany, wydawał się teraz wyższy. Po plecach przebiegł jej lekki dreszcz, podobny do lęku, który on w niej kiedyś budził.

Akkarin zerknął na nią z uśmiechem.

– Przestań się na mnie gapić.

Zamrugała niewinnie oczami.

– Ja? Gapić?

Uśmiechnął się jeszcze szerzej, ale wkrótce wyraz jego twarzy się zmienił. Podszedł do niej i ujął delikatnie jej twarz w swoje dłonie.

– Soneo – zaczął – gdybym ja nie...

Położyła mu palec na ustach i pochyliła jego głowę tak, żeby móc go pocałować. Zbliżył swe usta do jej ust i przyciągnął ją mocniej do siebie.

– Gdybym mógł wysłać cię jak najdalej stąd, uczyniłbym to – powiedział. – Ale wiem, że odmówiłabyś. Proszę... nie rób nic nieprzemyślanego. Widziałem, jak umierała pierwsza kobieta, którą pokochałem... Nie przeżyłbym kolejnej śmierci.

Sonea z zaskoczenia na chwilę wstrzymała oddech.

– Kocham cię.

Zaśmiał się, pocałował ją, ale natychmiast obojga zmroził ogłuszający mentalny głos.

~ *Akkarin! Akkarin! Ależ piękne miejsce sobie zbudowałeś!*

W umyśle Sonei rozbłysnął obraz bramy Gildii i znajdującego się za nią gmachu Uniwersytetu.

– Są tutaj – mruknął Akkarin, zdejmując ręce z jej ramion.

– Arena?

Pokręcił głową.

– Tylko jeśli nie będzie innego wyjścia.

Przeszedł przez pokój z zawziętym wyrazem twarzy.

Sonea wyprostowała się, wzięła głęboki oddech i ruszyła za nim.

– A więc w końcu tu przybyli – mruknął Balkan.

Rothen wyjrzał w stronę miasta. Słońce późnego popołudnia kładło na ulicach długie cienie. Z któregoś zaułka wynurzyli się trzej mężczyźni i ruszyli ku bramie Gildii.

– Co Akkarin i Sonea planowali zrobić w sytuacji, kiedy Ichani dowiedzą się o ich obecności, Dorrienie? – spytał Balkan.

– Nie wiem. Nie rozmawiali o tym.

Balkan przytaknął.

– W takim razie czas na nas.

Mimo to żaden się nie poruszył. Stali i patrzyli, jak trzech Ichanich przechodzi przez bramę i zmierza ku Uniwersytetowi.

Nagle gdzieś poniżej rozległ się potężny huk.

– Co to było? – krzyknął Dorrien.

Wychylili się przez barierkę i spojrzeli w dół. Rothen wstrzymał oddech na widok stojącej na schodach pary.

– Sonea! I Akkarin!

– Zamknęli bramę Uniwersytetu.

Rothen wzdrygnął się. Tej bramy nie zamykano od stuleci.

– Czy nie powinniśmy zawołać i dać im znać, że tu jesteśmy? – spytał cicho Dorrien.

– Świadomość, że wy dwaj patrzycie, mogłaby rozpraszać Soneę – ostrzegł Balkan.

– Ale ja mogę teraz użyć mojej mocy. Mógłbym im pomóc.

– Ja też – dodał Rothen. Dorrien zerknął na niego ze zdumieniem i uśmiechnął się promiennie.

Balkan zmarszczył brwi.

– Wolałbym się najpierw porozumieć z resztą Gildii.

– A może Dorrien i ja będziemy się trzymać na uboczu, a wkroczymy tylko wtedy, kiedy naprawdę mielibyśmy szansę pomóc? – zaproponował Rothen.

Balkan potaknął.

– Doskonale. Uważajcie tylko, żeby wybrać odpowiedni moment.

W lesie otaczającym Gildię połyskiwało złote światło. Gałązki trzaskały pod nogami Gola tak często, że Cery zaczął się zastanawiać, czy jego towarzysz specjalnie stara się robić jak najwięcej hałasu. Zerknął za siebie i nie mógł powstrzymać uśmiechu na widok napiętej twarzy potężnego mężczyzny.

– Nie przejmuj się – powiedział Cery. – Ja już tu byłem. Będziemy mogli patrzeć, nie będąc zauważeni.

Gol przytaknął i ruszyli dalej. Cery dostrzegł zarys budynków między drzewami i przyspieszył kroku. Gol został trochę w tyle.

Nagle Cery dostrzegł jakąś postać przykucniętą przy pniu drzewa na samej granicy lasu. Przystanął i dał znak Golowi, żeby się zatrzymał i zachował ciszę.

Ze sposobu, w jaki Savara wyglądała zza drzewa, Cery domyślił się, że stara się ona pozostać niezauważona. *Za późno*, pomyślał, czołgając się ku niej. Kiedy znalazł się w odległości zaledwie kilku kroków, wyprostował się i założył ręce.

– Jakoś nie możemy przestać na siebie wpadać, co? – powiedział.

Ucieszyło go, że podskoczyła. I westchnęła z ulgą na widok Cery'ego.

– Cery. – Potrząsnęła karcąco głową. – Niemądrze jest znienacka zachodzić magów.

– Doprawdy?

– Owszem.

– Przyszłaś obejrzeć przedstawienie, co?

– Zgadza się. Chcesz się przyłączyć?

Potaknął. Dał znak Golowi i ten przykucnął przy pniu innego drzewa. Obraz, który ujrzał, zmroził mu krew w żyłach.

Brama Uniwersytetu była zamknięta, a na stopniach stali Sonea i Akkarin. Trzej Ichani znajdowali się w odległości mniej więcej trzystu kroków od nich, zbliżając się pewnym krokiem.

– Ty i twoi przyjaciele spisaliście się nieźle – mruknęła Savara – jeśli tylko tyle zostało z gromadki Kariko. Może jednak macie jakieś szanse.

Cery uśmiechnął się ponuro.

– Może i mamy. Czas pokaże.

Sonea zamrugała, kiedy w jej głowie pojawił się obraz jej i Akkarina widziany z góry. Sądząc z kąta, pod jakim patrzący ich obserwował, musiał się on znajdować nad nimi, na dachu Uniwersytetu. Wychwyciła obecność Balkana, ale nie jego myśli lub uczucia.

~ *Jeśli my to odbieramy, to Ichani również.*

~ *Owszem* ~ odparł Akkarin. ~ *Zablokuj obrazy. Będą cię tylko rozpraszały.*

~ *Mogą nas ostrzec przed sztuczkami Ichanich.*

~ *A Ichanich o naszych.*

~ *Rzeczywiście. Mamy powiedzieć Balkanowi, żeby przestał?*

~ *Nie. Gildia powinna być świadkiem tej bitwy. Może przekonają się…*

– Akkarin.

Głos Kariko poniósł się echem po terenie Gildii.

– Kariko.

– Widzę, że przyprowadziłeś swoją uczennicę. Zamierzasz kupić sobie za nią życie?

Sonea poczuła dreszcz, kiedy spoczął na niej wzrok Ichaniego. Spojrzała mu prosto w oczy, a on roześmiał się złowrogo.

– Mógłbym rozważyć przyjęcie takiego daru – ciągnął Kariko. – Nigdy nie podzielałem gustu mojego brata w kwestii niewolników, ale to on pokazał mi, że magowie Gildii potrafią dostarczyć niezłej rozrywki.

Akkarin ruszył powoli w dół schodów. Schodząc za nim, Sonea uważała, by nie znaleźć się poza zasięgiem ich wspólnej tarczy.

– Zatrzymanie mnie przez Dakovę było głupotą – powiedział Akkarin – ale on zawsze popełniał głupie błędy. Niewiarygodne, że człowiek z taką mocą może tak niewiele rozumieć z polityki i strategii, ale podejrzewam, że dlatego właśnie został Ichanim, i dlatego trzymał mnie przy sobie.

Kariko zmrużył oczy.

– Ciebie? Nie przypuszczam. Skoro jesteś takim mistrzem strategii, to dlaczego tu jesteś? Musisz wiedzieć, że nie macie szans wygrać.

– Nie mamy? Rozejrzyj się wokół, Kariko. Gdzie twoi sprzymierzeńcy?

Kiedy Akkarin i Sonea doszli do podnóża schodów, Kariko zatrzymał się. Dzieliło ich teraz jakieś dwadzieścia kroków.

– Nie żyją, jak sądzę. A wy ich zabiliście.

– Niektórych.

– W takim razie musicie być osłabieni – Kariko zerknął na pozostałych Ichanich, a następnie przeniósł wzrok z powrotem na Akkarina. – Cóż za wspaniały finał naszego podboju. Pomszczę śmierć brata, a równocześnie krzywdy, które wyrządziła Sachace twoja Gildia.

Uniósł rękę, to samo uczynili też jego towarzysze. Na Soneę i Akkarina posypał się grad pocisków. Poczuła, jak magia bombarduje ich tarczę; były to uderzenia silniejsze od wszystkiego, z czym kiedykolwiek miała do czynienia. Akkarin odpowiedział trzema pociskami, zakrzywionymi tak, żeby trafiły w Kariko.

Nastąpiła wymiana ciosów, powietrze drgało od mocy. Kiedy Akkarin nie przestawał koncentrować się na Kariko, zupełnie ignorując pozostałych Ichanich, ich przywódca zmarszczył brwi. Powiedział coś do swoich towarzyszy. Podeszli bliżej, pozostawiając między tarczami jedynie wąskie szczeliny.

~ *Uderz Kariko od spodu* ~ polecił Akkarin Sonei.

Posłała podziemną falę gorąca, a Akkarin nie przestawał bombardować Kariko od góry. Dwaj pozostali Ichani przesunęli swoje tarcze tak, by odbierać część uderzeń Akkarina, a w tej samej chwili ziemia pod nogami Kariko zaczęła dymić.

Kariko spojrzał w dół i powiedział coś szybko. Jego towarzysze wzmogli atak.

~ *Atakuj Kariko ze wszystkich stron.*

Ten zaś najwyraźniej pogodził się, że będzie głównym celem ataku. Skupił się na osłonie, podczas gdy pozostali dwaj atakowali. Sonea powstrzymała się od uśmiechu. To wszystko działało na korzyść jej i Akkarina. Osłona pochłania więcej mocy, więc Kariko zmęczy się szybciej.

Wydawało się, że będą tak stać, obrzucając się pociskami, dopóki jedna ze stron wreszcie nie osłabnie. Nagle ziemia pod nogami Sonei poruszyła się gwałtownie. Sonea zachwiała się i poczuła dłoń chwytającą ją za ramię. Spojrzała w dół i ujrzała tworzącą się pod jej stopami ciemną dziurę, a jednocześnie poczuła formujący się tam dysk mocy.

– *Utrzymuj tarczę.*

Skupiła uwagę z powrotem na ich osłonie, przyjmując na siebie cały ciężar ataku Ichanich, podczas gdy Akkarin mógł skoncentrować się na lewitacji. Powietrze było pełne trawy, kurzu i magicznych uderzeń. Akkarin cofnął się nieco wraz z Soneą, ale uciekająca im spod stóp ziemia przesunęła się razem z nimi. Przez zaćmione kurzem powietrze Sonea widziała, że Ichani podchodzą ku nim po wzruszonym podłożu.

Akkarin posłał im dziesiątki ciosów. W tej samej chwili dziesięć słabszych uderzeń posypało się od strony bramy Gildii. Sachakanie spojrzeli w bok.

Sonea krzyknęła na widok postaci stojącej tuż przy bramie. Postaci w rozwianej niebieskiej szacie.

– Lorlen! – krzyknęła Sonea. *Ale jak to możliwe? Przecież Lorlen nie żyje. Nie żyje...?*

Kariko posłał w stronę Administratora potężną falę energii. Pocisk przeszedł przez ciało maga i uderzył w bramę, wstrząsając metalowymi prętami i zasypując ulicę ich kawałkami i błyszczącymi zdobieniami.

Lorlen zniknął. Sonea zamrugała oczami. To była iluzja. Słysząc chichot, podniosła wzrok i ujrzała Akkarina śmiejącego się ponuro. Kariko i jego towarzysze wyglądali na niewzruszonych. Podjęli atak ze wzmożoną siłą.

Akkarin ponownie zasypał Kariko deszczem pocisków, wypróbowując jego tarczę. Ten odpowiedział potężnym ciosem. Akkarin stworzył sieć uderzeń cieplnych, które otoczyły Kariko ze wszystkich stron, podobnie jak to uczyniła Sonea w ostatniej rundzie jej pojedynku z Reginem. Zmarszczyła brwi na wspomnienie tamtej walki. W drugiej rundzie Regin oszczędzał moc, osłaniając się tylko wtedy, kiedy widział nadchodzące uderzenie. Czy ona zdoła zrobić to samo? Wymaga to wielkiej koncentracji...

Skupiła wolę i poprawiła tarczę, osłabiając ją z tyłu i na górze – nie tak bardzo jednak, by nie mogła jej szybko wzmocnić, gdyby zaszła taka potrzeba.

~ *Uważaj z tym, Soneo.*

Przyglądała się uważnie Ichanim, gotowa natychmiast reagować, gdyby któryś z pocisków zmienił tor.

– UWAGA NA BRAMĘ!

Głos dochodził z góry. Podniosła głowę i dostrzegła Balkana stojącego na dachu Uniwersytetu, wskazującego ręką na bramę. Odwróciła się szybko i odruchowo cofnęła się o krok na widok połamanych i pogiętych czarnych włóczni lecących w jej kierunku – wyrwanych prętów bramy. Odbiły się z brzękiem od jej tarczy i spadły na ziemię.

~ *Na mój znak, biegnij do areny. Zatrzymam ich, podczas gdy ty pobierzesz moc... zaczekaj...* ~ Spojrzała na Akkarina: miał oczy zmrużone w skupieniu. ~ *Ichani słabną* ~ odezwał się po chwili.

Sonea spojrzała na nieprzyjaciół. Kariko stał wyprostowany i uśmiechnięty. Pozostałym też nie brakowało pewności siebie, ale ciosy uderzające w jej tarczę stały się zdecydowanie słabsze.

Akkarin zrobił krok do przodu – i jeszcze jeden. Twarz Kariko spospępniała. Sonea ruszyła za Akkarinem w kierunku Ichanich. Wysyłała własne uderzenia i poczuła przypływ satysfakcji, kiedy cofnęli się.

W chwili gdy poczuła pod nogami miękką ziemię, coś zaatakowało jej myśli. Odepchnęła to, ale powróciło, nie dając jej spokoju.

~ *Uderzenie myślowe. Zablokuj je.*

~ *Jak?*

~ *Tak jak...*

Poczuła ból w łydce. Zachwiała się i usłyszała krzyk Akkarina. Spojrzała w dół: między fałdami dolnej części szaty dostrzegła głęboką ranę. Akkarin chwycił ją za rękę.

Ale zamiast ją podeprzeć pociągnął ją całym ciężarem na ziemię. Upadła na kolana, odwróciła się do niego i zamarła.

Akkarin klęczał obok niej z twarzą pobladłą i wykrzywioną przez ból. Plama jasnej czerwieni przyciągnęła jej wzrok ku jego dłoni, zaciskał palce na rękojeści sachakańskiego noża.

Noża tkwiącego głęboko w jego klatce piersiowej.

– Akkarin!

Upadł na bok i osunął się na plecy. Pochyliła się nad nim i uniosła rękę nad nożem, usiłując wymyślić, co powinna zrobić. *Muszę go uzdrowić*, myślała, *ale od czego zacząć?*

Spróbowała zdjąć jego palce z rękojeści. Puścił ją i chwycił Soneę za nadgarstki.

– Nie teraz – szepnął.

W oczach miał ból. Usiłowała wyrwać się z jego uścisku, ale trzymał ją mocno.

W powietrzu rozległ się śmiech, okrutny i pozbawiony wesołości.

– Ach, więc to *tu* zgubiłem mój nóż – zarechotał Kariko. – Jakże miło z twojej strony, że go znalazłeś.

Sonea nagle zrozumiała, jak to się stało. Kariko upuścił nóż na poruszoną ziemię. Kiedy ich tarcza prześlizgnęła się nad nim, poderwał nóż do góry. Pułapka. Sztuczka. Podobna do tej, za pomocą której Sonea zabiła morderczynię.

I zadziałała.

– Soneo – jęknął Akkarin. Przeniósł wzrok gdzieś poza nią i zobaczyła w jego oczach odbijający się gmach Uniwersytetu.

Na górze słyszała krzyki. Twarz Akkarina oświetliły rozbłyski magii, ale ona nie była w stanie oderwać od niego wzroku.

– Wyleczę cię – powiedziała, usiłując wyrwać ręce z jego uścisku.

– Nie – zacisnął tylko mocniej palce. – Jeśli to zrobisz, możemy przegrać. Najpierw skończ walkę. Potem będziesz mnie leczyć. Wytrzymam jeszcze przez chwilę.

Poczuła zimny dreszcz.

– A co jeśli...

– Tak czy inaczej umrzemy. – Jego głos brzmiał pewnie. – Wyślę ci moją moc. Musisz walczyć. Spójrz w górę, Soneo.

Podniosła wzrok i poczuła ucisk w żołądku. Kariko stał nie dalej niż dziesięć kroków od niej. Spojrzenie miał utkwione w dachu Uniwersytetu, skąd sypały się pociski. Popatrzyła w tamtym kierunku i obok Balkana dostrzegła dwie znajome twarze.

– Ty nas nawet nie osłaniasz, Soneo – szepnął Akkarin.

Przebiegł ją dreszcz. Gdyby Rothen i Dorrien nie zaatakowali, ona i Akkarin byliby...

~ *Weź moją moc. Uderz póki on nie zwraca na ciebie uwagi. Nie pozwól, żeby wszystko, co zrobiliśmy i co wycierpieliśmy, poszło na marne.*

Potaknęła. Kiedy uderzenia od strony Uniwersytetu zaczęły słabnąć, wzięła głęboki oddech. Nie ma czasu na wyrafinowaną taktykę. To musi być coś prostego. Zamknęła oczy, zebrała całą siłę i całą swą złość na Kariko – za to, co zrobił Akkarinowi i Imardinowi. Poczuła też przepływ jego mocy.

Otworzyła oczy i skupiła się na Kariko i jego towarzyszach.

Przywódca Ichanich zachwiał się i cofnął. Jego tarcza utrzymywała się przez chwilę, po czym otworzył usta w bezgłośnym krzyku, a uderzenie gorąca przepaliło jego ciało. Drugi z Ichanich cofnął się, zdążył jednak zrobić jeszcze kilka kroków, nim magia Sonei przebiła się przez jego tarczę i zwęgliła również jego. Sonea triumfowała. Pozostał już tylko ostatni Ichani. Czuła jednak, że jej moc się wyczerpuje. Gdy tamten zbliżył się do niej, ogarnął ją strach. Zaczerpnęła ostatni strumyk mocy i posłała w jego kierunku. Ichani otworzył szeroko oczy, a jego tarcza zachwiała się i – kiedy Sonea wykorzystała ostatki swoich sił – upadła. Fala gorąca rozerwała go i runął na ziemię.

Zapadła cisza. Sonea wpatrywała się w trzy ciała leżące przed budynkiem Uniwersytetu. Czuła się kompletne wyczerpana. Żadnego triumfu. Żadnej radości. Tylko pustka. Zwróciła się ku Akkarinowi.

Na jego ustach pojawił się uśmiech. Oczy miał otwarte, ale utkwione gdzieś daleko. Kiedy się poruszyła, dłonie na jej nadgarstkach rozluźniły się i osunęły na ziemię.

– Nie – szepnęła. – Akkarin! – Chwyciła go za ręce i wysłała swoje myśli ku niemu. Nic. Nawet iskierki życia.

Oddał jej zbyt wiele mocy.

Oddał jej wszystko.

Przesunęła drżącymi palcami po jego twarzy, pochyliła się i ucałowała jego pozbawione życia usta. Objęła go ramionami i wybuchnęła płaczem.

ROZDZIAŁ 39

NOWE STANOWISKO

Rothen doszedł do końca korytarza i rozejrzał się. Ponieważ całe miasto było zniszczone, nienaruszony spokój Wielkiego Holu podnosił go na duchu, a jednocześnie w jakiś sposób zawstydzał. Inwazja Ichanich, jak zaczęto nazywać te pięć dni śmierci i pożogi, była bitwą między magami. Wydawało się więc niesprawiedliwe, że nic w obrębie samej Gildii nie zostało zniszczone, podczas gdy większość Wewnętrznego Kręgu legła w gruzach.

Dla zwykłych mieszkańców Imardinu mogło się to skończyć dużo gorzej, powtarzał sobie Rothen. Zginęło raptem kilkoro niemagicznych. Gildia zaś straciła prawie połowę ludzi. Chodziły słuchy, że starszyzna rozważa rekrutację wśród rodzin zamożnych kupców spoza Domów.

Podszedł do sali posiedzeń Rady i prześlizgnął się przez drzwi. Przez tydzień po bitwie starszyzna obradowała w jednym z małych gabinetów za salą. Do czasu wyboru nowego Administratora, uważano korzystanie z gabinetu Lorlena za niestosowne.

Rothen dotarł wreszcie na miejsce i zapukał do drzwi. Otworzyły się. Wchodząc do środka, ogarnął wzrokiem obecnych w pomieszczeniu, wiedząc, że ma teraz szansę zorientować się w przyszłej hierarchii władz Gildii.

Mistrz Balkan krążył po pokoju. To, że wszyscy od razu obwołali go przywódcą, wskazywało na niego jako silnego kandydata do stanowiska Wielkiego Mistrza. Mistrz Osen wpatrywał się w Balkana ze spokojem. Mimo że najwyraźniej wciąż przejmowała go smutkiem śmierć Lorlena, zadanie organizacji odbudowy miasta zdecydowanie dobrze mu robiło. Lorlen przez ostatnich kilka lat wychowywał go na swojego następcę, nikogo więc nie zdziwiłoby, gdyby młody mag został Administratorem.

Zginęło tylu Wojowników, że kandydatów na stanowisko Arcymistrza tej dyscypliny nie było wielu. Na kilku spotkaniach obecny był Mistrz Garrel, co zdaniem Rothena nie było dobrym znakiem na przyszłość. Balkan dotąd sprawował również niższą funkcję przełożonego sztuk walki, ale Rothen słyszał, że mówi się o powołaniu na to stanowisko kogoś innego, może więc chytre, małostkowe poglądy Garrela zostaną zrównoważone przez jakiegoś bardziej rozsądnego Wojownika.

Mistrzyni Vinara miała pozostać na czele Uzdrowicieli. Rektor Jerrik nie zgłaszał chęci rezygnacji ze stanowiska, nikt tego również nie sugerował. Mistrz Telano miał najpewniej pozostać przełożonym nauk leczniczych. Nic nie wspominano dotychczas o wyborze Administratora Zagranicznego.

Mistrz Peakin pewnie zastąpi Mistrza Sarrina, Rothen domyślał się też, że któremuś z bardziej doświadczonych wykładowców powierzona zostanie funkcja przełożonego studiów alchemicznych. Rothen zastanawiał się chwilami, kogo mogą wybrać na jego bezpośredniego przełożonego, ale tak naprawdę zaprzątały go poważniejsze sprawy. Na przykład Sonea.

To ona musiała być powodem, dla którego starszyzna dzisiaj go wezwała. Gdy Balkan zauważył obecność Rothena, zwrócił się do niego.

– Jak ona się czuje?

Rothen westchnął i potrząsnął głową.

– Bez zmian. To musi potrwać.

– Nie mamy czasu – mruknął Balkan.

– Wiem. – Rothen odwrócił wzrok. – Wolę jednak nie myśleć, co może się stać, jeśli będziemy na nią naciskać.

Vinara zmarszczyła brwi.

– Co masz na myśli?

– Nie jestem pewny, czy ona chce wyzdrowieć.

Zgromadzeni wymienili spojrzenia. Vinara nie sprawiała wrażenia zaskoczonej.

– Musisz ją przekonać – powiedział Balkan. – Potrzebujemy jej. Skoro ośmiu wyrzutków może narobić tyle szkód, do czego zdolna byłaby cała armia? Nawet jeśli król Sachaki nie wykorzysta naszej słabości, wystarczy jeden Ichani, żeby nas dobić. Potrzebujemy czarnego maga. Potrzebujemy jej – albo jej wiedzy, by komuś ją przekazała.

Była to prawda, ale Rothen uważał, że nie byli w porządku wobec Sonei. Minął dopiero tydzień od śmierci Akkarina. Jej żałoba była czymś naturalnym. Zrozumiałym. Ona przeszła tak wiele. Dlaczego nie mogą jej zostawić przez chwilę w spokoju?

– A co z księgami Akkarina? – spytał.

Balkan potrząsnął głową.

– Sarrin nie zdołał się z nich niczego nauczyć. Mnie nie poszło lepiej…

– W takim razie musisz z nią porozmawiać – zwróciła się do Wojownika Vinara. – A kiedy się do tego zabierzesz, powinieneś jej dokładnie wyjaśnić, jak wygląda nasza sytuacja. Nie możemy od niej żądać, by poświęciła nam resztę życia, skoro jej przyszłość jest niepewna.

Balkan pokiwał głową i westchnął głęboko.

– Masz, oczywiście, rację. – Spojrzał na pozostałych magów. – Niech będzie. Musimy zwołać Posiedzenie i przedyskutować stanowisko i związane z nim ograniczenia.

– Przecież już to przedyskutowaliśmy, kiedy wybraliśmy Sarrina – zauważył Peakin.

– Ograniczenia trzeba dopracować – powiedział Garrel. – Na razie postanowiliśmy jedynie, że musi pozostawać na terenie Gildii, nie może obejmować żadnych funkcji, nie wolno jej nauczać. Trzeba jeszcze powiedzieć wyraźnie, że nie może się posługiwać tą mocą bez polecenia nas wszystkich.

Rothen powstrzymał uśmiech. *Nas* wszystkich? Garrel musi być bardzo pewny uzyskania stanowiska Balkana.

– No cóż – odezwał się Jerrik. – Na początek będziemy musieli zmienić ten zapis o zakazie nauczania.

Vinara spojrzała na Rothena.

– A jakie jest twoje zdanie, Rothenie?

Zawahał się, wiedząc, że nie spodoba im się to, co chce powiedzieć.

– Nie sądzę, żeby zgodziła się na ograniczenia zamykające ją na terenie Gildii.

Balkan zmarszczył brwi.

– Dlaczego nie?

– Zawsze pragnęła używać mocy, żeby pomagać biedocie. To był jeden z powodów, dla których zgodziła się do nas dołączyć, i to dawało jej jakiś punkt oparcia – zerknął z ukosa na Garrela – w trudnych czasach. Jeśli chcecie, by przeżyła, nie odbierajcie jej tego.

Vinara uśmiechnęła się słabo.

– Myślę, że jeśli zaproponujemy jej jakąś działalność dobroczynną w mieście, może ją to przekonać do pozostania.

Rothen przytaknął.

Balkan założył ręce, bębniąc palcami w rękaw.

– To może nam również pomóc odzyskać względy wśród ludzi. Nie okazaliśmy się szczególnie skutecznymi obrońcami. Słyszałem nawet głosy oskarżające nas o wywołanie tej Inwazji.

– Niemożliwe! – wykrzyknął Garrel.

– Ale prawdziwe – odparł cicho Osen.

Garrel łypnął na niego spode łba.

– Niewdzięczni bylcy.

– Prawdę mówiąc, to akurat członkowie Domów wyrażali takie opinie po powrocie do miasta – dodał Osen. – Włącznie z członkami Domu Paren, o ile sobie dobrze przypominam.

Garrel zamrugał ze zdumienia i poczerwieniał.

– Może zatem poszerzymy teren jej działań do granic miasta? – zaproponował Telano.

– Pomysł z ograniczeniem swobody miał na celu odcięcie naszego czarnego maga od dużej liczby ofiar, na wypadek gdyby chciał, albo też chciała, zdobyć moc – zauważył Peakin. – Jaki sens ma więc ograniczenie swobody do najgęściej zaludnionego obszaru w tym kraju?

Rothen zaśmiał się pod nosem.

– Musicie też przekonać Króla, żeby zdefiniował na nowo granice miasta. Nie sądzę, by Sonea chciała utracić możliwość pomagania ludziom zamieszkałym poza murami.

– A zatem trzeba zrezygnować z ograniczenia swobody – powiedziała Vinara. – Może lepsze byłoby narzucenie jej konieczności poruszania się z eskortą.

Wszystkie oczy zwróciły się na nią. Balkan pokiwał z aprobatą głową.

– A jeśli ona chce zająć się uzdrawianiem, to musi się jeszcze sporo nauczyć, a to zajmie kilka lat – Vinara zerknęła na Rothena.

Potaknął.

– Jestem pewny, że ona zdaje sobie z tego sprawę. Mój syn wyraził chęć uczenia jej. Uważa, że jest to szansa na przywrócenie jej do życia. Może, skoro miałby towarzyszyć jej w tej pracy, dałoby się jakoś to sformalizować.

Vinara zacisnęła usta.

– Ona nie powinna wracać na zwykłe studia. Z drugiej strony Uzdrowiciel nie powinien mieć tylko jednego nauczyciela. W takim razie ja też zgłaszam się do pomocy.

Rothen zgodził się; nagle ogarnęło go takie uczucie wdzięczności, że nie był w stanie nic powiedzieć. Słuchał tylko, jak pozostali debatują.

– I będziemy nazywać ją „Czarnym Magiem"? – spytał Peakin.

– Tak – odrzekł Balkan.

– A jakiego koloru szatę będzie nosić?

Nastąpiła chwila ciszy.

– Czarną – odparł cicho Osen.

– Czerń to przecież barwa Wielkiego Mistrza – zaprotestował Telano.

Osen przytaknął.

– I może czas to zmienić. Ten kolor zawsze będzie się wszystkim kojarzyć z czarną magią, a my, mimo wszystko, nie zamierzamy zachęcać ludzi, żeby myśleli, że jest to zupełnie dobra i pożądana wiedza. Potrzebujemy więc czegoś czystego i nowego.

– Bieli – podsunęła Vinara.

Osen potaknął.

– Właśnie.

Wszyscy pozostali wyrazili aprobatę, tylko Balkan prychnął niecierpliwie.

– Biel! – wykrzyknął. – Chyba nie mówicie poważnie. To niepraktyczne, nie do utrzymania w czystości.

Vinara uśmiechnęła się.

– A co takiego zamierza robić Wielki Mistrz, co mogłoby poplamić jego szatę?

– Upijać się winem? – mruknął Jerrik.

Pozostali wybuchnęli śmiechem.

– A zatem biel – oznajmił Osen.

– Zaczekajcie. – Balkan spoglądał na każdego z nich po kolei, po czym potrząsnął głową. – Dlaczego mam wrażenie, że już zdecydowaliście, a ja nie mam żadnych szans z wami wygrać?

– To dobry znak – powiedziała Vinara. – Wygląda na to, że wybraliśmy do starszyzny ludzi z silnym charakterem. – Rozejrzała się po zgromadzonych i uśmiechnęła się, kiedy jej spojrzenie napotkało wzrok Rothena. – Jeszcze się nie domyśliłeś, Mistrzu Rothenie?

Wbił w nią wzrok, zdumiony tym niespodziewanym pytaniem.

– Nie domyśliłem czego?

– Oczywiście to musi jeszcze zostać poddane pod głosowanie, ale nie sądzę, by ktokolwiek się sprzeciwił.

– Czemu?

Uśmiechnęła się szeroko.

– Gratulacje, Rothenie. Zostałeś wskazany na stanowisko nowego przełożonego studiów alchemicznych.

Ze szczytu dwupiętrowego domu widać było, że gruzowisko tworzy idealne koło. Był to otrzeźwiający widok.

Jeszcze jedno do mojej listy, pomyślał Cery. *Oprócz ruin murów, długiego rzędu ciał wystawionych przez Gildię na trawniku przed Uniwersytetem i wyrazu twarzy Sonei, kiedy Rothen przekonał ją wreszcie, żeby zostawiła ciało Akkarina.*

Wzdrygnął się i spojrzał znów w dół. Setki ludzi przeciskały się przez gruzy. Znaleziono kilku żywych, zagrzebanych na samym skraju zniszczonego terenu. Nie sposób było stwierdzić, ilu ich mogło się jeszcze ukrywać po domach, kiedy nastąpił wybuch. Większość zapewne nie przeżyła.

Wszystko przez niego. Powinien był zwrócić większą uwagę na ostrzeżenia Savary, co się może stać, kiedy Ichani umrze. On jednak zanadto przejmował się sposobami zabicia maga, żeby myśleć o tym, jak jego ludzie mają to przeżyć.

– Znowu tutaj?

Jej ręce objęły go w pasie. Zmysły wypełnił znajomy korzenny zapach. Serce podskoczyło mu na moment, ale potem znów zabolało.

– Musisz wyjechać? – spytał szeptem.

– Muszę – odpowiedziała Savara.

– Mogłabyś nam pomóc.

– Nie. Nie potrzebujecie mnie. Z pewnością nie potrzebujecie sachakańskiego maga. No i macie mnóstwo ochotników do niemagicznej roboty.

– Ja cię potrzebuję.

Westchnęła.

– Nie, Cery. Potrzebujesz kogoś, komu mógłbyś całkowicie i bezwarunkowo zaufać. Ja nigdy kimś takim nie będę.

Przytaknął. Miała rację.

Co wcale nie czyniło rozstania łatwiejszym.

Zacisnęła mocniej ramiona.

– Będę za tobą tęsknić – dodała cicho. – Jeśli… jeśli zechcesz mnie widzieć, wpadnę, kiedy tylko obowiązki zawiodą mnie w tę okolicę.

Odwrócił się do niej i uniósł jedną brew, jakby się nad czymś zastanawiał.

– Może będę miał w zapasie kilka butelek ciemnego anureńskiego.

Uśmiechnęła się promiennie, a Cery nie mógł nic poradzić na to, że podniosło go to na duchu, nawet jeśli uczucie to miało trwać raptem chwilę. Od czasu finałowej bitwy odczuwał straszliwy lęk przed jej utratą i usiłował powstrzymać ją od wyjazdu. Ale Savara nie była w Kyralii na swoim miejscu. Nie teraz. A on pozwalał, żeby serce brało w nim górę nad zdrowym rozsądkiem. To jest coś, na co Złodziej nigdy nie powinien sobie pozwolić.

Ujął jej podbródek w dłoń, uniósł jej głowę i pocałował ją powoli i mocno. Po czym odsunął się.

– W takim razie jedź. Wracaj do domu. Nie lubię długich pożegnań.

Uśmiechnęła się i odwróciła. Patrzył za nią, jak powolnym krokiem podchodziła do przejścia prowadzącego na dach i potem schodziła po stopniach na dół. Kiedy zniknęła, spojrzał z powrotem na ludzi pracujących w dole.

Wiele się zmieniło. Musi być gotów na konsekwencje. Docierały do niego strzępy nowin i zapewne nie był jedynym, który zdawał sobie sprawę, do czego mogą prowadzić. Jeśli Król rzeczywiście zniesie doroczną Czystkę, Złodzieje stracą jeden z powodów do współpracy. No i słyszał też pogłoski o umowach zawieranych przez niektórych przywódców półświatka.

Uśmiechnął się i wyprostował ramiona. Przygotowywał się na dzień, w którym zabraknie wsparcia Akkarina. Nawiązał kontakty i pozawierał umowy z wpływowymi ludźmi. Zgromadził bogactwa i informacje. Miał mocną pozycję.

Wkrótce przekona się, czy dostatecznie mocną.

Powóz kołysał się łagodnie na resorach. Za oknem przemykały niekończące się pola, a gdzieniegdzie pojawiały się zabudowania. Wewnątrz powozu Dannyl i Tayend wznieśli toast.

– Za Mistrza Osena, który mianował cię Ambasadorem Gildii w Elyne – powiedział Tayend. – I za pozwolenie na podróż lądową.

– Za Osena – powtórzył Dannyl i pociągnął łyk wina. – Wiesz, że zostałbym, gdyby mnie o to poprosił.

Tayend uśmiechnął się.

– Tak, a ja zostałbym z tobą, choć cieszę się, że do tego nie doszło. Kyralianie są przygnębiająco *zachowawczy*. – Uniósł kieliszek do ust, odwrócił wzrok i spoważniał. – To sprytny ruch z jego strony. Wielu ludzi będzie teraz podawać w wątpliwość autorytet Gildii. Okazała się niezbyt dobrze przygotowana do wojny.

Dannyl zaśmiał się.

– Owszem, niezbyt.
– Więcej ludzi będzie miało pokusę myśleć jak Dem Marane – ciągnął Tayend. – Będziesz musiał przekonać ich, że Gildia wciąż ma władzę w zakresie magii.
– Wiem.
– Pozostaje też kwestia czarnej magii. Musisz uzmysłowić ludziom, że Gildia naprawdę nie ma wyboru, musi się jej na powrót nauczyć. Najbliższe miesiące mogą być bardzo pracowite.
– Wiem.
– Może nawet lata. – Tayend uśmiechnął się. – Ale oczywiście nie ma powodu, żebyś opuszczał Elyne, kiedy skończy się kadencja Ambasadora, prawda?
– Nie – Dannyl uśmiechnął się w odpowiedzi. – Osen nominował mnie na to stanowisko na czas nieokreślony.
Tayend otworzył szeroko oczy ze zdumienia.
– Naprawdę? To wspaniale!
– Wspomniał coś o tym, że Elyne służy mi lepiej niż Kyralia. I że nie powinienem przejmować się plotkami tak bardzo, by miały mi one przeszkodzić w cieszeniu się przyjaźnią.
Uczony uniósł lekko brwi.
– Tak powiedział? Myślisz, że on wie o nas?
– Zastanawiam się. Nie sprawiał wrażenia, jakby miał coś przeciwko. Ale może tylko dopatruję się w jego słowach czegoś więcej. On dopiero co stracił przyjaciela i nauczyciela. – Dannyl urwał na moment. – Choć zastanawiam się, co by się naprawdę zmieniło, gdyby ludzie się dowiedzieli.
Tayend zmarszczył czoło.
– Żeby tylko nie przyszły ci do głowy jakieś głupie pomysły. Jeśli zdradzisz coś Gildii, możesz wywołać ich oburzenie i odeślą cię z Elyne. Ja oczywiście pojadę znów za

tobą, a kiedy cię znajdę, dam ci niezłego kopniaka za to, że jesteś takim głupcem. – Urwał i uśmiechnął się promiennie. – Kocham cię, ale kocham również fakt, że jesteś ważnym magiem Gildii.

Dannyl zaśmiał się.

– Niech ci będzie. Mogę zrezygnować z części tej ważności, nawet z Gildii, ale „mag" pozostanie.

Tayend uśmiechał się.

– Och, wątpię, czy kiedykolwiek zmienię zdanie co do ciebie. Obawiam się, że jesteś na mnie skazany.

EPILOG

Odziana na czarno postać wyszła przez odbudowaną dopiero co Bramę Północną. Jak zwykle ludzie zatrzymywali się, by się jej przyjrzeć, a dzieci wykrzykiwały jej imię i biegły za nią.

Rothen przyglądał się Sonei uważnie. Mimo że pełnił dziś funkcję jej przybocznego, to nie obowiązki z tym związane były przyczyną jego niepokoju. Nie była tak blada od momentu, kiedy po raz pierwszy zamknęła się w jego mieszkaniu. Czując na sobie jego wzrok, odwróciła się ku niemu z uśmiechem. Rozluźnił się nieco. Zgodnie z jego przewidywaniem, zyskała wiele dzięki pracy, którą zaczęła w slumsach. W jej oczach pojawiła się na nowo nikła iskierka życia, w krokach odrobina pewności siebie.

Szpital przy bramie zbudowano w ciągu kilku krótkich miesięcy. Rothen spodziewał się, że bylcom zajmie nieco czasu przezwyciężenie nienawiści i braku zaufania do magów, ale już pierwszego dnia pojawił się tu tłum i tak było codziennie.

Powodem była Sonea. Kochali ją. Wyszła spomiędzy nich, uratowała miasto i wróciła do slumsów, by im pomagać.

Dorrien towarzyszył jej od samego początku. Jego biegłość w sztuce uzdrawiania była potrzebna, a doświadczenie w pracy wśród farmerów i drwali też okazało się pomocne w budowaniu zaufania bylców. Przyłączyli się też inni Uzdrowiciele. Wyglądało na to, że Sonea nie jest jedynym magiem, który uważa, iż magiczne leczenie powinno być dostępne nie tylko dla Domów.

Kiedy dotarła do szpitala i weszła do środka, wyszedł jej naprzeciw Mistrz Darlen.

– Jak nocna zmiana? – spytała.

– Dużo pracy. – Uśmiechnął się, wyraźnie zmęczony. – Ale kiedy jest inaczej? Och, i znalazłem kolejnego potencjalnego rekruta. Dziewczynka, około piętnastu lat, ma na imię Kalia. Wróci później z ojcem, jeśli on pozwoli jej do nas dołączyć.

Sonea potaknęła.

– A jak zapasy?

– Mało, jak zwykle – odparł Darlen. – Kiedy wrócę do Gildii, porozmawiam z Mistrzynią Vinarą.

– Dziękuję, Mistrzu Darlenie.

Skinął jej głową, a następnie skierował się do drzwi. Sonea zatrzymała się i rozejrzała się po pokoju. Rothen powędrował wzrokiem za jej spojrzeniem i zauważył tłum czekających pacjentów, kilku gwardzistów, których wynajęto do utrzymywania porządku, i felczerów, którym dano tu pracę ze względu na ich znajomość medycyny, żeby pomagali w lżejszych przypadkach. Nagle Sonea zaczerpnęła gwałtownie powietrza i zwróciła się do stojącego w pobliżu gwardzisty.

– Ta kobieta, o tam, z dzieckiem otulonym w zielony pled… Przyprowadź ją do mojego pokoju.

– Tak, pani.

Rothen zaczął rozglądać się za wskazaną kobietą, ale Sonea już wyszła z poczekalni. Udał się za nią do niewielkiego pokoju, w którym stały stół, łóżko i kilka krzeseł. Siedziała, uderzając rytmicznie palcami w blat. Rothen przysunął sobie jedno z krzeseł i usiadł koło niej.

– Znasz tę kobietę?

Rzuciła mu spojrzenie.

– Tak. To... – Urwała, słysząc pukanie do drzwi. – Wejdź.

Natychmiast rozpoznał tę kobietę. Ciotka Sonei uśmiechnęła się i usiadła na krześle po drugiej stronie stołu.

– Miałam nadzieję, że dziś będziesz tu ty, Soneo.

– Witaj, Jonno – odpowiedziała Sonea, uśmiechając się do niej czule... ale ze zmęczeniem, jak zauważył Rothen. – Chciałam cię odwiedzić, ale byłam taka zajęta. Jak się miewa Ranel? I moi kuzyni?

Jonna zerknęła na dziecko.

– Hania ma okropną gorączkę. Próbowałam wszystkiego...

Sonea położyła delikatnie dłoń na czole niemowlęcia. Zmarszczyła brwi.

– Owszem. To początki błękitnej wysypki. Mogę nieco wzmocnić Hanię. – Przez moment siedziała w milczeniu. – Już. Obawiam się jednak, że będziecie musieli to przeczekać. Dawaj jej dużo napojów. Odrobina soku z marinów też nie zaszkodzi. – Sonea podniosła wzrok na ciotkę. – Jonno, czy nie moglibyście... zamieszkać ze mną?

Oczy kobiety zrobiły się wielkie jak spodki.

– Wybacz, Soneo, ale nie potrafiłabym.

Sonea spuściła wzrok.

– Wiem, że nie czujesz się swobodnie, mając dookoła magów, ale... proszę, rozważ to. Ja... – Zerknęła na Rothena. – Myślę, że ty też powinieneś się dowiedzieć, Rothenie. – Przeniosła wzrok znów na Jonnę. – Chciałabym mieć w pobliżu kogoś znanego i zwyczajnego. – Kiwnęła głową w kierunku dziecka. – Zamienię wszystkich Uzdrowicieli w Gildii na twoje praktyczne rady.

Jonna wpatrywała się w Soneę w taki sposób, że Rothen zmieszał się. Sonea skrzywiła się nieco i położyła sobie rękę na brzuchu. Jonna wybałuszyła oczy.

– Och.

– Tak. – Sonea potaknęła. – Boję się, Jonno. Nie planowałam tego. Uzdrowiciele zajmą się mną, ale nie uleczą mnie z lęku. Może tobie się uda.

Jonna zmarszczyła brwi.

– Mówiłaś, że magowie mają swoje sposoby, żeby zapobiegać pewnym rzeczom.

Ku absolutnemu zdumieniu Rothena Sonea spłoniła się niczym róża.

– Wygląda na to, że lepiej, kiedy to kobiety zajmują się... taką ochroną. Mężczyzn najwyraźniej uczą pewnych rzeczy dopiero na wyraźne żądanie – powiedziała. – Nowicjuszki bierze się na stronę, gdy tylko Uzdrowiciele uznają, że mogą zacząć wykazywać zainteresowanie chłopakami, ale ja byłam tak nielubiana, że nikt nie uznał, że warto mnie tego uczyć. Akkarin – urwała i przełknęła ślinę – zapewne sądził, że zostałam poinstruowana. A ja zakładałam, że to on zajął się tą sprawą.

Do Rothena wreszcie dotarło, o co chodzi, i przyjrzał jej się uważnie. Przyłapał się na tym, że liczy miesiące, które upłynęły od jej wygnania. Trzy i pół, może cztery. Szaty wszystko ukryją...

Spojrzała na niego przepraszająco.

– Wybacz, Rothenie. Zamierzałam ci powiedzieć w jakiejś bardziej stosownej chwili, ale kiedy zobaczyłam Jonnę, musiałam wykorzystać sytuację...

Oboje podskoczyli, kiedy Jonna wybuchnęła śmiechem, wskazując palcem na Rothena.

– Nie widziałam takiej miny, odkąd powiedziałam Ranelowi, że spodziewamy się pierwszego! Myślę, że może ci magowie nie są aż tak mądrzy, jak się wydaje. – Uśmiechnęła się promiennie do Sonei. – A więc będziesz mieć dziecko. Nie wyobrażam sobie dziecka wyrastającego na rozsądne w otoczeniu samych magów.

Sonea uśmiechnęła się krzywo.

– Ja też nie. No więc…?

Jonna pomyślała przez chwilę, po czym kiwnęła głową.

– Tak. Zamieszkamy z tobą przez jakiś czas.

PRZEWODNIK PO ŻARGONIE SLUMSÓW

UŁOŻONY PRZEZ MISTRZA DANNYLA

Bylec – mieszkaniec slumsów
Czujka – obserwator stojący na posterunku
Eja – wykrzyknik oznaczający zdziwienie, pytanie lub mający zwrócić uwagę
Flis – paser
Gość – włamywacz
Klient – człowiek, który ma układ ze Złodziejami lub zobowiązania wobec nich
Krwawe pieniądze – zapłata za morderstwo
Majcher – zabójca
Mątwa – człowiek grający na dwa fronty, dwulicowy
Mątwić – grać na dwa fronty, oszukiwać
Ogon – szpieg
Praworządny – godny zaufania
Rodzina – najbliżsi i najbardziej zaufani współpracownicy Złodzieja
Złodziej – przywódca grupy przestępczej
Złota żyła – mężczyzna, który woli chłopców

SŁOWNICZEK

ZWIERZĘTA

Anyi – ssaki morskie o krótkich kolcach
Ceryni – niewielki gryzoń
Ćmy aga – szkodniki niszczące odzież
Enka – rogate zwierzę domowe, hodowane na mięso
Eyoma – morska pijawka
Faren – ogólna nazwa pajęczaków
Gorin – duże zwierzę domowe hodowane jako pociągowe i na mięso
Harrel – niewielkie zwierzę domowe hodowane na mięso
Limek – dziki pies
Mullook – dziki ptak nocny
Rassook – gatunek ptactwa domowego hodowany na mięso i pierze
Ravi – gryzoń większy od cerynia
Reber – zwierzę domowe hodowane na mięso i wełnę

ROŚLINY/JEDZENIE

Brasi – zielone liściaste warzywo z małymi pączkami
Chebol, sos – gęsty sos do mięs sporządzany ze spylu
Curren – gruba kasza o mocnym smaku
Gan-gan – kwitnący krzew z Lanu
Iker – narkotyk pobudzający, ponoć również afrodyzjak
Kreppa – roślina lecznicza o niezwykle przykrym zapachu

Marin – czerwony owoc cytrusowy
Pachi – słodki, odświeżający owoc
Papea – przyprawa podobna do pieprzu
Piorre – niewielkie owoce o kształcie dzwonków
Raka – pobudzający trunek przyrządzany z pieczonych fasolek pochodzących z Sachaki
Spyl – mocny trunek sporządzany z tugoru; także: męty, szumowiny rzeczne
Sumi – gorzki napój
Telk – roślina, z której nasion wyciska się olej
Tenn – jej ziarna rozbija się na drobne kawałki, które można ugotować, albo też zemleć na mąkę
Tugor – korzeń podobny do pasternaku
Vare – gatunek winorośli, z niej produkuje się większość win

UBRANIE / BROŃ
Inkal – kwadratowy znak, podobny do herbu, naszywany na ramieniu lub mankiecie
Kebin – żelazna pałka z hakiem do wyrywania przeciwnikowi noża; typowa broń gwardzistów

MIEJSCA PUBLICZNE
Browar – wytwórnia spylu
Gościniec – dom z wynajmowanymi pokojami (jeden pokój na jedną rodzinę)
Łaźnia – miejsce, w którym można za pieniądze uzyskać usługi kąpielowe i kosmetyczne
Spylunka – karczma, w której można wypić spyl, zazwyczaj również z pokojami wynajmowanymi na krótki czas

KRAJE ZIEM SPRZYMIERZONYCH
Elyne – najbliższy sąsiad Kyralii, także najbliższy jej kraj pod względem kultury, charakteryzuje się łagodnym klimatem
Kyralia – siedziba Gildii

Lan – górzysta kraina zamieszkiwana przez wojownicze plemiona
Lonmar – pustynna kraina, ojczyzna surowej religii Mahga
Vin – wyspy, ojczyzna ludu żeglarzy

INNE TERMINY

Czop – monety nałożone na patyk, wartością odpowiadające wyższemu nominałowi
Maty simba – maty tkane z trzciny
Okienniki – rodzaj parawanów stawianych na parapetach okiennych, wewnętrzne okiennice

SPIS TREŚCI

CZĘŚĆ DRUGA

GILDIA MAGÓW

Księga pierwsza Trylogii Czarnego Maga

Co roku magowie z Imardinu gromadzą się, by oczyścić ulice z włóczęgów, uliczników i żebraków. Mistrzowie magicznych dyscyplin są przekonani, że nikt nie zdoła im się przeciwstawić, ich tarcza ochronna nie jest jednak tak nieprzenikniona, jak się im wydaje.

Kiedy bowiem tłum bezdomnych opuszcza miasto, młoda dziewczyna, wściekła na okrutne traktowanie jej rodziny i przyjaciół, ciska w tarczę kamieniem - wkładając w to całą swoją złość. Ku zaskoczeniu wszystkich, kamień przenika przez barierę i dosięga jednego z magów.

Coś takiego jest nie do pomyślenia. Oto spełnił się najgorszy sen Gildii: w mieście przebywa nieszkolona magiczka. Trzeba ją znaleźć - i to szybko, zanim jej moc wyrwie się spod kontroli, niszcząc zarówno ją, jak i miasto.

NOWICJUSZKA

Księga druga Trylogii Czarnego Maga

Imardin to miasto ponurych intryg i niebezpiecznej polityki, gdzie władzę sprawują ci, którzy obdarzeni są magią. W ten ustalony porządek wtargnęła bezdomna dziewczyna o niezwykłym talencie magicznym. Odkąd przygarnęła ją Gildia Magów, jej życie zmieniło się nieodwracalnie – na lepsze czy gorsze?

Sonea wiedziała, że nauka w Gildii Magów nie będzie łatwa, ale nie przewidziała niechęci, jakiej dozna ze strony innych nowicjuszy. Jej szkolnymi kolegami są synowie i córki najpotężniejszych rodów w królestwie, którzy zrobią wszystko, żeby poniosła klęskę – nie licząc się z kosztami. Niemniej przyjęcie opieki Wielkiego Mistrza Gildii może dla Sonei oznaczać jeszcze marniejszy los. Albowiem Wielki Mistrz Akkarin skrywa sekret znacznie czarniejszy niż jego szaty.

Skład: D2D.PL
ul. Morsztynowska 4/7, 31-029 Kraków, tel. 012 432 08 52

Wyłączny dystrybutor:
PLATON Sp. z o.o.
ul. Kolejowa 19/21, 01-217 Warszawa, tel./fax. 022 631 08 15

Druk i oprawa:
OPOLgraf SA

www.opolgraf.com.pl